DE ILLUSIONIST

Carol O'Connell

De Illusionist

THRILLER

MEULENHOFF-M

Dit boek is opgedragen aan een generatie, en een tijdperk van jazzlief-
hebbers en sigarettenrook, boerenjongens uit Nebraska in Parijs,
vrouwen in uniform en vrouwen in lovertjes, ontploffende bommen,
liedjes van Gershwin en Billie Holiday, onafzienbare rijen grafstenen
overal ter wereld, de steden die ten onder gingen en de mensen die ze-
gevierden.

Eerste druk april 2000
Vertaling Cherie van Gelder
Omslagontwerp Mariska Cock
Omslagfoto Michael Trevillion
Foto achterplat Jerry Bauer

Copyright © 2000 Carol O'Connell
Copyright Nederlandse vertaling © 2000 J.M. Meulenhoff bv,
Amsterdam
Meulenhoff-*M is een imprint van J.M. Meulenhoff bv, Amsterdam
Oorspronkelijke uitgever Hutchinson

Oorspronkelijk verschenen onder de titel *Shell Game*

ISBN 90 290 6680 6 / CIP / NUGI 331

Proloog

De oude man liep gelijk met hem op en rende toen vooruit in een plotselinge uitbarsting van energie en angst – alsof hij nog meer van Louisa hield. Man en jongen holden op de schreeuw af: een lange, hoge noot, een kreet zonder adempauze, onmenselijk van standvastigheid.

Malakhais hele lichaam schrok wakker met heftige stuiptrekkingen van zwaaiende armen en trappelende benen en stoof naakt de werkelijke, tastbare wereld van zijn bed en de verkreukelde bezwete lakens binnen. Terwijl hij in het donker haastig opstond, stootte hij een tafeltje om waardoor een wekker op de grond viel, het glas van de wijzerplaat brak en het rinkelen meteen ophield.

Een koude vlaag tocht trok langs zijn blote voeten en duwde de deur open. In het licht van een lamp aan de muur in de gang wierp hij een schaduw op de vloer van de slaapkamer en hij draaide langzaam om zijn as zonder iets van het meubilair te herkennen. Een lang zwart gewaad lag over de armleuningen van een stoel gedrapeerd. Huiverend pakte hij het onbekende kledingstuk op en sloeg het als een cape om zijn schouders.

Een schuifraam stond op een kier. Witte gordijnen bolden naar binnen en uit een goot druppelde water met plofgeluidjes op de vensterbank. Hij keek met een ruk op. Een zwarte vlieg gierde in kringen rond een kroonluchter met donkere elektrische kaarsen.

Malakhai stoof de deur uit en een gang met aan weerszijden gesloten deuren door, terwijl het lange gewaad achter hem aan fladderde. De nauwe gang kwam uit op een zitkamer van ruime afmetingen vol helder licht. Er waren te veel stoffen en kleuren. Hij kon ze alleen maar verwerken als stukjes van een mozaïek: het patroon van het tinnen plafond, mosgroene muren, ruggen van boeken, geaderd marmer, bewerkte mahonie lijsten en flarden brokaat.

In de spiegel boven de schoorsteenmantel ving hij een glimp op van een hoofd dat rondkeek. Zijn rechterarm kwam langzaam omhoog om zijn ogen voor het onmogelijke te beschutten. En nu staarde hij naar het gerimpelde vlees op de rug van zijn opgeheven hand, naar de dikke aderen en de bruine levervlekken.

Hij trok het gewaad strak om zich heen, als een dunne zijden beschermlaag tegen nog meer verwarring. Het was altijd wreed om wakker geschud te worden.

Hoe groot was het deel van zijn leven dat hem was afgenomen, vernietigd door zijn hersenweefsel? Malakhai trok een fluwelen gordijn opzij om naar buiten te kijken. Hij wist nog steeds niet welke dag of zelfs welk jaar het was, hij begreep alleen dat het nacht was en dat zijn leven grotendeels achter de rug was.

De wekker naast zijn bed was om een bepaalde reden afgelopen. Welke die precies was, moest hij zich zonder hulp van buitenaf proberen te herinneren. Als hij om hulp zou vragen was dat hetzelfde als wanneer hij zich in het openbaar bevuilde.

Terwijl hij moeizaam de weg van zijn negentiende tot aan een punt ruimschoots voorbij de middelbare leeftijd aflegde, liep hij naar de spiegel om de schade zo goed mogelijk in te schatten. Zijn dikke bos haar was wit geworden. Het vlees was stevig, maar getekend door de lijnen van een zowel boeiend als lang leven. Alleen zijn ogen waren vreemd genoeg niet veranderd en nog steeds donker metaalblauw.

Het dikke materiaal van het tapijt voelde zacht aan onder zijn blote voeten. De ingeweven kleuren waren levendig, hoewel aan de franjes te zien was dat het al heel oud was. Hij kon zich nog herinneren dat hij dit kleed van een antiquair had gekocht. De palissander butlertafel was uit dezelfde winkel afkomstig. Er stond een zilveren dienblad met kristallen glaswerk op. Nu hij zich wat beter op zijn gemak voelde in deze bejaarde verpersoonlijking, pakte Malakhai de karaf op en schonk een glas Spaanse sherry in.

Tegenover het televisietoestel stonden twee leunstoelen. Natuurlijk – een voor een levende en een voor een dode. Nou ja, dat was normaal, want het jaar dat zijn vrouw gestorven was, lag al lang achter hem.

Het televisietoestel met zijn enorme afmetingen was de beste indicatie voor het jaar waarin hij leefde. Zijn ziekte en geheugen hadden hem een poets gebakken waardoor hij zijn vlucht door deze aangrenzende kamers in de jaren veertig was begonnen en zich nu aan het eind van de twintigste eeuw in een gemakkelijke stoel nestelde, een tijdreiziger die even op adem moest komen en zijn kompas moest controleren. Hij was niet meer in Frankrijk. Dit was de westelijke vleugel van een privé-kliniek in de noordelijke hoek van de staat New York en zo meteen zou hij zich herinneren waarom de wekker was afgelopen.

Op de armleuning van zijn stoel lag een afstandsbediening en onder het donkere glazen scherm gloeide een rood lampje. Hij drukte op het AAN/UIT-knopje en het toestel kwam tot leven met een plotselinge stortvloed van bewegende beelden en een harde, bevelende stem. Malakhai zette het geluid uit.

6

Er kon ieder moment iets belangrijks gebeuren, maar wat? Zijn hand kromp samen van ergernis en hij morste een paar druppeltjes sherry uit het glas.

Nu zat ze naast hem, gleed zijn hoofd binnen dat meteen vervuld was van genegenheid en ze voelde met volmaakt begrip zijn gedachten aan. Op een bijzettafeltje voor haar eigen stoel stond een tweede glas, een scheutje sherry voor Louisa – nog steeds dorstig na al die jaren in de koude grond.

Op het grote scherm nam een gezelschap oude heren in smoking hun hoge hoeden af voor de camera. Achter hen verrees het oude openluchttheater in Central Park. Het hoge stenen gewelf was aan weerszijden voorzien van elegante lijsten en pilaren uit het begin van de twintigste eeuw. De vorm van de stenen op het plein, waar het publiek met behulp van fluwelen koorden naar hun staanplaatsen werd geleid, herhaalde zich in de achthoekige patronen op de schuine wand. Boven de hoofden van de oude illusionisten was langs de bovenkant van de schelp een licht golvend spandoek gespannen, waarop met felrode letters het aanstaande Festival van de Magie in Manhattan werd aangekondigd.

Natuurlijk – de vooruitblik.

Dus was het nu november en over een week zou Thanksgiving Day gevolgd worden door een festival van illusionisten, waarop gepensioneerde artiesten uit het verleden acte de présence zouden geven naast de huidige snelle en flitsende generatie. Onder het beeld van een verslaggever met microfoon liep een tekst over de volle breedte van het scherm, die hem erop attent maakte dat dit een rechtstreeks verslag was zonder trucopnames. De camera zou voortdurend op de artiesten gericht blijven.

Malakhai glimlachte. De tv beloofde dat de kijkers niet bedrogen zouden worden, ook al zetten illusionisten hun publiek per definitie op het verkeerde been.

Het plein moest goed verlicht zijn, want het leek bijna alsof het klaarlichte dag was. Op het hoge stenen podium van het openluchttheater werd de meeste aandacht getrokken door een grote houten kist van iets meer dan acht vierkante meter. Malakhai kende de afmetingen precies; jaren geleden had hij een handje geholpen bij de bouw van het oorspronkelijke apparaat en dit was een nauwkeurige kopie. Dertien ondiepe treden leidden naar de bovenkant van het podium. Aan weerszijden van de brede onderste tree waren twee paar voetstukken aan het hout vastgeschroefd met daarop kruisbogen die omhoog gericht stonden op een schietschijf met zwart-witte concentrische ovalen. De camera kon de pennen niet zien waaraan de schietschijf tussen de hoge palen hing, dus leek het net alsof de schijf los boven het kleine houten podium hing.

Geheugen en tegenwoordige tijd vloeiden vrijwel in elkaar over. Oliver Tree stond op het punt een comeback te maken na een carrière die nooit van de grond gekomen was. Malakhai boog zich over naar Louisa's lege stoel. 'Kun jij Oliver in die rij oude mannen ontdekken?' Hij wees naar de kleinste van de groep, een oude man met de stralende blik van een jongetje dat mocht opblijven tot het grotemensenbedtijd was. Zijn hoofdhaar en baard waren zo kortgeknipt dat het leek of Oliver als een bejaarde teddybeer met een witte vacht bedekt was.

'Waar heeft hij al die tijd gezeten?' Op het moment dat de woorden over Malakhais lippen kwamen, herinnerde hij zich dat Oliver zich na zijn pensioen volledig aan het vinden van een oplossing voor de Verloren Illusie had gewijd.

De voetstukken van de kruisbogen waren gemaakt van gigantische raderen als die van een uurwerk, drie in elkaar grijpende, getande koperen schijven. Straks zouden de wapens de een na de ander hun pijlen afschieten, vier tijdbommen die de tikkende mechanismen met een ploinkend geluid van de pezen af zouden laten gaan. Alle blikken waren op de ovale schietschijf gericht. De televisiecamera zoomde in voor een close-up van het magazijn van een van de bogen. Dat was een lange smalle houten koker waarin precies drie pijlen pasten.

De camera week weer achteruit en gaf een totaalshot van het hele podium en twee geüniformeerde agenten. Een van hen hield een jute pop overeind, terwijl de andere agent de stoffen handen met handboeien aan de ijzeren ringen om de palen vastmaakte. Daarna knielden ze allebei op de houten vloer om enkelboeien om de gespreide benen te doen. Nu hing de pop met armen en benen wijd voor de schietschijf. Beneden, op het podium van het theater, stond de verslaggever in zijn microfoon te praten, waarschijnlijk om de geschiedenis van de Verloren Illusie te vertellen en van de reeds lang overleden bedenker ervan, de grote Max Candle.

Malakhai neeg zijn hoofd in de richting van Louisa's stoel. 'Ik had nooit verwacht dat het Oliver zou zijn die met de oplossing kwam.'

En zo was het ook. De gepensioneerde timmerman in het zijden goochelaarskostuum was vroeger het eenvoudigste lid van de groep geweest, een jongen uit het hartje van Amerika, die midden in een wereldoorlog was beland en geen flauw idee had gehad hoe hij weer thuis moest komen. Dus was Oliver nooit verder gekomen dan New York City. Misschien was hij door Parijs veel te verwend geworden om nog te kunnen aarden op de prairies van het middenwesten die hem hadden voortgebracht.

Op dat moment herinnerde Malakhai zich nog iets. Hij raakte de leuning van de stoel van de overleden vrouw aan en zei: 'Ik heb Oliver moeten beloven dat jij hiernaar zou kijken. Hij wilde dat jij getuige zou zijn van het mooiste moment van zijn leven.'

De camera maakte een panoramisch shot van het terrein. 'Er zijn misschien wel duizend mensen in dat park. En miljoenen anderen zien dit op tv. Niemand van ons heeft ooit zo'n groot publiek gehad.'

Oliver Tree had hen allen overvleugeld.

Er kwamen nog meer als verloren beschouwde herinneringen bovendrijven toen Malakhai zijn hand uitstak naar het bijzettafeltje en de officiële uitnodiging voor een voorstelling van illusionisten in Central Park oppakte. Hij las de in elegante letters gedrukte tekst en wendde zich toen tot de vrouw die er niet was. 'Hij draagt deze voorstelling aan jou op, Louisa.'

De rest van de tekst was voor Olivers doen een beetje cryptisch. Een vingerwijzing naar de dingen die komen gingen?

Malakhai keek weer naar het scherm toen de politiemannen klaar waren met het spannen van de kruisbogen. De raderen van de voetstukken werden allemaal door de langzaam draaiende tandwielen in beweging gezet. De pen van een mechaniek bereikte de bovenste punt van zijn cirkel en raakte de trekker van een kruisboog. De eerste pijl werd afgeschoten en vloog weg met een snelheid die voor het menselijk oog niet te volgen was. Een moment later begon het vulsel uit de jute pop te lopen op de plek waar de metalen schacht zich in zijn keel had geboord. De volgende boog werd afgeschoten, en weer een. Toen alle pijlen waren afgevuurd, was het stoffen wezen aan de schietschijf vastgenageld met pijlen door de nek, door beide benen en door de plek waar bij een mens het hart zat.

De agenten beklommen het podium, maakten de boeien los en de demonstratiepop viel op de planken. Ze pakten hem op en droegen hem tussen zich in naar beneden. Het zaagsel vloeide over de treden toen ze de trap afliepen. Ze maakten nog één ronde langs de voetstukken, spanden de wapens en lieten opnieuw pijlen los uit de magazijnen van de kruisbogen.

Oliver Tree stond onder aan de trap en overhandigde zijn hoge hoed aan een andere illusionist. Vervolgens sloeg hij een purperen cape om en trok de monnikskap over zijn witte haar. Terwijl hij langzaam omhoogklom naar de schietschijf, golfde de lange sleep van het gewaad over de trap achter hem aan.

Toen de oude man boven aan de trap was, bleef hij met zijn rug naar het publiek staan en hief zijn armen op. Met uitzondering van de bovenste rand, ging de hele schietschijf achter de cape schuil. De purperen zijde glansde en flonkerde van de weerschijn van de cameralichten. Daarna gleed de cape weg en viel leeg op de planken vloer. Op hetzelfde moment verscheen Oliver, alsof hij daar ter plekke uit de grond omhoog was geschoten, met het gezicht naar het publiek en wijdbeens met gespreide armen voor de schietschijf, aan handen en voeten geboeid, nu zelf het doelwit van de gespannen kruisbogen. De raderen van alle voetstukken waren in beweging. Nog heel even en de pijlen zouden worden afgeschoten.

Malakhai klapte in zijn handen. Tot dusver was de timing vlekkeloos geweest. Als het geluid aan had gestaan, had hij de eerste golf van applaus van het publiek op het plein kunnen horen. Oliver Tree had een leven lang op dit moment gewacht.

De illusionist trok zijn hoofd met een ruk naar één kant – de verkeerde kant – toen de raderen van het eerste voetstuk stopten en de boog zijn pijl losliet. Olivers gezicht vertrok in een schreeuw. Er zat bloed op zijn witte das en boord. Zijn mond bewoog krampachtig, ongetwijfeld in een smeekbede om te voorkomen dat de andere kruisbogen hun pijlen af zouden schieten en hem zouden doden. De politiemannen en de verslaggever schonken geen aandacht aan Olivers hulpkreten. Ze hadden kennelijk te horen gekregen dat de grote Max Candle bij de oorspronkelijke truc net zo geroepen had – vlak voor hij tijdens ieder optreden opnieuw stierf.

De volgende pijl werd afgeschoten en direct daarna weer een. Terwijl Oliver het uitschreeuwde van pijn stond de jonge verslaggever breed lachend voor de camera, waarschijnlijk zonder te beseffen dat de oude man hoog boven hem op het podium dodelijk gewond was. Het was heel goed mogelijk dat dit grijnzende kind van het televisietijdperk niet besefte dat alle bloed geen nepbloed was en dat de pijlen die zich in de benen van de oude man hadden geboord wel degelijk echt waren.

Het publiek keek met open mond toe. Hoewel het niets van goochelkunst af wist, herkenden de mensen de dood op het moment dat ze ermee geconfronteerd werden, op het moment dat die toesloeg, toen de laatste pijl in een flits Olivers hart doorboorde. Het gegil van de oude man hield op. Hij hing slap in zijn boeien en verzette zich niet meer. Zijn ogen waren wijd opengesperd, zonder te knipperen – verstard van angst.

Malakhai had veel ervaring met de dood. Hij wist dat die nooit onmiddellijk intrad. Misschien was Oliver zich ervan bewust, al was het maar een moment, dat een paar mensen in het publiek naar het podium toe kwamen en hem te hulp wilden schieten – alsof ze dat konden.

De verslaggever stond te lachen en wuifde de helpers weg, schreeuwend en gebarend, ongetwijfeld om hen te vertellen dat de dood deel van de voorstelling uitmaakte, een speciaal effect om hun kijkgenot te verhogen. Vervolgens keek de reporter omhoog naar het geketende lijk en zijn professionele glimlach verdween als sneeuw voor de zon, waarschijnlijk omdat het tot hem doordrong dat hier geen sprake van een truc was.

Dit was de ware aanblik van de dood.

De politieagenten, die veel vertrouwder met de dood waren, stonden al boven aan de trap. Ze maakten Olivers boeien los en lieten het lichaam voorzichtig op de houten vloer zakken. Vrouwen bedekten de ogen van hun kinderen. De cameraman negeerde de wild zwaaiende handen van de verslaggever die met zijn mond de woorden mimede dat hij op moest houden met filmen. Maar de lens was te verliefd op haar onderwerp en zoomde in op het van angst vertrokken gezicht van de dode illusionist en zijn levensechte bloed.

Louisa's sherryglas viel op de grond en de donkerrode vloeistof veroorzaakte een kring op het patroon van het kleed.

Malakhais handen gingen als vanzelf omhoog. Het kostte hem de grootste moeite om ervoor te zorgen dat ze elkaar niet raakten, zodat hij Louisa niet zou schokken met een geluid dat verdacht veel op applaus zou lijken. Zijn lippen gingen geluidloos uit elkaar in een stille schreeuw, een lachwekkende imitatie van Oliver wiens geluid al weggedraaid was voor er een eind aan zijn leven was gekomen. Vervolgens sloeg Malakhai zijn handen op elkaar, keer op keer met een kletsend geluid, klappend als een waanzinnige, terwijl de tranen over zijn gezicht biggelden en in warme, zoute stroompjes tussen zijn geopende lippen belandden.

Wat een bijzonder nummer – de moord op een man voor de ogen van een miljoenenpubliek.

I

Hij vroeg zich wel eens af waarom kinderen het niet uitschreeuwden als ze zagen welke monsters er op de wereld waren: een gigantische blauwe egel, een enorm dikke worm, een kat met het formaat van een drijvend paleis. Er waren nog andere bizarre wezens die brigadier Riker van de recherche niet thuis kon brengen.

De ochtendlucht was ijskoud. Alle jongens en meisjes waren dik ingepakt in wollen sjaals en gewatteerde jassen. Uit hun midden steeg een koor van zachte 'ooohs' en 'aaahs' op toen de kat met een vlinderdas van een meter of vijf breed uit een zijstraat tevoorschijn kwam. In zijn hoge hoed had een compleet restaurant gehuisvest kunnen worden. De grijnzende heliumballon werd aan de aarde gekluisterd door lange touwen in de handen van meelopende mensen die op lilliputters leken. Er stond een straffe wind terwijl de enorme zwevende kat zijn begeleiders meesleurde en eigenlijk was niet duidelijk wie nu eigenlijk wie aan de leiband had.

De ballon zat in de optocht tussen twee attracties die gewoon over straat reden, een huifkar, getrokken door vier levende paarden, en een praalwagen achter een auto, met 's werelds grootste pinda op twee benen. Nog meer praalwagens met de meest fantastische voorstellingen maakten tot aan 85th Street pas op de plaats. Ze wachtten op instructies om zich om beurten tot een rij te formeren met de heliumreuzen die door zandzakken aan de grond werden gehouden en tijdelijk in de zijstraten aan weerszijden van het natuurhistorisch museum waren gestald.

Blauwe houten dranghekken hielden langs Central Park West de horden toeschouwers op afstand. Halverwege de route die de optocht volgde, stond het publiek soms wel vijftig rijen dik en het was zelfs nog drukker op Herald Square, waar Broadway-artiesten zich het hart uit hun lijf tapdansten om warm te blijven. Maar hier bij het beginpunt op Upper West Side stond slechts één brede rij kijkers langs de parkzijde van de boulevard.

De rechercheur zat aan de zijkant van de praalwagen van de illusionisten met bungelende benen op de rand van een hoge hoed die op maat gemaakt leek voor King Kong, en trok zijn jas strakker om zich heen tegen de harde wind. Riker had het beste uitzicht van de hele stad op Macy's Thanksgiving Day Parade en daarvoor hield hij zijn partner verantwoordelijk. Hij draaide zich om naar de jonge blondine met de piloten-zonnebril. 'Vertel het me nog eens, Mallory. Wat doe ik hier eigenlijk?'

'Een etentje bij Charles thuis verdienen. Gebraden kalkoen.' Brigadier Mallory liet haar zonnebril zakken om hem nijdig aan te kijken en hem duidelijk te maken dat van rebellie vanmorgen geen sprake kon zijn. Af-spraak was afspraak.

In haar ogen die ze tegen de zon tot spleetjes had geknepen, gloeide een vals groen vuur zonder warmte. Nu ze volwassen was, vond Riker deze opvallende trek in haar gezicht iets minder zenuwslopend. Als klein meisje had ze de mensen de stuipen op het lijf gejaagd.

Ach, maar er waren nog steeds mensen bang voor haar, hè?

Nou, eerlijk gezegd was Kathy Mallory nu ook langer, een meter vijf-enzeventig, en ze droeg een revolver. Vijftien jaar geleden was één bad al genoeg geweest om het straatkind goed schoon te krijgen en bleek ze in bezit van een stralend witte huid die scherp contrasteerde met een prui-lende rode mond. En zelfs toen waren de fijn gevormde beenderen van haar kindergezicht al voor een uiterst dramatisch spel van licht en scha-duw gemaakt.

Deze ochtend droeg ze een lange jas met ceintuur. Het zwarte leer was te dun om veel bescherming tegen het weer te bieden, maar ze scheen de bittere kou niet te voelen. En dat paste prima bij Rikers idee dat ze af-komstig was van een andere planeet, donker en koud, het verst van de zon.

'Mallory, dit is tijdverspilling. Zelfs Charles denkt dat zijn dood een ongeluk was. Vraag het hem maar. Dat heb ík al gedaan.' Hij wist best dat ze dat nooit zou doen. Mallory hield niet van tegenspraak. De ande-re acht miljoen Newyorkers waren er echter vast van overtuigd dat Oli-ver Tree was gestorven doordat er iets bij een goocheltruc was misge-gaan.

Hij draaide zich om en keek naar de reusachtige speelkaarten die in de enorme hoedenband van glanzend staal waren gestoken. De middelste kaart tussen een aas en een twee toonde een portret van de grote Max Candle die dertig jaar geleden was gestorven. Drieëneenhalve meter bo-ven de rand van de hoge hoed stond de jongere neef van de overleden il-lusionist op de kroon, in gezelschap van twee andere mannen in roodsa-tijnen capes en zwarte smokings. Op dat hoge ronde podium liet Charles Butler zien dat hij, één meter negentig op zijn sokken, op zijn eigen ma-nier een reus was.

Ook al was Charles geen echte illusionist, het was niet moeilijk te zien waarom men hem op de praalwagen had uitgenodigd. De gelijkenis met zijn beroemde neef was heel sterk. Charles was inmiddels veertig en bijna even oud als de man op de foto. Zijn ogen hadden dezelfde blauwe kleur en zijn eveneens krullende lichtbruine haren waren zelfs even lang en hingen op dezelfde manier over de rand van zijn boord. Beide mannen hadden dezelfde gevoelige mond. Maar daarmee hield de vergelijking ook op. Wijlen Max Candle was een knappe man geweest, het gezicht van Charles was bijna een karikatuur met een neus die uitliep in een kromme haak van een formaat dat aan een roofvogel deed denken. De ogen met de zware oogleden puilden uit als bij een kikker en zijn kleine irissen zwommen verloren rond in een zee van wit. Max Candle had een stralende glimlach gehad. Zijn jongere neef lachte als een dwaas, maar wel zo sympathiek dat mensen onmiddellijk de neiging kregen om terug te lachen.

Charles Butler was Max Candle, gezien in een lachspiegel.

Op dat moment viel Rikers oog op zijn eigen spiegelbeeld in de brede hoedenband van glimmend metaal. Hij staarde naar zijn ongeschoren gezicht en bloeddoorlopen ogen. Grijzend haar piekte in wapperende plukken onder de rand van zijn oude vilten hoed vandaan. Hij droeg een verjaardagscadeautje van Mallory, de mooiste tweed overjas die hij ooit had gehad, geknipt voor een miljonair – wat verklaarde waarom hij eruitzag als een dakloze schooier in gestolen kleren.

Hij wendde zich tot zijn partner met de bedoeling haar nog eens te bedanken voor dat schitterende kledingstuk en iets sentimenteels en stoms te zeggen.

Welnéé.

'Dit keer sla je de plank echt mis, meid.' Sentimentaliteit zou hem bij haar te veel minpunten opleveren.

'Je weet niet zeker dat het geen moord was,' zei Mallory.

Wel waar. 'Ik vertrouw het rapport van die rechercheur van West Side. Hij zei dat er niets mis was met de apparatuur. De kruisbogen werkten precies zoals van ze verwacht werd. Die ouwe vent maakte gewoon een puinhoop van de truc.'

Ze draaide hem de rug toe, want dit was informatie uit de tweede hand en daar wenste ze niet meer naar te luisteren.

Riker strekte zijn nek om naar het ronde podium op te kijken. Charles Butler stond met vijf rode ballen te jongleren. De andere goochelaars lieten onder applaus van het publiek dieren en boeketten bloemen verdwijnen en weer tevoorschijn komen. Charles had er duidelijk lol in, een amateur die zich mocht meten met een paar van de beroemdste illusionisten die men zich kon heugen, ook al betrof dat oude herinneringen aan een andere tijd, want zijn metgezellen waren van de generatie uit de Tweede Wereldoorlog.

Riker wendde zich weer tot Mallory. Ze hield de toeschouwers scherp in de gaten, op zoek naar de eerste belastingbetaler die iets ongeoorloofds zou doen.

'Nou meid, misschien wílde Oliver Tree wel dood.'

'Dat weet je nooit,' zei Mallory. 'Maar de meeste zelfmoordenaars verkiezen toch een pijnloze manier boven vier scherpe pijlen.'

De leden van de fanfare van een middelbare school stonden op het trottoir hun instrumenten te stemmen. Een voetganger werd bijna onthoofd door de trombone toen de muzikant zich plotseling omdraaide zonder op de mensen te letten die zich om hem heen verdrongen. De jachthoorns en de tuba waren in strijd verwikkeld met de klarinet en de jongen met de grote trom had zich in zijn eigen wereld teruggetrokken, verveeld en vast van plan om iedereen binnen gehoorsafstand te treiteren.

Verdomde púbers!

Een peloton in lovertjes gehulde majorettes liep langs de praalwagen van de illusionisten. Twee knappe meisjes wuifden naar Riker, die op slag weer een hogere dunk kreeg van tieners in het algemeen. In hun kielzog sloot de volgende reus zich aan bij de optocht. Riker keek grinnikend omhoog naar een bolle zwevende brandweerman. Dit was een ballon die hij zich nog kon herinneren uit de tijd dat hij als vijfjarig jongetje op de schouders van zijn vader had gezeten. Vijftig jaar later waren veel afgedankte favorieten vervangen door nieuwe figuren. Aha, maar daar in de zijstraat verscheen nog zo'n oude vertrouwde knaap die op zijn beurt stond te wachten.

Door een web van kale boomtakken zag hij de gigantische Woody Woodpecker-ballon voorover vlak boven het wegdek zweven. De lange armen en benen waren uitgestrekt en één in een witte handschoen gestoken hand lag over een auto. Alle personen die de ballon moesten vasthouden waren ook als spechten uitgedost, maar zij leken op een stel wriemelende blauwe mieren met rood haar en gele schoenen terwijl ze de netten en de zandzakken weghaalden waarmee de vogel aan handen en voeten verankerd was.

'Hé Mallory, daar heb je Woody, je lievelingsballon. Weet je nog?'

Ze keek nu verveeld op, maar als kind had ze bij het zien van deze gigantische ballon grote ogen opgezet.

'Die heb ik nooit leuk gevonden,' zei ze.

'O, wat ben jij een léúgenaar.' Riker kon het bewijzen, want alle herinneringen aan die optocht van vijftien jaar geleden, toen hij haar nog steeds Kathy had mogen noemen, stonden hem nog tot in de kleinste details voor de geest. Het tienjarige meisje had op een koude dag in een andere november naast hem gestaan. Ze was net een schildpad op twee beentjes geweest, want Helen Markowitz had haar pleegkind gehuld in een laag truien, wollen sjaals en een dikke gewatteerde jas. Die dag hadden ze de ogen van de kleine Kathy Mallory min of meer moeten losweken van de gigantische specht, die er schitterend uitzag met zijn prachtige bos rood rubber haar en die magnifieke gele snavel.

Toen Riker weer opkeek, lieten de mensen die hem vasthielden net de touwen vieren waardoor de horizontale ballon zich oprichtte. Uiteindelijk zweefde de machtige vogel in zijn volle lengte van achttien meter boven de menigte en besloeg een flink deel van de helderblauwe lucht. Als Woody wilde, kon hij zo door de bovenste ramen van het museum kijken en zelfs op het dak.

'Je was dol op die ballon,' hield Riker vol.

Mallory deed net alsof ze hem niet hoorde.

Hij keek omlaag naar zijn afgetrapte schoenen en trok de rand van zijn hoed omlaag om zich te beschutten voor het felle licht van de ochtendzon. Hij werd langzaam maar zeker bekropen door een pijnlijk gevoel. Tijdens de feestdagen zorgde nostalgie altijd voor een nieuwe golf verdriet. Hij miste zijn oude vrienden. Die schat van een Helen was veel te vroeg, veel te jong gestorven. En tijdens een tweede voortijdige begrafenis was inspecteur Louis Markowitz naast zijn vrouw ter aarde besteld.

Eigenlijk geloofde Riker in zijn hart dat Lou Markowitz de eeuwige rust helemaal niet had gevonden, maar het waarschijnlijk erg moeilijk had, nu hij dood was. Soms kon hij bijna voelen hoe de geest van de oude man rond Mallory zweefde en bevend wachtte op het moment dat zijn pleegkind weer zou veranderen in het vervaarlijke wezen dat door de straten van de stad had rondgezworven.

Alsof ze ook maar een spat was veranderd.

Woody Woodpecker zweefde imposant boven Central Park West. Elke boom en elk hoog gebouw langs de boulevard viel bij hem in het niet en Riker moest aan Kathy Mallory's eerste optocht denken. Dapper had hij zich die dag voor de dwergendienst gemeld – politiejargon voor het vrijwillig oppassen op die blaag – zodat Helen en Lou de handen vrij hadden om oude vrienden tussen de toeschouwers te begroeten. Het eerste jaar dat Kathy bij haar pleegouders was ondergebracht, moest worden voorkomen dat ze met onschuldige burgers in contact kwam, want die zouden anders misschien kunnen fluiten naar de hand waarmee ze haar een aai over haar bol gaven. Het was maar goed dat Helen het kind zo stevig had ingepakt, want daardoor werd Kathy in haar bewegingen beperkt en waren haar handjes niet zo snel. Die dag was het voor Riker niet zo moeilijk geweest om de jeugdige dievegge te betrappen terwijl ze een portemonnee uit de handtas van een vrouw gapte. Hij was even vergeten met wie hij te maken had en had zich naar haar overgebogen om haar een standje te geven op een toon die speciaal bestemd was voor kleine kinderen – échte kinderen. 'Maar Kathy, waarom doe je nou zoiets ondeugends?'

Het kleine meisje had hem ongelovig aangekeken, met een blik in haar grote ogen die duidelijk zei: *Omdat stelen mijn beroep is, sufferd.* En dat had de toon gezet voor hun relatie door de jaren heen.

Hij schudde langzaam zijn hoofd. Louis Markowitz had vast een hartaanval gehad, toen zijn pleegdochter haar studie aan het Barnard College opgaf om bij de politie te gaan. Riker keek nog eens naar de schitterende jas die ze hem had gegeven als vervanging van het oude versleten vod dat een stuk beter bij zijn salaris had gepast... en bij het hare.

Hij keek opnieuw om naar Mallory, terwijl hem iets te binnen schoot waarmee hij haar kon pesten. 'In de kranten stond dat die ouwe vent niet eens een echte illusionist was. Het was zomaar iemand, een timmerman uit Brooklyn. Misschien wist Oliver Tree niet hoe...'

'Charles zegt dat die oude man samen met Max Candle heeft opgetreden. Dus ik ga ervan uit dat hij wist wat hij deed.' Ze draaide hem haar rug toe, een niet mis te verstane wenk dat haar mening vaststond; ze wenste er niet meer over te praten.

Dus bleef Riker natuurlijk gewoon doorzagen. 'Die vent was al over de zeventig. Heb je ook overwogen dat zijn timing misschien niet meer zo best was?'

'Nee, dat heb ik niet gedaan.' Uit ergernis begon ze iets harder te praten.

Móói zo! 'Ben jij soms een expert op het gebied van de goochelkunst?'

'Goochelen is boerenbedrog,' zei ze. 'Er is geen risico aan verbonden. Hij had nooit dood mogen gaan.'

Pruilde ze nou? Ja hoor. Dát begon erop te lijken.

'Geen risico, zeg je? Nooit? Dat heb je niet van Charles gehoord.' De jongere neef van Max Candle had patent op zoveel goocheltrucs dat een reclamebureau er jaloers op zou worden. 'Maar dat heb je hem ook nooit gevraagd, hè Mallory?'

Nee, natuurlijk had ze dat niet gedaan. Hij boog zich naar haar over om zijn laatste troef uit te spelen. 'En wat dacht je van seniliteit? Stel je nou eens voor dat die ouwe vent...'

'Uit zijn medische gegevens blijkt niets van seniliteit.' Ze draaide zich weer om alsof dat hem ervan zou weerhouden het laatste woord te hebben.

Dat was niet zo.

Riker durfde er zijn pensioen onder te verwedden dat ze de medische gegevens van de dode man nooit onder ogen had gehad. Hij wist zelfs zeker dat ze het rapport over het ongeluk niet eens had ingekeken. Mallory had het volste vertrouwen in haar instinct en daar verliet ze zich ook volkomen op.

En nu begreep hij ook welke rol ze hem had toebedacht. Ze had hem vandaag gewoon meegetroond als een vorm van machtsvertoon. Ze was van plan om het feestdiner van Charles te veranderen in een kruisverhoor van bejaarde illusionisten – die allemaal getuige waren geweest van een verdomd óngeluk.

'Ik vind nog steeds dat het niet klopt, meid. Je kunt niet zomaar nieuwe zaken uit de grond stampen. Niet zolang de NYPD nog een hele stoot lijken op de plank heeft liggen.'

Mallory negeerde hem alsof hij een valse noot van de fanfare was, die vlak bij hen stond te spelen, hard maar in een ongelijkmatig tempo.

Riker hief zijn handen ten hemel. 'Oké, laten we ervan uitgaan dat het echt moord was. Maar hoe kom je dan op het idee dat er tijdens de optocht iemand om zeep zal worden gebracht?' Dat kon ze niet verklaren en dat wist hij best. Ze verzon het hele verhaal waar hij bij stond.

'Mijn dader houdt van spektakel.' Inmiddels keek Mallory hem weer aan en leek ze plotseling bereid om te praten. 'Hij heeft een man vermoord tijdens een programma dat door de lokale tv werd uitgezonden. Deze optocht verschijnt in het hele land op het scherm. Als hij er nog één te pakken wil nemen, dan zal hij dat vandaag doen.'

Háár dader? Ze liep dus al vooruit op het moment dat zij zich de zaak kon toe-eigenen en beslag kon leggen op al het bewijsmateriaal. 'Mallory, vóórdat we ervan uitgaan dat een moord onderdeel vormt van een vast patroon, wachtten de meesten van ons toch tot we op zijn minst met twee moorden te maken hebben.'

'Maar stel je nu voor dat Charles de volgende is die vermoord wordt?'

Dat was een goed argument, al was het een onzinnige veronderstelling. Ze had er verstandig aan gedaan om hem met een smoesje zo ver te krijgen dat hij in zijn vrije tijd voor babysit ging spelen. Hoofdinspecteur Coffey was vast niet in dat verzinsel getrapt en ze zou dan ook geen cent van het budget van de afdeling bijzondere misdrijven van hem hebben losgekregen. En als de hoofdinspecteur haar uitgelachen had, zou ze hem dat nooit hebben vergeven. Mallory kon er absoluut niet tegen om op welke manier ook belachelijk te worden gemaakt.

Toch was dit echt een bespottelijk idee. En voor zo'n begenadigde leugenares was het maar een slap verhaal. Hij kwam ten slotte tot de conclusie dat ze vandaag haar dag niet had.

Toch mankeerde er doorgaans niets aan Mallory's instinct. Misschien zat er toch wel iets in. Ondanks alles moest hij zich wel afvragen waarom Oliver Tree een dergelijke gok had genomen. Die roekeloze stunt paste meer in het straatje van een jonge vent. Misschien had Mallory gelijk. Er kon best met de apparatuur zijn geknoeid. Hoewel de truc al erg oud was, had alleen een allang overleden illusionist geweten hoe hij precies in zijn werk ging. Volgens Charles Butler noemden ze het daarom Max Candles Verloren Illusie.

Een ballon in de vorm van een gigantische ijshoorn klapte tegen een scherpe boomtak en liep leeg onder het gejuich van verveelde Newyorkse kinderen.

Nu besefte Riker ook waarom Mallory het dossier van het fatale ongeluk niet had opgevraagd. Ze was niet van plan om het werk van een andere rechercheur aan de kaak te stellen tot ze iets feitelijks in handen had. Dus ze begon eindelijk te leren om niet meteen het hele korps tegen zich in het harnas te jagen. Nou, dat was een stap vooruit, een doorbraak zelfs, en daarvoor verdiende ze een schouderklopje. Hij nam zich voor om haar niet meer te pesten.

'Ik zeg nog steeds dat het een ongeluk was,' zei hij, terwijl zijn stem nog maar een beetje plagerig klonk.

O, shit!

Mallory had haar blik op iemand uit het publiek gevestigd. Haar ogen volgden hem op de manier van een kat die al dagenlang niets meer te eten had gehad.

Maar waaróm?

De jongeman op het trottoir droeg dezelfde kleren als de mannen op het podium op de hoge hoed. De eenzame goochelaar viel niet echt uit de toon en was niet half zo verdacht als de steltlopers en de mensen die verkleed als bananen rondwandelden.

Mallory had oogcontact gemaakt met haar verdachte die prompt als aan de grond genageld bleef staan. Voelde de jongen zelfs op die afstand aan dat iedere spier in haar lichaam zich spande om hem te bespringen? De jonge goochelaar ging weer op in de meute voetgangers; Riker liet zijn ingehouden adem ontsnappen en Mallory stond op om haar verse uitverkoren muis te midden van de menigte beter te kunnen volgen.

Zittend op zeven dravende paarden hadden mannen en vrouwen van de bereden politie zich bij de optocht aangesloten. De agenten zagen er met hun helmen, zwartleren jacks en rijlaarzen piekfijn uit. Ze droegen wapperende vlaggen met politie-emblemen. Terwijl ze hun paarden op één rij dwars over de boulevard intoomden, klapperden de vlaggen in de wind en de paarden briesten witte ademwolken uit.

De kamikazepiloot van een golfkarretje reed naar het midden van de rij toe, misschien met het idee dat de paarden wel voor hem opzij zouden gaan. Dat deden ze niet. Op een halve meter afstand van de knieën van een van de hengsten trapte de chauffeur vol op de rem. Riker vertrok zijn gezicht toen de idioot met een gewichtig air van achter het stuur opstond. Met opgezwollen borst onder zijn uniformjasje van de optochtleiding gebaarde hij met een zwaaiende arm dat de ruiters aan de kant moesten gaan.

De agenten van de bereden politie richtten hun zonnebrillen op een punt in de buurt van de burger met zijn golfkarretje. Ze keken hem niet aan en leken slechts licht afgeleid. Ze zaten stuk voor stuk doodstil in het zadel. Aan hun koppels hingen indrukwekkende houten wapenstokken en nog zwaardere wapens zaten veilig opgeborgen in de holsters. Op dat moment hieven de ruiters hun hoofd op naar de lucht. Dienders namen alleen orders aan van andere dienders. Hun onuitgesproken boodschap was duidelijk: als we je zouden zien, zouden we je eigenlijk moeten neerschieten, hè?

Het golfkarretje reed over de stoeprand in een haastige poging hen te omzeilen.

Kleine kerstkabouters met puntige oren en lange rode wollen mutsen troepten om de bereden politie heen en de kinderen staken hun handen omhoog om de paarden te strelen. Vlakbij stelde een cameraploeg hun apparatuur op om de praalwagen met de hoge hoed te filmen waarbij hun lenzen stevige concurrentie ondervonden van rondzwervende videocamera's van het publiek. De nieuwscamera werd op de hoek van het museum gericht waar een wervelende zijwind onder een andere ballon sloeg die de mensen die hem vasthielden meesleurde.

In het flatgebouw aan 81st Street hingen kinderen uit de ramen, gillend en wuivend naar een reusachtig zwevend jong hondje waarin ze de glanzend gouden hoofdfiguur uit hun lievelingstekenfilmserie hadden herkend. Zelfs de kabouters hielden op met het strelen van de paarden en stonden op en neer springend te wijzen, te schreeuwen en te zwaaien naar de ballon die hoog boven hen in de lucht hing en een schaduw afwierp die even groot was als een circustent. En hij wás ook schitterend, met zijn formaat waarbij alle leven op aarde in het niet leek te zinken. Riker schatte dat de halsband van de hond zeker negen meter breed was. De staart was net zo lang als drie limousines achter elkaar en schampte langs een raam op de tiende verdieping.

Een groep kerstboomversierselen op twee benen vlak in de buurt moest ook uit verklede kinderen bestaan, want zij probeerden de paarden nerveus te maken door als gekken rond te tollen en luchtsprongen van opwinding te maken. Het gegil van de kinderen wedijverde met de kakofonie van twee fanfares en toch bleef Mallory haar verdachte in het goochelaarskostuum strak in het oog houden. De jongen had zich teruggetrokken achter de blauwe dranghekken op het trottoir vlak bij een bekendere figuur van ongeveer dezelfde leeftijd als Riker.

Hij zwaaide naar de hoofdpatholoog-anatoom die daar samen met zijn vrouw en dochtertje stond. De man zwaaide terug en liet zijn gezin in de steek om onder de afzetting door te duiken.

'Morgen, Riker.' Dokter Slope kwam op de praalwagen toelopen met de gedistingeerde houding van een onbewogen generaal en hij was even moedig. 'Kathy,' schreeuwde hij en riskeerde een kogel door haar voor het front van al die agenten bij haar voornaam te noemen. 'We gaan morgen bij rabbijn Kaplan thuis pokeren. Kom je ook?'

Mallory wendde haar gezicht af van de verdachte en keek neer op de patholoog-anatoom. 'Spelen jullie ouwe wijven nog steeds om een habbekrats?'

Dokter Slope vertrok geen spier. 'Speel jij nog steeds vals?'

'Dat heb ik nog nooit gedaan,' zei Mallory.

'We hebben je er nooit op betrapt,' verbeterde dokter Slope haar. Hij draaide zich om en grijnsde tegen Riker. 'Ze was dertien toen ze voor het laatst meedeed aan een spelletje.'

Riker grinnikte. 'Ik heb wel gehoord dat Markowitz toen een klein rood opleggertje voor haar heeft gekocht – om haar winst mee naar huis te kunnen nemen.'

Dokter Slope bleek plotseling Oost-Indisch doof te zijn en wendde zich weer tot Mallory. 'Rabbijn Kaplan wil je er graag bij hebben. Acht uur precies. Kan ik tegen hem zeggen dat je komt?'

'Ik doe niet mee aan spelletjes met rare namen of losse kaarten,' zei Mallory. 'Het is pokeren of niets.'

'Afgesproken,' zei dokter Slope.

De wind dreef de goudenhondballon voort en een peloton mensen werd meegesleept, een stel mieren aan leibanden die hun best deden om het reusachtige beest met zijn capriolen binnen de route van de optocht te houden. Poten met overdreven grote klauwen strekten zich in een maffe galop. Zijn helderrode tong hing uit zijn bek en zijn ogen waren wijd opengesperd. De grote bek was tot opgewekte rubberpuppygrijns gevormd.

Op het podium boven op de praalwagen met de hoge hoed zat een van de oude mannen op zijn knieën, de armen uitgestrekt naar een kind om het een gele bal toe te werpen die als bij toverslag in zijn hand was verschenen.

Riker en de cameraploeg stonden net naar de ballonhond te kijken toen een pijl zich in de zijkant van de reusachtige hoge hoed boorde en natrillend van de plotselinge klap bleef staan. De ongevederde metalen staaf had de oude man met een van zijn jaspanden vastgenageld.

Een kruisboogpistool verdween onder de rode cape van de eenzame goochelaar tussen de toeschouwers. De jongen was dus stiekem teruggeslopen toen dokter Slope even hun aandacht had opgeëist.

Een moment later kwamen Mallory's sportschoenen met een plof op de grond terecht en ze zette het op een lopen.

Riker sprong van de rand van de praalwagen af en zijn botten kraakten toen hij op het harde wegdek terechtkwam. Hij ging achter haar aan zonder dat hij een schijn van kans had om zijn jonge partner in te halen. Hij kon Mallory en haar vluchtende verdachte volgen door te kijken naar het geruk aan de touwen als de mensen die ze vasthielden zonder pardon opzij werden gekegeld.

De knal van een schot.

Verrek, wat krijgen we nou?

Zijn maag schoot omhoog en plofte met een klap weer op de plaats. Terwijl de adrenaline kil door hem heen schoot, begon hij wat harder te lopen. Wat haalde Mallory zich in haar hoofd? Ze moest toch beter weten dan midden in een menigte een vuurwapen af te schieten. Zelfs een in de lucht geschoten kogel kon een onschuldige het leven kosten als de kogel weer met voldoende snelheid omlaagkwam om een menselijke schedel te doorboren.

Al die kleine kinderen... Jezus.

Rikers hart bonsde in zijn borst en zijn longen brandden. Hij minderde vaart om even op adem te komen, en nu zag hij een paar mensen van buiten de stad, moeders die hun kinderen iets steviger vasthielden. De echte Newyorkers hadden niet eens met hun ogen geknipperd toen het schot afging. Het was alweer vergeten en had plaatsgemaakt voor de herrie van de zoveelste fanfare van een middelbare school. De kleine krijsende fans van de gigantische hond scandeerden: 'Goldy, Goldy, Goldy.'

Toen hij zijn partner had ingehaald, zat ze boven op de geniepige goochelaar en was ze druk bezig zijn handen op zijn rug te boeien. De kruisboog lag op straat, onschadelijk zonder de bijbehorende pijl. Haar jas hing wijdopen en wapperde in de wind waardoor Riker kon zien dat haar revolver alweer in de holster zat. Haar voorgevoel was dus uitgekomen. Maar over dat schot zouden nog heel wat harde woorden vallen. En er was nog iets wat hem dwarszat.

Wat klopt hier niet aan?

Een achtervolging door de politie was topamusement in New York. Iedere arrestatie op straat leverde geheid een aandachtig publiek op. Vandaar dat Riker het zo vreemd vond dat iedereen naar boven stond te staren in plaats van naar beneden.

'Kijk eens naar het hondje!' schreeuwde een vijfjarig jongetje vanaf het trottoir en Riker richtte gehoorzaam zijn ogen op de gouden ballon. De staart van de kolos liep langzaam leeg en hing slap en zielig tussen de achterpoten omlaag. Het geweldige lijf maakte slagzij en leunde tegen de granieten gevel van een flatgebouw. Miniatuurmensjes op de balkons stoven naar binnen alsof ze werden aangevallen en eigenlijk was dat ook zo, dacht Riker. Het hele gebeuren leek sprekend op een scène uit een klassieke griezelfilm.

In een laatste, haast levensechte stuiptrekking strekte één gewonde poot zich uit naar een balkon, verloor vervolgens houvast en viel omlaag waarbij hij de bovenste takken van een boom schampte. De grote kop van het hondje zakte tegen de twaalfde verdieping van de stenen gevel en gleed toen langs het ene na het andere raam naar beneden. De rubber hond was aangeschoten en blies leeglopend de laatste adem uit.

Het vijfjarige jongetje wees naar Mallory. 'Dat heeft zíj gedaan... Dat mens met die grote revolver. Ze heeft op Goldy geschóten. Ze heeft hem vermóórd!'

Mallory wierp het joch een nijdige blik toe en Riker werd getrakteerd op een glimp van de tienjarige Kathy die hij vroeger had gekend. Op haar gezicht stond het bitse *Nietes!*-antwoord van een kind te lezen. Het jongetje op het trottoir ging wijselijk niet verder in discussie en verstopte zich achter de jas van zijn moeder.

Een bereden politieman galoppeerde naar Mallory en haar gevangene toe. De agent grinnikte terwijl hij zijn paard inhield en naar de beschadigde ballon wees. 'Mooi werk, brigadier.'

De mensen die de ballon vast moesten houden, gaven het op en holden weg om onder de gigantische jonge hond vandaan te komen, terwijl hij zowel helium als hoogte verloor.

'Jemig, Mallory,' zei de agent te paard. 'Zoiets groots heb ik nog nooit neergeschoten.'

Riker liep naar de bereden politieman toe en liet zijn overwicht gelden. 'Hou je bek, Henderson. Dat is een bevel. Rij nou maar door voor ze die verdomde knol van je doodschiet.'

'Dat heb ik niet gedaan,' zei Mallory achter de rug van Riker.

Nou ja, het lag voor de hand dat ze zou liegen om onder een schorsing uit te komen. Het afschieten van een vuurwapen in een menigte was een ernstige overtreding, maar het kapotschieten van een ballon zou haar nog veel meer kosten. Ze stond op het punt om de risee van de NYPD te worden en Riker had nu al medelijden met haar.

De rest van de bereden agenten meldde zich op het toneel met het gekletter van de hoeven van zes paarden op het wegdek. Twee mannen stegen af en namen de gevangene in hechtenis. Ze hadden de vernedering van Mallory gemist, maar kwamen net op tijd om die van Henderson gade te slaan. Zijn paard had geen moeite met schoten, maar de aanblik van een gigantische hond die uit de hemel kwam vallen was meer dan het verbijsterde dier kon verwerken. De hengst steigerde en dumpte zijn ruiter op de weg.

Twee kleine kinderen op het trottoir stonden Mallory te treiteren door met hun in wanten verpakte vingers naar haar te wijzen en te scanderen: '*Jij hebt Goldy vermoord, jij hebt hem vermoord, jij hebt hem vermoord, jij...*'

Mallory trok haar .357 Smith and Wesson.

De kinderen hielden abrupt hun mond.

Ze stak hem het wapen op haar platte hand toe. 'Voel zelf maar, Riker. Het metaal is koud. Ik heb mijn revolver helemáál niet afgevuurd. Hij is niet eens uit mijn holster geweest. Er bevindt zich een andere schutter onder de toeschouwers.'

Hij raakte hem aan. Het metaal was niet warm. Maar de harde, ijskoude wind had de gevoelstemperatuur tot onder het vriespunt laten dalen. Hoeveel tijd was er intussen verlopen? Hoe lang bleef een wapen warm?

Hij liet zijn blik over de gezichten in de opeengepakte menigte achter de dranghekken dwalen.

Zoveel kinderen!

Stel je nou eens voor dat Mallory niét loog?

Langzaam richtte hij zijn ogen op de duizenden ramen met uitzicht op de route van de optocht. Een schutter onder de toeschouwers... maar waar? En waarop was zijn wapen nu gericht?

2

De bovenste helft van de binnenmuur in het kantoor werd gevormd door een raam naar de recherchekamer van de afdeling bijzondere misdrijven. Het was een troosteloze omgeving. Grijze archiefkasten stonden langs een besmeurde witte muur en een rij vuile ramen bood uitzicht op de straat in SoHo. Toch hing er een verdacht feestelijke stemming. Er waren geen burgers aanwezig, zelfs geen administratieve krachten – alleen mannen met revolvers dromden om de stalen bureaus met computermonitors en stapels dossiers van nieuwe moordzaken.

Omdat hij er vast van overtuigd was dat zijn mensen beter werkten als ze niet constant door een meerdere in de gaten werden gehouden, hield Jack Coffey de luxaflex doorgaans gesloten – maar vandaag niet. De hoofdinspecteur keek toe hoe tien grijnzende rechercheurs zich verdrongen om de schaal met punch op het middelste bureau. Van het hele stel hadden er op deze feestdag maar vijf officieel dienst. Van de gesprekken was door het dikke glas geen woord te verstaan, maar de spanning was goed merkbaar. Je kon de trillingen voelen, je kon het ruiken.

Wat zouden ze met haar gaan doen?

Hoofdinspecteur Coffey was een man van normaal postuur met een onopvallend gezicht. Zelfs zijn haar en de kleur van zijn ogen waren doorsnee bruin. Maar met zijn zesendertig jaar was hij ongebruikelijk jong voor een gezaghebbende functie, althans volgens de maatstaven van de kopstukken op One Police Plaza. In het afgelopen jaar had de stress de kale plek op zijn achterhoofd een flink stuk groter gemaakt; hij had diepe zorgrimpels gekregen en in zijn ogen ging een wereld van problemen schuil; inmiddels zag hij er een stuk ouder uit, wat beter bij zijn positie paste.

Achter in het privé-kantoor streek een andere man een lucifer af en voegde een zweempje zwavel aan de lucht toe, gevolgd door een stroom grijze rook.

Het zou toch leuk zijn als brigadier Riker voor een keer – één keertje maar – toestemming zou vragen om een sigaret op te mogen steken. Hoofdinspecteur Coffey slikte een reprimande in terwijl hij naar het spiegelbeeld van de rechercheur in de ruit staarde. Riker stond in de houding en weerspiegelde de sfeer van die ochtend – wachtend tot de voorstelling zou beginnen.

25

In de recherchekamer achter de ruit schepten mannen in hemdsmouwen en met schouderholsters om eierpunch in papieren bekertjes en maakten bakjes eten van een afhaalchinees open. Helemaal aan de andere kant van het vertrek bewaarde een stel geüniformeerde agenten een fikse afstand tot de rechercheurs.

En dat gaf het geheel en nog vreemder tintje.

De twee mannen in uniform keken elkaar ongerust aan. Misschien vroegen zij zich ook af waarom ze hier waren. Straatagenten namen nooit deel aan de feestjes van de recherche; ze kwamen niet eens in dezelfde kroegen.

Zouden ze hier als getuigen zijn? Ja, dat kon wel kloppen, want op dit moment pakte een rechercheur een wollig speelgoedbeest uit. Het was een kopie van het jonge hondje dat brigadier Mallory kortgeleden naar de ballonhemel had verwezen.

Hoofdinspecteur Coffey keek even om. Brigadier Riker leunde tegen de achtermuur alsof hij plotseling doodmoe was. De rand van een hoed voorkwam dat het licht van de plafondlampen in zijn ogen scheen. Riker had kennelijk plannen voor een Thanksgiving-etentje. Hij wierp terloopse blikken op een goedkoop horloge en hij had zijn nieuwe jas, die allesbehalve goedkoop was, niet eens uitgetrokken.

'Mooi stofje,' zei Coffey, wiens eigen jas afkomstig was uit een discountzaak in New Jersey. 'Heel duur. Straks gaan ze nog zeggen dat je te koop bent.'

Riker glimlachte terwijl hij sigarettenas van de tweed revers veegde. 'Die heb ik van Mallory gekregen.'

'Dat mag je aan níémand vertellen.' Er werd al genoeg gekletst over zijn enige vrouwelijke rechercheur. Coffey draaide zich weer om naar het raam met uitzicht op de recherchekamer, waar zijn rechercheurs op de rand van hun bureaus zaten, sluwe grijnsjes uitwisselden en de deur in de gaten hielden. De twee straatagenten keken elkaar onbehaaglijk aan.

Coffey wist dat ze veel liever beneden bij de andere agenten zouden willen zitten.

Hij kon wel ongeveer raden wat er stond te gebeuren. Zonder zijn blik van de ruit af te wenden, richtte hij zich tot de man achter hem. 'Je weet dat ze er dit keer niet zo gemakkelijk onderuit zal komen.'

'Mallory zegt dat ze het niet heeft gedaan.'

'Ik verwacht niet anders van haar. Maar hoe zit het met jou, Riker? Jij weet wel beter. Ze liegt.'

'De revolver was koud.'

'Het was een koude dag.' Coffey draaide zich om en keek zijn brigadier aan. 'Zelfs als de uitkomst van de vuurwapentest negatief is, houdt dat nog niet in dat ze onschuldig is… niet voor mij. Je hebt haar zeker niet gefouilleerd om te kijken of ze nog een vuurwapen bij zich had, hè?'

Uit de glimlach die langzaam op Rikers gezicht verscheen, viel maar één ding op te maken: *Stomme vraag.*

In de recherchekamer aan de andere kant van de ruit pakte een man de telefoon op, luisterde even en maakte toen met opgestoken duim een gebaar naar de andere rechercheurs. Daarna troepten ze allemaal samen bij de deur naar het trappenhuis.

In de hinderlaag.

De dagcoördinator moest hen gewaarschuwd hebben dat Mallory in aantocht was.

Het doek ging op.

Vanaf vandaag zou alles niet langer om de dochter van Markowitz draaien. De goodwill die ze dankzij haar vader genoot, had zijn grenzen.

Brigadier Riker liep naar het raam en volgde de gebeurtenissen met zijn ogen. Hij zou geen hand uitsteken om zijn partner te waarschuwen. Zelfs wijlen inspecteur Markowitz zou geen poging hebben gedaan om dit te voorkomen. Het kon wel eens Mallory's laatste kans zijn om een volwaardig lid van de groep te worden. Alles hing af van de manier waarop ze zou reageren.

Ze had geen enkele vriend onder die mannen die haar bij de deur stonden op te wachten. Ze beschouwden haar als een buitenstaander, die nooit eens samen met andere rechercheurs een borrel pakte of uit eten ging. En waar ze zich misschien wel het meest aan stoorden, was het feit dat ze nooit iemand om raad vroeg; haar stilzwijgendheid gaf alleen maar aanleiding tot nog meer achterdocht. Binnen het kleine wereldje van de politie was elke individualist verdacht.

De twee agenten hielden zich op de achtergrond en wensten hier kennelijk geen aandeel in te hebben.

Waarom niet?

De deur naar het trappenhuis ging open. Hij zag een flits van blonde krullen achter de dicht opeengepakte lichamen. De muur van mannen week uiteen zodat ze spitsroeden zou moeten lopen, waardoor Coffey een goed uitzicht kreeg op het speelgoedhondje, een perfecte kopie van de Goldy-ballon. Het lag op de grond en ketchupbloed drupte uit een dodelijke wond. Om het wollige lijfje was met krijt een kring getekend – het leek sprekend op een lijk op de plaats van het misdrijf.

Mallory stond neer te kijken op het speelgoedbeest toen de rechercheurs in koor riepen: 'Ik heb het niet gedaan!'

Mallory's lijfspreuk.

Ze bleef met gebogen hoofd staan, de ogen op het hondje gevestigd. Ze verstrakte toen een rechercheur een enorme papieren ster op haar schouder spelde. Er stond met grote viltstiftletters op: DE ENIGE GOE-DE JONGE HOND IS EEN DOOIE JONGE HOND.

Ze kon ieder moment ontploffen – of ze zou zich eruit redden. De mannen stonden op de ballen van hun voeten te wippen en genoten intens van de spanning, een godsgeschenk aan alle rechercheurs van de afdeling bijzondere misdrijven. Het was met recht een dankdag.

O nee, Mallory!

Nu keek ze naar hen op met een brede glimlach die ronduit stralend was – en van top tot teen Markowitz, het leek verdomme wel een spookbeeld van de ouwe. Er was geen gelijkenis geweest tussen de vader en zijn pleegkind – totaal niet. En toch was dit de inspecteur, uit het graf verrezen, die iedereen in het vertrek om zijn vinger wond.

O, Jezus, dit was gewoon misdadig.

Mallory had zich zelfs zijn maniertjes eigen gemaakt en stond aan haar rechter oorlelletje te trekken terwijl ze de mannen een voor een aankeek. Ze gaf ze stuk voor stuk het gevoel dat de hele wereld om hem draaide en dat hij in haar ogen – de ogen van Markowitz – heel bijzonder was. Hoeveel uur had ze voor een spiegel staan zwoegen om deze verpersoonlijking weloverwogen te perfectioneren – en waarom?

Coffey staarde naar zijn rechercheurs, het hele stel met uitzondering van Riker die zich had afgewend van de ruit omdat hij dit niet langer wenste aan te zien. Alle anderen trapten in haar goedkope goocheltruc. Hun gezichten straalden van blijdschap terwijl uit hun eigen lach maar één ding sprak: *Goh, wat leuk om je weer te zien, ouwe.*

Het was een schok om Markowitz in Mallory te zien herleven – en obsceen. Wat geniepig en waanzinnig.

Wat slim!

Ze mocht dan moeite hebben haar lesjes te leren, maar met een onmenselijke sluwheid paste ze zich heel snel aan.

De mannen stonden allemaal te grijnzen, nu weer allemaal dienders onder elkaar die samen stonden te lachen, elkaar op de schouders mepten en goedbedoelde lichte stompjes op haar armen richtten. Mallory de eenling had hen aan haar kant gekregen met behulp van het charisma dat ze van een dode had gestolen. De enige vrouw in dit korps was eindelijk één van de jongens – precies zoals Coffey had gehoopt en hij vervloekte haar grondig vanwege de manier waarop ze dat voor elkaar had gekregen.

Hij gooide de deur open en schreeuwde: 'Mallory! Kom als de bliksem hier!'

De stemming in de kamer sloeg meteen om en hij kreeg nurkse blikken van elke politieman, met inbegrip van het stel in uniform.

O, geweldig! Gewéldig gewoon. Ach, hij hoefde maar te wachten op het persbericht van de volgende ochtend om het haar betaald te zetten en haar opnieuw belachelijk te maken. En inmiddels verheugde hij zich er echt op om haar alles over die schutter met de kruisboog te vertellen.

Ze liep naar de deur, op haar dooie gemak om niet de indruk te wekken dat ze gehoor gaf aan een bevel van een meerdere. De glimlach verdween toen ze over de drempel van zijn kantoor stapte. De voorstelling was voorbij.

Hij smeet de deur dicht en ging achter zijn bureau zitten. 'Mallory, je gaat een tijdje op vakantie.'

Ze trok de papieren ster van haar schouder. 'Ik heb geen vrije dagen meer over.'

'Dat weet ik.' Hij verlegde omstandig een stel papieren op zijn vloeiblad, omdat hij haar niet wenste aan te kijken tot zijn boosheid was afgenomen. 'Beschouw het maar als een presentje van commissaris Beale.' Over de rand van zijn bureau keek hij toe hoe de pijpen van haar designer-spijkerbroek zich op de stoel naast die van Riker neerzetten. Ze droeg nieuwe sportschoenen en hij kende dat merk – tweehonderd dollar alsof het niets was. De lange leren jas viel open toen ze haar benen over elkaar sloeg. Hoeveel had dat op maat gemaakte kledingstuk gekost?

'Ik kan geen vrij nemen.' Mallory mikte de tot een prop verfrommelde papieren ster in de prullenmand naast zijn bureau. 'Ik zit tot aan mijn nek in het werk.'

Haar stem klonk veel te zelfverzekerd, maar daar zou hij meteen iets aan doen. 'Nu niet meer.'

Zijn aandacht werd afgeleid door de lange askegel aan Rikers sigaret. Die kon ieder moment op de grond vallen. Hij had drie maanden lang bestelbonnen moeten insturen om deze nieuwe vloerbedekking te krijgen. Een wolk rook dreef over het bureau en hij vroeg zich af of Riker hem opzettelijk probeerde af te leiden met deze verdekte poging om hem te ergeren. Coffey richtte zijn blik op Mallory. Haar gezicht vertoonde geen spoor meer van de schijnvriendelijkheid van Markowitz.

Als een machine ogen had.

'Je hebt geen dienst meer tot dit gelazer is afgelopen en dat zou nog wel eens een tijdje kunnen duren.' Hij pakte een velletje op met citaten uit het tv-verslag van de optocht en gaf het aan haar. 'Amerika's beroemdste stripfiguur werd op straat neergeschoten... door een rechercheur. Alle ouders zullen jouw naam gebruiken om ervoor te zorgen dat hun kinderen zich gedragen.'

'Ja hoor,' zei Riker die zijn loomheid afschudde. 'Ik kan al die mamma's al horen: ruim je kamer op, anders schiet brigadier Mallory je hond neer.'

De telefoon rinkelde en Coffey pakte de hoorn midden in een belsignaal op. Dit was het gesprek waarop hij had zitten wachten. Hij luisterde even en zei toen: 'Verbind hem maar door.' En vervolgens lepelde een technicus een droge reeks testresultaten op die in recordtijd waren verzameld. Gewoonlijk kon de afdeling bijzondere misdrijven alleen op dit soort service rekenen als een politiefunctionaris een mens had doodgeschoten.

Mallory zat de citaten van de tv-commentatoren te lezen. Begon haar maag zich al samen te trekken? Hij hoopte het van harte.

'Dit is geleuter,' zei ze. 'Ik heb mijn revolver helemáál niet in een...'

'O, is dat zo?' Coffey legde zijn hand over de microfoon van de telefoon. 'Er ontbreekt een kogel in je revolver.' Hij wendde zich tot haar partner en smeet een stapeltje slecht getypte velletjes in de schoot van de brigadier. 'Riker, je bent vergeten dat kleine detail in je rapport te vermelden. Maak het maar in orde.' Hij richtte zich weer tot degene die hem had gebeld. 'Verder nog iets... Wacht even.' Hij legde opnieuw zijn hand over de hoorn. 'De technicus zegt dat je revolver recentelijk is afgevuurd.'

Riker keek op van zijn rapport. 'Ik durf te wedden dat ze het juiste tijdstip binnen de afgelopen vierentwintig uur niet precies kunnen bepalen.'

Coffey deed net alsof hij dat niet had gehoord, want het was waar. Terwijl hij de technicus bedankte omdat hij op deze feestdag had overgewerkt, ging hij in gedachten na wat Mallory het budget van bijzondere misdrijven had gekost.

'Mijn revolver is gisteren afgevuurd,' zei ze. 'Niet vanmorgen.'

'Wat heb je dan...'

'Hoofdinspecteur?' Riker schudde langzaam met zijn hoofd. 'Dat wilt u niet weten.'

'Om de donder wel.' Nou, eerlijk gezegd wilde hij dat helemaal niet. Er viel veel te zeggen voor de tactiek van de ontkenning binnen de politiewereld. Coffey richtte zijn aandacht weer op Mallory. 'Waarom moest je van al die ballons bij de optocht nou net een hond neerschieten – en nog een jóng hondje ook, christenenziele.'

'Ja, Mallory.' Rikers hoofd was gebogen over de papieren in zijn hand. 'Dat was wreed. Waarom heb je niet op die vervelende specht geschoten die je toch nooit leuk hebt gevonden?'

'Ik heb helemáál niet...'

'Juist.' Als de NYPD het niet kon bewijzen, had ze het niet gedaan – Coffey kende dat ouwe liedje. Maar dit keer had hij getuigen. 'Ik heb verklaringen van mensen die hebben gezien dat jij je revolver afvuurde.'

'Verdomde burgerlui.' Rikers potlood gleed langs de regels tekst. 'Ze horen de knalpot van een auto en vervolgens zien ze een revolver die er helemaal niet is.' Hij keek op naar Coffey. 'En wie zegt dat die ballon is kapotgeschoten? Er kwam nog een andere ballon omlaag, doordat een boomtak er een scheur in maakte.'

De hoofdinspecteur trok de middelste la van zijn bureau open en haalde er een videoband uit. Hij hield hem voor Riker omhoog. 'Bij wijze van grap heeft een van de verslaggevers dokter Slope gevraagd om de dode ballon te onderzoeken. Nou ja, hij had zijn kind bij zich, hè? Ik veronderstel dat hij dacht dat Faye het wel leuk zou vinden. Dus, om onze hoofdpatholoog-anatoom te citeren: "Ja hoor, dat is wel degelijk een kogelwond."' Coffey liet de band weer in de la vallen en smeet hem dicht. 'Ze hebben dokter Slope gefilmd terwijl hij zich over die hoop rubber buigt en uitlegt waarom de randen van de gaten eerder op een kogel dan op een boomtak wijzen.'

'Mooi,' zei Mallory. 'Dat betekent dat ik gelijk heb. Die knaap met die kruisboog was niet de enige schutter onder de toeschouwers.'

Dat was het moment waarop Coffey had gewacht. Hij boog zich naar haar toe en deed geen enkele poging om zijn blijdschap te verhullen. 'Die kruisboogschutter was door de illusionisten op de praalwagen ingehuurd. Die knul hoorde bij de vertoning, Mallory – het was een publiciteitsstunt. Die ouwe kerels hebben hem ervoor betááld.'

Haar gezicht was een open boek. Ze deed hem denken aan de kinderen op die films van de optocht, die met de ogen omhoog toekeken hoe het gigantische jonge hondje leegliep – een verbijsterde blik en ogen als schoteltjes, gevolgd door een uitdrukking van: *O, shit.*

Twee miskleunen op één dag.

Ze schudde ontkennend haar hoofd. 'Nee. Als het afgesproken werk was, zou Charles Butler...'

'Charles wist er niets van,' zei Coffey. 'Ik heb zelf met hem gesproken. Die ouwe kerels hebben hem niet verteld wat er zou gaan gebeuren. Hij zei dat ze er niet op durfden te rekenen dat hij verbaasd genoeg zou reageren. Om het grootst mogelijke effect te bereiken, wilden ze dat hij echt schrok.'

'Daar zit wel wat in,' zei Riker knikkend. 'Met dat gezicht van hem kan Charles niets verbergen. Kijk maar hoe die arme klootzak altijd bij het pokeren verliest. Dokter Slope noemt hem achter zijn rug "de bank".'

'Ik wil met die kruisboogschutter praten,' zei Mallory.

'Te laat.' Het lachen was Coffey alweer vergaan. 'De rechercheurs van West Side hebben hem twintig minuten geleden de deur weer uit geschopt. We mogen blij zijn als hij geen proces tegen de stad aanspant. Dus waag het niet om je ook maar in de búúrt van die knul te vertonen.' Hij klopte met zijn knokkels op het bureau om er zeker van te zijn dat ze naar hem luisterde. 'Dat is een bevel, Mallory. En heb het lef niet om daartegenin te gaan. Je kunt je niet nog een overtreding permitteren.'

Haar stem klonk bijna mechanisch doordat ze elk woord evenveel nadruk gaf. 'Er was nog een andere schutter tussen de toeschouwers.'

'Nou en?' Coffey haalde zijn schouders op. 'De optocht is afgelopen. Alles is voorbij. Verrek, wie maakt zich daar nou nog druk over?'

Nou, zíj wel. Dat was duidelijk. Mallory scheurde het velletje met tv-citaten in kleine stukjes. Er viel geen snippertje naast de schoot van haar wollen blazer. Ze was fanatiek netjes.

'Er moeten ook getuigen zijn die mij gelijk geven. Ik heb mijn revolver niet getrokken.' Mallory stond op om de confetti in zijn prullenbak te deponeren en meteen van de gelegenheid gebruik te maken om een blik te werpen op alles wat op zijn bureau lag.

Hij bladerde zijn paperassen door en viste er een beëdigde verklaring van een belastingbetaler tussenuit. 'Dit is mijn persoonlijke favoriet.' In Rikers rapport werd deze getuige beschreven als een jeugdige punk met te veel oorringetjes en een aversie tegen de politie. 'Deze knul zweert dat hij zag hoe je je revolver op de ballon richtte. En daarna hoorde hij je zeggen: "Die zit, vuile jonge hellehond."'

Mallory zag er de humor niet van in, maar Coffey zat te grijnzen, zijn leven was volmaakt. Hier kon ze onmogelijk onderuit komen.

Hij had niet verwacht dat haar partner hem vanuit een hinderlaag onder vuur zou nemen.

'Ze had het volste recht om achter die knaap met de kruisboog aan te gaan. Dat was geen stuk speelgoed,' zei Riker. 'Kruisbogen zijn verboden in...'

'Hij had een vergunning voor de voorstelling ondertekend door de verdomde burgemeester.' Coffey zwaaide met de paperassen die door het bureau West Side naar hem waren gefaxt.

'En had ze dat dwars door zijn achterzak moeten lezen toen hij ervandoor ging? En wat dacht je van die ouwe vent die vorige week is overleden? Bij dat optreden van de illusionisten in Central Park? Die werd door kruisbogen gedood – víér stuks nog wel.'

'Oké,' zei Coffey. 'Die aanhouding was terecht. Maar vertel me nou niet dat jullie verband zien met dat ongeluk in het park.'

Mallory ging weer zitten en leunde achterover in haar stoel. Ze was plotseling een stuk opgewekter – altijd een slecht teken. 'Stel nou eens dat het geen ongeluk was? Neem nou eens aan dat ik kan bewijzen dat Oliver Tree werd vermoord?'

Dat zat Coffey niet lekker. Mallory was er te zeer op gebrand om haar onschuld te bewijzen in het geval van de ballonmoord. Misschien verdraaide ze die hele zaak wel bij wijze van afleidingsmanoeuvre. 'Geen denken aan. Dat geval is afgedaan. Een dodelijk ongeval, dat staat zo vast als een huis.'

'Is er dan ooit éérder iemand bij een spectaculaire goocheltruc om het leven gekomen?'

Dat was een goed argument, maar dat zou hij nooit toegeven – niet tegenover haar. 'Er is geen enkele reden om vraagtekens bij het rapport van een andere rechercheur te zetten, tenzij je er lol in hebt om vijanden te maken. Vergeet het dus maar. En intussen is er nog steeds die kwestie van de ontbrekende kogel uit jouw revolver.'

'Mallory heeft haar revolver gisteren afgevuurd,' zei Riker met grote tegenzin. 'Ik heb vier getuigen gevonden, allemaal straatagenten.'

Coffey maakte een golvende beweging met zijn hand. 'Kom op, hoe zit het nou verder?'

'Ze heeft Oscar de Wonderrat gedood. Ze knalde hem van de snoepautomaat in de kantine.' Riker strekte een van zijn vingers alsof het de loop van een revolver was en haalde met zijn duim de trekker over. 'Met één schot.'

Nee, nee, nee!

Coffey zat een moment naar het plafond te staren, uiterlijk kalm maar inwendig krijste hij tegen Mallory: *Ben je gek geworden? Ben je knettergek geworden?*

'Oké, Riker. Laat die ontbrekende kogel maar weg uit de rapporten. Ik wil niet dat de pers erachter komt dat ze een rat met een koosnaampje heeft doodgeschoten.'

Hij had wel zo zijn twijfels over die vier agenten die erbij waren geweest toen ze in het bureau een wapen had getrokken. Wat was er door hun hoofd gegaan toen ze een schot hoorden op de enige plek waar ze geacht werden zich veilig te voelen? De meeste agenten zouden zich tijdens een loopbaan van twintig jaar niet één keer genoodzaakt zien om bij de uitoefening van hun plicht een pistool af te vuren.

Zagen de agenten beneden haar al als een mogelijk gevaar? Hielden ze haar, met die achterdocht die politiemensen eigen was, nu al beter in de gaten? En hoe lang zou het duren voor het verhaal over de rat vanuit de gelederen van de straatagenten naar zijn rechercheurs door zou sijpelen?

Nu begreep hij waarom die twee kerels in uniform niet mee hadden gedaan aan Mallory's vernedering. Of je nu agent, accountant, of postbode was, de regels waren hetzelfde: het was niet verstandig om een gevaarlijke collega tegen je in het harnas te jagen.

De uniformdienst zou wel een andere manier vinden om het haar betaald te zetten.

Mallory diepte een paar papieren uit de zakken van haar jas op. Ze vouwde een beschreven vel open en legde het op zijn vloeiblad. Het was voorzien van het briefhoofd van de inspecteur van belastingen en aan de datum te zien waren de gegevens een week oud.

'Oliver Tree heeft een erfenis ter waarde van ettelijke miljoenen nagelaten,' zei ze. 'En dan heb ik het alleen maar over onroerend goed. Ik heb nog niet eens navraag gedaan naar mogelijke bankrekeningen.'

In het taalgebruik van Mallory hield dit in dat ze over alle bankgegevens beschikte, maar dat de manier waarop ze daaraan gekomen was hem niet zou bevallen en dat de bank al evenmin waardering zou kunnen opbrengen voor haar computervaardigheden, haar hitech-inbraak.

Riker, die zich vooroverboog om naar de lijst met onroerend goed te staren, was duidelijk verrast door deze gegevens. Dus Mallory had een week gewacht voor ze haar partner van dit financiële motief op de hoogte bracht. Nou ja, dat was echt iets voor haar.

Ze tikte met één rode vingernagel op het vel. 'Veertig jaar geleden kocht de oude man een rij onbewoonbaar verklaarde bakstenen huizen op. Hij kreeg ze voor een habbekrats en knapte ze zelf op. Drie ervan waren nog steeds in zijn bezit toen hij overleed. En hij was eigenaar van een klein theater in een buurt waar onroerend goed kapitalen kost.' Boven op dit papier legde ze haar eigen rapport over de schietpartij bij de optocht. 'De kruisboogschutter was familie van Oliver Tree. Ik weet niet of en hoe hij in het testament van de oude man vermeld wordt... nog niet.'

Aan de blik op Rikers gezicht te zien was ook dit nieuws voor hem.

Snel las Coffey de regels die met rode inkt waren onderstreept. De naam van de boogschutter was Richard Tree, een neef van de illusionist die een week eerder was overleden – gedood door vier pijlen.

Ze legde een drie jaar oud arrestatierapport boven op dat vel. 'Die neef is in zijn jeugd opgepakt wegens drugsgebruik. Misschien was die stunt bij de optocht inderdaad in elkaar gezet. Maar een junk is in staat om zijn eigen moeder voor geld te vermoorden en die knul was in het park op de dag dat zijn oom stierf. Ik heb dus een motief en ik heb de gelegenheid.' En vervolgens, alsof ze zijn gedachten kon lezen, voegde ze eraantoe: 'Ik ben met mijn vingers van de vertrouwelijke dossiers van

Jeugdzaken afgebleven. Ik heb met de politieman gepraat die hem heeft opgepakt.' Natuurlijk had ze de naam van die agent gevonden door in de vertrouwelijke dossiers van Jeugdzaken te snuffelen, maar Coffey besloot dat te negeren.

'Die financiële motieven lijken me wel wat.' Riker keek opnieuw op zijn polshorloge terwijl hij opstond en zijn jas dichtknoopte. Hij wendde zijn gezicht af om zijn partner niet te laten zien hoe kwaad hij was. Er waren heel wat dingen die Mallory nog moest leren, maar Riker was kennelijk van plan om dit onder vier ogen af te handelen. Met een hand op de deurknop keek hij om naar Coffey. 'Allicht dat het gemeentebestuur graag ziet dat de dood in het park als een ongeluk wordt afgedaan. Hoge moordstatistieken zijn niet goed voor het toerisme. Maar je weet dat ze geen onzin uitkraamt.'

Coffey leunde achterover in zijn stoel, niet verbaasd dat Riker zijn partner de hand boven het hoofd hield, ook al was hij naar alle waarschijnlijkheid van mening dat het pure kolder was.

'Mallory, zo meteen komen we te laat,' zei Riker.

Ze keek op haar zakhorloge, want ze wilde zelfs niet van hem aannemen hoe laat het was. 'Ik moet het rapport van West Side over Oliver Tree hebben. Alles van de rechercheur die de zaak behandeld heeft. Ik wil verklaringen, bewijsmateriaal...'

'Kalm aan.' Coffey duwde haar eigen papieren over het bureau naar haar toe. 'Eerst trek je deze aanwijzingen na... discreet. Als er iemand ondervraagd moet worden, doet Riker dat. Officieel ben jij op vakantie. Heb je dat begrepen, Mallory? Jij ondervraagt helemaal níémand. Pas als jullie iets tastbaars in handen hebben, valt er te praten over het trappen op eventuele lange tenen in een andere wijk. O, en ik houd die revolver van je nog een tijdje bij me.'

Dat zinde Mallory helemaal niet, maar ze was duidelijk van plan zich daarin te schikken. En waarom ook niet? Ze had thuis nog andere vuurwapens. Hij was ervan overtuigd dat ze dat privé-kanon alleen bij zich droeg omdat ze de .38-gaten die door haar officiële dienstwapen gemaakt werden niet groot genoeg vond. Ze stond op, trok de ceintuur van haar jas strak en wilde haar geluk kennelijk niet tarten door nog langer te blijven.

'Ga nog even zitten, brigadier,' zei Coffey. 'Ik ben nog niet klaar met je.'

Met die dode rat en een lekke ballon had Mallory zichzelf heel wat schade berokkend, maar dat had ze nog steeds niet door. Ze stond te ver buiten de gesloten politiegemeenschap.

Hij wachtte tot ze weer in haar stoel zat en liet toen zijn hand met zoveel kracht op het bureau neerkomen dat alle pennen en potloden over de rand rolden. 'Heb niet het lef om nog één keer binnen de muren van dit bureau je revolver te trekken! Al schiet je niet één kogel af, al haal je die revolver alleen maar uit je holster, dan zul je merken hoe erg je je billen gebrand hebt! Daar zal ik wel voor zorgen.'

Achter haar rug stond Rikers gezicht ernstig toen hij met een knikje beaamde dat hij het voor de verandering met Coffey eens was. Mallory kon het zich niet veroorloven alles uit eigen ervaring te leren. Dan zou ze niet lang in leven blijven.

Coffey nam even de tijd om zijn woorden te laten bezinken en pakte haar toen opnieuw aan. 'Die stunt met die rat? Je zult nog wel merken wat voor consequenties dat heeft. Het laatste wat je wilt, is dat iedereen je als een mafkees gaat beschouwen, die bij het minste geringste haar revolver trekt. Daar worden andere dienders zenuwachtig van. Neem nou die kerels in uniform die hebben gezien hoe je die rat doodschoot. Die zullen jóú van nu af aan scherp in de gaten houden, Mallory – wachtend op meer bewijzen dat je een gevaarlijke gek bent. En op dag zit je misschien in moeilijkheden. Als je dan steun van de uniformdienst zoekt, zullen ze schitteren door afwezigheid.'

Dan zouden collega-dienders via de radio van een tiental patrouillewagens haar oproepen om hulp horen, maar ze zouden Oost-Indisch doof zijn en haar alleen laten sterven – wachtend op hun komst.

'Er zal geen agent zijn die zijn revolver tegen je opheft,' zei Coffey. 'Ze blijven gewoon met de armen over elkaar zitten en laten dat over aan een of andere misdadiger. Maar jij zult er niet minder dood om zijn.'

Aangenaam kennismaken met de duistere kant van de NYPD.

Mallory was inmiddels nijdig op hem, want ze beschouwde het eigenlijk als een bedreiging. En daar had ze volkomen gelijk in. Coffey keek zijn oudere rechercheur aan op zoek naar een ander soort steun.

Riker kwam achter Mallory staan op het moment dat ze opstond. Zijn handen op haar schouders drukten haar voorzichtig terug in de stoel. 'Je zult hier wel waardering voor hebben, meid – aangezien je zo fanatiek netjes bent.' Hij boog zich diep voorover en zijn stem was zo zacht dat het bijna een gefluister werd. 'Als een agent op die manier het loodje legde, lang geleden toen ik nog een uniform droeg… noemden we dat "opgeruimd staat netjes".'

3

Een witte das bungelde los rond de openstaande boord van Charles Butler. De mouwen van zijn witte overhemd waren tot zijn ellebogen opgerold en zijn voet tikte mee in de maat van een mandolineconcert van Vivaldi.

De keuken was zijn favoriete vertrek en vandaag kwamen al zijn zintuigen aan hun trekken. De gele wanden lichtten op in het zonlicht dat koperen potten liet glanzen en glinsterend van chroomkleurige pannen en kruidenpotjes terugkaatste. De lucht was bezwangerd met de geur van versgebakken brood bedekt met een laag kruidenboter, en het aroma van een gebraden kalkoen kwam door de ovendeur naar buiten. Terwijl Charles de boterkwast oppakte, besefte hij dat zijn gast een leeg glas in de handen had.

'Sorry, Nick.' Hij speurde het aanrecht af en zocht tussen de wirwar van potten en schalen naar de wijn die hij net had opengetrokken, maar de fles was verdwenen. Iemand zou hem wel naar de voorkamer hebben meegenomen. Hij wilde een nieuwe fles pakken uit de doos die op de tafel stond.

'Dat hoeft niet, Charles.' De oudere man schudde een groot servet los, legde dat op het hakblok en terwijl hij de stof voorzichtig met twee vingers omhoogtrok, verscheen er als bij toverslag een geopende fles rode wijn op het midden van het vierkante blok hout.

Net als vroeger. Charles was nog maar een klein jochie geweest toen Nick Prado voor het laatst bij hen had gegeten. Dertig jaar geleden was het haar van deze man weelderig en zwart geweest. Nu was het dun en loodgrijs. En zijn donkere Spaanse ogen waren inmiddels tot gewoon bruin vervaagd.

'Hoe laat komt Malakhai?' Van Nicks Spaanse accent was geen spoor meer te bekennen, dat was nog zo'n verontrustend gevolg van de tijd. Er was vrijwel geen kraak of smaak meer aan de man.

'Malakhai heeft opgebeld om zich te excuseren.' Charles schonk twee wijnglazen vol. Hoewel hij boven de meeste mensen uittorende, was het toch een raar gevoel om neer te kijken op Nick en van rol te verwisselen met de oudere man die ooit zijn hoofd had moeten buigen om met het kind Charles te praten.

Nick draaide zich om naar het wandrek met kookbenodigdheden en bewonderde zijn spiegelbeeld in het chroomkleurige deksel van een braadpan. Hoewel hij het zich best kon veroorloven om zijn gebit te laten restaureren, had hij nog steeds al zijn eigen tanden zoals duidelijk bleek uit de gaten die werden veroorzaakt door wijkend tandvlees en de gele vlekken van een levenslange tabaksverslaving. Te oordelen naar de glimlach waarbij elke tand in het pannendeksel te zien was, scheen hij zijn bedaagde glazuur als een teken van aanhoudende viriliteit te beschouwen, want ondanks de verschoten kleuren, de grijzende haren en de vergeelde tanden was dit nog steeds de authentieke Nick Prado met alle originele onderdelen. Kennelijk had de zwemband rond zijn middel geen nadelige invloed op de hoge dunk die hij van zichzelf had. Hij gaf er nu bij wijze van compliment een klopje op.

Er verscheen nog een gast in de keuken, maar alleen met zijn hoofd en een stuk van zijn hals toen hij om de hoek van de deur keek om zich ervan te vergewissen dat er niemand achter stond voor hij hem helemaal opendeed. Franny Futura glimlachte en zijn ogen werden grijze streepjes, toen ze in de rimpels erboven en de wallen eronder verdwenen. Hij kwam de keuken binnen en dribbelde met lichte pasjes over de tegels, alsof de vloer gloeiend heet was. Een opgestoken snuivende neus leidde hem rechtstreeks naar de oven. 'O, Charles, het ruikt heerlijk.' Een tikje triester voegde hij eraantoe: 'De hors d'oeuvres zijn alweer op.'

De Fransman sprak perfect Engels en hij was een opvallend schone man, alsof een krankzinnige huishoudster hem met een hele voorraad schoonmaak- en schuurmiddelen onder handen had genomen, waarbij ze net zo lang aan het boenen en poetsen was geweest tot zijn huid glimmend roze was en zijn gebit zo wit dat het niet meer voor echt kon doorgaan.

Charles had hem pas een week geleden leren kennen, maar hij vermoedde dat er al nooit een noemenswaardige kin was geweest om Franny Futura's gezicht te ondersteunen; nu viel het vlees er echter overheen en het eindigde in een slobberende halskwab. Het glad achteroverkamde haar op zijn hoofd was wit, maar de dikke wenkbrauwen hadden met behulp van zwarte verf een verjongingskuur ondergaan.

Franny bleef bij het aanrecht staan om zijn wijnglas vol te schenken en liet de fles zorgvuldig ronddraaien om te voorkomen dat hij ook maar een druppel morste. 'Dat mooie meisje is verdwenen.'

'Mallory?' Charles doopte zijn kwast in een pan met gesmolten boter. 'Die zit waarschijnlijk in haar kantoor aan de andere kant van de gang. Ze komt wel weer terug.'

'Een kantoor aan de overkant van de gang?' Nick Prado wendde zijn ogen met tegenzin van zijn spiegelbeeld af. 'Maar je zei dat ze een échte rechercheur was. Wat moet ze dan...?'

'Ze is een stille vennoot van mijn adviesbureau.' Natuurlijk betekende het woord 'stille' in werkelijkheid 'heimelijke'. De NYPD was geen voorstander van bijbaantjes en elk dienstverband buiten de politie waarvoor speurderskwaliteiten vereist waren, was zonder meer verboden.

'Maar goed, Charles, hoe gaat dat ook alweer precies in zijn werk?' vroeg Nick. 'Die zaak van jou?'

'Nou, instituten en universiteiten sturen mij mensen met interessante gaven. Ik schat ze op hun waarde, Mallory doet al het computerwerk en controleert hun achtergrond. Zij verwerkt de kale gegevens en...'

'Heel boeiend,' zei Nick.

Maar Charles zag wel dat ze het geen van beiden echt interessant vonden. Hij verveelde zijn gasten. 'Maar Mallory's gewone baan is stukken spannender. Ze is een...'

'Mooi meisje met fantastische ogen,' zei Nick. 'En dat haar. Ik heb altijd een zwak voor blondjes gehad. Is ze getrouwd?'

'Moet je die ouwe gek horen.' Franny Futura grinnikte. 'Alsof je nog wel een poging zou willen wagen.'

Charles hoopte dat ze niet over zijn kansen bij Mallory zouden gaan speculeren. Hij zag ze in gedachten al treurig hoofdschudden terwijl ze tot de conclusie kwamen dat de enorme omvang van zijn neus omgekeerd evenredig was met zijn geringe vooruitzichten. Niet dat hij overdreven gevoelig was wat de grote haakneus in het midden van zijn gezicht betrof, maar hij was zich er wel constant van bewust. Welke kant hij ook opkeek, hij kwam er niet omheen.

Nick Prado trok nog een fles open. 'Maar waarom heb je haar vorige week niet voorgesteld. Bij de begrafenis van Oliver?'

'Wat?' Charles hield even op met het bedruipen van het vlees. 'Ik heb haar daar helemaal niet gezien.' En aangezien ze Oliver Tree nooit had ontmoet, moest hij zich wel afvragen waaróm ze daar was geweest. 'Weet je zeker dat het Mallory was?'

'O ja, hoor. Ik heb haar ook gezien.' Franny deed de deur open. 'Ze stond achterin tussen de aanwezigen foto's te maken.'

Nick pakte de wijnfles op terwijl hij achter zijn vriend aan de keuken uit liep en zei: 'Ik vraag me af of ze ook goede foto's van mij heeft.'

Toen Charles klaar was met de kalkoen en de oven weer dicht had gedaan, wierp hij door de open deur een blik op het smalle gedeelte van de eetkamer dat hij kon zien. Mallory was weer terug. Ze liep om de lange tafel heen. Hij keek toe hoe ze de borden en het bestek met machinale precisie rechtzette. Hij wist dat alles zich op de millimeter nauwkeurig op dezelfde plek zou bevinden, als hij plaats voor plaats met een liniaal zou nameten. En dat alle messen, vorken en lepels een volmaakte recht-hoek zouden vormen met de rand van het kanten tafelkleed.

Met in elke hand een vol wijnglas liep Nick Prado naar Mallory toe. Hij trok zijn bolle buikje in en probeerde haar in te palmen met een glim-lach waarbij alle gaten tussen zijn door nicotine bevlekte tanden te zien waren, ongetwijfeld in de overtuiging dat ze dat aantrekkelijk en mis-schien zelfs wel verleidelijk zou vinden, want het waren per slot van re-kening zijn eigen tanden, nietwaar?

Mallory accepteerde een glas rode wijn en ging vervolgens verder met het dwangmatig schikken van het bestek.

'Mag ik je Kathy noemen?' hoorde hij Nick vragen.

'Niemand noemt me Kathy.' Het bestek lag zoals ze het hebben wilde, ze draaide hem haar rug toe en liep weg, waarschijnlijk om alle schilde-rijen in de kamer ernaast recht te gaan hangen.

De glimlach smolt als sneeuw voor de zon. Mallory's gedrag moest op Nick wel als onbegrijpelijk onbeschoft overkomen. Pas als hij haar beter leerde kennen, zou hij het feit appreciëren dat ze vier woorden had ge-bruikt in plaats van het gebruikelijke 'nee'. Ze wilde zich op deze feest-dag kennelijk van haar beste kant laten zien.

Charles wachtte een ogenblik tactvol tot de oudere man zijn waardig-heid had herwonnen, een verklaring had gevonden voor haar afwijzing, of misschien zelfs tot de conclusie was gekomen dat de vrouw die drie vuurwapens bezat gewoon verlegen was. Toen Nick wegliep om zich bij de rest van het gezelschap aan te sluiten, liep Charles met een nieuwe schaal hapjes door de eetkamer naar de salon aan de voorkant. Door vier hoge ramen stroomde het middaglicht de zitkamer binnen, waar-door de kleuren van de Tiffany-lampen en het oosterse patroon van het vloerkleed nog beter tot hun recht kwamen. Aan alle muren hingen grote abstracte schilderijen, die verrassend goed bij het antieke meubilair pas-ten.

Brigadier Riker hing lui in een hoek van de Belter-sofa, helemaal op zijn gemak met zijn bier en zijn sigaretten. Nu zijn stropdas loshing en zijn pak nog erger gekreukeld was, zag hij er meer als zichzelf uit. Toen Charles hem een halfuur geleden bij de deur had begroet, had de prachti-ge nieuwe jas aanvankelijk de indruk gewekt dat de rechercheur een rijk man was, met wiens hoed en schoenen iets vreselijks was gebeurd.

Terwijl Mallory Riker nadrukkelijk negeerde, ging ze in een stoel te-genover de bank zitten. Charles vroeg zich af of hij te veel zocht achter de gespannen sfeer tussen de twee rechercheurs. Ze waren wel samen ge-komen, maar eigenlijk ook weer niet – in de hal waren ze niet op hun gemak geweest, als een stel vreemden dat elkaar voor het eerst had ontmoet.

Mallory zat met Franny Futura te praten. Ze had hem al zo ver afgericht dat hij haar bij haar achternaam aansprak, zonder mevrouw. 'U was degene die voor die stunt met de kruisboog bij de optocht hebt gezorgd.' Dat klonk niet als een poging tot een beleefd gesprek.

'Dat heb ik inderdaad geregeld, ja.' Franny's hoofd wiebelde een beetje, alsof het ineens niet meer zo stevig vastzat. Hij kon niet weten dat voor Mallory alle mensen gelijk waren en dat ze iedereen met een zelfde dosis argwaan tegemoet trad.

'Waarom een kruisboog?'

'Was dat volgens jou een beetje te veel van het goede?' Franny schoof achteruit en drukte zijn lichaam tegen de kussens van de bank. 'Ik bedoel... vanwege de associatie met Olivers dood?'

'Dat was toch de bedoeling, of niet soms?'

Franny deinsde achteruit alsof ze hem van iets veel ergers had beschuldigd. Charles bleef achter de zitplaats van de man rondhangen en vroeg zich af of hij moest ingrijpen. Mallory had altijd moeite met het omschakelen van een kruisverhoor naar een conversatie die in gezelschap meer op zijn plaats was, dus probeerde ze dat ook niet eens.

'Maar het idéé van de stunt was niet van mij,' zei Franny. 'Nick heeft hem ingehuurd. Het was de bedoeling dat die jongen de kruisboog zou richten op het moment dat de praalwagen langs de eerste televisiecamera reed. Maar toen begon die cameraploeg zich vlak naast de...' Zijn woorden stierven weg toen ze haar blik afwendde en haar belangstelling voor hem verloor.

Nick Prado was haar volgende slachtoffer. Ze sprak hem aan toen hij in de stoel naast haar ging zitten. 'Waarom hebt u die kruisboogschutter ingehuurd?'

'Gezien de manier waarop Oliver de dood vond, was dat wel een staaltje van slechte smaak, hè?' Hij glimlachte zelfgenoegzaam. 'Ik heb misbruik gemaakt van mijn talenten als publiciteitsman.' Nick omschreef zichzelf altijd terecht als publiciteitshoer en was eigenaar van het grootste bureau voor public relations in zijn woonplaats Chicago.

'U wist dat hij een neef van Oliver Tree was,' zei Mallory alsof ze hem nu al op een leugen had betrapt.

'Natuurlijk wist ik dat,' zei Nick. 'Die knul had geld nodig. En die stunt bezorgde zijn oom nog wat extra minuutjes beroemdheid tijdens het avondjournaal.' Hij boog zich met een gespeeld wellustige blik naar Mallory toe.

Dat bezorgde Charles een moeilijk moment. Nicks gezicht was beslist veel te dicht bij dat van Mallory. Hij was bijzonder opgelucht dat de bel ging en hij de kamer uit moest om de deur open te doen. Toen hij samen met de laatste gast voor het diner, alweer een Fransman, terugkwam in de zitkamer, leefde Nick Prado nog steeds en had Mallory haar aandacht weer op Franny gevestigd.

'U was degene die door de pijl werd geraakt.' Dat was inderdaad het geval, maar ze liet het klinken alsof het een beschuldiging was.

'Is dat zo?' De laatkomer, Emile St. John, mengde zich in het gesprek en torende boven iedereen uit, met uitzondering van Charles. Dit was de oudste illusionist, bijna tachtig, maar hij leek jonger dan zijn beide vrienden. Zijn diep gebruinde huid en de vage omtrek van een skibril bezorgden hem een robuust gezond uiterlijk.

Bij de optocht was er geen tijd geweest om zich officieel aan elkaar voor te stellen en terwijl Emile nu Riker de hand schudde, keek Mallory met onverhulde waardering naar het zilvergrijze haar van de man dat onmiskenbaar de hand van een meesterkapper verried. Hij had het kostuum dat hij bij de optocht had gedragen verruild voor een grijs pak dat door een andere maestro was gesneden.

Emile ging in de George iii-fauteuil zitten, waardoor hij een buffer vormde tussen Mallory en het slachtoffer dat ze aan een kruisverhoor onderwierp. Zijn kalme blauwe ogen bleven met glimlachende welwillendheid op Franny rusten en stelden de kleinere man onmiddellijk op zijn gemak. 'Ik dacht dat het eigenlijk Nick was die vanmorgen beschoten had moeten worden.'

'Ja, maar hij wou niet op het podium gaan staan,' zei Franny op klaaglijke toon. 'Dus moest ík het doen.' Hij schonk Mallory een flauw maar dringend glimlachje in een poging om met name haar te verzoenen. 'Die stunt met die kruisboog was absoluut ongevaarlijk... echt waar. We zijn echt niet onzorgvuldig met de openbare veiligheid omgesprongen.' Zijn hand vloog naar zijn mond. 'O, neem me niet kwalijk.' Kennelijk had hij zich net herinnerd dat de jonge rechercheur ervan werd beschuldigd dat ze zich in het openbaar veel te roekeloos had gedragen.

Nick Prado schoof zijn stoel iets dichter naar die van Mallory toe. 'Met die achtervolging heb je ons wel in de schijnwerpers gezet. Het was een schitterende reclame voor het illusionistenfestival.'

'O ja.' Franny klaarde op. 'En toen je die ballon neerschoot...'

'Ik héb niet op die ballon geschoten,' zei Mallory.

'Nee, natuurlijk heb je dat niet gedaan.' Franny schoof over de sofa iets meer naar de wat vriendelijker Riker toe. 'Het spijt me ontzettend dat ik erover begon.'

Mallory keek Nick aan. 'U was niet op de praalwagen toen dat schot viel. Wat bedoelde hij toen hij zei dat u niet op het...'

'Word ik verdacht?' Nick scheen verrukt te zijn bij dat vooruitzicht. 'Vooruit dan maar, ík heb die enorme jonge hond neergeknald. Tot je dienst.' In afwachting van de handboeien stak hij zijn handen uit. 'Neem me maar mee... alsjeblieft? Nee?' Hij pakte haar hand met de bedoeling er een kus op te drukken, maar ze was sneller en trok haar arm met een ruk terug.

Charles was even bang dat Mallory haar hand met een servetje af zou vegen. Ze scheen de man echt walgelijk te vinden.

Emile St. John keek met een rustige glimlach op toen Charles hem een schaal hors d'oeuvres voorhield. 'Is Malakhai er nog niet?'

'Hij komt later vanavond.' Charles ging naast Nick Prado zitten en hield zich bezig met het ontkurken van de volgende fles wijn.

Franny Futura hield zijn hoofd scheef alsof hij een vogel was. 'Waaróm komt Malakhai?'

'Hij heeft een uitnodiging voor het festival ontvangen.' Nick stak zijn hand uit naar Mallory's schoot onder het mom dat hij het op de schaal met hors d'oeuvres had voorzien. Zijn arm streek langs haar dij. Haar ogen bliksemden, maar ze stak geen vinger naar hem uit.

'Nou ja, hij krijgt altijd uitnodigingen voor dat soort gelegenheden,' zei Franny. 'Maar hij komt nooit opdagen.'

'Malakhai?' Riker richtte zich op uit zijn behaaglijk onderuitgezakte houding om zich in het gesprek te mengen. 'Die naam ken ik... de vriend van Charles. Hij zit toch in een gekkenhuis, hè?'

'Noem het alsjeblieft niet zo.' Charles trok de kurk uit de fles en schonk een glas voor Emile St. John in.

'Pardon – een inrichting voor gestóórden.' Riker glimlachte tegen Mallory. 'En jij dacht nog wel dat ik geen goede opvoeding had gehad.'

Het was nog steeds afwachten of ze door woord en gebaar zou laten blijken dat Riker geen lucht voor haar was.

'Malakhai is eigenaar van het pand,' zei Nick. 'Een behoorlijk indrukwekkend oud herenhuis. Hij verhuurt het aan een privé-kliniek en heeft voor zichzelf een paar aangrenzende kamers achtergehouden. Hij woont daar samen met zijn overleden vrouw.'

Riker nam een slokje van zijn bier. 'Dus hij is toch geschift.'

'Nee!' zei Charles.

'O ja, dat is hij wel.' Nick lachte. 'Knettergek, maar wel op een heel originele manier. Die dode vrouw was onderdeel van zijn goochelshow.'

'Leuke truc,' zei Riker. 'Maar wel volkomen onwettig.'

'Er lag geen lijk op het podium.' Emile St. John zette zijn glas op de salontafel. 'Het publiek kon Louisa niet echt zien.'

'Een onzichtbare vrouw.' Riker sloeg het restant van zijn biertje achterover. 'Het wordt steeds gekker.' Hij slenterde naar de keuken, op zoek naar het sixpack dat hij meegebracht had.

Franny riep Riker na: 'Hij weet best dat Louisa dood is. Hij doet maar alsof.'

'Is dat zo?' vroeg Nick. 'Jij hebt Malakhai sinds de oorlog niet meer gezien, hè? Hij leeft met die dode vrouw samen. Hij slaapt ook met haar.' Hij keek Mallory schuin aan en trakteerde haar op een brede glimlach. 'Hij vrijt zelfs met haar. Ze is jonger dan jij en hij is al dik in de zeventig. Dat geeft een mens hoop.'

Riker kwam terug met een vol glas bier en ging weer naast Franny op de bank zitten. 'Hoe lang is dat al aan de gang?'

'Als ik me het goed herinner,' zei Emile St. John, 'betrok hij Louisa meteen na de oorlog in Korea bij de voorstelling.'

Mallory schoof met stoel en al verder weg bij Nick en dichter naar Emile toe. 'Charles zei dat die vrouw in de Tweede Wereldoorlog was gestorven.'

'O, dat is ook zo,' zei Emile. 'Maar jaren later vond Malakhai haar terug in een krijgsgevangenenkamp in Korea.'

'Korea. Dat was de oorlog van mijn vader,' zei Riker.

Mallory staarde Emile aan en deed nog steeds alsof Riker lucht was. 'Hoe bedoel je, hij vónd haar?'

'Martelingen,' zei Riker, die bleef volhouden dat hij zich wél op dezelfde planeet als Mallory bevond. 'Mijn vader kwam ook met een paar rare trekjes uit een van die kampen terug. Dus op die manier raakte Malakhai van lotje getikt. Arme klootzak.'

'Misschien.' Emile moest daar kennelijk even over nadenken. 'Maar ik kan daar ook tegenin brengen dat hij nu wel verstandiger is. En hij is in ieder geval meer tot rust gekomen. In de tijd tussen die beide oorlogen was Malakhai de verdrietigste man op aarde.' Hij richtte zich tot Mallory. 'Het is moeilijk voor een Amerikaan van jouw leeftijd om zich de nasleep van een wereldomvattende oorlog voor te stellen. Jullie steden zijn niet in kraters veranderd, nietwaar? Bij jullie zijn geen wegen of bekende punten verdwenen.'

Emile zweeg even om een slokje van zijn wijn te nemen en de rest van het gezelschap wachtte af. Zelfs Mallory onderkende het gezag van de geboren verteller. Dat was al zo oud als de wereld.

'In het naoorlogse Europa waren ontzettend veel mensen zoek – verdwenen in opvangkampen, aan het zwerven, of dood. Vluchtelingen waren jarenlang onderweg, op zoek naar familieleden. Als je in Londen of Rome door een drukke straat liep, kwam je altijd wel iemand tegen die het gezicht van elke voorbijganger op het trottoir bestudeerde – op zoek naar iemand die tijdens de oorlog vermist was geraakt.

Zo gedroeg Malakhai zich ook aan het eind van de jaren veertig en in het begin van de jaren vijftig. Het was triest om hem op het podium te zien optreden. Soms stond hij alleen maar naar het publiek te staren. Dan was hij de draad kwijt en wist niet meer waar hij gebleven was. En dan wist ik dat hij daar in het donker een roodharige vrouw had zien zitten. Louisa was er toen allang niet meer, ze was al jaren dood en dat wist hij best. Maar toch bleef hij haar altijd onder de toeschouwers zoeken.

In de volgende oorlog vond hij haar terug in een Noord-Koreaanse gevangeniscel van anderhalf bij anderhalf. Er was niet genoeg ruimte om te staan of languit te gaan liggen. Ze hebben hem een jaar lang in die kooi vastgehouden. Hij ging er alleen in en kwam er samen met de mooie Louisa weer uit. Wat een fantastische illusionist.'

Franny knikte. 'Ze was echt mooi, hè?' Hij keek Riker aan. 'En ook nog een muzikaal wonderkind. Goddank heeft haar concert de oorlog overleefd.' Hij hief zijn glas op. 'Ik wil een dronk uitbrengen op Louisa en haar muziek.'

'En op een toenemende platenverkoop,' zei Nick. 'Dat *Louisa's Concerto* tot in lengte van dagen royalty's mag opleveren.'

Mallory toastte mee, nog steeds met hetzelfde glas wijn dat Nick voor haar had ingeschonken. Ze dronk per keer nooit meer dan twee glazen wijn. Charles veronderstelde dat ze geen zin had om ook maar een greintje zelfbeheersing te verliezen, doordat ze aangeschoten zou raken.

'Oliver hield ook van Louisa. Hij aanbad haar.' Emiles glas werd opnieuw opgeheven. 'Op onbeantwoorde liefde.'

Charles hief zijn eigen glas op naar Mallory, in de hoop dat het gebaar haar zou ontgaan, want het zou niet de eerste keer zijn dat ze hem daarom uitlachte. Hoewel ze nooit echt hard lachte, niet uit volle borst. Ook een kwestie van zelfbeheersing, veronderstelde hij.

Riker tilde zijn bier op bij wijze van eresaluut en liet het een moment in de lucht hangen. De eeuwige vraag van iedere politieman was hem net te binnen geschoten. 'Hoe is Louisa gestorven?'

'Dat weet niemand,' zei Nick. 'Ze kan als spion zijn doodgeschoten, maar net zo goed onder een bus zijn gekomen.'

Riker geloofde zijn oren niet. 'Hebben jullie dat nooit gevraagd?'

Mallory had alle belangstelling voor het gesprek verloren. Ze wist hoe het verhaal afliep. Charles had haar dat al langgeleden verteld en nu herhaalde hij het nog eens voor Riker. 'Vragen heeft geen zin. Malakhai mag aan niemand vertellen hoe zijn vrouw is gestorven. Dat staat letterlijk zo in zijn platencontract. De platenmaatschappij dacht dat door zo'n mysterie meer platen van *Louisa's Concerto* zouden worden verkocht.'

Toen ze allemaal in de eetkamer verzameld waren, ging Charles aan het ene uiteinde van de tafel zitten om de stroom van schalen, bladen en wijnflessen in goede banen te leiden. Emile St. John ging aan het andere eind zitten, dat meteen het hoofd van de tafel werd. De man straalde een gezag uit dat niet bij het vak van illusionist paste.

Mallory liet dat vraagstuk even rusten en keek over de tafel naar Riker. Hij at met lange tanden, voelde zich duidelijk niet op zijn gemak en zag er treurig uit.

Mooi, net goed.

Hoewel ze niet het type was om zich te beklagen als ze zich verraden voelde, liet Mallory niet over zich lopen. Ze had hem nu voldoende gestraft voor het feit dat hij de kant van Coffey en de dode rat had gekozen, maar het zou nog wel even duren voor ze hem dat had vergeven. Terwijl hij haar een schaal met vlees overhandigde, keek ze hem voor het eerst die middag aan. 'Dat was heel slim van je, Riker – om met een voorbevlekte stropdas aan te schuiven.'

'Ja hè.' De rechercheur keek omlaag om de rode vlek te bewonderen, een souvenir van een andere maaltijd. 'Dan hoef je je niet zo in te spannen om je als een slons te gedragen.' Hij ontspande een beetje, omdat hij ervan uitging dat haar sarcastische opmerking het sein voor een wapenstilstand was. Hij richtte zich tot Emile St. John, die tussen Franny Futura en Nick Price in zat. 'Dus ze laten Malakhai vanavond los uit het gekkenhuis. Brengt hij zijn dode vrouw ook mee naar de stad?'

'Hij gaat nooit ergens heen zonder haar.' Emile gaf een slakom door aan Mallory. 'Ze was een begaafd componist, een wonderkind. Charles heeft het vast en zeker wel eens over *Louisa's Concerto* gehad?'

Ze knikte. Charles had het niet bij praten gelaten. Hij was zo enthousiast geweest dat hij er niet over op kon houden, in de hoop dat ze dan zou luisteren. Hij hield alleen van klassieke stukken. Zij hield van alle andere muziek. Dankzij haar waanzinnig muzikale pleegvader kon Mallory iedere bandleider uit het swingtijdperk opnoemen, iedere belangrijke jazzmuzikant, elke bluesartiest en alle rock-'n-rollsterren, maar ze kon geen concerto van een sonate onderscheiden. Muziek waarop niet gedanst kon worden, kwam in Mallory's woordenboek niet voor.

'Ik heb Louisa tijdens de oorlog gekend,' zei Nick Prado. 'De Tweede Wereldoorlog, dat was me nog eens een tijd. O, Emile, dit vind je vast prachtig. Malakhai zal in Carnegie Hall zijn oude programma brengen. Het concerto zal door een symfonieorkest worden gespeeld.'

'Maar bij de voorpubliciteit werd Malakhai niet eens genoemd,' zei St. John.

'Hij is op het laatste nippertje aangetrokken.' Charles stond van tafel op. 'De een of andere diva is plotseling verkouden geworden en heeft haar optreden geannuleerd. Ik ben zo terug. Even een andere plaat opzetten.'

Mallory hield Rikers gezicht in de gaten. Ze kon wel raden wat er zich achter zijn bloeddoorlopen ogen afspeelde. Hij zat waarschijnlijk de gebeurtenissen van die dag te overdenken. Zou hij er al uit zijn, uit die tegenstelling tussen motief en aanpak? Het financiële motief voor de neef van Oliver Tree die zo gek was op drugs paste niet bij haar eerdere schets van een spectaculaire moord uit pure hang naar sensatie. Haar partner zou zich vast afvragen of ze hem vanmorgen tijdens de optocht een rad voor ogen had gedraaid. Of had ze hoofdinspecteur Coffey vanmiddag iets op de mouw gespeld? Had ze misschien beide verhalen uit haar duim gezogen?

In de war, Riker?

De platen werden zacht afgespeeld, zodat de muziek als achtergrond bij de tafelgesprekken kon fungeren. De antieke grammofoon was uit de kelder gehaald om Charles in staat te stellen verzoeknummers te draaien uit de voorraad oude platen van Max Candle. Ze wist dat de plaat van Artie Shaw die net was gedraaid uit 1943 stamde. Nu luisterde ze naar *Lady Sings The Blues* en wist zonder erover na te denken dat de teksten van de hand van de zangeres, Billie Holiday, waren en de muziek van Herbie Nichols.

'Voor Malakhai,' zei Charles, toen hij weer aan tafel ging zitten. 'Dit is een van zijn lievelingsplaten.'

Kennelijk had de afwezige Malakhai een zwak voor dode vrouwen, maar hij had zich in ieder geval tot in de jaren vijftig gewaagd. Mallory wist dat deze plaat uit de herfst van het korte leven van de zangeres stamde.

Franny Futura had twee glazen wijn op en had zijn nerveuze gemaniëreerdheid afgeschud. Nu er zich een hele tafel tussen hem en Mallory bevond, gedroeg hij zich minder schichtig. Ze overhandigde hem een kom cranberrysaus bij wijze van vredesaanbod.

'Vertel me eens hoe lang u Oliver Tree hebt gekend.' Ze sprak met opzet wat zachter, zodat het niet direct als een bevel zou klinken.

'Ik kende hem sinds de tijd dat we allebei tieners in Europa waren.'

'In Europa?' Riker keek de man die naast hem zat aan. 'Ik dacht dat dat kereltje een timmerman uit Brooklyn was.'

'Ja, via Parijs,' zei Futura. 'Maar Oliver kwam oorspronkelijk uit Nebraska. Toen zijn ouders stierven, werd hij naar Frankrijk gestuurd om bij zijn grootmoeder te gaan wonen, Faustine. We zijn allemaal begonnen in *Faustine's Magic Theater*. Ook Max Candle en Malakhai.'

'Dus Oliver Tree had veel ervaring met goochelen.' Mallory gunde Riker een neerbuigend lachje. Dat was de nekslag voor zijn theorie dat diens dood een gevolg van zijn onbekwaamheid zou zijn geweest. 'Hij was een goede illusionist.'

'O, nee. Er bestond geen slechtere,' zei Nick Prado. 'Een goede timmerman. Hij maakte prima decors. Maar Oliver kon voor geen meter goochelen.'

Nu was het Rikers beurt om te glimlachen en Mallory keek op haar neus.

'Je slaat de spijker op z'n kop,' zei Futura. 'Bij een truc op het podium ging Olivers timing altijd de mist in. En hij had ook geen vingervlugheid.'

'De kruisboog – die van de stunt bij de optocht,' zei Mallory. 'Was dat niet een van de hulpstukken bij zijn truc?'

Futura leek een beetje beduusd door de plotselinge verandering van onderwerp. 'Olivers truc? O, je bedoelt Max Candles Verloren Illusie? O nee. Bij die truc worden repeteerwapens gebruikt. Maar ik ben ervan overtuigd dat de kruisboog waarmee maar één schot afgevuurd kon worden er een van Oliver was. Natuurlijk kon zijn collectie niet in de schaduw van die van Max Candle staan. Jaren geleden wilde ik als herinnering aan de goeie ouwe tijd een paar rekwisieten kopen. Maar de weduwe van Max wilde niets wegdoen.'

'Die lieve oude Edith.' De zure toon van Nick Prado duidde allerminst op genegenheid. 'Is dat mens nog niet dood?' Meteen daarna verscheen er een bedroefde trek op zijn gezicht. 'Neem me niet kwalijk, Charles. Je kon vast heel goed met haar opschieten.'

'Dat maakt niet uit.' Charles maakte geen geschokte indruk. Hij wist kennelijk dat er zich in dit gezelschap geen bewonderaars van de echtgenote van zijn neef bevonden. 'En ja, ze is dood. Een hartaanval. Een maand geleden.'

Haar dood scheen de oude mannen genoegen te doen, gezien de nauwelijks onderdrukte glimlachjes rond de tafel. Prado was het opgewektst. 'Charles, ik hoop dat jij de hele mikmak hebt geërfd – al die troep uit de kelder. Je hebt ook het podium van Max, hè?'

'Ja, maar dat is al dertig jaar niet meer uitgepakt geweest.' Charles richtte zich tot Mallory. 'Olivers podium was een nauwgezette kopie van het origineel. Max had het volkomen gemechaniseerd zodat hij geen assistenten meer nodig had en menselijke fouten uitgesloten waren.'

Riker keek op van zijn bord. 'Dus die agenten deden bij de oorspronkelijke truc niet mee?'

'O jawel,' zei Prado. 'Maar ze waren er alleen maar voor de show. Door de aanwezigheid van politie is het publiek ervan verzekerd dat de wapens en de handboeien echt zijn. Charles bedoelt alleen maar dat Max Edith aan de kant zette. Ze was zijn assistente toen hij dat ongeluk in Los Angeles had. Weet je nog, Emile? Daardoor was hij een jaar lang uitgeschakeld. In die tijd heeft hij het podium gebouwd.'

Mallory ging wat rechter zitten. 'Denk je dat de vrouw van Max heeft geprobeerd om hem om zeep te helpen?'

Prado leek daar even over na te denken. 'Dat zou een boel verklaren.'

Charles liet zijn bestek rinkelend op zijn bord vallen. 'Zo is het wel genoeg, Mallory. Eerst Oliver en nu Max. Mensen hebben af en toe wel eens een écht ongeluk.'

Mallory luisterde niet. Ze zat haar verdachten te beoordelen aan de hand van hun maatkleding of het gebrek daaraan. Nick Prado zat er kennelijk warmpjes bij en dat gold ook voor Emile St. John. Maar de smoking van Franny Futura paste hem niet goed. Misschien had hij die gehuurd. Hij zou best om geld verlegen kunnen zitten. Financiële motieven hadden haar voorkeur.

'Dus jullie mochten Edith Candle geen van allen,' zei Riker.

'Nee, eigenlijk niet.' Prado nam een slokje wijn. 'Maar ik ben er niet eens zeker van of Max Candle haar wel zo graag mocht. Nogmaals sorry, Charles.' Hij hief zijn glas iets hoger op. 'Als de wijn is in de man...'

'Maar Max bleef haar wel trouw,' zei Futura. 'Hij vond het heel belangrijk dat een mens zich aan zijn beloften hield – aan zijn huwelijksbelofte. Het was niets voor hem om een vrouw in de steek te laten.'

'Nou ja, hij heeft wel een relatie gehad met de vrouw van iemand anders,' zei Prado. 'Hij was geen heilige.'

Charles liet opnieuw zijn vork vallen. Dat hoorde hij voor het eerst.

St. John schoof zijn stoel weg van de tafel. Hij haalde een platina sigarenkoker uit zijn borstzak en veranderde tactvol van onderwerp. 'Mallory, ik begrijp dat jij niet denkt dat Oliver door een ongeluk om het leven is gekomen. Kun je dat bewijzen?'

'Ik zou een heel eind verder zijn als ik wist hoe zijn truc met die kruisbogen eigenlijk in zijn werk ging.'

'Maar dat weet niemand,' zei Futura. 'De Verloren Illusie is maar één keer voor het voetlicht gebracht.' Hij haalde een goedkope aansteker voor de sigaar van zijn vriend tevoorschijn. 'Dat was wanneer, Emile? Veertig jaar geleden?'

St. John knikte terwijl hij een wolk blauwe rook uitblies. 'Heel veel illusionisten hebben geprobeerd om te achterhalen waar die voorstelling is geweest, maar Max was altijd heel voorzichtig met het programmeren van zijn try-outs buiten de stad. Het meest ideale was een afgelegen plaatsje dat te klein was om een eigen krant te hebben. Een verstandige voorzorgsmaatregel... zo kreeg hij geen kritieken als hij bezig was het onkruid uit een nieuwe voorstelling te wieden.'

De rook dwarrelde in banen licht van de late middagzon. Mallory nam een slokje van haar wijn en keek naar de witharige mannen. Ze hadden naar hartelust gegeten en gedronken, en waren tevreden en slaperig – kwetsbaar dus.

'Was er niemand die de uitnodiging van Oliver een beetje vreemd vond?' Hun aandacht bleef op Mallory gevestigd toen ze net deed alsof ze het niet meer precies wist. Ze trok de uitnodiging die Charles had ontvangen uit de zak van haar blazer en las de zinnen die ze eigenlijk al uit haar hoofd kende hardop voor: '"U wordt uitgenodigd tot het bijwonen van de Verloren Illusie van Max Candle, waarbij meer dan één dodelijk mysterie zal worden onthuld." De formulering is een beetje vreemd, hè?'

En onheilspellend?

Riker vond kennelijk van wel. Hij zat haar niet bepaald vrolijk aan te kijken en zijn argwanende ogen zeiden: *Je hebt weer iets voor me verborgen gehouden.*

Mallory haalde haar schouders op in een zwijgend *Nou én?*

Hij schudde zijn hoofd om haar duidelijk te maken dat hij dit niet verdiende. Niet van haar. Ze waren partners.

Maar waar was haar partner geweest toen ze vanmiddag in de recherchekamer spitsroeden had moeten lopen? Hij had samen met Jack Coffey achter de ruit gestaan – en de hele voorstelling gádegeslagen.

'Die uitnodiging.' Ze keek de oude mannen tegenover haar aan tafel aan. 'Wat houdt die in? Wat is dat andere mysterie?'

'Er is helemaal niets vreemds aan die formulering,' zei de onverstoorbare Emile St. John. 'Oliver had een behoorlijk aantal van de oude trucs van Max gereconstrueerd en die waren stuk voor stuk levensgevaarlijk. Hij deed ze allemaal cadeau aan oude vrienden. Ik heb de oplossing voor de truc van de gehangene gekregen, plus een replica van de galg die Max gebruikte.'

'Ik heb een stapel ideeën en een kist hulpmiddelen gekregen,' zei Nick Prado.

Franny Futura zat te knikken. 'Ik heb de truc met de slinger van Max gekregen. Die ga ik in het theatertje van Oliver brengen.'

Mallory's partner glimlachte, alsof hij wilde zeggen: *Daar gaat je mooie theorie – over en sluiten.*

Nog even wachten, Riker. 'Maar die trucs werden per testament door Oliver aan jullie vermaakt.' Mallory vroeg hen niets, ze deelde hen iets mee. 'Niemand van jullie kon weten wat die uitnodiging inhield – tot na zijn dood.' Ze keek Riker aan, alsof ze hem de overwinning op het nippertje uit handen had geslagen.

'O, ik wist allang wat dat inhield,' zei Nick Prado. 'Die uitnodiging is al maanden oud. Ik had de instructies voor mijn truc al een hele tijd in huis voor ik uit Chicago vertrok.'

De anderen knikten bevestigend. Dus vóór Oliver doodging hadden ze allemaal hun brieven met uitleg en hun trucs gehad. Nou, misschien zat een van hen wel te liegen – of ze logen allemaal.

'Natuurlijk kan ik die truc met de slinger niet doen aan de hand van Olivers uitleg,' zei Futura. 'Ik ben bang dat hij ernaast zat – net zoals hij de truc waarbij hij de dood vond, heeft verknald.'

Ze wist zonder naar Riker te kijken dat hij zat te grijnzen, bij wijze van voorspel voor een stevige lachbui. Dit vond hij vast prachtig, om te zien hoe ze in alle opzichten de plank missloeg. Maar hij was in het nadeel: hij wist niet zeker dat er die ochtend bij de optocht een schutter was geweest. Als hij haar had geloofd, had hij haar favoriete revolver niet in beslag laten nemen.

En dan vroeg Riker zich nog af waarom ze hem liever niet alles vertelde.

Nu keek ze naar hem en was verrast dat hij niet lachte toen hij zijn sigaret uitdrukte. 'Je kunt niet altijd gelijk hebben, meid.'

Mallory knikte. *Ja, vast.* Dacht hij nou echt dat zij zich het neerschieten van die ballon zomaar in de schoenen zou laten schuiven, met als gevolg dat ze van roekeloos gedrag beschuldigd zou worden? *Dat kun je op je buik schrijven, Riker.*

Ze richtte zich op een andere kandidaat voor haar schutter, de man die in dit gezelschap ontbrak, de man die samenwoonde met een dode vrouw. Hoewel ze zelden krankzinnigen aan haar lijstje van mogelijke verdachten toevoegde, laadde ze de schuld nu al in gedachten op de schouders van Malakhai. *Hoe is die vrouw van jou gestorven? En waar was jij toen dat schot vanochtend afging?*

4

Vanmorgen droeg Charles nu eens geen driedelig kostuum met stropdas, een zeldzame uitzondering op zijn gebruikelijke Harvard Club-uitmonstering. Hij had de voorkeur gegeven aan een spijkerbroek en een denim shirt omdat die een stuk praktischer waren; het doorspitten van drie decennia stof zou een smerig karweitje worden.

Mallory schoof de mouwen van haar sweatshirt omhoog. Omdat burgers altijd zenuwachtig werden van vuurwapens en ze geen blazer droeg waarmee de holster bedekt zou kunnen worden, had ze haar dienstwapen in het kantoor boven laten liggen. Op die manier zondigde ze tegen haar eigen kledingvoorschriften, waar doorgaans een nog zwaarder kaliber revolver bij hoorde dan de .38.

De rechthoek die werd gevormd door het felle licht vanuit het trappenhuis besloeg ongeveer anderhalve meter van de keldervloer en daarachter heerste een ondoordringbare duisternis. Mallory begon weer over het meningsverschil waar ze nu al een jaar lang over kibbelden. 'Zal ik de muurschakelaar toch maar weer repareren?'

'Waarom zouden we al die moeite doen?' Hij stak zijn hand uit naar de meterkast en pakte er een zaklantaarn af. 'Ik vind het op deze manier juist leuk.'

Ja, hoor.

Charles, de antiekliefhebber, vond alles wat oud en kapot was leuk, zelfs de elektrische bedrading. Mallory besloot om hem in zijn eigen sop te laten gaarkoken. Het was verstandiger om gewoon te wachten tot hij een keer in het donker viel en zijn nek brak. Zoveel geduld kon ze voor haar vrienden wel opbrengen.

Met behulp van de zaklantaarn volgden ze een pad dat lukraak tussen pakkisten en koffers doorliep. De gele straal gleed over een kapotte schommelstoel, die mogelijk de oorzaak was van de lichte geur van rottend hout die in de lucht hing. Alles rook naar stof en nu snoof ze ook een spoor van schimmel op. Stapels vaten en kartonnen dozen rezen als donkere torens rondom hen op. Terwijl ze een hoofdeloze paspop ontweek, was ze in haar achterhoofd nog steeds bezig met het probleem van de elektrische bedrading.

Oorspronkelijk was deze ruimte een werkplaats geweest ter grootte van een danszaal in een hotel. Maar Charles, die uit de kluiten gewassen hobbit, wilde alles liever teruggebracht zien tot wat gezelliger, menselijke afmetingen. Misschien gaf hij wel de voorkeur aan die zaklantaarn omdat je daardoor niet kon zien hoe groot de kelder eigenlijk was.

'Ik heb de kisten gisteravond al tevoorschijn gehaald,' zei hij. 'Alle belangrijke onderdelen zijn aanwezig. Ik kon de enkelboeien niet vinden, maar ik weet zeker dat die nog wel ergens vandaan komen. Het podium moet in elkaar gezet worden. Dat zal wel even duren.'

'Ik heb geen haast. Jack Coffey heeft me voor onbepaalde tijd verlof gegeven.' Ze vertelde niet dat de hoofdinspecteur ook haar favoriete revolver had achtergehouden. Dat was nog steeds een bron van vernedering.

'Maar geen vakantie, als ik het goed begrijp.'

'Nee, maar zo noemen we het wel.' Ze volgde hem naar de wand van hoge houten panelen die met scharnieren aan elkaar bevestigd waren. Die besloeg de volle breedte van de kelder en sloot de ruimte af waar de trucs van Max Candle lagen opgeslagen – en waar nog wel elektriciteit was.

Charles bleef staan voor de twee middelste panelen die als deur dienstdeden. Ze waren met een ketting en een hangslot afgesloten. 'Het podium is sinds de dood van neef Max niet meer uitgepakt. Dat was dertig jaar geleden. Het kan best zijn dat de staat waarin de apparatuur zich bevindt niet al te best meer is.'

Mallory wierp een minachtende blik op het slot. Het was een uit de kluiten gewassen stuk antiek ter grootte van een wekker. 'Ik wil alleen maar zien hoe die truc in zijn werk gaat.'

'Dat kan ik je niet vertellen.' Charles stak een sleutel in het slot en de losse uiteinden van de ketting gleden door gaten in het hout. 'Niemand weet hoe die truc in elkaar stak. Daarom noemen ze het ook de Verloren Illusie.'

Hij gebruikte zijn beide handen om de vouwwand open te duwen. De panelen kraakten terwijl ze als een accordeon over metalen rails wegdraaiden en toegang boden tot een enorme galmende ruimte. Een gedempte grijze baan ochtendlicht viel naar binnen door een raam hoog in de muur, op dezelfde hoogte als de onderkant van de luchtkoker. Achter de smerige ruit en de ijzeren tralies stonden de overvolle vuilnisbakken van een naburig pand – een paradijs voor ongedierte. Een zwart diertje kroop wat dichter naar het raam toe om haar beter te kunnen bekijken. Dat beest was te brutaal om in leven te laten en Mallory besloot om maar weer eens met Charles te gaan bekvechten over vallen die groot genoeg waren om de rug van deze rat te breken.

'Er is maar één voorstelling geweest waarbij alle vier de kruisbogen gebruikt werden,' zei Charles. 'Dat was die try-out buiten de stad.'

Ze keerde het donkere ding bij het raam de rug toe. 'Dus het was een slechte truc?'

'Een gevaarlijke truc.' Hij bukte zich en raakte een globe aan, die ineens een zachte gele gloed begon uit te stralen. Met behulp van wisselstroom brandde hij afwisselend fel en zwak in het natuurlijke ritme van de menselijke ademhaling. Boven de globe zweefde een geschilderde draak op de drie rijstpapieren panelen van een inklapbaar scherm. In het flikkerende lamplicht leek de adem van de draak in lichterlaaie te staan.

Zes meter verderop, in een ondiepe kloof van schappen en dozen schitterde een verticaal rijtje sterretjes, als een lichtgevende kier in een plas inktzwarte schaduw. Terwijl Charles om het drakenscherm heen liep, dwaalde Mallory in de richting van het geflonker. Ze bleef even staan bij een staande schemerlamp met franje aan de kap en trok aan het kettinkje waardoor er een kring licht viel op een oude kastkoffer achter in de kelder. Hij stond op een kiertje, waardoor er een smalle baan glimmende lovertjes te zien was. De gebarsten leren buitenkant was bedekt met de verschoten kleuren van buitenlandse reisetiketten.

De hoes van een oude grammofoonplaat lag over de opening in het deksel van de kastkoffer. Aan de ongerepte dikke laag stof op het rottende karton en boven op de kastkoffer te zien waren geen van beide in tientallen jaren zelfs maar aangeraakt. Onder haar voeten bevonden zich afdrukken van grote vierkanten. Er waren brede, duidelijke sporen zichtbaar die over de vloer naar de ruimte achter het scherm leidden, waar Charles nu nog meer lampen aandeed. De smalle opening was dus beschermd geweest door de kisten die hij gisteravond had versleept. Dat moest de verklaring zijn voor het feit dat de lovertjes nog steeds glommen, hoewel ze eigenlijk dof hadden moeten zijn onder een dikke laag stof.

Mallory zette haar handen aan weerszijden van de kier in de kastkoffer en trok hem met geweld open, want de scharnieren waren verroest. In het linkerdeel van de kastkoffer zat een smalle ladenkast en aan de rechterkant bevond zich een rek dat volgepropt hing met kleren op hangers. Haar ogen gleden over de felle kleuren en de pailletjes, en bleven rusten op het simpelste materiaal. Ze pakte een kostuum van het rek en hield het op in het licht van de staande schemerlamp. Het gebroken witte satijn was niet vergeeld, maar leek door de ouderdom nog warmer van tint geworden. Het jasje en de broek waren oorspronkelijk voor een man geweest, maar versteld en op maat gemaakt voor een slanker figuur met een smalle taille. Ze bekeek de stiksels. Dit was het werk van een bijzonder goede kleermaker. Het kon de vergelijking doorstaan met ieder kledingstuk dat zij in haar kast had.

Charles kwam naar haar toe lopen, terwijl ze het pak dicht tegen haar eigen lange lichaam aanhield. 'Prachtig,' zei hij. 'Waar heb je dat vandaan?'

Ze knikte naar de koffer. 'Ik weet zeker dat die niet van de vrouw van je neef was. Edith was te klein.'

'*Faustine's Magic Theater*. Dat herinner ik me nog wel. Hij maakte deel uit van een grote zending uit een verlaten theater in Parijs. Max heeft na de oorlog de hele inboedel opgekocht. De kostuums zullen wel van een van de artiesten zijn geweest. Toen ik nog klein was, zat deze koffer altijd op slot.'

Mallory rommelde tussen de lingerie in de bovenste la. Haar hand raakte een plat voorwerp aan en ze haalde een paspoort tevoorschijn. De naam op de eerste bladzij was duidelijk te lezen, maar de foto was beschadigd, het gezicht was met een scherp voorwerp weggekrast. Ze keerde terug naar de andere kant van de kastkoffer waar de kleren aan het rek hingen en doorzocht ze, zak voor zak, tot ze een kaartje vond met een Franse tekst en dezelfde naam. 'De kastkoffer is van Louisa Malakhai geweest. Ik vraag me af hoe Edith het vond dat haar man de kleren van een andere vrouw bewaarde.'

'Als je denkt dat ze misschien jaloers was, vergis je je echt,' zei Charles. 'Louisa was al jaren dood voordat Max Edith zelfs maar leerde kennen.'

- 'Nog een ongeluk?' Mallory keek neer op het slot. Het was opengebroken, maar al lang geleden. Er zat een dikke laag roest op de sporen, die waren achtergelaten door het instrument waarmee de metalen sluiting was geforceerd. Charles zei dat de koffer altijd op slot had gezeten toen hij nog klein was, maar toen zijn vrouw hem opengebroken had, was Max Candle misschien nog in leven geweest.

Ze gaf hem achteloos het geopende paspoort van Louisa Malakhai. Toen hij op de eerste bladzij keek, werd zijn gezicht plotseling grimmig. Misschien trok hij zijn eigen conclusies over wie de foto had vernield en waarom. En nu stond hij te kijken naar het overduidelijk beschadigde slot. Dat maffe brein van hem kon bewijzen sneller bij elkaar optellen dan het hare.

'Een ongeluk zit in een klein hoekje,' zei Charles terwijl hij het paspoort boven op de kastkoffer legde en net deed alsof de sporen van onbeheerste woede waarmee een echtgenote de foto van het gezicht van een andere vrouw had bekrast hem ontgaan waren. 'Dat was in feite ook de reden waarom Max de truc met de kruisbogen maar in één voorstelling voor het voetlicht heeft gebracht. Bij die poging kwam iemand om het leven.'

'Maar het is allemaal bedrog,' zei Mallory. 'Je moet echt heel erg je best doen om bij een goocheltruc het loodje te leggen.'

'In de meeste gevallen zou je gelijk hebben,' zei Charles. 'Maar zelfs Houdini was een keer geen Houdini. Max was echter geen gewone goochelaar.'

Ze liep achter hem aan naar de andere kant van het drakenscherm waar nog meer verlichte globes en een andere oude staande schemerlamp de plastic afdekhoezen van metalen kledingrekken verlichtten. Onder de beschermende laag plastic weerkaatsten wel duizend rijnsteentjes het licht in een oogverblindend schouwspel. Zijden en satijnen stoffen glansden in alle mogelijke kleuren. Achter de rekken stonden rijen stevige metalen stellingen en dat was het enige wat Mallory beviel. Ze gaf niets om de inhoud van de stellingen, een verzameling stofnesten variërend van leren hoedendozen en enorme speelkaarten tot uitbundig beschilderde trommeltjes en koffertjes. De vloer was bezaaid met zoveel dozen en losse spullen dat het jaren zou kosten om de erfenis van Charles te inventariseren.

De lamp die het verst van het drakenscherm stond, verlichtte de bekende guillotine. Hoog in de lucht hing een venijnig metalen mes tussen lange houten palen te wachten. Ze wees ernaar. 'Ik weet dat dat niet echt is.'

'Tja, Max heeft die guillotine ontworpen in de tijd dat Edith nog meewerkte aan de voorstelling en iedere avond haar hoofd verloor. Zij voelde er niets voor om risico's te nemen.'

Charles keek de grote houten kisten na die op een stapel op de grond stonden. Lange panelen van dik hout stonden schuin tegen een van de wanden met stellingen. 'Als ik me goed herinner, kan het podium met behulp van gleuven en uitsteeksels in een wip in elkaar gezet worden, als een reusachtige Lego-constructie.'

Twee uur later was het omhulsel opgebouwd tot een kist van drie bij drie meter met een trap aan de voorkant. De andere drie zijden waren betimmerd met donker palissander. Dertien treden leidden naar een podium met twee rechtopstaande palen van licht essenhout. Mallory keek op naar de ovale schietschijf die ertussen hing. 'Het ziet er precies zo uit als het exemplaar dat Oliver gebruikte.'

'Dat moet wel.' Charles stond naast het podium. 'Oliver heeft hier het meeste werk aan verricht. Hij was een prima timmerman. De schietschijf wijkt maar in één opzicht af. De pinnen die in de gaten in de palen vallen. Die van Max zijn van hout, Oliver gebruikte metalen.'

Ze keek neer op de vierkante metalen uitsparingen in de eerste tree, twee stuks aan weerszijden. Die waren op maat gemaakt voor de koperen staven aan de onderkanten van de vier voetstukken. 'Dit is ook anders. Bij de nieuwsflitsen van Olivers truc leek het alsof de voetstukken met bouten vastgezet waren.'

'Hij bleef constant dingen veranderen. Hij had waarschijnlijk het idee dat het op die manier veiliger was. Afgaand op wat ik van zijn duplicaat heb gezien, was alles verder hetzelfde. Maar ik heb de binnenruimte bij hem niet bekeken.' Een van z'n handen gleed over het middelste paneel van de zijkant rechts van de trap. 'Hier moet het drukslot ergens zitten.'

Hij duwde op een van de planken. Het paneel ging open en nu konden ze in het holle binnenste van het podium kijken. Boven hun hoofd zorgden de openstaande valluiken voor een gedempt licht. Charles liep naar binnen en trok aan de ketting van een hanglamp. De ronde metalen kap wierp een felle lichtkring op de vloer en liet het plafond in schaduw.

'Niet te geloven,' zei hij. 'Die gloeilamp is op zijn minst dertig jaar oud.'

Mallory boog zich voorover om in de kleine ruimte te kijken en bestudeerde de wanden vol gleuven, pinnen en sleuven die op de bijpassende onderdelen wachtten.

'Ik heb nooit gezien hoe Max het mechanisme in werking stelde.' Charles stond in de deuropening naar de stapel ongeopende kisten te kijken. 'Het zal net zoiets worden als het in elkaar zetten van zo'n puzzelblok.' Hij liep naar de dichtstbijzijnde kist en keek op het etiket. 'Harmonicastatief. Ik weet waar dat hoort – onder het middelste valluik. Ergens anders kan niet.'

Mallory liep om het bouwwerk heen terwijl Charles en de kist in het omhulsel verdwenen.

'Als je hier ooit alleen naar binnen gaat,' riep hij, 'vergeet dan niet dat er geen knop aan de binnenkant zit. Ik heb hier een keer opgesloten gezeten toen ik nog een klein jochie was.'

'En die valluiken dan?'

'Die kunnen niet van binnen uit opengemaakt worden. Dat gebeurt op het podium met behulp van hefbomen die met de voeten bediend worden.'

'Dat lijkt op slordig timmerwerk.'

'Nou ja, als er een andere manier is om ze te openen, heeft Max me dat nooit verteld. Hij wilde niet dat ik hier beneden in mijn eentje zat te spelen. Dat was veel te gevaarlijk, zei hij.'

Ja, dat zou wel.

Mallory was halverwege de trap naar het podium, toen ze Rikers stem hoorde roepen: 'Hé, waar zítten jullie toch?'

Vanaf dit punt kon ze over het drakenscherm kijken. Haar partner stond aan de andere kant in een treurig mengelmoesje van nieuwe en oude kleren. Mallory besloot om de hoed van de man te gappen, zodat die geborsteld en weer in vorm gebracht kon worden. De afgetrapte schoenen zouden haar voor grotere problemen stellen bij haar plan om Riker wat te fatsoeneren.

Hij liep om het scherm heen en bleef voor het podium staan, terwijl hij over zijn schouder naar de opening in de vouwwand wees. 'Ik heb daarginds bijna mijn nek gebroken.'

'Je bent laat.' Ze wierp een blik op de papieren tas in zijn rechterhand. Die was groot genoeg om haar .357-revolver te herbergen.

'Ik ben onderweg even een krant gaan kopen.' Riker hield hem omhoog zodat ze de koeienletters op de voorpagina konden zien. 'Gefeliciteerd. Dat is de langste kop die dit vod ooit heeft bedacht: "Brigadier brengt hondje voor ogen van duizenden kinderen om zeep."'

En nadat hij de beoogde reactie had gekregen – ze voelde zich in de zeik gezet – propte hij het boulevardblad weer in zijn diepe jaszak. 'Je hebt mazzel dat ze er alleen maar een foto van de ballon bij hebben gezet. Nu word je op straat tenminste niet door al die kleine kinderen herkend – en kunnen ze je ook niet met hun bierblikjes onder vuur nemen.' Riker grinnikte.

Mallory niet. 'Maar wat had Coffey te vertellen? Denkt hij nog steeds dat ik een gevaarlijke gek ben?' *En denk jij er misschien net zo over?*

'Wat?' Een verbaasde Charles stond naast het podium. 'Heeft Coffey dat gezegd?'

Riker haalde zijn schouders op. 'Nee joh, ze overdrijft weer eens.' Hij keek op naar Mallory die zes treden boven hem op de trap stond. 'De hoofdinspecteur heeft nooit beweerd dat je gek was. Hij wilde alleen niet dat de andere jongens erachter zouden komen dat je bij het minste of geringste je revolver trekt. Dat is iets heel anders.'

Ze keek met samengeknepen ogen op Riker neer. 'Dus je staat nog steeds achter Coffey?'

'Heb je het nou over die preek van hem over dooie dienders? Dat hoort gewoon bij je opvoeding, meid. Dat moest een keer tegen je gezegd worden.' Hij liep de trap op om zich bij haar te voegen. 'Maar ik sta aan jouw kant. En dat is altijd zo geweest.'

Niet altijd. Gisteren niet.

Charles was weer in de ruimte onder het podium verdwenen. En nu rees een wirwar van gebogen metaal langzaam uit de vierkante opening in de planken omhoog. Het geheel had wel iets weg van de kromgetrokken baleinen van een paraplu zoals het daar een moment bleef zweven voor het met een metalige klap in elkaar stortte. Vervolgens werd het weer naar beneden getrokken en het glimlachende gezicht van Charles dook op uit de opening. Vanaf de plek waar Mallory op de trap stond, leek het net alsof iemand zijn hoofd had afgehakt en achteloos op de planken had laten liggen.

'Er moeten nog wel een paar plooitjes worden gladgestreken,' zei het grijnzende hoofd.

Terwijl Charles weer langzaam wegzakte onder het vloeroppervlak van het podium, floot Riker waarderend. 'Goh, da's gaaf.'

Mallory keek strak naar de papieren zak die de rechercheur in zijn hand had. 'Heb je mijn revolver van Coffey teruggekregen?'

'Dat kanon bedoel je?' Hij schudde zijn hoofd. 'De hoofdinspecteur zegt dat je je maar moet behelpen met je .38. Dat ding dat je hebt gekregen toen je in dienst kwam, weet je nog wel? Je officiële revolver?'

'Denkt hij soms dat ik van plan ben om tussen een ander publiek amok te gaan maken?'

'Nee,' zei Riker. 'Ik denk dat hij nog steeds de pest in heeft over dat neerschieten van die rat. Sommige mensen hebben iets met honden. De hoofdinspecteur heeft een zwak voor ratten met koosnaampjes.'

Charles' hoofd dook opnieuw op uit het vierkante gat in de podiumvloer. 'Heb je de tamme rat van die man doodgeschoten?'

Mallory keek naar het pratende hoofd. 'Begin jij nou niet ook nog eens, Charles.'

Hij dook weer weg in het podium en ze kon hem nog net binnensmonds horen mompelen: 'Ik weet zeker dat de rat zijn verdiende loon heeft gekregen.'

Riker liep het podium op en ging naast het valluik op zijn hurken zitten. Terwijl hij vooroverleunde naar de opening, zei hij: 'Die rat heette Oscar.'

'Het had erger kunnen zijn,' riep de stem van Charles vanuit het gat. 'Het zou iets anders zijn geweest als ze Coffeys hónd had doodgeschoten.'

Mallory sloeg haar ogen ten hemel. Nadat ze even de tijd had genomen voor wat zelfcensuur, keek ze haar partner aan. 'Heb je dan helemaal níks waar we iets aan hebben?'

'Hé,' zei Riker terwijl hij weer naar de trap liep. 'Je denkt toch niet dat ik met lege handen terug zou komen?'

Charles hield zich gedeisd toen hij zei: 'Niet zolang ze nog twee andere revolvers heeft.'

Ze liep de trap verder op, ging naast Riker staan en deed net alsof ze het andere gezicht dat haar vanuit het donkere gat in de vloer toelachte niet zag. 'Heb je dan tenminste wel de dossiers over Oliver Tree?'

'Die hebben we niet nodig.' Riker stak een hand in de papieren zak en haalde een bruine kartonnen map tevoorschijn. 'Die lui van West Side hadden er genoeg van om iedere keer door verslaggevers aangeschoten te worden, dus hebben ze een persbericht uitgegeven. Daar staat alles in. De kranten krijgen het morgenochtend.'

Ze pakte de map uit zijn hand, sloeg hem open en zag alleen maar twee velletjes breed gespatieerde tekst. *Dat is niet genóég!* 'Je hebt zeker niet met die rechercheur van West Side gesproken, hè?'

'Dat vond hoofdinspecteur Coffey niet goed, weet je nog wel? Maar het maakt niets uit.' Hij tikte op de map in haar hand. 'Hier heb je alle feiten. Niks mis met de kruisbogen. Die bleken allemaal goed te werken. De handboeien waren het eigendom van de agenten die aan de truc meewerkten. Daar kan niemand mee hebben geknoeid. Wat die ouwe man het leven kostte, was zijn eigen boeiensleutel. Die was in de handboeien afgebroken.'

Mallory stond de velletjes die ze in haar hand had te verfrommelen, zonder dat ze het besefte. 'Hoe zit het met de executeur-testamentair van Oliver? Heeft hij je verteld wat er in het testament stond?'

'Ik heb hem niet gesproken. Hij zit de komende drie dagen nog op een cruiseschip.'

Dus Riker had geen van de geplande vraaggesprekken gevoerd. Desondanks maakte hij een vergenoegde indruk. 'Je kunt er niet onderuit, Mallory. Een dodelijk ongeval. Als die sleutel niet was afgebroken, zou die ouwe vent nog steeds leven.'

'Voor een paar miljoen dollar zou iemand daar best mee geknoeid kunnen hebben. Ik moet het testament hebben dat de executeur…'

'Het is een stuk oud metaal. Je hoeft je goede geld niet uit te geven aan labproeven om dat te zien. Geen beschadigingen, geen snijlijnen.'

'Heb je gevraagd met welke scheepvaartmaatschappij die executeur een cruise maakt?'

'Waarom zou ik? Het is een dodelijk ongeval. We kunnen de executeur niet de duimschroeven aanleggen om inlichtingen te krijgen en we kunnen hem om de donder niet van een cruiseschip af slepen. Het zou toch tijdverspilling zijn geweest. Geen schijn van kans dat een advocaat me ook maar iets zou vertellen als ik hem geen gerechtelijk bevel onder de neus duw.' Riker overhandigde haar de bruine papieren tas. 'Dit is een cadeautje van een van de agenten die aan de truc van die ouwe vent heeft meegewerkt.'

Ze haalde een stel handboeien tevoorschijn. 'Zijn ze niet als bewijsmateriaal verpakt? Zitten er geen papieren bij?'

'Meid, aan dat soort poespas doen ze nooit als er van een dodelijk ongeval sprake is.'

Om Riker tevreden te stellen deed ze net alsof ze de handboeien bekeek. Een week geleden, toen dit bewijsmateriaal nog vastzat om de pols van een lijk op de snijtafel van dokter Slope, had ze dat al heel wat zorgvuldiger gedaan. Maar ze had verzuimd om Riker van dat bezoek aan het mortuarium op de hoogte te stellen.

Mallory wees naar het afgebroken stuk metaal dat nog uit het slot stak. 'Waar is de rest?'

'Jij bent ook nooit tevreden, hè? De agenten hebben het andere stuk niet gevonden.' Riker knoopte zijn jas open en was kennelijk van plan nog een tijdje te blijven. 'En de agent van wie deze handboeien zijn... die zal zijn mond wel houden. Coffey komt er nooit achter dat we met iemand uit de andere wijk hebben gepraat.'

Alsof haar dat wat kon schelen. De boeien waren dus niet onderzocht. 'Er zijn geen documenten om aan te tonen wie ze wanneer in zijn bezit heeft gehad. Als bewijsstuk zijn ze nutteloos bij een proces.'

'Kijk nou eens naar die dingen, Mallory. In dat verdomde slot zit een afgebroken sleutel vast. Daarmee staat vast dat het een ongeluk is geweest.'

Ze liep de trap af en bleef bij een staande schermerlamp staan terwijl ze de boeien vlak bij de gloeilamp hield. Het afgebroken stuk metaal was zowel glanzend als zwart. 'Dit is een bewijs voor moord – althans dat zou het zijn geweest als ook maar iemand zijn werk naar behoren had gedaan.' En wat Mallory betrof, sloeg die smadelijke opmerking net zo goed op Riker.

Vorige week was ze de enige rechercheur geweest die de autopsie van Oliver Tree had bijgewoond. Dokter Slope had de angstige ogen van de kleine man gesloten en haar verzoek afgewezen omdat hij het onnodig en morbide vond. De patholoog-anatoom had het lichaam niet eens geopend, want bij ongelukken was een volledige autopsie overbodig. Uiteindelijk had Mallory het karweitje zelf opgeknapt. Ze had dokter Slopes hamer gepakt en de hand van de kleine timmerman gebroken in plaats van het bewijsmateriaal te beschadigen door de afgebroken sleutel te verwijderen of de metalen boei door te zagen.

En wat had die rechercheur van West Side gedaan, nadat ze de handboeien zo zorgvuldig en meedogenloos had weten te redden? Hij had ze achteloos teruggegeven aan de agent van wie ze waren geweest – als een souvenir, verdomme!

Wat kon ze er nog aan doen? 'Als ik deze handboeien aan Heller geef, zal hij zeggen dat het een oude sleutel was die werd opgepoetst om...'

'Heller zal helemaal niks zeggen.' Riker kwam langzaam de trap aflopen en schudde zijn hoofd. 'De technische recherche zal hier geen tijd of geld aan verspillen. En hoe zit het met je favoriete verdachte? Dacht je nou echt dat die ouwe man zijn geld aan een junkie heeft nagelaten? Denk eens goed na, meid. Waarom zou die neef een moord plegen om miljoenen te erven en vervolgens honderd piek aanpakken om die stunt met de kruisboog bij de optocht uit te halen? Dat verwacht je toch niet van iemand die vanwege financiële motieven de voornaamste verdachte in een moordzaak is?'

Nee, maar die neef was nog steeds bruikbaar. 'Je bent toch niet van plan om dat aan Coffey door te geven, hè?'

Nu zag Riker eruit als een man die plotseling tot de ontdekking komt dat zijn drankje is aangelengd. 'Je hebt die junkie eigenlijk geen moment verdacht. Je hebt Coffey gewoon belazerd, hè?'

Mallory verroerde geen vin, maar wachtte zwijgend tot haar woede bekoeld was. Als Riker maar had willen geloven dat er een schutter bij die optocht was geweest, had ze geen smoes nodig gehad om met de zaak door te mogen gaan.

'Misschien hebben jullie wel allebei gelijk.' Charles draaide het onderste deel van een voetstuk vast in een van de metalen kokers in de traptree. Drie raderen van dof uitgeslagen koper vormden een pilaar van één meter twintig hoog. 'De Verloren Illusie was gevaarlijk. Stel je nou eens voor dat Oliver het risico nog groter maakte door een oude sleutel te gebruiken?'

'Ik geloof niet dat hij zo stom was.' Mallory probeerde het afgebroken stuk metaal met haar nagels uit het slot te wurmen. 'Maar het was een goed idee van de moordenaar om de sleutel voor een oude te verwisselen. Een zwak punt in een nieuwe sleutel zou aan de dag komen bij een onderzoek naar metaalmoeheid.'

En nu had ze het stuk metaal uit het slot gepeuterd. Ze bekeek de baard met de gleuf nauwkeurig. 'Volgens mij is het metaal opgepoetst om het er als nieuw uit te laten zien. En wie laat er nou een oude boeiensleutel rondslingeren? Behalve politiemensen en goochelaars zou ik geen andere personen kunnen bedenken.'

Charles kwam van achteren naar haar toe lopen en keek over haar schouder naar het gebroken stuk metaal op haar platte hand. 'Met die sleutel zelf is niets aan de hand. Alleen het verlengstuk is kapot.'

'De sleutel zelf?' Ze zag ineens de naad in het metaal tussen het uiteinde van de sleutel en de hals. Ze keek op naar Charles. 'Heb je deze al eerder gezien?'

'Ja, hij lijkt precies op die van Max. Een elegant dingetje. Waarschijnlijk het enige ontwerp dat Oliver niet heeft kunnen verbeteren.' Hij liep terug naar het podium en knielde om iets in een kist met gereedschap te zoeken. 'Er zijn allerlei manieren om handboeien te openen. Het kan zelfs met een stukje staaldraad.'

'Niet de handboeien van de NYPD,' zei Riker. 'Dat zijn de allerbeste.'

'Nou ja, de mééste kunnen met een draad of een slothaak geopend worden,' zei Charles. Mallory wist dat hij gewoon tactvol was. Rikers kennis van sloten reikte niet verder dan de aluminium lipjes waarmee hij zijn bierblikjes opentrok.

Charles haalde een groenfluwelen zakje uit de gereedschapskist. 'Maar als je leven ervan afhangt en je echt maar heel weinig tijd hebt, is het altijd het verstandigst om een sleutel te gebruiken.'

Mallory ging naast de gereedschapskist op haar hurken zitten en staarde naar de geborduurde F. Dit was een duplicaat van het zakje dat Slope uit de kleren van Oliver Tree tevoorschijn had gehaald. Ze vroeg zich af wat de briljante rechercheur van West Side met dát stuk bewijsmateriaal had gedaan.

Charles opende het zakje en haalde een verzameling korte metalen staafjes tevoorschijn die uit de smalle opening van een tien centimeter lang buisje hingen. 'Zie je die gleuf? Die is precies hetzelfde als wat er van de jouwe is overgebleven.'

Ze staarde naar de bungelende metalen staafjes. Ze hadden de dikte en het model van boeiensleutels, maar ze waren te kort om dienst te kunnen doen.

'Dit is een oud aandenken uit *Faustine's Magic Theater*.' Charles schroefde een ronde dop los die aan het uiteinde van de buis met de gleuf zat en liet een stuk of tien sleutelbaarden in zijn hand vallen. 'Sommige hiervan zijn echt antiek.' Hij wees op een bepaald model. 'Dit is de sleutel die Houdini gebruikte om Engelse handboeien te openen. Ik geloof dat die darby's genoemd werden.' Hij hield een ander stukje metaal met uitsteeksels aan weerszijden omhoog. 'En met deze maak je de flessenhalsboeien van Martin Daley open. Een van deze sleutels is een loper voor sloten uit de tijd van de Boerenoorlog, zoals dat oude hangslot aan de vouwwand. En de rest zijn…'

'Lopers?' Mallory stond op om een van de sleutels dichter bij het licht te houden. Nu zag ze pas alle details van de kleine groeven in de baard van de sleutel.

Riker pakte haar de gebroken sleutel af en schroefde hem los van het uiteinde. Hij keek opnieuw naar de sleutel die zij in haar hand had. 'Zijn het allemaal lopers?'

'Ja,' zei Charles. 'Een van Faustines vele echtgenoten was instrumentmaker.' Hij schroefde de sleutel in het eind van de stang. 'Zo maak je hem langer, zodat je met één geboeide hand een slot open kunt maken.' Hij stond op en wees naar de handboeien die Mallory vasthield. 'Mag ik even?' Hij pakte ze op en draaide hen even de rug toe. Daarna keek hij haar weer aan en stak ze haar toe. 'Hier, doe ze maar om mijn linkerhand en laat de andere boei niet los.'

Ze gehoorzaamde, deed een van de boeien om Charles' pols en klapte hem dicht. Hij hief de geboeide hand op en trok haar arm mee omhoog aan de ketting waarmee de beide boeien aan elkaar vastzaten. Toen hij zijn arm weer liet zakken, viel het metaal van zijn pols af en bleef hangen aan de boei die Mallory nog steeds in haar hand had.

Verbijsterd pakte Riker de sleutel van Charles en vergeleek die met de kapotte. 'Hoe heb je dat zo snel gedaan? Ik zweer dat ik niet eens gezien heb dat je het slot openmaakte.'

'Daar is niets aan.' Haast verontschuldigend keek Charles Mallory aan. 'Olivers sentimentaliteit zou misschien wel eens zijn dood geworden kunnen zijn – omdat hij zijn oude sleutel van *Faustine's* gebruikte.'

'En hij heeft de verkeerde gepakt,' zei Riker. 'De sleutel van Charles is anders dan die defecte. Het spijt me, meid. Je kunt naar je zaak fluiten. Het metaal is gebroken doordat die ouwe vent de verkeerde sleutel in het slot wrong.'

Mallory greep de sleutels terug en hield ze stevig in haar gesloten hand. 'Hoeveel mensen zouden deze dingen hebben?'

'Iedereen die voor Faustine heeft gewerkt waarschijnlijk,' zei Charles. 'En het zijn waarschijnlijk nog de originele modellen. Tegenwoordig is het waanzinnig duur om nieuwe te laten maken. Dat krijgt een slotenmaker niet voor elkaar. Daar heb je een instrumentmaker voor nodig, een echte vakman.'

Mallory glimlachte. 'Dus nu moet ik achter iemand uit het kringetje van die oude mannen aan.'

Riker hief getergd zijn handen op. 'Het is de verkéérde sleutel. Hoe kun je nou uit hetzelfde bewijsmateriaal opmaken dat...'

'Dacht je dat Oliver de sleutel niet heeft uitgeprobeerd? Charles had de juiste loper binnen drie seconden te pakken.'

'Oliver is misschien zenuwachtig geweest,' zei Charles. 'Plankenkoorts. Een ongeluk zit in een klein...'

'Restaureren was zijn vak,' zei ze. 'Hij wist alles van metaalmoeheid. Dus hoe waarschijnlijk is het dat hij een vijftig jaar oud verlengstuk voor een sleutel zou gebruiken dat hem misschien het leven zou kunnen kosten? Iemand heeft ze omgeruild. Daarom zit de verkeerde sleutel eraan.'

Riker was nog niet overtuigd, maar hij had geen zin om te redetwisten. 'Als je een jury ervan wil overtuigen dat het moord was, is het niet genoeg.'

'Dat kan best,' zei ze. 'Maar het is een verdomd goed begin. Als die neef een van de kruisbogen van de oude man te pakken kon krijgen, wist hij misschien ook van die sleutel af. Je moet hem vandáág nog een verhoor afnemen.'

'De pers wil ook met hem praten,' zei Riker. 'Ze willen graag zijn mening over de grote ballonmoord horen. Maar ze kunnen hem niet vinden. Niemand krijgt hem te pakken.'

'Blijf maar zoeken. En ik wil mijn .357 terug.'

'O, vergeet die verdomde revolver,' zei Riker. 'Waarom zou je al die moeite doen om Coffey tegen zijn schenen te schoppen? Die .38 van je maakt wat kleinere gaatjes, maar je kunt je er best mee redden.'

Charles mengde zich niet in de discussie. Hij pakte een paal van tweeëneenhalve meter en liep de trap op naar het podium.

Hij stond op een traptrede met de dwarsbalk boven de twee verticale palen en liet de pinnen zorgvuldig in de bijbehorende gaten zakken toen Mallory hem toeriep: 'Dat zat niet op Olivers podium.'

Charles knikte terwijl hij de pinnen vastzette. 'Dat weet ik, maar zie je dit?' Hij wees op een verzonken fitting in de onderkant van de dwarsbalk. 'Hier hangen ook de gordijnen aan. Er loopt een gordijnroe langs de achterkant van...'

'Oliver gebruikte ook geen lamp of gordijnen.'

'Mallory, laten we het ding nou eerst maar eens helemaal in elkaar zetten. Dan kun je nog altijd alles weghalen wat je niet bevalt.'

Riker bukte zich naar een open kist en haalde er een kruisboog uit. De kolf en de trekker hadden hetzelfde model als bij een pistool. In plaats van een hamer die gespannen kon worden, stak er een lang gebogen stuk metaal uit de kolf. 'Hé, Charles?' Riker wees op de smalle houten doos boven op de loop. 'Is dat een magazijn?'

'Ja, het is een repeteerboog.' Charles kwam met twee treden tegelijk de trap af. 'In het magazijn passen drie pijlen.' Hij pakte Riker het wapen af. 'Hij moet schoongemaakt en geolied worden. Als je hem zo droog afvuurt, zou hij wel eens kapot kunnen gaan.' Hij nam de boog mee naar het podium en drukte de kolf in het daarvoor bestemde gat in de bovenkant van het voetstuk met de raderen van het mechaniek. Nu stond het wapen op de ovale schietschijf gericht. 'Mallory, blijf hier met je vingers af als je alleen beneden bent. Het is gevaarlijk.'

'Ja, dat zal best.'

'Ik heb je al verteld dat er iemand door om het leven is gekomen.'

Riker keek op van een andere kist waarin hij zat te snuffelen. 'Nog iemand anders behalve Oliver Tree?'

'Ja, ook een ongeluk,' zei Charles. 'Max probeerde de truc uit in een klein stadje. Twee jongens uit die plaats kwamen na afloop van de voorstelling stiekem achter het toneel. Een ervan beweerde dat hij die truc ook kon uithalen. Er werd een weddenschap gesloten en de jongen stierf – hij was pas zeventien.'

'Dus die truc is altijd al gevaarlijk geweest.' Riker keek Mallory aan met een blik van: *Dat heb ik je toch gezegd*. Daarna dwaalden zijn ogen over alle open kisten en mechanismen. 'Het is wel een hele toestand voor één stomme truc.'

'O nee,' zei Charles. 'Dit podium werd bij een groot aantal trucs gebruikt. In de kisten zitten de benodigdheden voor zeker twaalf trucs. Het zal wel even duren voor alles is uitgezocht.'

Mallory stond naast een van de voetstukken met de grote, van zaagtanden voorziene koperen schijven. Hier was nog geen kruisboog op bevestigd. Een metalen pin viel uit een gat vlak bij de rand van het bovenste rad.

'Dat zal ik wel maken.' Charles pakte de pin op en drukte hem weer op zijn plaats. 'Er hoort een rood vlaggetje aan die pin te zitten. Op die manier kan het publiek precies zien waar hij zich op het rad bevindt. Als de pin aan de bovenkant is, komt hij tegen de trekker van de kruisboog aan. Dat is een detail waar Oliver niet aan heeft gedacht – hij had geen vlaggetjes.'

Riker knikte. 'Je gaat je meteen afvragen of er nog meer was waar die ouwe niet aan heeft gedacht.'

Charles wond een sleutel op in de zijkant van het voetstuk en drukte vervolgens op een knop bijna bovenaan. De koperen raderen begonnen knarsend te draaien. 'Alles moet geolied worden.'

Hij liep naar de gereedschapskist en pakte een spuitbus op. Nadat er snel wat olie in was gespoten, draaide het mechaniek met het langzame, regelmatige getik van een grote klok. Mallory keek toe hoe de pin naar de bovenkant van de cirkel draaide waar de volgende kruisboog neergezet zou worden. 'Gaan ze allemaal af?'

'Hopelijk wel,' zei Charles. 'Er wordt niet mee gesjoemeld, als je dat soms bedoelt. Maar we kunnen ze vandaag nog niet afschieten. Ze hebben eerst een goede schoonmaakbeurt en nieuwe pezen nodig.'

Riker ging op de onderste tree van het podium zitten en keek op naar Mallory. 'Dus volgens jou is een van die ouwe kerels verdacht?'

De raderen bewogen nog steeds. *Tik, tik, tik...*

'Ze waren zowel bij die voorstelling in Central Park als bij de optocht.'

'Dat geldt ook voor Charles,' zei Riker met een glimlach.

... tik, tik...

'Charles kan buiten beschouwing worden gelaten.' Maar Riker niet.

'Oké, Mallory.' Zijn stem klonk veel te neerbuigend. 'Maar hoe zit het dan met die schutter onder het publiek, die ballonmoordenaar?'

... tik...

Mallory keek haar partner aan. 'Waar maak je je druk om, Riker? Jij denkt net als de hoofdinspecteur dat ik gelogen heb over dat schot. Daarom wil Coffey ook niet dat ik mensen ga ondervragen. En jij neemt niet eens de moeite om het bewijsmateriaal te merken.'

... tik, tik, tik, tik...

Voor zo'n lange man kon Charles Butler zich verrassend geruisloos bewegen. Hij sloop weg naar de achterkant van het podium, waar de sfeer een stuk minder grimmig en waarschijnlijk veiliger was.

'Wacht even, Mallory.' Riker stond op. 'Je slaat de plank hélemaal mis.'

... tik, tik, tik...

Haar eigen stem klonk volkomen vlak. 'Het was ontzettend stom van me om je te vertellen dat ik die rat doodgeschoten had. Jij hebt Coffey de argumenten verstrekt om mij voor een mafkees uit te kunnen maken. Hebben jullie dat soms van tevoren gerepeteerd?' Haar handen kwamen omhoog en zijn ogen werden groot. Misschien dacht hij wel dat ze van plan was om hem een mep te verkopen.

... tik, tik...

Met opgestoken armen draaide ze zich als een gevangene rond om hem te laten zien dat ze geen verborgen wapens droeg. 'Als je vandaag weer verslag gaat uitbrengen bij hoofdinspecteur Coffey, vertel hem dan maar dat ik vandaag ongewapend was. En dat alle ratten rustig kunnen gaan slapen.' De bedoeling was duidelijk – ze rekende hem ook tot het ongedierte.

... tik...

Riker wilde iets zeggen, maar bedacht zich en kneep zijn mond tot een smalle streep samen. Hij draaide haar de rug toe en liep om het drakenscherm heen, op weg naar buiten.

Ze hoorde het geluid van iets wat in de duisternis achter de vouwwand aan de kant werd geschopt. Te oordelen naar de klap had Rikers voet het voorwerp een flink eind weggeschopt. Hij werd maar zelden boos. En zijn woede had zich nog nooit op haar gericht, ondanks al die keren dat ze hem in haar jeugd en ook in de tijd die nog maar net achter hen lag op de proef had gesteld.

Ze had eindelijk ontdekt hoe ze Riker kwaad moest maken.

... tik, tik, tik...

5

Hoewel rabbijn David Kaplan een elegant en slank postuur had, leek hij allerminst op een gokker, niet in zijn coltrui en met een heel brood in zijn hand. De kortgeknipte baard gaf hem een veel te gedistingeerd uiterlijk en uit de vriendelijke kalmte in zijn ogen viel niet op te maken dat hij zijn partijtje mee kon blazen in een spelletje poker met het mes op tafel. Bij zijn eerste daad als goed gastheer had de rabbijn de stropdas van Charles Butler in beslag genomen met de mededeling dat een man zich niet op het spel kon concentreren als hij niet fatsoenlijk kon ademhalen.

De das hing aan de kapstok naast Mallory's holster met haar revolver. Het was raar om dat dodelijke ding in het huis van David Kaplan te zien.

Aan het eind van de gang wierp Charles een blik in de woonkamer. De enige persoon die daar zat, was een oudere vreemdeling in een zwart pak die zijn stropdas had mogen houden. Een grijze overjas lag opgevouwen op de schoot van de bezoeker en aan een kromme verweerde vinger hing de homburg die hij buiten op zijn hoofd had gehad. Terwijl de oude man van de bank opstond, richtten zijn trieste ogen zich op Charles en hij was duidelijk teleurgesteld omdat hij kennelijk iemand anders had verwacht. Hij was zo licht en tenger dat hij boven het vloerkleed leek te zweven, als een teer en verdroogd dood blaadje dat nog niet echt op de grond terecht is gekomen. Zijn gezicht had de grauwe kleur die met ziekte gepaard gaat en zijn ogen hadden een onbestemde tint.

'Dat is de heer Halpern,' zei de rabbijn. 'Hij wil je vriend graag even spreken als hij aankomt. Ik hoop dat je dat niet erg vindt?'

'Helemaal niet.' Omdat Halpern een stropdas omhad, was Charles al tot de conclusie gekomen dat hij niet hier was om te pokeren. Nadat ze aan elkaar waren voorgesteld, bleef hij nog even staan om de oude man beleefd toe te knikken. 'Weet u zeker dat u niet even bij ons wilt komen zitten?'

De heer Halpern had de goede manieren die bij een ander tijdperk pasten en maakte een lichte buiging. 'Dank u wel, maar ik geef er de voorkeur aan om hier te blijven wachten.' Hij hield zijn jas en hoed omhoog om aan te geven dat hij van plan was snel weer weg te gaan.

Charles liep achter de rabbijn aan door de gang naar de studeerkamer waar hij bij binnenkomst omgeven werd door de kleuren van de in leer gebonden boeken die langs alle wanden op boekenplanken stonden. Vlak bij de deur stond een serveerwagen met alle benodigdheden die een sandwichliefhebber zich kon wensen. De gebruikelijke ploeg was al aanwezig en vergeleken bij al die truien, sweatshirts, jeans en kaki broeken zag Charles er nog steeds veel te netjes uit. Hij trok zijn colbert uit, knoopte zijn vest los en rolde de mouwen van zijn witte overhemd op.

Bij de kaasplank deed dokter Slope creatieve dingen met een kartelmes dat afwisselend gele en witte plakken afleverde. De patholoog-anatoom had een prima gezicht voor het pokerspel, een strenge uitdrukking die nog niet eens week voor een royal flush. Zijn vrienden noemden hem Edward. Ed paste gewoon niet bij hem, hij was geen man wiens naam je gemakkelijk afkortte. De dokter gaf Charles een knikje terwijl hij de kaas op zijn bordje laadde.

'Hé, Charles!' De ogen van Robin Duffy straalden zoveel blijdschap uit dat het leek alsof ze elkaar in geen jaren hadden gezien, hoewel de kaartavond vorige week bij Robin thuis was geweest. De gepensioneerde advocaat was een kleine bonkige man met grijzend haar en een verraderlijke tegenstander omdat hij er altijd goedgemutst uitzag, of hij nu goede of slechte kaarten had. Elk lachrimpeltje in zijn gezicht riep je tegemoet: *Ik heb het hier ontzettend naar m'n zin.*

Mallory stond achter Robin en viste geld uit de zakken van haar spijkerbroek en haar wollen blazer. Ze was bij uitzondering aanwezig, op aandringen van rabbijn Kaplan, de dappere hoeder van de plek waar haar ziel ondergebracht was – hoewel Edward Slope vaak beweerde dat de rabbijn de wacht hield bij een lege ruimte.

Pas op dat moment kreeg Charles voor het eerst de kans om de nieuwe aanwinst in de studeerkamer van de rabbijn ongehinderd te bekijken. De oude, inklapbare kaarttafel was afgedankt en daarvoor in de plaats stond een zwaar meubelstuk met dikke poten die in leeuwenklauwen uitliepen. 'Wat prachtig, David.'

'Een cadeautje van mijn vrouw.' De rabbijn liet zijn hand liefkozend over de gebogen mahonie rand glijden, waarbij zijn vingers voorzichtig langs de groene vilten cirkel streken die het blad bedekte.

Door alleen maar een stoel bij de tafel te trekken, bepaalde Mallory waar iedereen zou gaan zitten. Het was wel heel voorspelbaar dat ze een plaats met het gezicht naar de deur koos. Ze zorgde er altijd voor dat haar rug gedekt was. Dokter Slope ging links van Mallory zitten. Hij liet geen kans voorbijgaan om haar te plagen, waar ze ook waren en wat ze ook deden. Aan haar rechterkant zat Robin Duffy, haar toegewijde aanbidder. Rabbijn Kaplan nam de stoel tegenover de dokter en Mallory om eventueel als scheidsrechter op te kunnen treden.

Charles ging in de vrije stoel tussen Robin en de rabbijn zitten, want er moesten nog twee gasten komen en die zouden naast elkaar willen zitten.

De tafel stond vol bierflesjes op viltjes, schalen met sandwiches en asbakken. En hij zag dat er nog iets nieuws bij was gekomen – echte pokerfiches in rood, wit en blauw in plaats van het gebruikelijke rommeltje van munten.

Mallory zag aan zijn gezicht wat hij dacht. 'Ja, net als bij de échte gokkers.' Ze keek Edward Slope aan zonder moeite te doen haar sarcasme te bedwingen. 'Laat me eens raden.' Ze hield een wit fiche omhoog. 'Dit is vast wel een kwartje waard, hè?'

Dokter Slope glimlachte terwijl hij zich naar haar overboog om haar lik op stuk te geven. 'Weet je al wat je met je winst gaat doen? Waarom laat je dat reuzenhondje niet opzetten bij wijze van trofee?'

Robin Duffy wierp de dokter een boze blik toe. 'Je kunt niet bewijzen dat ze die ballon kapotgeschoten heeft.'

'Dat zijn de woorden van de ware advocaat, Robin. Hoor eens, ik was erbij toen ze dat ding uit de lucht blies.' Dokter Slope maakte snel wankele torentjes van zijn pokerfiches.

Uit de manier waarop de dokter zijn fiches opstapelde, kon Charles met zijn graad in de psychologie opmaken dat Edward Slope absoluut geen behoudende speler was. Uit die achteloze manier van doen sprak duidelijk: *Ik ben hier alleen maar om te spelen.* Maar goed, dat was ook precies wat Edward altijd hardop zei als hij aan de tafel ging zitten.

De rabbijn rangschikte zijn plastic schijfjes in keurige zuiltjes, het kenmerk van een onzekere bieder, maar toch was hij tijdens het spel de beste bluffer.

Als het op kaarten aankwam, was de opleiding van Charles pure tijdverspilling geweest. De eerste keer dat hij met deze mannen had gespeeld, was er meteen een einde gekomen aan zijn geloof in een geordend universum dat werd geregeerd door de wetten van oorzaak en gevolg. Ondanks zijn uitgebreide kennis van lichaamstaal, zijn hoge IQ en zijn onweerlegbare logica won hij nooit. Maar hij bleef week in, week uit naar de pokertafel terugkomen met de hardnekkigheid van een geslagen hond die aan een wetenschappelijk experiment meewerkt.

Hij had nog nooit eerder tegen Mallory gespeeld. Lang voordat hij haar leerde kennen, had ze het al opgegeven om dit spelletje met de beste vrienden van haar pleegvader te spelen. Charles tuurde naar de perfecte stapeltjes van haar fiches, die zo keurig op elkaar lagen dat het net zo goed massieve staafjes plastic hadden kunnen zijn. Als hij haar voor het eerst zou hebben ontmoet en niet zou weten hoeveel vuurwapens ze in haar bezit had, zou hij haar als een onzekere speler getypeerd hebben.

'Ik heb je op tv gezien, Edward.' Robin Duffy harkte zijn fiches in losse hoopjes van gelijke waarde bij elkaar. 'Die autopsie van de ballon was niet bepaald professioneel, maar wel heel grappig.'

'Ik herken echt wel een kogelgat als ik er een zie,' zei de patholoog-anatoom.

'Mijn vrouw denkt dat jíj dat reuzenhondje hebt neergeschoten, Edward – alleen maar om dat kind een figuur te laten slaan.' Robins hangwangen kwamen omhoog in een brede grijns richting Mallory. Elke keer als hij naar haar keek, leek hij weer stomverbaasd, alsof ze nog steeds onder zijn neus opgroeide.

En nu begreep Charles waarom de rabbijn erop had gestaan dat Mallory meekwam. Vanwege Robin. Sinds de dood van haar pleegvader liet ze zich nog maar zelden zien in het deel van Brooklyn waar hij woonde en de oude advocaat had haar erg gemist.

Charles wipte de kroonkurk van een bierflesje, de standaard drank tijdens elk kaartavondje. Het eenzame sherryglas dat voor een van de lege stoelen was neergezet, viel daarom erg uit de toon. En was het licht ook niet wat minder fel dan gewoonlijk?

Dit leek wel boze opzet. Alles was voor iemand in gereedheid gebracht.

Toen de deurbel ging, zei rabbijn Kaplan: 'Meneer Halpern doet wel open.' Hoewel de rabbijn de voordeur alleen maar kon zien als hij opzij keek, dwong hij iedereen hem aan te kijken om de bejaarde man een moment van privacy met de nieuwe gast te gunnen.

Behalve Mallory. Zij keek recht de gang in.

Charles moest vooroverbuigen om alles goed te kunnen zien.

De tengere meneer Halpern deed de deur open voor een rijzige gestalte in een lange zwarte jas. Een breed gerande zwarte hoed hield het gezicht van de bezoeker in schaduwen gehuld. Maar alleen uit zijn donkere silhouet was al duidelijk op te maken dat de nieuwe gast in alle opzichten de tegenpool van meneer Halpern was. Hij was allerminst fragiel en straalde zelfs stevigheid en kracht uit terwijl hij rustig stond te wachten. Toen hij de hal inliep, viel het licht op de lange witte lokken die bijna tot op zijn brede schouders vielen. De twee mannen stonden zo zacht met elkaar te praten dat er in de studeerkamer aan het eind van de gang niets van te verstaan was. Na een paar minuten schudden ze elkaar bij wijze van afscheid de hand.

Charles had het idee dat de bejaarde meneer Halpern huilde, toen hij over de drempel de duisternis instapte en de deur langzaam en voorzichtig achter zich dichttrok.

Mallory bleef de vreemdeling gadeslaan terwijl hij zijn hoed afzette en zijn jas uittrok om die vervolgens aan de kapstok naast de deur te hangen. Ze knikte bijna onmerkbaar, misschien uit waardering voor de schitterende tweed blazer en het blauwe zijden overhemd. De man had de bovenste twee knoopjes opengelaten, waaruit bleek dat hij de theorie van de rabbijn over pokeren en stropdassen die de adem belemmerden onderschreef.

Iedereen rond de tafel keek op toen Malakhai zijn opwachting in de studeerkamer maakte. Deze man kon nooit gewoon een deur binnenkomen, maar zou altijd een vrij grootse entree maken. Het was geen kwestie van aanstellerij, het was gewoon het onvermijdelijke gevolg van het feit dat hij de energie in een kamer meteen tot de tiende macht verhief. Hij glimlachte en ook al was zijn gezicht door het leven getekend, er was toch iets blijven hangen van de wilde en knappe jongen die hij vroeger was geweest. Hij had de strijd met de tijd nog niet opgegeven, er was nog geen teken van overgave in de vorm van een gebogen rug of andere blijken van verzwakking. De lange witte leeuwenmanen glansden en leken het lamplicht op te slorpen. Zijn ogen waren precies het tegenovergestelde, groot en staalblauw als de loop van een geweer, duistere plekken waarin geen licht kon doordringen.

Charles keek naar de gezichten van de mannen die om hem heen zaten. Heel even had hij het idee dat ze de beroemde illusionist alleen al een applaus zouden geven omdat hij zich aan de tafel vervoegde.

Iedereen behalve Mallory stond op toen Charles hen aan deze oude vriend van de familie voorstelde. Nadat hij Kathleen Mallory had voorgesteld, vertrok hij zijn gezicht toen Malakhai vroeg: 'Mag ik Kathy tegen je zeggen?'

'Nee,' zei ze.

Charles kwam haastig tussenbeide en zei snel: 'Dat is niet persoonlijk bedoeld. Iedereen noemt haar Mallory, gewoon Mallory.'

'Ik niet,' zeiden de rabbijn en Robin Duffy in koor.

Edward Slope ging weer zitten en schoof Mallory het pak kaarten toe, klaar om het spel te beginnen – in diverse opzichten. 'U moet gewoon het juiste moment afwachten, meneer. Noem haar alleen Kathy als u haar concentratie wilt verbreken. Anders wekt het niet genoeg ergernis meer. Nietwaar, Kathy?'

Ze negeerde hem en schudde de kaarten.

Op dat moment verontschuldigde Charles zich voor het feit dat hij inbreuk had gemaakt op de regel dat dames altijd voorgaan. Hij deed of er een vrouw in de leegte naast Malakhai stond en stelde de lucht voor. 'En dat is Louisa.'

De rabbijn neeg met zijn hoofd en zei glimlachend tegen de lucht: 'Aangenaam, mevrouw. U bent helemaal niet veranderd.' Hij wendde zich tot Malakhai. 'Ik heb uw laatste optreden gezien.'

'Dat was meer dan twintig jaar geleden.' Malakhai draaide zijn gezicht naar de lege ruimte naast hem en leek te luisteren. Hij glimlachte naar de rabbijn. 'Louisa stelt het bijzonder op prijs dat u zich ons nog herinnert.' Vervolgens richtte hij zich tot het hele gezelschap. 'Mijn vrouw is een bijzonder geraffineerd pokerspeelster. Ze zal een paar spelletjes meedoen – als niemand daar bezwaar tegen heeft.'

'Uw dóde vrouw? Daar voel ik niets voor,' zei Mallory.

'Kathy!' klonk de stem van de rabbijn waarschuwend. 'Deze man is in mijn huis te gast.'

'Nou en?' Ze richtte zich tot Malakhai. 'Het is niet persoonlijk bedoeld. Het is al erg genoeg dat ik ben gestrikt om met dit stelletje amateurs te kaarten. Het gaat me gewoon te ver als ik dan ook nog kaarten aan spoken moet delen, oké?'

Hoewel rabbijn Kaplan heel wat zwaardere beledigingen met betrekking tot zijn vaardigheid in het pokeren in stilte had geslikt, stond hij nu toch kennelijk op het punt om haar opnieuw de mantel uit te vegen. Hij opende zijn mond, maar er kwam geen geluid uit. Misschien wist hij niet over welke belediging hij het eerst moest beginnen: haar weigering om een vrouw te begroeten die er niet was of haar gebruik van het woord 'spook' dat als een grofheid kon worden opgevat. Bovendien zat er in ethisch opzicht toch iets scheef als hij haar dwong de leugen te accepteren dat een dode vrouw behoorlijk poker kon spelen, omdat hij wilde vermijden dat een van zijn gasten beledigd werd.

Charles boog zich achter Robins stoel om en fluisterde tegen Mallory: 'Had ik je al verteld dat Malakhai mijn neef bij het ontwerpen van die voetstukken voor de truc met de kruisbogen heeft geholpen?'

'Neem plaats, Louisa.' Mallory's ethische principes waren heel wat flexibeler dan die van de rabbijn. 'Schiet een beetje op allemaal.'

Terwijl de witte fiches in het midden van de tafel werden gelegd, trok Malakhai een stoel bij voor de geest van Louisa. Nadat hij zelf was gaan zitten, kocht hij een aantal fiches en zette ze klaar voor twee spelers. Charles zag dat de stapeltjes voor man en vrouw verschillend van vorm waren. Malakhai maakte een keurig vierkantje van vier torentjes, terwijl Louisa's fiches even achteloos op elkaar werden gezet als die van Edward Slope.

Nadat iedereen zijn bijdrage in de pot had gestort, deelde Mallory de kaarten tot de zes levenden en de ene dode ieder een complete hand ondersteboven voor zich hadden liggen. 'We spelen met vijf kaarten. Geen gesjoemel met tweeën en boeren die voor van alles mogen tellen. We gaan écht pokeren, begrepen?'

Terwijl de spelers hun kaarten bestudeerden, zag Charles dat er rook opsteeg uit de asbak voor Louisa's stoel.

'Ik begin.' Edward Slope gooide een blauw fiche in het midden van de tafel. Daarna staarde hij naar Louisa's sigaret. Het filter was besmeurd met lippenstift. En de asbak bewoog iets, alsof iemand ertegenaan stootte.

Heel geraffineerd, zoals gewoonlijk.

Charles gaf Malakhai een knikje toen die zijn kaarten neerlegde om aan te geven dat hij paste. Inmiddels zaten de andere mannen ook naar de asbak te glimlachen, alsof ze een beetje met iemand zaten te flirten. Als Mallory die afleidingsmanoeuvre in de gaten had, liet ze niets merken.

Louisa was aan de beurt om in te zetten en twee blauwe fiches vlogen als vanzelf naar het midden van de tafel. Malakhai glimlachte tegen Edward Slope. 'Louisa gaat eroverheen.'

Charles bewonderde de timing van de meester. Malakhai had een moment moeten kiezen waarop iedereen de andere kant opkeek voor hij de fiches op de rand van de tafel neer kon leggen om ze naar het midden te schieten. Eén foutje en een ragfijne illusie lag aan flarden.

Toen Louisa's inzet op tafel lag, kon er gekocht worden. Edward Slope klopte op de tafel om aan te geven dat hij zich bij zijn gedeelde hand hield, maar Malakhai wilde wel een kaart voor Louisa kopen. De kaart die zijn vrouw weggooide, gleed langzaam over het groene vilt in de richting van Mallory, alsof een onzichtbare hand hem naar haar toe schoof.

Mallory keek strak naar het vilten tafelkleed, ongetwijfeld op zoek naar de draad die de kaart in beweging bracht. Die moest zo dun als een haar zijn en even groen als het vilt van de tafel, waardoor hij in het gedempte licht onzichtbaar was. Charles wist dat er aan Mallory's kant een haakje in de tafel moest zitten, zodat de kaart naar haar toe kon glijden, maar hij nam niet de moeite om te zien waar de draad aan vastzat. Het zou wel een dun metaaldraadje zijn dat in een kleur was geverfd die met de tint van de houten rand langs de tafel overeenstemde. Daaruit bleek eens te meer dat de rabbijn met Malakhai onder een hoedje speelde, want die dingen werden altijd van tevoren aangebracht.

Mallory pakte de kaart op en bekeek hem. Natuurlijk was het propje kleefstof aan de draad blijven zitten toen hij die terug had getrokken.

Een ogenblik later boog de illusionist zich naar haar over. 'Mijn vrouw wil graag een kaart hebben. Je moet haar maar vergeven dat ze zo ongeduldig is. Ze is gewend om in Las Vegas te gokken, waar het tempo een stuk hoger ligt.'

Rondom de tafel werd gegrinnikt. Alleen Mallory liet zich niet door de dode vrouw inpalmen. Ze schonk Malakhai een geforceerd glimlachje toen ze naar hem opkeek. 'Aardig gedaan.' Ze gooide een kaart naar de lege stoel en gaf twee kaarten aan de rabbijn.

'Ik pas.' Charles maakte een stapeltje van zijn bijzonder slechte kaarten en wierp een tersluikse blik op Mallory. Haar gezicht stond zo strak als een masker, er was niets op te lezen.

Haar stem was dodelijk kalm, toen ze zich tot Malakhai richtte. 'Hoe werkt die truc met de kruisbogen eigenlijk?'

De illusionist lachte alsof ze iets bijzonder geestigs had gezegd. 'Ik zou nooit een truc van Max Candle verraden.'

Ze wendde zich tot Charles en nu kostte het hem geen enkele moeite om haar te begrijpen. Haar ogen boorden zich in de zijne en haar stem klonk ronduit geïrriteerd. 'Wat voor spelletje wordt er eigenlijk gespeeld?'

Charles spreidde zijn handen om aan te geven dat hij ongewapend was en dat ze hem daarom niet zomaar zonder meer kon neerschieten. 'Ik heb je nooit de toezegging gedaan dat hij je iets zou vertellen.'

Mallory staarde naar de witharige illusionist, haar tegenstander, haar nieuwe vijand. Veel inspanning zou het haar niet kosten om Malakhais zwakke plek te vinden. Die zat naast hem in die lege stoel.

Toen er opnieuw ingezet moest worden, gooide dokter Slope twee blauwe fiches in de pot. Iedereen keek naar de lege stoel. Louisa's kaarten rustten op de rand van de tafel en gingen even iets omhoog alsof een geest ze bestudeerde. Een stapeltje van vier fiches bewoog langzaam naar het midden van de tafel toen de spookspeelster de inzet verhoogde.

Slope legde zijn kaarten neer. 'Ik doe niet meer mee.'

Mallory staarde naar Louisa's sherryglas, dat nu als bij toverslag vol was en een afdruk vertoonde van dezelfde kleur lippenstift als op het filter van de sigaret. De rabbijn en Robin legden hun kaarten ook neer en staarden naar het sherryglas. Dat stond heen en weer te wiebelen als teken dat Louisa ongeduldig was en door wilde spelen.

Mallory zette achteloos een bierflesje aan haar mond, alsof het voor haar de gewoonste zaak van de wereld was om met doden te drinken. Ze zette evenveel in als Louisa door vier fiches in de pot te gooien. 'Laat je kaarten maar zien.'

Tijd om af te rekenen.

Louisa's kaarten draaiden zich om. Het was geen bluf. De geest had een straight flush in ruiten en sloeg daarmee dik het full house van drie boeren en twee drieën van haar tegenspeelster.

Charles zag de groene ogen van Mallory flikkeren en hij wist dat ze zat uit te rekenen hoeveel kans Louisa had gehad om al tijdens het eerste spelletje met slechts één extra kaart zo'n opmerkelijke serie te krijgen. En de dode vrouw had de inzet verhoogd voordat ze een kaart had gekocht – wel een heel vooruitziende blik. Mallory zat waarschijnlijk te piekeren over een manier waarop de kaarten van man en vrouw bij elkaar gevoegd hadden kunnen worden.

Zonder een woord te zeggen werden de kaarten aan Edward Slope doorgegeven. Tijdens de drie volgende spelletjes stapte Louisa telkens uit en Mallory won twee potjes. Louisa hoefde niet te delen en rabbijn Kaplan nam dat van haar over. Nadat de laatste kaarten waren getoond, staarde de rabbijn strak naar zijn slinkende stapels fiches, terwijl hij de kaarten aan Charles doorgaf.

Ze bekeken hun kaarten en zetten in. Louisa was de enige tijdens dit spelletje die kaarten wilde hebben. 'Twee kaarten voor mevrouw Malakhai,' zei Charles en gooide ze in de richting van de lege stoel.

Malakhai glimlachte. 'Louisa zegt dat je haar nu wel lang genoeg kent om haar bij haar voornaam te noemen.'

'Natuurlijk,' zei Charles. 'En wat…'

'De sherry!' Robin wees naar het glas.

Louisa's glas was een paar ogenblikken geleden nog bijna vol geweest, maar nu was het halfleeg en een beetje droesem gleed langs de zijkant van het kristal omlaag. Op het servetje naast haar glas lag een halve sandwich met een vage afdruk van rode lippen op het bruine brood. Robin Duffy staarde naar de lege stoel, de ogen gevestigd op de plaats waar je het gezicht van een vrouw zou verwachten.

Mallory was allesbehalve betoverd.

Charles vroeg om een pauze en verontschuldigde zich even. Toen hij met een paar nieuwe biertjes terugkwam in de studeerkamer, zag hij een poederdoos met een spiegeltje opengeklapt op Mallory's knie liggen, zodat ze elk paar handen kon zien dat toevallig onder de tafel verdwaald raakte. Ze zat op een beleefde toon te praten, dus er dreigde geen onmiddellijk gevaar, hoewel Charles durfde te wedden dat dat wel zou veranderen als Louisa nog eens won.

'Het podium is maar één onderdeel van het geheim,' zei Malakhai net. 'De intellectuele inbreng is belangrijker. Je moet eerst weten welk effect Max wenste te bereiken. Daarna kun je al terugredenerend een manier vinden om dat voor elkaar te krijgen.'

'Het is gewoon een truc.' Mallory legde haar eigen waaier van kaarten op de rand van de tafel. Ze lagen precies even ver over elkaar heen als die van Louisa. Ze zette met zoveel overtuiging in, dat de anderen zich uit het spelletje terugtrokken – met uitzondering van de dode vrouw.

Edward Slope wierp Mallory een wat nijdige en allesbehalve vriendelijke blik toe. 'Ik weet gewoon zeker dat je zit te bluffen.' Maar hij gooide toch zijn kaarten op tafel. 'Ik haat dit.'

'Een illusionist heeft meer nodig dan rekwisieten.' Malakhai scheen geen interesse voor het spel te hebben, terwijl hij zijn discussie met Mallory voortzette. 'Als je niets anders hebt dan de verf en de penselen, kun je dan het schilderij beschrijven dat een kunstenaar met behulp van dat materiaal heeft gemaakt?'

'Het was gewoon een ontsnappingstruc, een kwestie van op tijd wegkomen,' zei Mallory. 'Handboeien, kruisboog – dat had weinig te betekenen.'

'Prima, waarom zoek je dan zelf de oplossing niet?' Malakhai leunde achterover en bekeek haar een tikje geamuseerd. Hij boog zijn hoofd in de richting van de lege stoel, alsof Louisa iets tegen hem had gezegd. Toen hij Mallory weer aankeek, zei hij: 'Louisa wil je kaarten graag zien.'

Vanaf de lege plaats aan de tafel schoten nog twee fiches naar het midden van de groene cirkel, waar ze tot stilstand kwamen. De kaarten van de dode vrouw draaiden om en dit keer had Louisa een royal flush.

Het gezicht van Mallory voorspelde onweer. Zelfs een niet al te intelligent kind kon nagaan hoeveel kans iemand op een dergelijke kaart had. Hoewel Mallory geen vin verroerde, wist ze toch de indruk van een tikkende tijdbom te wekken. Maar aan haar stem was niets te horen. 'Oliver Tree had niet mogen sterven. Als ik erachter kom hoe de truc gesaboteerd is, weet ik ook wie hem heeft vermoord.'

'Hij heeft de truc waarschijnlijk zelf verknald,' zei Malakhai. 'Of misschien kon hij niet snel genoeg reageren. Niemand had het een man van zijn leeftijd kwalijk genomen als hij boeien had gebruikt die gewoon opengebroken konden worden, maar hij gebruikte politieboeien... net als Max. Arme Oliver. Altijd zo'n Pietje Precies.' Hij leunde in de richting van de lege stoel en luisterde. 'Louisa wil je er even op attent maken dat je je kaarten nog niet hebt laten zien.' Hij glimlachte. 'Natuurlijk wil ze je niet in verlegenheid brengen... als je liever niet wilt laten zien wat je in je hand had.'

Mallory hoorde die belediging niet eens en stak ook geen vinger uit naar haar kaarten, ze had maar voor één ding belangstelling. 'Oliver heeft de truc goed uitgevoerd. Bij alle tien de repetities ging het prima.'

Malakhai leek voor de verandering verrast. 'Hoe weet je zo precies hoeveel try-outs er zijn geweest? Heeft een van de andere illusionisten...'

'Nee,' zei ze. 'Die wisten van niets, tot ze in het park zagen dat de truc opgevoerd werd. Dat vertéllen ze althans.'

'Heb je het dan van Olivers neef gehoord?'

Ze schudde haar hoofd. 'Ik kan hem niet te pakken krijgen. Ik had gehoopt dat u zou weten waar hij was.' Dat klonk bijna als een beschuldiging.

'Kunnen we dit spelletje nu afmaken?' Dokter Slope tikte licht op de tafel voor Mallory. 'Ik wil die verdomde kaarten van je zien.'

'Dus jij gelooft niet in ongelukken,' zei Malakhai. 'Maar op het podium zitten ze in een klein hoekje. De dood van mijn vrouw was het gevolg van een ongeluk tijdens een goocheltruc.'

Nu was het de beurt van Charles om verrast te zijn. Zoveel had nog nooit iemand over de dood van Louisa te horen gekregen. Waarom zou Malakhai dit vertellen aan mensen die hij nauwelijks kende? Aangezien het platencontract voor *Louisa's Concerto* elke toelichting op haar dood verbood, hing het alleen af van de discretie van vreemden of er een zware financiële sanctie op zou volgen.

Slope trommelde met zijn vingers op het vilt van het tafelblad om Mallory aan te sporen haar kaarten om te draaien.

Ze hield haar ogen strak op de illusionist gevestigd. 'Hoe kan een vrouw per ongeluk bij een goocheltruc omkomen?'

'Louisa werd van twintig passen afstand neergeschoten met een kruisboog die slechts één pijl had,' zei Malakhai op een toon alsof hij de jurk van zijn vrouw beschreef. 'Vijftien minuten later was ze dood.'

Nu zat iedereen hem geboeid aan te kijken en zelfs Edward was de geheimzinnige kaart van Mallory vergeten. De dokter keek naar de lege stoel. 'Waar werd ze geraakt?'

Malakhai wees naar de stoel. Zijn vinger raakte even een onzichtbare schouder aan.

'Hier?' Mallory wees naar haar eigen schouder.

Malakhai knikte.

'Hoe zag het lichaam eruit... vlak nadat ze was gestorven?'

De kaarten van de rabbijn kwamen met een klap op tafel terecht. Hij keek hoofdschuddend naar Mallory, alsof hij haar zwijgend berispte voor haar flagrante onbeleefdheid.

Malakhai was minder geschokt toen hij zich omkeerde naar de lege stoel naast hem om met een strakke blik naar de vrouw die er niet was te kijken. 'Ze heeft bloed in haar ogen en een beetje roze schuim op haar lippen.'

'In haar ogen?' Mallory glimlachte een tikje ongepast. 'Een bloedspatje?'

'Nee, er stroomt veel bloed uit de wond.' Hij wees naar een punt ter hoogte van de schouder van de geestverschijning. 'Maar het is net alsof haar ogen van binnenuit gewond zijn.'

Charles bestudeerde het fronsende gezicht van Edward Slope. De dokter leunde achterover in zijn stoel, alsof hij een extra steuntje nodig had omdat hij plotseling besefte dat hij samen met een bebloed lijk aan tafel zat en niet met de charmante geest die wat traditioneler toeschouwers voor ogen zou staan.

Mallory bleef zich in het onderwerp vastbijten. 'Was er verder nog iets aan haar lichaam te zien? Verwondingen, blauwe plekken, dat soort dingen?'

'Nee,' zei Malakhai, die nog steeds nuchter doorging met zijn beschrijving van een lijk. 'Alleen haar gezicht was een beetje rood, alsof ze bloosde dat de mensen haar zo zagen – beschaamd over haar eigen dood.'

De patholoog-anatoom voelde zich er langzaam maar zeker steeds meer bij betrokken. Misschien zat het Edward wel dwars dat hij na werktijd nog met een levend lijk te maken kreeg. 'En het was een ongeluk?'

'Precies zoals dat bij Oliver het geval was,' zei Malakhai. 'Die ouwe knaap zou wellicht meer kans hebben gehad als hij ooit een opvoering van de echte truc had meegemaakt. In feite raadde hij er maar naar.'

'Olivers plan was vrij eenvoudig,' zei Mallory. 'Hij wilde gewoon al die pijlen ontwijken.'

'Als je echt denkt dat het zo simpel is, heb je mijn hulp ook niet nodig.'

'Ik heb nooit gezegd dat ik hulp nódig had.'

'Dat zou je ook nooit doen, Kathy,' kwam Edward Slope tussenbeide. 'Ook al zou dat wel het geval zijn. Goed, slimmerik, misschien kun je me dan vertellen hoe een dode vrouw er in slaagt om jou bij het pokeren te verslaan.'

Ze pakte het pak kaarten op en schoof ze uit elkaar, waarbij ze de achterzijden zorgvuldig bestudeerde. Edward zat er even naar te kijken, duwde vervolgens zijn leesbril omlaag en boog zich naar haar over. 'Wat is er aan de hand, Kathy? Ben je vergeten hoe je de kaarten gemerkt hebt?'

Mallory keek op en wierp een boze blik op de illusionist. 'Het is me opgevallen dat Louisa altijd een grote winst boekt als er iets op de tafel beweegt. Een interessante afleidingsmanoeuvre. Ik durf te wedden dat er vijf kaarten aan dit pak ontbreken.'

De mond van de rabbijn zakte open van verbazing. David Kaplan was zo'n goede pokerspeler dat Charles echt niet kon zeggen of de man onschuldig was of als bliksemafleider voor een goocheltruc van Malakhai optrad. 'Je wilt toch niet beweren dat iemand aan deze tafel kaarten achterover heeft gedrukt?'

'Ik stel voor dat we erom wedden... twintig dollar.' Mallory legde een bankbiljet op tafel. 'Is er iemand die meedoet?'

Malakhai glimlachte mild. 'Dus je gelooft ook niet in geluk?'

'Dat moet u niet persoonlijk opvatten,' zei Edward op vertrouwelijke toon tegen de illusionist. 'Ze heeft er gewoon een verschrikkelijke hekel aan als iemand nog beter vals kan spelen dan zij.'

Mallory was niet verontwaardigd, alleen verrast. 'Ik hoef niet vals te spelen om van een stel oude wijven te winnen.'

'Zo zou je niet praten als je vader er nog bij was,' zei rabbijn Kaplan.

'Daar kun je donder op zeggen,' zei Robin Duffy. 'Dat was precies wat haar vader altijd zei.' Hij draaide zich om en glimlachte tegen Mallory. 'We spelen als vrienden onder elkaar, Kathy. Godallemachtig – neem me niet kwalijk, rabbijn – we spelen hier maar om een habbekrats.'

Rabbijn Kaplan klonk alsof hij zich tot een zondagsschool richtte. 'Kathy, we spelen niet voor niets een soort tweederangs poker. Weet je waarom?'

Ze knikte. 'Omdat jullie vrouwen het niet goed vinden dat jullie om stapels geld spelen.'

'Afgezien daarvan,' zei de rabbijn.

'Omdat de verleiding om vals te spelen dan minder groot is?'

'Afgezien daarvan,' zei Edward Slope.

Robin sloeg een arm om haar schouder en trok haar even tegen zich aan. 'Kathy, schattebout, het is gewoon een vriendschappelijk spelletje. Het gaat helemaal niet om geld.'

'Dat klopt,' zei rabbijn Kaplan. 'Het is alleen maar...'

'Het enige wat telt, is winnen,' zei Robin. En daar moest rabbijn Kaplan even over nadenken.

Mallory raapte alle kaarten bij elkaar en voegde haar eigen vijf kaarten aan het pak toe.

David Kaplan stak over tafel een hand uit en legde die over de hare. 'Kathy, ik verbied je om die kaarten te tellen.' Van al haar vaders oude vrienden was de rabbijn de enige die haar iets ongestraft kon verbieden.

Mallory had het pak kaarten nog steeds vast toen ze zijn hand afschudde en opstond. 'Ik ben zo terug.'

'Waar gaat ze naartoe?' Robin staarde naar de deur die achter haar dichtviel.

Charles luisterde naar een andere deur die verderop in de gang openging. 'Naar de keuken, denk ik.'

Nu konden ze allemaal horen hoe ze in het vertrek ernaast in de laden rommelde en die met een klap dichtsmeet. 'Wat is ze...'

Edward stak een hand op om Robin de mond te snoeren, zodat hij naar het metaalachtige geluid van kookgerei kon luisteren. Hij keek de rabbijn aan. 'Waarom heb je al het bestek niet achter slot en grendel opgeborgen, David? Je wist toch dat ze vanavond hier zou komen.'

Een elektrisch apparaat werd aangezet en vervolgens klonk er een schurend geluid. 'Dat is de messenslijper,' zei de rabbijn. Inmiddels zaten ze allemaal aandachtig te luisteren.

David Kaplan schrok op van een harde klap op hout. Hij hield zijn hoofd schuin. 'De broodplank?'

'O, enig,' zei Edward. 'Ze hakt het hele pak aan mootjes. De egoïstische blaag. Als zij zélf niet alle azen achterover kan drukken, krijgt niemand anders de kans.'

Maar toen Mallory terugkwam in de studeerkamer was het pak nog intact – min of meer. Het zat vast gespietst op een vleespen met een bijzonder scherpe punt. Ze trok de kaarten van de metalen staaf af en legde ze voor rabbijn Kaplan neer.

'Dit gaat te ver.' De rabbijn hield het pak omhoog en tuurde door het keurige gat in het midden naar Mallory.

Ze schonk hem een glimlach – nou ja, ze deed een poging daartoe. 'Ik heb die kaarten níét geteld, ja?'

Charles keek naar het gat dat precies in het midden zat. Als Malakhai kaarten achterhield voor Louisa zou het hem niet gemakkelijk vallen om die tussen de andere te voegen.

De illusionist barstte in lachen uit, niet in het minst beledigd. De rabbijn zuchtte.

'Ik heb uw broodplank gebroken,' zei Mallory terwijl ze haar plaats aan tafel weer innam. 'Ik koop wel een nieuwe voor u.'

Edward Slope nam een van de beschadigde kaarten en hield hem tegen het licht. 'Met een kogel zou het een stuk gemakkelijker zijn gegaan. Oké, Kathy, ik geloof bijna dat jij die ballon niet hebt neergeschoten.'

Alleen Charles voelde zich helemaal niet op zijn gemak toen hij zijn kaarten oppakte en naar de gaten keek. Eigenlijk was het onmogelijk dat ze dit voor elkaar had gekregen. Zijn scherpe snelle hersens berekenden de weerstand van een pak kaarten en schatte de kracht in, de hoeveelheid samengebalde gerichte woede die nodig was geweest om te doen wat zij had klaargespeeld.

Ze begonnen aan het volgende spelletje met het geklik van de plastic fiches die in het midden van de tafel op een hoopje terechtkwamen. Het zou wel toeval zijn geweest dat Louisa nu net een paar keer achter elkaar verloor.

Of zoals Mallory zou hebben gezegd: *Ja, vast.*

Drie potjes later zat Mallory achter de grootste stapel fiches en piekerde Charles nog steeds over de gaten in de geplastificeerde speelkaarten. Hij had maar één klap op die broodplank gehoord. Misschien had ze zelf ook een poging gewaagd om hen bij de neus te nemen. Ze kon ze ook rustig één voor één aan de pen geregen hebben en de broodplank hebben gebroken om indruk op hen te maken. Misschien was dit haar manier om zich op de strijd voor te bereiden. Daar stond tegenover dat hij inmiddels het idee had dat ze het hele pak ook in één klap had kunnen bewerken – in pure woede. Beide mogelijkheden verontrustten hem.

Ze bleef Malakhai het hemd van het lijf vragen. De rest van de aanwezigen werd afgeleid door het feit dat Louisa's sherryglas in beweging kwam. Het rees omhoog, bleef boven de tafel in de lucht zweven en kantelde op een natuurlijke manier om een onnatuurlijk wezen de kans te geven een slokje te nemen. Het hele gebeuren verliep naadloos. Geen enkele truc van Malakhai was ooit door zichtbare draden in het water gevallen. Het glas werd voorzichtig op de houten rand teruggezet.

Echt schitterend gedaan.

Maar toch was de illusionist er niet in geslaagd een eind aan het kruisverhoor door Mallory te maken. Nu hief hij zijn handen op. 'Ik begrijp het probleem niet. Ik ben ervan overtuigd dat je weet dat Oliver is gestorven doordat de sleutel van zijn boeien in het slot is afgebroken.'

Ze glimlachte zo flauwtjes dat het nauwelijks waarneembaar was. 'Maar hoe weet ú dat?'

Inderdaad, hoe wist Malakhai dat? Charles herinnerde zich dat Riker had gezegd dat het persbericht pas morgen zou worden verspreid. Als de andere illusionisten iets van die sleutel hadden af geweten, zouden ze het daar vast wel over hebben gehad.

'Heel eenvoudig,' zei Malakhai. 'Ik heb het aan de rechercheur gevraagd die rapport van het ongeluk heeft opgemaakt. Het is per slot van rekening zijn zaak.'

Mallory beschouwde dat kennelijk als een aanslag op haar gezag. Ze kneep haar ogen tot spleetjes, een teken dat er geheid moeilijkheden op komst waren. 'Het is inmiddels mijn zaak geworden. En als ik die opgelost heb, blijft er misschien wel genoeg tijd over om uit te zoeken wie uw vrouw heeft vermoord.'

'Ze is door een ongeluk om het leven gekomen,' zei Malakhai. 'Een zaal vol mensen was daar getuige van.'

'Bij Oliver Tree waren een miljoen getuigen. En wat dan nog? Laten we eens beginnen met die pijl in Louisa's schouder. Hier, zei u.' Ze wees op haar eigen schouder en richtte zich tot de dokter. 'De deltaspier, hè?

En dan denkt u dat ik nooit oplet bij een autopsie.' Ze keek weer naar Malakhai. 'De pijl had helemaal niets met haar dood te maken. De moord vond pas later plaats – in die tussenruimte van vijftien minuten.'

'De pijl heeft een slagader geraakt,' zei Malakhai. 'Louisa heeft ontzettend veel bloed verloren.'

Mallory schudde langzaam haar hoofd en richtte zich opnieuw tot Edward Slope. 'Verbeter me maar als ik het mis heb, dókter. Ook al prik ik een gat in jouw hartslagader, dan zou je nog niet binnen een kwartier doodbloeden.'

'Dat klopt,' zei Edward terwijl hij zijn kaarten bestudeerde. 'Bij een dergelijke schouderwond... zou je het bloeden al kunnen stoppen door simpel druk uit te oefenen. Als ze daarna binnen een uur medische verzorging had gehad, zou ze ook geen nadelige gevolgen van de shock hebben gehad.' Hij keek plotseling op, alsof hem iets te binnen schoot. 'Maar als er snel gehandeld moet worden, gaat er vaak iets mis met de timing. Mensen raken in paniek en...'

Mallory schudde haar hoofd. 'Een doorsnee burger in paniek overdrijft altijd. Als er vier minuten voorbijgaan tot er een ambulance komt, zeggen getuigen dat het veertig minuten heeft geduurd. Dus als Malakhai het over vijftien minuten heeft, kunnen het er net zo goed tien of zelfs maar vijf zijn geweest.'

De illusionist wierp een blik op de lege stoel. 'Ik heb nog nooit in het openbaar over haar dood gesproken. Dat is...'

'Verstandig,' zei ze met een goedkeurend knikje. 'Zeg nooit iets zonder dat er een advocaat aanwezig is. Uw vrouw kende haar moordenaar en ze was met hem alleen toen ze stierf. Dus ik neem aan dat ze naar de kleedkamers is gebracht. En daar is de pijl eruit getrokken, hè?'

Malakhai knikte.

'En ze bevond zich op een plaats die niet voor iedereen zichtbaar was, met een deur die dichtgetrokken kon worden. Klopt dat ook?' Ze wachtte niet op zijn antwoord. 'Natuurlijk. Om haar te kunnen vermoorden, moest de dader ervoor zorgen dat ze afgezonderd waren. Dus zij ligt op de grond en hij pakt een kussen, of iets anders dat zacht genoeg is om geen sporen na te laten...'

'Dat kussen zie ik niet zitten,' zei Slope. 'Dat veroorzaakt niet genoeg trauma om de retinale schade en de verkleuring te verklaren.'

'Goed,' zei Mallory. 'De bloedende ogen en het rode gezicht. En u vergeet het roze schuim in haar mondhoeken nog. Dan houden we het maar op een bepaalde druk op haar borst, oké?' Ze wendde zich weer tot Malakhai. 'Dus ze ligt op de grond en iemand probeert haar te verstikken. Maar ze sterft niet snel genoeg naar de zin van de man die bezig is haar te vermoorden. Louisa worstelt, ze vecht voor haar leven. Dat is de voornaamste oorzaak van al dat bloed. Het stroomt uit de wond doordat ze met al haar kracht probeert dat kussen weg te duwen om adem te kunnen halen. Ze wordt steeds zwakker... al dat bloed en niet genoeg lucht. Maar ze wil niet dood. En de moordenaar? Hij is bang en in paniek. Voor de deur verzamelen zich steeds meer mensen. Ieder moment kan er iemand binnenkomen. En ze verzet zich nog stééds tegen hem, ze houdt vol, wachtend tot iemand haar te hulp zal schieten. Dus zet hij een knie op haar borst om haar tegen de grond te drukken. En vervolgens brengt hij zijn volle gewicht op haar over – hij perst het leven uit haar. Ze probeert te schreeuwen maar hij blijft dat kussen nog steeds tegen haar gezicht duwen. Ze heeft pijn, maar ze blijft vechten. Dan houdt ze op met schreeuwen. Ze weet dat niemand haar kan horen. Er komt niemand. Het is zo stil dat ze de botten in haar borst kan horen breken. En eindelijk, éíndelijk is het zo ver dat ze...'

'Zo is het genoeg, Kathy!' zei de rabbijn en verbrak de spanning die ze bij haar toehoorders had opgeroepen. 'Je hebt het wel over de dood van zijn vrouw. Dat is...'

'Ronduit onbeschoft,' zei dokter Slope. 'En bovendien vergezocht. Ik kan wel drie snelwerkende soorten gif opnoemen die dat schuim en de retinale bloeding veroorzaakt zouden kunnen hebben.'

'Vergif is onbetrouwbaar,' zei Mallory alsof ze gezellig met de dokter over een recept voor koekjes zat te babbelen. 'Verstikken is beter – geen opvallende sporen aan de keel, geen chemische resten in het lichaam.' Ze richtte zich tot de lege stoel aan de tafel. 'Wie heeft je vermoord, Louisa?'

Malakhai draaide langzaam zijn hoofd in de richting van het spookbeeld. 'Ze wenst geen antwoord te geven.'

Mallory glimlachte. 'Ik had niet anders verwacht. Heeft ze tegen u gezegd dat u een advocaat moet bellen?'

De rabbijn liet zijn vlakke hand met een klap op de tafel neerkomen. 'Kathy!'

Mallory deed net alsof ze verrast was, maar het bleef bij een poging. 'Ik heb hem nergens van beschuldigd.'

Dokter Slope sloeg zijn armen over elkaar en was zijn kaarten volkomen vergeten. 'Wat heeft de plaatselijke lijkschouwer gezegd?'

Malakhai haalde zijn schouders op. 'Er heeft geen autopsie en geen onderzoek plaatsgevonden.'

Mallory knikte. 'Het was voor de plaatselijke politie veel gemakkelijker om de dood als een ongeluk af te doen, minder administratieve rompslomp... zolang niemand dat oordeel aanvocht. En ik durf te wedden dat u dat niet hebt gedaan. Wat een mazzel voor de moordenaar.' Ze schoof haar stoel achteruit. 'Ik geloof dat ik nu wel duidelijk heb gemaakt hoe ik over een dodelijk ongeval denk.'

'Maar je hebt niets bewezen,' zei Malakhai. 'Als jij meer dan vijftig jaar later kunt bewijzen dat er sprake was van moord, dan zal ik je vertellen hoe Max Candle te werk ging bij zijn Verloren Illusie.' Het voordeel in de strijd tussen twee krachtige persoonlijkheden verplaatste zich weer naar Malakhais kant van de tafel. Hij daagde haar uit.

Alle ogen richtten zich op Mallory.

'Ik heb u al verteld dat ik uw hulp niet nodig heb, meneer Malakhai. En ik heb ook geen aansporing nodig. Oliver heeft zijn laatste truc aan uw vrouw opgedragen. Misschien voelde hij zich wel schuldig. Misschien was ú wel boos. Als ik erachter kom dat hij Louisa vermoord heeft, zult u een goede strafpleiter nodig hebben.'

'De rechercheur die de leiding had, zei dat de zaak afgesloten was... het was een dodelijk ongeval. De sleutel was al oud. Volgens hem was het duidelijk...'

Ze hief een hand op om hem de mond te snoeren. 'Oliver restaureerde oude gebouwen. Niet alleen het houtwerk – oude schroeven, buizen, stangen. De oude man wist alles af van metaalmoeheid. Hij zou zijn leven niet laten afhangen van een sleutel die al vijftig jaar oud was.'

'Dat denk je alleen maar.'

'Dat staat vast,' zei Mallory. 'Hij heeft nieuwe sleutels besteld bij een instrumentmaker met wie hij zaken deed. Dat heb ik drie uur geleden nagetrokken.'

Maar als Charles zich goed herinnerde wat er die dag was gebeurd – en dat was zo – zat ze twéé uur geleden nog steeds pizza te eten in zijn keuken.

'De nieuwe sleutels waren van een nieuw soort staal – sterker,' zei Mallory.

Malakhai wuifde haar argument – haar leugen – achteloos terzijde. 'Dan heeft Oliver abusievelijk een oude sleutel gepakt in plaats van een nieuwe.'

'Het spijt me,' zei Mallory, niet in het minst verontschuldigend. 'De oude sleutel is nog steeds bij de instrumentmaker. Die is voor het archief achtergehouden. Oliver wilde tien nieuwe sleutels hebben. Volgens de ploegbaas gebruikte hij bij elke repetitie een nieuwe sleutel. Wel een beetje overdreven, vindt u ook niet? Niet echt nodig, ook al stond zijn leven op het spel. Volgens mij kun je wel stellen dat Oliver paranoïde was als het metaalmoeheid betrof.'

Was ze dit keer te ver gegaan? Charles herinnerde zich Oliver als een goedgelovig man die zakelijke afspraken met een handdruk had bezegeld, niet bepaald een paranoïde figuur. Maar er waren heel wat jaren verlopen sinds Oliver en Malakhai elkaar hadden ontmoet. En Mallory was zo'n doortrapte leugenaar dat de illusionist haar leek te geloven en er de voorkeur aan gaf niet met haar in discussie te gaan. 'Misschien had hij meer dan één oude sleutel?'

'Weer mis,' zei Mallory. 'Oliver zei tegen de instrumentmakers dat ze er zuinig op moesten zijn. Volgens hem was het zijn énige sleutel, een aandenken aan *Faustine's Magic Theater*. U hebt daar ook opgetreden. Ik durf er een lief ding onder te verwedden dat u precies zo'n sleutel had. Hebt u die nog steeds?'

'Wou je werkelijk...'

'Ik weet zeker dat u er iets mee te maken hebt, meneer Malakhai. U wilt wel verdomd graag aantonen dat ik de plank missla.'

Er school een tikje neerbuigendheid in de glimlach van Malakhai.

'Nee,' zei ze. 'U dénkt alleen maar dat ik per ongeluk mijn kaarten op tafel heb gelegd. Als u ergens naartoe gaat, zou ik maar heel erg op mijn hoede zijn, want ik zit u op de hielen... en dat zou u moeten verontrusten. Vraag maar eens aan iemand hier aan tafel hoe verknipt ik wérkelijk ben.'

Robin Duffy keek stomverbaasd op, alsof ze hem in het hart had getroffen.

Mallory keek de rabbijn aan, die haar beter kende dan alle andere aanwezigheden. Op haar gezicht stond duidelijk te lezen dat ze David Kaplan uitdaagde om dat te ontkennen – dat ze erop zat te wáchten dat hij haar tegen zou spreken. Maar inmiddels moest ze wel begrijpen dat ze lang kon wachten.

De rabbijn wendde zijn ogen af.

Terwijl Charles nog zat te zoeken naar iets wat hij in haar voordeel zou kunnen zeggen, was het Edward Slope die Mallory galant te hulp schoot. De dokter legde één arm om haar schouders en schudde langzaam zijn hoofd om aan te geven dat ze allesbehalve verknipt was. Daarna boog hij zich naar Malakhai over. 'Ik zou maar uitkijken als ik u was. U hebt gezien wat ze met jonge hondjes doet.'

6

Het privé-kantoor aan de achterkant van het huis van Charles Butler lag zo beschut dat er niets te horen was van de herrie en het drukke toeristenverkeer in de straten van SoHo. Het keek uit op een stadstuin vol hoog opgeschoten onkruid, vuilnisbakken en de bijbehorende ratten, maar het hoge gepiep en het gekrabbel van de nageltjes drongen niet door de gesloten ramen van de tweede verdieping. Het vertrek was met kille metalen meubels ingericht, en overdreven netheid en dood dienden als decoratiemateriaal. De symboliek ervan ontging Mallory volledig, ze dacht echt dat deze omgeving geen enkele aanwijzing omtrent haar karakter opleverde.

Drie computerschermen stonden op één rechte lijn naast elkaar, als soldaatjes in het gelid, en elk apparaat had één stralend blauw oog. Ze deden verslag middels zwijgende pagina's tekst die over hun schermen rolden. De planken langs een van de muren bevatten randapparatuur, dozen met diskettes en cd-roms, gereedschap en handleidingen. De aangrenzende wand was van plint tot plafond leeg. Vanavond diende de muur als een gigantisch projectiescherm voor de band van de moord in Central Park en Oliver Tree trad in zijn laatste voorstelling op. Mallory had een eindeloze lus van de opname gemaakt waarin de man werd vermoord, weer tot leven gewekt en daarna keer op keer opnieuw gedood.

Charles Butler had haar de warmte van antieke meubels aangeboden, als vervanging van haar stalen archiefkasten, bureau en stoelen. Hij had voorgesteld gordijnen op te hangen om de kilte van de zakelijke luxaflex weg te nemen. En hij was van mening dat een of twee schilderijen de monotonie van de wand zouden onderbreken waar Oliver Tree bloedend als gevolg van vier scherpe pijlen dood in zijn kettingen hing.

Maar ze gaf de voorkeur aan haar eigen strakke meubels. Die konden overal binnen vier kale witte muren opnieuw worden opgesteld en dan zou ze zich onmiddellijk thuis voelen in een weliswaar steriele, maar vertrouwde omgeving. De metalen kast van de computer voelde kil aan. Ten behoeve van haar apparatuur zorgde ze ervoor dat de kamertemperatuur een paar graden lager bleef dan voor mensen behaaglijk was.

In de volgende aflevering van het geprojecteerde illusionistenoptreden op de muur leefde Oliver weer, om hulp schreeuwend en alleen bloedend uit de wond in zijn nek.

Ze rolde haar stoel weg van een monitor. Na een onderzoek van een paar uur, gedeeltelijk legaal, had ze geen spoor van Louisa Malakhai kunnen vinden. De ene na de andere archivaris had geklaagd dat er geen foto's waren, geen geboortebewijs of akte van overlijden, geen tastbare bewijzen dat de jonge componiste ooit had geleefd – behalve de muziek, het ene en enige opus, *Louisa's Concerto*.

Mallory stak haar hand in de zak van haar blazer en haalde Louisa Malakhais paspoort tevoorschijn. Ze staarde naar de verminkte zwart-witfoto op de eerste bladzijde. Rond het weggekraste gezicht hingen lange golvende lokken. De lichte tint moest duiden op een vlammende kleur, want Emile St. John had het over een roodharige vrouw gehad.

Het paspoort was Tsjechoslowaaks, maar informatie bij Interpol had geen gegevens over een Tsjechisch staatsburgerschap opgeleverd. Ze bladerde door tot ze bij het laatste douanestempel kwam. Daaruit bleek dat Louisa in augustus 1942 in Frankrijk was aangekomen. Mallory ging terug naar de oudere stempels en bekeek ze wat nauwkeuriger.

Vals? Ja.

Alleen het laatste stempel was betrouwbaar. Dus moest Louisa dit paspoort hebben gebruikt om het land binnen te komen. Maar de letters en de nummers van eerdere stempels waren van een geraffineerde pentekenaar en niet van een ambtenaar met een stempelkussen. *Slim.* In Europa zou een nieuw paspoort in oorlogstijd grondiger bestudeerd zijn. Op de eerste pagina viel een rond reliëfstempel gedeeltelijk over de foto. Op dat stempel viel weinig aan te merken.

Ze stopte het paspoort weer in de zak van haar blazer, bij Louisa's Franse identiteitsbewijs, dat tot eind 1942 geldig was geweest.

Naar Parijs dan maar?

Ze keek naar de klok aan de muur. Net na middernacht – te vroeg om het internet op te gaan. Haar Europese contactpersoon zou pas over een paar uur achter zijn bureau zitten.

Oorspronkelijk had ze betrekkingen met de man aangeknoopt om van hem te kunnen stelen, om stiekem gegevens uit zijn buitenlandse netwerk over te nemen. Maar inmiddels keek ze uit naar wat hij op het scherm te melden had. Omdat Engels zijn moedertaal niet was, drukte hij zich heel duidelijk uit, zonder in dialect of slang te vervallen. Zijn teksten waren bondig, helder en kil. Alsof het de paring van een stel apparaten betrof, draaide hun omgang alleen om soft- en hardware.

De buitenlandse politieman was haar enige vriend – of liever gezegd, de enige vriend die ze niet tegelijk met haar zakhorloge van haar pleegvader had geërfd.

Een roodgelakte vingernagel drukte op een knop en het scherm werd donker. Mallory draaide haar stoel naar de wand waar Oliver Tree opnieuw een pijl in zijn lichaam kreeg. Ze keek afwezig toe, met haar gedachten bij heel andere zaken, terwijl de volgende pijl het hart van de oude man doorboorde en het bloed over het witte front van zijn overhemd stroomde. Ze zette hem uit en verloste Oliver even van zijn helse ellende en zijn onafgebroken sterven.

Met een aantekenboekje en een pen in de hand noteerde Mallory de gegevens die ze nodig had van het podium dat beneden in de kelder zoveel ruimte in beslag nam. De bedoeling was dat ze het terug zou brengen tot getallen en afbeeldingen die op een computerscherm zouden passen.

Nadat ze de deur van het kantoor op slot had gedaan, liep Mallory op haar gemak langs het appartement van Charles in de richting van de hal. Al voor ze de deur naar het trappenhuis opentrok, hoorde ze flarden muziek en een vrouw die intens leed. Ze herkende de stem onmiddellijk – Billie Holiday. Een of andere bluesfan draaide de oude platen op de grammofoon die beneden in de kelder stond.

Mallory boog zich over de leuning en keek omlaag langs de smeedijzeren wenteltrap. Felle, kale gloeilampen wierpen langs beide trappen schaduwen van gevlochten metaal op de ronde wand. Terwijl ze de trap afliep, luisterde ze naar het nummer dat in de beginjaren van een korte carrière was opgenomen.

Dankzij haar pleegvader had Mallory een ongeëvenaarde muzikale opvoeding gehad. Op haar twaalfde kon ze elke plaat opnoemen die Billie Holiday ooit had gemaakt. Markowitz noemde haar altijd Lady Day. Dit nummer stamde uit de jaren dertig, het hoogtepunt in het korte leven van de lady, en ze liet zich volkomen gaan, gooide alle remmen los en haalde alles uit het nummer wat erin zat.

Mallory trok haar revolver.

De muziek stopte abrupt toen ze de volgende overloop bereikte, nog een paar treden van de kelder verwijderd op het moment dat het volgende nummer begon. De indringer had met de plaat ook het tijdperk verwisseld. Nu was het 1946 en de stem van de lady was rauwer geworden.

Mallory bleef even op de trap staan. Het feit dat de grammofoon zo hard stond, leek niet te wijzen op een insluiper. Ze wist dat het niet Charles kon zijn die daar beneden was. Hij gaf alleen om klassieke muziek. Maar misschien was hij vergeten om de tussenwand af te sluiten.

Ze stopte haar revolver weer in de holster.

Maar wie van Charles' onderhuurders zou er dan in de kelder zijn? De psychiater van de derde verdieping draaide alleen rock-'n-roll. En de minimal-art-kunstenaar op de bovenste etage luisterde alleen maar naar de ruis tussen de stations op zijn radio.

Ze was op de onderste tree gekomen. Het oude nummer eindigde midden in de tekst en vloeide over in een wat latere opname. Het was inmiddels 1955 en Billie Holiday was bijna aan het eind van haar carrière, vier jaar voor haar dood tijdens een jazzfestival.

Mallory duwde de deur van het trappenhuis open. Achter het lange stuk vol zwarte schaduwen werd de vouwwand door een lange reep licht in tweeën gespleten. Ze besloot geen gebruik te maken van de zaklantaarn die op de meterkast lag. Als het toch een hardleerse inbreker zou zijn, wilde ze in het duister geen gemakkelijk doelwit vormen.

De plaat was nog maar nauwelijks begonnen toen de naald weer verder werd gezet. Lady Day zong over de mist in London Town terwijl Mallory naar de spleet in de vouwwand liep. Ze keek neer op het grote, ouderwetse hangslot. Het zat dicht en de ketting liep nog steeds door de gaten in de houtpanelen aan weerszijden. De spleet was breed genoeg om er een hand door te steken, maar waarom zou de indringer de panelen weer hebben afgesloten?

En welke opname zou hij zoeken? Er begon een nieuw nummer, uit 1958, kort voor Billie Holidays dood opgenomen.

Mallory stak haar hand in de zak van haar spijkerbroek. Haar vingers sloten zich om de buis met sleutels die ze die ochtend bij zich had gestoken. Ze hield hem omhoog in de lange reep licht tussen de vouwwand, schroefde de metalen bol aan het eind van de buis los en koos de sleutel waarvan Charles had gezegd dat hij een loper uit de tijd van de Boerenoorlog was. Het oude hangslot viel open en zonder geluid te maken trok ze de ketting uit de houten gaten. Ze moest haar beide handen gebruiken om de panelen van de vouwwand opzij te duwen en deinsde even achteruit bij het onwelkome geluid van ongeolide scharnieren en de wieltjes van de vouwpanelen die over de metalen rails op de vloer gleden.

En nu keek ze naar de rug van de lange indringer, terwijl hij zich over de grammofoon boog en de naald bij het volgende nummer van de plaat zette, een Duke Ellington-classic. Lady Day zong: *If you hear a song in blue...*

Dit was kennelijk het nummer waarnaar hij op zoek was. Hij liep weg bij de oude grammofoon en begaf zich naar de geopende garderobekoffer. Zijn handen zochten iets in de laden toen ze hem van achteren naderde.

Malakhai moest zich ervan bewust zijn dat hij niet langer alleen was. Ze had haar aanwezigheid verraden door het luide gekraak van hout en het geknars van metaal, maar hij leek zich nergens iets van aan te trekken en nam niet eens de moeite zich om te draaien.

Dit was ronduit beledigend.

De illusionist richtte zijn aandacht op de kledingstukken die aan de andere kant van de garderobekoffer hingen. Het witte pak lag nog steeds op de plaats waar ze het die ochtend had achtergelaten, boven op de andere kleren aan het rek. Het satijn glansde toen het over zijn hand viel.

'Dit zou jou volgens mij wel passen, Mallory.' Hij draaide langzaam zijn hoofd om en toonde haar zijn glimlachende profiel. 'Je bent een vrouw van je woord. Ik hoef maar over mijn schouder te kijken – en daar ben je.' Zijn hand streek over de revers van het witte pak. 'Je bent even groot als Louisa. Wil je het hebben?'

'U hebt het recht niet om dat weg te geven.'

'O zeker wel. Vraag maar aan Charles.' Zijn weidse armgebaar omvatte alle opgestapelde dozen om hen heen waarop de naam *Faustine's* gestempeld was. 'Max heeft mij alle rekwisieten, de garderobe en alles uit het theater in Parijs nagelaten. Ik heb gewoon nooit de moeite genomen die dingen op te halen.'

Malakhai trok een la open en haalde een zwarte zijden schijf tevoorschijn. Met een snelle beweging van zijn pols en een klik sprong de kroon van een hoge hoed uit het midden omhoog. Hij zette hem op. 'Die heeft Faustine voor me gekocht. Ik was haar leerling.'

Mallory knikte naar de kastkoffer. 'Heeft Faustine die kleren voor Louisa gekocht?'

'Nee, ze heeft mijn vrouw nooit ontmoet. De Duitsers bereikten de stad op een ochtend in 1940 en de oude vrouw stierf diezelfde middag. Puur toeval, natuurlijk. Faustine heeft ook nooit met het Duitse leger kennisgemaakt.'

Mallory keek omhoog naar het venster van de luchtkoker in de achtermuur. De ruit en de tralies waren intact. 'Hoe bent u binnengekomen? Heeft Charles u binnengelaten?'

Een hand werd afwerend opgestoken. 'O alsjeblieft. Ik liep al door gesloten deuren voor hij zelfs maar was geboren.'

Mallory sloeg haar armen over elkaar alsof ze wilde zeggen: *Ja, dat zal wel.* Ze was niet onder de indruk van zijn criminele vaardigheden. 'Vandaar dat u álle lampen aanknipt en de muziek véél te hard zet. Vervolgens doet u de deur achter u op slot – zodat niemand zal merken dat u hier bent? Ontgaat mij soms iets?'

'Ik heb je in verwarring gebracht. Dat spijt me.'

Ze was helemaal niet in verwarring. Hij had de deur waarschijnlijk weer op slot gedaan om te voorkomen dat hij gestoord werd terwijl hij in de kastkoffer rommelde. Ze hield de buis met de lopers omhoog. 'Ik neem aan dat u er ook zo een hebt. Dat maakt het een stuk gemakkelijker, hè?'

De muziek hield op. Billie Holiday was verdwenen.

Mooi. Ze was voor één avond met meer dan genoeg dode vrouwen geconfronteerd.

Malakhai stak een sigaret op en blies een pluim rook uit terwijl hij op een pakkist ging zitten. Op de cementen vloer lag een koevoet tussen houtsplinters. Een tweede rookpluim steeg omhoog vanuit een asbak boven op een lage stapel kartonnen dozen. De filter vertoonde de rode afdruk van een mond.

Malakhai keek haar strak aan terwijl hij zijn tweed colbert uittrok en zijn blauwe zijden hemdsmouwen oprolde. Hij trok zijn wenkbrauwen op en sperde zijn ogen open, om Mallory min of meer te dwingen iets te zeggen. Maar zij beschouwde het als haar taak om iemand op een dergelijke manier te bespelen en draaide hem de rug toe om de kisten die om haar heen stonden te bekijken. Van de helft was het deksel opengewrikt.

Hij pakte de koevoet weer op en begon aan een volgende.

'Wat zoekt u?'

'Een kist wijn.' Hij leunde met zijn volle gewicht op de koevoet en de bovenkant van de kist kwam omhoog met het gekraak van brekend hout en het lichte gepiep van roestige spijkers. Hij keek neer op de blootgelegde inhoud en schudde zijn hoofd. 'Dit is 'm ook niet.'

Malakhai liet de koevoet weer op de grond vallen en slenterde terug naar de garderobekoffer. Hij haalde een met lovertjes bezet zwart pak tevoorschijn. Het weerspiegelde het licht met een miljoen lampjes en glinsterde zo dat het haar bijna ontging dat Malakhai stiekem de zakken doorzocht.

'Dit pak moet je echt aannemen. Louisa staat erop.' Hij stak het Mallory toe. 'Mijn vrouw zegt dat blondines er altijd fantastisch uitzien in zwart.'

Ze liet het kledingstuk glinsterend tussen hen in hangen, bungelend aan de hanger in zijn uitgestrekte hand.

Malakhai knikte begrijpend. 'Zoals je wilt.' Hij hing het pak weer aan het rek. 'Je komt het later wel halen.' Hij wierp een blik op de ruimte boven de asbak en de rokende sigaret en schonk Mallory vervolgens een glimlach. 'Louisa zegt dat je toch geen weerstand aan haar kleren zult kunnen bieden.' Hij bleef even naar de rookpluim kijken en knikte toen, alsof hij het ergens mee eens was. 'Alle lovertjes zullen je naam roepen. Ze laten je niet met rust tot je toegeeft.'

Mallory onderdrukte een glimlach. Ze wist waarnaar hij tussen de plooien en in de zakken op zoek was terwijl hij voor spreekbuis van zijn vrouw speelde.

92

Hij hield zijn hoofd een tikje scheef toen hij opnieuw naar de rook luisterde. Hij wees naar de kledingstukken aan het eind van het rek. 'En deze zijden pakken dan? Daarin moet je gewoon wel naar een feest toe. Die zullen je dwingen om de hele nacht op te blijven, te dansen en goede wijn te drinken. Louisa wil dat je naar deze kleren luistert. Die weten wat het beste voor je is.'

'Wat heeft Louisa nu aan?'

'De jurk waarin ze gestorven is.' Hij keek over zijn schouder en concentreerde zich op de rook die uit de asbak omhoog kringelde. 'Die is hemelsblauw, bijna even licht als haar ogen.'

Mallory liep naar de kastkoffer toe en ging vlak bij hem staan. Hij rook naar een duur parfum, zo discreet dat het haar tijdens het pokeren niet eens was opgevallen. En er hing nog een andere geur in de lucht, de geur van een bloem die zich vermengde met het stof in de kelder – een gardenia. Ze keek neer op de geopende lade met lingerie. Tussen het ondergoed lag een zakje. 'Zijn alle kleren van uw vrouw hier?'

'Nou, die dansschoentjes waren van Faustine, maar de rest is van Louisa. Wij hadden geen hangkast in onze kamer. Dit was haar kast. Ja, de kleren zijn allemaal hier, met uitzondering van die jurk. Daarin is ze begraven.'

'In een met bloed bevlekte jurk?'

'De begrafenis moest halsoverkop plaatsvinden.'

'Haar énige jurk.' Mallory liet haar hand over het rek met de hangers glijden. 'Deze kleren – pakken, overhemden, broeken – zijn allemaal voor een man gemaakt en vervolgens ingenomen. Maar op de avond dat ze stierf, droeg ze een jurk. Waarom?'

'Vrouwen.' Hij haalde zijn schouders op, alsof hij daarmee genoeg had gezegd. Daarna liep hij terug naar de kisten uit *Faustine's Magic Theater* en pakte de volgende van de stapel. Hij was groot, maar hij sprong ermee om alsof de kist maar een paar kilo woog en zette hem op de grond. 'Waar is die wijn? Er moet nog zoveel opgedronken worden en er is nog maar zo weinig tijd.'

Mallory liep achteloos in de richting van de asbak waarin Louisa's sigaret lag te smeulen. Haar ogen richtten zich op de rook. 'Haar haar – dat is heel kortgeknipt, hè?'

Hij vond het kennelijk niet leuk als ze zijn spelletje met de onzichtbare vrouw meespeelde. Hij draaide haar zijn rug toe en boog zich over de kist. Daarna bleef hij even staan, met de handen op zijn knieën. Hij had zijn hoofd iets naar haar toegedraaid, zodat ze alleen de lijn van zijn wang zag. 'Hoe wist je dat?'

Dus ze had goed gegokt. Het lange haar dat ze op de pasfoto had, was in Parijs afgeknipt.

Hij keek over zijn schouder. 'Hebben de jongens je dat verteld?'

De jongens? Hij moest de oude illusionisten bedoelen. Ze gaf een knikje in de richting van de garderobekoffer. 'Kort haar past bij die mannelijke kleren.'

Met gebogen hoofd verplaatste hij zijn gewicht op de koevoet. 'Ze droeg vlinderdassen bij die pakken, net als de illusionisten. Iedereen die naar het theater kwam, werd door Louisa gefascineerd. Halverwege een kamer kon ze van sekse veranderen door alleen maar anders te gaan lopen.' Hij had zich weer omgedraaid om overleg te plegen met de rook uit de asbak, het laatste dunne sliertje uit een sigaret die donker verkleurd was. 'Haar ogen zijn heel lichtblauw. Af en toe lijken ze zelfs helemaal wit – griezelig gewoon. Ze heeft nooit make-up nodig gehad.'

'Maar vanavond heeft ze lippenstift op.' Mallory liep om de kist heen zodat ze zijn gezicht kon zien. 'Ze droeg make-up op de avond dat ze vermoord werd, hè?'

'Ja.' Zijn ogen waren somber geworden en vast op de koevoet gericht die hij onder het deksel wrikte. 'Ze was die avond van top tot teen vrouw.'

Mallory's hand drukte op het deksel van de kist om hem tegen te werken.

'Probeerde u haar voor de Duitsers of voor de Franse politie te verbergen?'

De koevoet viel uit zijn hand en kwam met een klap op het cement terecht. Mallory nam haar hand weer van het deksel af en stapte achteruit. 'Ik weet heel veel van Louisa.'

Hij schudde zijn hoofd om aan te geven dat ze loog. 'Nee, dat geloof ik niet. Maar je weet wel veel van de dood, dat moet ik toegeven. Je verhandeling tijdens het pokeren was heel verhelderend. Ik had me nooit zoiets wreeds voorgesteld.'

'Nee? Waar was u toen ze stierf?'

'Ergens anders.'

Mallory werd afgeleid door de rookpluim van een nieuwe sigaret. Wanneer had hij die opgestoken? 'Ik heb uw oude vrienden uit *Faustine's Magic Theater* ontmoet.'

'En ze konden je niet eens vertellen waar Louisa was geboren.' Zijn handen trokken het verpakkingsmateriaal kapot. 'Ik heb het levensverhaal van mijn vrouw nog nooit aan iemand verteld.'

'Dat klopt, het platencontract bevat een boeteclausule.'

Hij liet de kist in de steek en zocht tussen de stapels naar een ander, soortgelijk exemplaar. 'Heb je het concerto van mijn vrouw wel eens gehoord? Louisa begon eraan toen ze pas veertien was. Ze heeft het in Parijs afgemaakt.'

'Het is wel vreemd dat uw oude vrienden helemaal niets over haar achtergrond weten. Tenzij u iets te verbergen had vóórdat Louisa stierf. Dus ik had gelijk. Ze werd gezocht. Vertrouwde u ze echt geen van allen?'

'Je zou haar concerto eens moeten draaien – dat is ze ten voeten uit, haar hele karakter zit erin. Volgens de muziekcritici is het een stuk werk vol persoonlijkheid – of misschien vind je begeesterd een beter woord. Maar ja, je gelooft helaas niet in geesten.'

'Net zo min als u.' Ze keek toe hoe hij het losse deksel omhoogtrok. 'Het kost heel wat inspanning om een dode vrouw in beweging en aan het praten te houden. U bent degene die aan de touwtjes trekt.'

De inhoud van de kist werd zichtbaar en zijn gezicht verbleekte toen hij zag wat erin zat: een houten kruisboog. De kolf was gebarsten en de boog was in tweeën gebroken. Hij schudde zijn hoofd, alsof hij op die manier het waas voor zijn ogen kwijt kon raken. Anders dan bij de andere kisten nam hij nu de moeite om het deksel er weer op te leggen.

'Hier zit ook geen wijn in.' Hij had zijn kalmte herwonnen, toen hij naar Mallory opkeek. 'Je weet helemaal niets over mijn vrouw.'

'In 1942 was haar haar nog niet kort.' Ze zag hoe zijn handen zich om de koevoet spanden. 'Niet in augustus – toen ze de grens naar Frankrijk overstak. Een achttienjarige bruid.'

'Ze was pas zeventien,' verbeterde hij. 'Louisa werd pas achttien in Parijs.'

'U hebt er een extra jaar aan toegevoegd. Dat hoorde bij haar vermomming.'

'Nou, dat heb je vast niet van de jongens gehoord. Die wisten daar niets vanaf. Ik vind je heel fascinerend, Mallory. Ik durf te wedden dat veel mensen bang voor je zijn.'

'Haar haar was lang, golvend en rossig blond. Daarna heeft ze het afgeknipt.' Mallory wierp een korte blik op de broeken, de pakken en de onvrouwelijke schoenen – de gouden dansschoentjes uitgezonderd. 'Louisa moest voor een jongen doorgaan toen ze zich in Parijs verborgen hield. Ze werd in de winter van 1942 in *Faustine's Magic Theater* vermoord.'

Tot zo ver waren alle details juist; dat kon ze aan zijn gezicht zien. Als het identiteitsbewijs van Louisa ook vervalst was, zou in ieder geval de uiterste geldigheidsdatum van eind december wel betrouwbaar zijn.

'Waarom droeg ze een jurk op de avond dat ze stierf? Waren de Duitsers op zoek naar een vrouw in mannenkleren? Louisa was van plan om Parijs te verlaten, hè?' Mallory ging achter hem staan en fluisterde in zijn oor: 'Wilde ze zonder u weggaan?'

Het hout kraakte. Het deksel van de kist viel met een klap op de vloer. 'Ik heb de wijn gevonden.' Hij haalde een krat flessen tevoorschijn en zette haar op de grond. 'Je bent heel anders dan ik had verwacht, Mallory. Je begrijpt hoe mensen in elkaar zitten – dood of levend. Ik had van Charles de indruk gekregen dat je de voorkeur gaf aan het gezelschap van computers.'

Ze wist hoe de andere rechercheurs van de NYPD haar noemden: Mallory de Machine. Ze ging op het deksel zitten dat ondersteboven op de grond lag. Dat was de enige plek die niet bedekt was met een laag stof, de grootste vijand van alle machines. Malakhai zette de flessen op een rij voor haar neer en ze las de etiketten van de Cabernet Sauvignon, de bourgogne en de port.

'Die goeie ouwe Max, zo'n sentimentele smeerlap.' Hij tilde een bewerkte houten doos uit de kist en fronste bij het horen van het getinkel van gebroken glas, toen hij hem schudde. 'Wat jammer. Dit waren de mooiste glazen van Faustine.' Hij deed de doos open en keek neer op de twaalf bij elkaar passende wijnglazen die stuk voor stuk in een groenfluwelen bedje lagen. Slechts de helft ervan was nog heel. Hij zette drie glazen op de grond. Meer gerommel in de kist leverde een vlekkerige zilveren kurkentrekker met een paarlemoeren handvat op. Hij stak de punt in de kurk van een fles.

'Dat is een zeldzame wijn,' zei Mallory. 'Veel te duur om op te drinken.'

'Dat zeg je alleen maar omdat hij oud is.' Hij trok aan de kurkentrekker maar die schoot weer uit de kurk en nam een paar kruimeltjes mee. 'Verdomme.' Hij duwde het metaal dieper weg en draaide het in de hals van de fles. 'Ik kan me de tijd nog herinneren dat dit een jonge wijn was. En je hebt gelijk, het was destijds al een heel goede fles.'

De rest van de kurk kwam in stukken uit de hals. Uit de fles steeg de geur van azijn op, waaruit ze konden opmaken dat de wijn bedorven was.

'Dat is echt heel erg.' Hij staarde naar het etiket alsof hij het overlijdensbericht van een beminde vriend las. 'Daarom geloof ik dus niet in het bewaren van wijn.'

Mallory bestudeerde de andere flessen. 'Allemaal verschillende wijnen van verschillende wijnhandelaren. Waarom zijn ze allemaal uit 1941?'

'Dat was een heerlijk jaar, een jaar zonder ellende. Louisa leefde nog. En de jongens waren toen ook nog allemaal bij elkaar – de leerlingen van Faustine. Dat was voor de ellende begon.' Hij stopte het grootste stuk van de kapotte kurk terug in de fles om de navrante geur weg te nemen. 'Je had de data goed, Mallory. Toen 1942 ten einde liep, was Louisa dood en de jongens zaten overal en nergens.' Hij veegde een wijnglas schoon met zijn zakdoek en gaf het haar in de hand. 'Ik zoek wel een fles voor je die nog goed is.'

Ze zette het glas op het cement en duwde het weg.

'Hoef je geen wijn?' Hij glimlachte. 'Interessant.' Hij wendde zich tot de lege ruimte naast hem. De asbak stond inmiddels op de vloer en Louisa had alweer een sigaret opgestoken. 'Mijn vrouw denkt dat je bang bent om je te laten gaan. Ze vindt dat je meer risico's zou moeten nemen – en veel minnaars. Dat je net zoveel wijn moet drinken als je op kunt.'

'Heeft Louisa ook veel minnaars gehad?'

Hij wendde zijn ogen van Mallory af en begon de flessen stuk voor stuk na te kijken, op zoek naar één die niet bedorven was.

Het kostelijke bouquet van de bourgogne werd aangetast door de geur van machineolie. Mallory zat rustig toe te kijken hoe de man die ze van moord verdacht een zojuist schoongemaakt dodelijk wapen in elkaar zette en het lange gebogen gedeelte in een opening vlak bij het begin van de sleuf voor de pijl drukte.

Ze hadden de garderobekoffer inmiddels allang de rug toegekeerd en waren met een paar niet bedorven flessen aan de andere kant van het drakenscherm bij het podium gaan zitten. Mallory's inwendige klok was volkomen van slag. Het verloop van de tijd werd gemarkeerd door de glazen alcohol die ze dronk en het aantal malen dat de bluesplaat opnieuw werd gedraaid. Ze luisterde er nu al voor de vierde keer naar. Of was het de vijfde? Terwijl ze in kleermakerszit op de kale cementen vloer zat, nam ze een slokje uit haar kristallen glas. Ze had haar angst voor stof en wijn kennelijk volkomen van zich afgezet.

'*If you hear a song in blue…*' zong Billie Holiday.

'Je bent nog zo jong.' Hij draaide aan een schroef om het vizier van de kruisboog bij te stellen. 'Deze tekst zegt je helemaal niets, hè?'

'Nee,' jokte Mallory, omdat ze niets van zichzelf aan hem prijs wilde geven, niet haar unieke relatie met Rilkes gekooide panter, noch de bespiegelingen van T.S. Eliot om vier uur in de ochtend – of een in triestheid gedompeld lied.

'*… like a flower crying…*'

Haar glas was nog halfvol, maar Malakhai schonk alweer bij. Op een bepaald moment was de hoge zijden hoed van zijn hoofd op het hare beland, hoe en wanneer precies zou ze niet kunnen zeggen, en nu zakte de rand over haar ogen en ze duwde hem terug.

'Max had ingenieur moeten worden. Hij heeft deze boog ontworpen.'

De aderen en de spieren op zijn onderarm tekenden zich duidelijk af toen hij de dikke gebogen metalen pin achteruit trok om de pees van de kruisboog te spannen. 'Hier staat een kracht van bijna zeventig kilo op, maar een kind kan de hefboom overhalen om de pees te spannen. De pijl heeft een snelheid van zeventig meter per seconde. Uiterst dodelijk.'

'... *heart trying to compose*...'

'Ik dacht dat u van klassieke muziek zou houden, net als uw vrouw. Waarom Billie Holiday?'

'Ach, we waren allemaal jazzfans in Parijs, maar de blues heb ik pas veel later leren waarderen. Ik ontdekte Billie Holiday tussen de Tweede Wereldoorlog en de oorlog in Korea.'

'Emile St. John zei dat u Louisa in Korea terugvond. Nadat ze al tijden dood...'

'Het was eerder zo dat ze mij vond. Laten we het maar bij de eerste oorlog houden. Volgens mij zou die je beter zijn bevallen, Mallory. Massa's zware vuurwapens.'

'... *a prelude that never dies*...'

'Een hele wereld in oorlog.' Hij pakte een smalle houten koker op, een magazijn waar drie pijlen in pasten. 'Ik wou dat ik je de hele toestand kon laten zien, de enorme omvang ervan.' Hij bevestigde de koker op zijn plaats, boven de gleuf waar de pijl in lag. 'Optochten en muziek, juichende menigten, hele steden die in as werden gelegd.' Hij draaide de schroeven aan waarmee de koker aan de kruisboog vast zat. 'Nazi's in paradepas en Yanks in tanks. Het was subliem.'

'... *my prelude to a kiss*...'

Malakhai drukte de gebogen metalen stang omhoog die uit het achterste deel van het trekkermechanisme stak. 'Charles had gelijk. Ze hebben allemaal nieuwe pezen nodig. Maar deze houdt het nog wel een paar schoten uit.' Door de stang weer omlaag te trekken, zette hij de pees vast, zodat er een pijl voor gelegd kon worden.

De rand van de hoge zijden zakte weer over haar ogen. Hij stak zijn hand uit en duwde hem terug.

'In 1943 heb ik een luchtgevecht tussen twee jagers gezien. Het verliezende vliegtuig spatte uit elkaar en de piloot kwam door de wolken naar beneden vallen – hij leefde nog. De parachute ging niet open, het was alleen maar een streep witte zijde. Zijn voeten gingen als een gek op en neer. Misschien dacht hij dat hij de val uit een vliegtuig zou overleven als hij lopend op de grond terechtkwam. De ultieme optimist. Het was vast een Amerikaan.'

Malakhai keek door het vizier van de kruisboog. Ze vroeg zich af of hij besefte dat hij op de asbak richtte, waarin Louisa's sigaret lag te branden. 'Mallory, je moet me beloven dat je nooit voor een van deze dingen langs loopt als ze geladen op de voetstukken staan.'

'Max Candle ging voor alle vier tegelijk staan.'

'Maar jij bent Max Candle niet. En dat gold ook voor Oliver.' Malakhai ging naar het podium en drukte de kolf van de kruisboog in een gat op het voetstuk. Hij liep weer naar haar terug en pakte een halfflege wijnfles op.

'Een heel goed jaar.' Hij vulde het glas naast de asbak van Louisa bij. 'Max liep begin eenenveertig weg van kostschool. Vroeger heette hij Butler, net als Charles. Toen hij achter me aan kwam naar Parijs, nam hij de naam Candle aan om de mensen van Pinkerton te ontlopen, die zijn ouders in de arm hadden genomen. Als dat een onbekende naam voor je...'

'Privé-detectives, dat weet ik wel. Dus jullie hebben elkaar op school leren kennen?'

'Ja, de vader van Max zat in het corps diplomatique. Zijn ouders stonden op het punt om hem mee terug te nemen naar de Verenigde Staten toen hij wegliep.'

'Wat was uw echte naam?'

'Malakhai. Teleurgesteld?' Hij liep terug naar het podium en klom de trap op naar boven.

Ze keek toe hoe hij de zware schietschijf oppakte en met gemak uit de bevestigingen in de palen aan weerszijden tilde. 'Hoe is uw voornaam?'

'Misschien vertel ik je die nog wel een keer als ik je wat beter ken.' Hij bracht de schietschijf achter de rode gordijnen.

Mallory begon gewend te raken aan die ontwijkende antwoorden. Ze drong niet langer aan, maar bleef de zwakke punten verzamelen die aan het licht kwamen door niet-beantwoorde vragen.

Louisa was een kettingrookster. De asbak lag vol peuken met roodbevlekte filters en Mallory had de echtgenoot van de dode vrouw nog steeds niet op het aansteken van sigaretten kunnen betrappen. Ze was tot de slotsom gekomen dat alle sigaretten uit het pakje van Louisa vooraf met lippenstift bewerkt moesten zijn, maar ze werden steeds aangestoken als Malakhai op geen stukken na in de buurt was.

Een knappe truc.

Mallory nam een slokje wijn ter wille van het onderzoek. Dus dit was de smaak van 1941, toen Malakhai nog een tiener was en midden in een oorlog zat. 'Kon je tijdens de bezetting wel goed opschieten met de Duitsers?'

'O, de soldaten waren onze beste klanten. Nadat Faustine was gestorven, maakten we een restaurant van het theater. Met de recettes voor de goochelshow konden we de eindjes niet aan elkaar knopen. Vandaar dat we er alle theaterstoeltjes uit gesloopt hebben en daar tafels en stoelen voor in de plaats hebben gezet – het was één grote eetzaal.'

'Hebben jullie de vijand te eten gegeven?'

'En hen vergiftigd – het eten was ontzettend slecht.' Hij verdween achter het drakenscherm, maar ze kon zijn stem nog horen. 'De wijn was nog erger, dus we hadden nooit officieren onder ons publiek.'

Ze hoorde het geluid van versplinterend hout, toen hij weer een kist openwrikte.

'We waren gewoon nog een stel kinderen,' zei hij. 'Als je jong en arm bent, denk je alleen maar aan je maag, niet aan politiek.'

Malakhai liep terug naar het podium met een rond cafétafeltje in zijn ene en een stoel in zijn andere hand. 'Die komen uit *Faustine's Magic Theater*. Max moet alles hebben opgekocht, op het bidet van de oude dame na.' Hij zette ze voor de trap neer.

'Was het een Duitse soldaat die Louisa heeft vermoord?'

'Laten we daar nu maar over ophouden, goed?' Zijn stem klonk alleen een beetje ongeduldig. 'Wil je deze truc nu zien of niet?' Hij veegde de stoel met een doek af en hield hem voor haar klaar. 'Ga zitten – alsjeblieft.'

Ze nam plaats aan het tafeltje terwijl hij de rol van kelner op zich nam en een glas en een fles wijn voor haar klaarzette. Zijn handen waren vast. Misschien kon ze daar verandering in brengen. 'Hoe is Faustine overleden?'

'In haar slaap – er kwam geen bloed aan te pas. Ik blijf je maar teleurstellen, hè?' Hij had Louisa's asbak schoongemaakt en zette die nu naast de wijnfles op het tafeltje. 'Je vindt het waarschijnlijk toch niet leuk. Het is maar een onbeduidend trucje. We gebruikten het iedere avond om de voorstelling te openen. Max heeft het bedacht. Louisa was geen goochelaar, dus hij heeft het heel simpel gehouden.'

Malakhai tilde voorzichtig een viool uit een stoffige kist en draaide aan de knoppen op de plek waar de lange hals overging in een houten krul. 'Verwacht er niet te veel van.' Hij plukte aan de snaren en draaide ze strakker of losser terwijl hij het instrument op zijn gehoor stemde. 'Beschouw het maar als een stukje poëzie, een voorspel tot een magische voorstelling.'

Ze zat naar de sigaret op de rand van de asbak te staren toen de punt met een klein vlammetje opgloeide en begon te roken.

Een chemisch middel?

Dat zou verklaren waarom ze hem er niet op kon betrappen dat hij ze aanstak. Misschien was het iets wat ontbrandde als het uit het pakje werd getrokken en aan de lucht blootgesteld. Ze pakte de sigaret op en snoof aan de rook die van de brandende punt kwam, maar er was geen spoor van chemicaliën te bespeuren. Daarna stak ze het filter tussen haar lippen en inhaleerde de rook om de smaak te controleren.

Haar keel brandde en ze bleef hoesten. Ze moest worstelen om weer op adem te komen.

'Dus dat was je eerste sigaret.' Malakhai stond naast haar en klopte haar zachtjes op de rug. 'Hoe zou ik dat toch raden?'

Haar longen stonden in brand en haar ogen waren betraand van de rook. 'Er zit iets in die tabak. Het brandt...'

'O, dat is altijd zo als je voor het eerst inhaleert. Je zou je bijna gaan afvragen waarom iemand het nog een keer zou doen.' Hij gaf haar het wijnglas en ze dronk er gretig van – uit medicinale overwegingen.

'Goed Mallory, nu we samen gif hebben ingenomen, zijn we aan elkaar verbonden, jij en ik.' Zijn hand bleef op haar schouder liggen tot ze ophield met hoesten. 'Dus je hebt zomaar de risico's van zo'n gevaarlijke sigaret genegeerd – dat is een complimentje waard. En je bent al flink op weg om dronken te worden. Dat is zelfs nog beter.'

Ze zette het wijnglas neer en duwde het van zich af.

Malakhai bukte zich over een kist en haalde er een jute pop uit. Hij gooide hem over zijn schouder en liep de trap naar het podium op. Afgezien van de dichtgenaaide wonden en de lappen die erop gezet waren, was het een volmaakte kopie van de demonstratiepop van Oliver Tree.

Malakhai gebruikte touw in plaats van handboeien om de stoffen handen aan de ijzeren ringen van de staanders vast te binden en deed vervolgens de lamp in de dwarsbalk aan. 'De pop hoort niet bij de truc. Die heb ik alleen nodig om de boog te richten.' Hij liep de trap af en stopte een pijl in het magazijn. Toen het wapen gespannen en geladen was, keek hij haar even met een charmante glimlach aan. 'Vind je het eng?'

Helemaal niet.

Mallory voelde het geruststellende gewicht van een revolver, verborgen onder haar blazer, en ze durfde er heel wat onder te verwedden dat een kogel het zou winnen van een pijl.

'In de oorspronkelijke truc,' zei hij, 'kwam er geen magazijn aan te pas. Dat was een boog van hout die maar één pijl kon afschieten. En het was ook een handwapen – er waren geen voetstukken. Maar aangezien jij het publiek bent, zou het niet netjes van me zijn om aan jou te vragen mij neer te schieten.' Hij draaide de schakelaar van het voetstuk om. 'Dus zullen we ons met automatisering moeten behelpen.'

De raderen van het mechaniek tikten terwijl de tanden van de wielen in elkaar grepen.

Hij ging achter het voetstuk staan en keek door het vizier van de kruisboog. 'Max werd geïnspireerd door de truc met de betoverde kogel. Die had hij nog nooit zien opvoeren, maar hij had er wel een idee van hoe die in zijn werk ging. In de oorspronkelijke versie was het wapen een revolver.'

Malakhai kwam met een arm vol serviesgoed naar haar toe lopen. 'Door het schot werd een bord dat de goochelaar omhooghield kapotgeschoten en hij ving de kogel op tussen zijn tanden.' Hij boog zich voorover om de bordjes in een cirkel rond het cafétafeltje te zetten. 'Maar tijdens de bezetting vonden de Duitsers het niet goed als burgers pistolen hadden.' Het voetstuk bleef doortikken op weg naar het moment dat de trekker zou worden overgehaald. 'En een pijl tussen je tanden opvangen zou een beetje al te link zijn.'

Het tikken hield op. De pees van de boog sprong met een metaalachtig geluid los en de pijl vloog zo snel weg dat Mallory hem niet kon volgen op zijn baan naar het hart van de pop waar het zaagsel uit een gat in de jute borst stroomde.

'Perfect,' zei Malakhai. 'Laten we nu maar hopen dat de pees het nog één schot langer uithoudt.' Hij legde een niet opgestoken sigaret op elk van de bordjes die op de vloer rond de tafel stonden. 'De juiste sfeer is het halve werk.'

Ze had ongelijk gehad toen ze dacht dat de vlekken van Louisa's lippenstift van tevoren waren aangebracht. Al deze filters waren schoon.

Malakhai bond een rode sjaal aan het eind van een pijl en legde die in het magazijn. Nadat hij de jute pop had weggehaald, maakte hij een rondje om het podium en deed alle verlichte globes en schemerlampen uit, waardoor Mallory's onbehagen met het toenemen van de duisternis groeide. Alleen de gloeilamp boven op het podium tussen de staanders mocht blijven branden en achter het podium bevond zich een muur van schaduwen.

Halverwege de trap bleef hij staan bij de rand van de gele lichtcirkel en zwaaide met een hand toen hij zei: 'Ambiance.'

Op commando staken alle sigaretten op de schoteltjes zichzelf een voor een aan en ze werd omgeven door rook die in witte spookachtige sliertjes opsteeg naar de duisternis rondom.

Ze hoorde het tikken van de raderen en keek weer naar het podium. Malakhai stond op het podium. De kale gloeilamp besloeg maar een kleine kring en liet zijn gezicht tientallen jaren jonger lijken. Hij had de viool en de strijkstok in zijn hand. Het tikken leek in het donker veel harder te klinken.

'Je bent in *Faustine's Magic Theater*. Het is 1942. Als je omhoogkijkt, zie je kleine loges met een balkonnetje. En recht boven je hoofd is het plafond beschilderd met figuren en scènes uit beroemde toneelstukken. O, en de kroonluchter – een enorme schitterende kristallen bal van licht. Veel te groot voor deze ruimte. Faustine had een nogal opzichtige smaak. Maar nu is het oorlogstijd. De oude dame is dood en we kunnen ons al die gloeilampen niet veroorloven. Dus de kroonluchter is donker en de ruimte is verlicht met kaarsen. Het zit er vol mensen, Parijzenaars en vluchtelingen in burgerkleren, soldaten in grijze uniformen. Ze dragen pistolen op hun dijen. Alle kelners zijn jonge jongens in smoking met hoge hoeden op. Stel je maar voor dat de wijn niet zo goed is.'

Alles was doodstil om haar heen, alleen de raderen van de mechanieken tikten en de rook van de sigaretten kringelde omhoog. 'Je bent geen rechercheur meer, Mallory. Vanavond niet. Je woont in bezet Parijs. Alle bekende en vertrouwde dingen – ze zijn allemaal verdwenen. Je weet niet hoe je morgen aan eten moet komen. Je weet zelfs niet hoe de avond zal aflopen. Er kan van alles gebeuren.'

Het getik – was dat nu ineens luider geworden?

'Je ruikt de gemorste wijn die op de grond terecht is gekomen, de goedkope parfum van de vrouwen – en tabaksrook.' Hij tilde de viool op en legde die tussen zijn wang en zijn schouder. 'En dit is helemaal veelgevraagd. In plaats van mij zie je een beeldschoon wezentje met vuurrood haar. Ze is pas achttien. En je moet je voorstellen dat de viool gestemd is.'

Mallory hoorde de apparaten licht kraken, ondanks het feit dat ze net gesmeerd waren. De raderen van het voetstuk draaiden en tikten. De pen die de trekker over moest halen was op weg naar boven. Malakhai stond tussen de twee staanders in. De strijkstok van de viool hing boven de snaren.

'Terwijl Louisa speelt, komt Max Candle van links het podium op. Hij heeft een kruisboog in zijn hand. Je ziet hoe hij een pijl uit zijn koker pakt. Er zit een lange rode sjaal aan de schacht. Louisa ziet hem niet, ze gaat helemaal op in haar muziek.' Hij sloot zijn ogen. 'Haar lichaam draait heel langzaam rond, alsof ze niet beseft dat er naar haar wordt gekeken. Ik kan het concerto niet voor je spelen. Dit is een simpel oefenstukje dat ze me op een regenachtige middag heeft geleerd.'

De muziek klonk lief, met luchtig huppelende noten. De raderen van het voetstuk tikten in het ritme van een metronoom – of dat van een bom. Malakhai draaide zich om. Een van zijn armen bewoog terwijl hij de met hars bestreken strijkstok over de snaren liet glijden. De vingers van zijn andere hand dansten over de hals van het instrument om akkoorden te vormen en tokkelende geluidjes te maken. Ze keek naar zijn rug en naar de bewegingen die de arm met de strijkstok over de snaren van de viool maakte.

Het wapen werd afgeschoten. Ze kon de vlucht van de pijl volgen door de rode sjaal die erachteraan slierde. Malakhais voet schoot uit. De vlucht stopte bij zijn lichaam, alsof de pijl hem had doorboord. Hij hervond zijn evenwicht terwijl hij nog steeds ronddraaide en door bleef spelen tot hij weer met zijn gezicht naar zijn eenpersoons publiek stond. En hoewel de muziek geen moment had gestokt, was de strijkstok van de viool verdwenen en streek hij de dodelijke pijl over de snaren voor het slotakkoord. De rode sjaal hing nog steeds aan de schacht.

De lamp boven het podium ging uit. De hele wereld werd zwart.

Zonder dat ze zich dat bewust was, ging Mallory's rechterhand naar haar revolver. Ze hoorde zijn schoenen op de trap en luisterde naar haar doelwit zodat ze hem in het donker kon neerschieten.

Bij de voet van het podium ging een staande schemerlamp aan. 'En?' Malakhai bukte zich om de globe op de grond aan te raken die meteen trillend licht begon te geven. 'Vond je het leuk?' Hij liep over de vloer rond het podium om alle lampen weer aan te doen.

En nu zag ze een veel beangstigender truc, een lenige schaduw die over de voorkant gleed van een pakkist die een eindje verderop stond. Het tengere silhouet liep hard, alsof het achter was gelaten en zich moest haasten om zich weer bij de duisternis achter in de kelder te voegen. Maar er bevond zich geen solide massa tussen het lamplicht en de schaduw.

Te veel wijn. Ze duwde het glas naar de rand van de tafel. Sigaretten die zichzelf aanstaken en nu dit weer. 'Hoe hebt u dat gedaan? Met die schaduw?'

'O dat? Ik dacht dat je meer belangstelling zou hebben voor de truc waarbij Louisa gewond raakte.'

'Was dát het?'

'Alweer teleurgesteld?' Hij glimlachte. 'Maar je vond de schaduw wel leuk, dus het was niet helemaal voor niets.'

'Ik weet dat u die pijl niet uit de lucht hebt gepakt, niet bij een snelheid van zeventig meter per seconde. Dat bestaat niet. De pijl heeft u dus gemist, hè? U hebt de strijkstok onder de viool verstopt toen u die had verwisseld voor een tweede pijl.'

'Mis. Er was maar één pijl.'

'U hebt die pijl niet opgevangen.' Ze liep naar het voetstuk en keek in het lege magazijn. 'Ik heb zelf gezien dat u hem erin deed.'

'Maar je hebt niet gezien dat ik hem er weer uit haalde. Je zat te hoesten, weet je nog wel?'

'Maar ik heb hem zien vliegen.'

'Je zag de sjaal vliegen. Die zat aan een draad die van de kruisboog naar mijn hand liep. De pijl – de enige pijl – heeft voortdurend onder de viool gezeten.'

'Maar u hebt niet aan een draad getrokken. Dat had ik moeten zien.' Hij had er een behoorlijke ruk aan moeten geven.

'De draad liep tussen mijn vingers door naar een blok hout op de grond waar hij omheen was gewikkeld. Toen ik dat blok van het podium afschopte, heb ik het ver genoeg weggetrapt om ervoor te zorgen dat de draad de sjaal naar mijn hand toe trok.'

Ze probeerde zich te herinneren wat ze het eerst had gezien: de wankelende trap of de vlucht van de rode sjaal. Maar het enige wat ze zeker wist, was dat hij haar zo voor de gek had gehouden dat ze zich gedroeg als een onervaren getuige die dingen zag die er niet waren. 'Dus dat is alles?'

'Ik wist wel dat je geïrriteerd zou raken. Het is allemaal zo simpel – als iemand je vertelt hoe het in elkaar zit.'

'Maar het is niet gevaarlijk om met een sjaal beschoten te worden. U zei...'

'Max was nog maar een jochie toen hij deze truc bedacht. Dat hij als klapstuk van zijn optreden de dood vond, kwam pas later in zijn carrière, een vrij slimme methode om zijn trucs voor zichzelf te houden. Er is geen illusionist die dingen van hem heeft gejat. Hij was de enige die bereid was om echte risico's te nemen.'

'Wilde hij dood?'

'Zo afgezaagd was het niet.' Malakhai ging op de onderste tree van het podium zitten. 'Ik denk dat de oorlog voor Max te snel was afgelopen. Hij zag hem door de ogen van een Yank – een hele generatie die tot de brandstapel werd veroordeeld. Zijn leven was toen zoveel spannender. De naoorlogse wereld was een anticlimax. Niets had meer kleur. Geen smaak, geen structuur.'

'En hij was getrouwd met een vrouw van wie hij niet hield,' zei Mallory.

Malakhai knikte terwijl hij een fles oppakte en vervolgens tegen het licht hield. 'De wijn is op. Ik ben zo terug.' Hij liep om het drakenscherm heen en zette de fles naast de garderobekoffer neer. Mallory kwam achter hem aan, maar niet geruisloos genoeg. Haar ogen betrapten nog net zijn hand die snel uit een andere zak in Louisa's kleren werd teruggetrokken.

Hij streelde de stof van een groen broekpak. 'Faustines gouden dansschoentjes zouden hier goed bij staan. Ik vraag me af wat die in de koffer doen. Ik heb nooit gezien dat Louisa ze droeg.'

'Misschien is ze wel met iemand anders uit dansen geweest. Ik heb u gevraagd of Louisa minnaars had. U hebt me daar nooit...' Toen de schaduw over de kastkoffer gleed, trok ze haar revolver en draaide zich met een ruk om. Er was niets anders te zien dan rook die uit een asbak op de grond omhoog rees.

'Het is Louisa maar,' zei Malakhai. 'Ze zal je echt niets doen, Mallory. Ze vindt je aardig.'

'Hoe deed u dat?'

'Daar is niemand ooit achter gekomen. Maar als je het wilt proberen, ga je gang.' Zijn handen gleden verder naar een broek van gewone, onopvallende stof.

'Misschien is dit wat u zoekt?' Ze overhandigde hem het paspoort. Het was opengeslagen bij de eerste bladzijde met de beschadigde foto. 'Ik had het idee dat Edith Candle dat misschien gedaan had.'

Hij hield het verminkte portret van zijn vrouw omhoog. 'Dit was de enige foto van Louisa. Ja, Edith zal dat wel gedaan hebben. Arme vrouw – jaloers op een geest.'

'Ik dacht eerst dat u met Louisa was getrouwd om haar een nieuwe identiteit voor een legaal paspoort te geven. Maar ik heb u onderschat, meneer Malakhai. Het is een professionele vervalsing. Ik was er bijna in getrapt.'

Hij schudde zijn hoofd. 'Die eer komt mij niet toe. Dit paspoort was het werk van Nick Prado. Hij had een bedrijfje dat valse papieren voor vluchtelingen maakte.'

'Zat hij in het verzet?'

'Het spijt me, zo verheven was het niet. Vervalsen was zijn dagelijks werk. Een plaatselijke drukker bezorgde hem zijn klanten. Nick had een kamer achter de drukkerij.'

'Dus goochelen leverde niet veel op?'

'De leerlingen van Faustine kregen geen salaris. We moesten er allemaal een baan bij hebben. De oude dame was alleen gul met haar kledingtoelage. Het maakte niet uit of we honger leden, als we er maar goed uitzagen.'

'En nadat ze was gestorven?'

'De winst was maar heel mager. Daar konden we niet allemaal van leven.' Hij staarde nog steeds strak naar het verminkte gezicht in het paspoort. 'Ik wou dat Edith dit niet had gedaan.'

Mallory pakte het paspoort uit zijn hand. 'Misschien was u wel degene die Louisa's portret heeft verminkt. Werd u een beetje gek?' Ze tikte op het portret. 'Heeft u dit gezicht kapotgesneden?'

Hij bleef zwijgen.

Ze kwam iets dichter naar hem toe. 'U was boos, u had uw zelfbeheersing verloren.' En nu de gok, het raden, de klap op de vuurpijl: 'U wist dat uw vrouw u bedroog. Louisa ging met Max Candle naar bed.'

'Ja, dat wist ik. Maar ik kon het ze allebei vergeven.'

7

De stof van de fauteuil was zacht en de dikke kussens omsloten zijn achterste met een intimiteit die hij nooit van een vrouw had ondervonden. Maar toch voelde brigadier Riker zich hier niet helemaal op zijn gemak en dat had niets te maken met de spanning die er de laatste tijd tussen hem en zijn partner bestond.

Mallory's woonkamer had het kille voorkomen van een leeg appartement, ook al was het vertrek volledig gemeubileerd met sterk contrasterend zwart leer, witte vloerbedekking en scherpe hoeken van kostbaar hout, glas en chroom – een inrichting die de middelen van een rechercheur ver te boven ging. Het opvallendste in de kamer was het grote raam dat uitzicht bood op Central Park. Een dergelijk uitzicht was niet goedkoop.

Riker wilde niet weten waar ze al dat extra geld vandaan haalde. Maar hij had een donkerbruin vermoeden dat ze er nog op een wettige manier aan kwam ook. Ze was te openhartig over het feit dat ze beter woonde en zich duurder kleedde dan politiemensen van wie bekend was dat ze omkoopbaar waren. Hij koppelde dit aan het katachtige geduld waarmee ze te werk ging om iemand gemeen onderuit te halen. Vandaar dat hij haar nooit ronduit vroeg hoe ze aan dat geld kwam, want anders zou hij ook wel eens op zijn bek kunnen gaan als het zoveelste slachtoffer van Mallory's unieke manier om iemand ten val te bengen.

Ze stond met haar rug naar hem toe voor de geopende kast met zijn nieuwe jas in haar ene en een hanger in haar andere hand. Haar lichaam verstrakte iets en hij wist dat ze de vlek op een van de mouwen had gevonden, een klein spatje spaghettisaus.

Riker legde een stapel videobanden op de glazen salontafel. 'Dit zijn nog meer opnamen van de optocht die niet zijn uitgezonden. De cameramensen kwamen steeds weer terug bij de ballon en de gillende kinderen. Je krijgt niets van die actie met de kruisboog te zien.' Toen hij zich weer omdraaide naar de kast, was Mallory verdwenen – waarschijnlijk naar de keuken op zoek naar een vlekkenmiddel; ze had zo haar eigen prioriteiten.

Hij maakte gebruik van dit moment van privacy om een boeket langstelige rode rozen te inspecteren die door een bloemist in een hoge kristallen vaas waren bezorgd. Hij haalde het bijgevoegde kaartje uit de envelop en las de woorden: 'Om acht uur gaan we uit eten. Ik beloof je dat ik niet weer viool zal spelen.' Het was niet ondertekend. Het was geschreven in het elegante handschrift met ouderwetse krullen van een veel oudere man. Aan de andere kant van het kaartje stond het logo van een hotel in het centrum. Daaruit kon hij alleen opmaken dat Mallory's bewonderaar stinkend rijk was, maar dat had hij al geraden door de prijs van de vaas te schatten.

Hij hoorde een geluid achter zich en deed net alsof hij bijzonder geboeid werd door het uitzicht terwijl hij het kaartje in de envelop terugstopte. Toen hij zich omdraaide, gaf ze hem een koude fles in de hand. Hoewel het nog geen twaalf uur 's middags was, accepteerde hij dit gebaar van goede wil en nam een slok geïmporteerd bier.

Een zoenoffer? Of was het een poging tot omkoping?

Ze ging op de bank zitten en bekeek de banden. 'Heb je Olivers neef gevonden?' In de ondertoon van haar stem klonk de vraag of hij wel de moeite had genomen om te zoeken.

'Heb je het over de Kruisboogman?' Hij viel in de fauteuil neer en gooide haar een opgevouwen krant toe. Mallory sloeg hem open en zag de naam die rechtstreeks uit een stripverhaal leek te komen in grote vette letters over de volle breedte van de voorpagina staan: KRUISBOOGMAN VERMIST.

'Die knaap van jou moet als een haas de stad uit zijn gegaan,' zei Riker. 'Sinds de optocht heeft niemand hem meer gezien. Als hij onvindbaar blijft, dan krijgt de stad misschien geen proces aan haar broek. Volgens mij heeft die knul zijn knie geschaafd, toen jij hem onderuit schoffelde.'

Ze bladerde naar het verhaal op de binnenpagina. 'Als die stunt met die kruisboog een afleidingsmanoeuvre voor een poging tot moord was? Richard Tree was daar misschien getuige van. Misschien is hij helemaal niet zoek. Hij kan ook dood zijn.'

In het kader van de ontspanning liet Riker na haar te vertellen wat hij van die theorie vond. Terwijl zij het verhaal doorlas, lette hij goed op dat hij geen bier morste. God, wat had hij een hekel aan die kamerbrede witte vloerbedekking. Het losliggende kleed in zijn eigen appartement kon heel wat beter tegen vlekken. Door de jaren heen had hij er met behulp van de kleurrijke accenten van sauzen uit bakjes met afhaalmaaltijden eigenlijk een nieuw patroon op aangebracht.

Hij wierp een blik op zijn horloge, pakte toen de afstandsbediening en drukte op de inschakelknop. De automatische deuren van een zwarte lakkast zwaaiden open en onthulden een televisietoestel. Het was bijna tijd voor *Noonday New York*. 'Mallory? Heb je naar het nieuws gekeken? Van dat neerschieten van die ballon maken ze gewoon een miniserie, verdomme.'

'Nee.' Ze was nog steeds verdiept in het krantenartikel.

Keek ze eigenlijk wel eens tv? Hij probeerde zich voor te stellen dat ze iets deed wat alleen maar ontspanning was. Meteen daarna kwam hij tot de conclusie dat ze dat tv-toestel alleen maar had gekocht om de schijn op te houden dat hier een normaal mens woonde.

Hij leunde achterover met zijn bier, zette het geluid harder en werd verliefd op het beeld van een opgetutte nieuwslezeres die achter een breed bureau zat. Ze droeg een strakke trui en opzichtige rode lippenstift omlijnde haar vooruitstekende tanden.

Riker zuchtte. Hij had altijd al een zwak gehad voor hoeren met een overbeet en fluorescerend rood haar, de kleur die associaties opriep met een kegelbaan in Lodi, New Jersey.

Achter de nieuwsbalie was een reusachtig scherm met een foto van Mallory die op de rand van de praalwagen met de hoge hoed stond. De dame met het fluorescerende rode haar zei net: '… zijn nieuwe feiten bekend geworden over het neerschieten van Goldy…' De foto op het grote scherm loste op en veranderde in bewegende beelden van de kolossale leeglopende ballon. De camera zoomde in en richtte zich op een bejaarde toeschouwster van de optocht. Riker kon zich nog herinneren dat hij deze vrouw een verklaring had afgenomen en een schietgebedje had gedaan dat ze niet van ouderdom zou overlijden voor ze klaar waren. De camera zette het portret stil terwijl de nieuwslezeres Riker toezong: '… getuige plotseling is overleden voor ze een verklaring af kon leggen in het lopende onderzoek naar…'

'Hoezo onderzoek?' Mallory keek op van haar lectuur. 'Is dat inmiddels officieel?' De stilzwijgende beschuldiging dat hij iets voor haar verborgen had gehouden was onmiskenbaar.

Riker haalde zijn schouders op. 'Ik weet niet waar ze die onzin vandaan halen. Er is geen zaak in behandeling. De kwestie van de ballon is afgehandeld en dat geldt ook voor Oliver Tree.'

Ze bleef hem aanstaren, alsof ze verwachtte dat hij een of andere grove nalatigheid zou bekennen.

Om zichzelf te verdedigen zei hij: 'Mallory, dit zijn de níéuwsmedia.' Hij wees naar de krant in haar hand. 'Ben je al bij het gedeelte waar van dat ene schot inmiddels dríé schoten zijn gemaakt?' Hij wierp opnieuw een blik op het scherm met het portret van de dode toeschouwster. 'En die oude mevrouw is een onder raadselachtige omstandigheden overleden getuige.'

Het beeld veranderde en toonde een bejaarde man die in een gewone straat ergens in de buitenwijken uit een auto stapte. Het oude gerimpelde gezicht stond angstig toen zijn verbijsterde ogen de menigte opnamen die op hem afkwam, een hele meute verslaggevers met camera's en microfoons die hem onder de voet dreigde te lopen. Nu filmde de camera de rug van de oude man, terwijl hij zich over het flagstonepad naar de veilige haven van zijn kleine huis haastte. Maar zijn wandelstok hinderde hem in zijn vlucht en de verslaggevers waren stuk voor stuk eerder bij de deur dan hij. Hij stond stil en sloeg zijn beide handen voor zijn gezicht terwijl hij uitriep: 'Ja, ze is dóód! Mijn vrouw is dood! Zijn jullie nou tevreden?'

Een van de verslaggevers vroeg, of liever schrééuwde: 'Was het een plotselinge dood?'

'Nee,' zei de oude man. 'Ze was tweeënnegentig. Het heeft echt heel lang geduurd.'

Op de achtergrond vloog een garagedeur open en werd een jonge amazone in blakende gezondheid onthuld. Het meisje rende de voortuin in, gewapend met een honkbalknuppel. Ze kwam op de verslaggevers af terwijl ze in blinde woede met haar wapen zwaaide en schreeuwde: 'Mijn grootmoeder is aan lóngontsteking overleden, stelletje krankzinnige...' De cameraploeg verspreidde zich snel en nu filmden hun lenzen de schokkende, onduidelijke beelden van een heleboel voeten die op volle snelheid over het grasveld holden.

Riker keek Mallory aan en trok zijn wenkbrauwen op, alsof hij wilde zeggen: *Dat zei ik toch.* 'Wie geloof je nu? Mij of dat stel idioten?'

Het grote scherm achter de nieuwsbalie werd donker toen de roodharige dame opstond om een slanke jongeman te begroeten met een ingevallen borst en een paar verdwaalde haartjes die een sik moesten voorstellen. Riker zag de elleboogstukken op de blazer van de man en trok daaruit meteen de conclusie dat deze fat geen echt werk deed – het zou wel een schrijver zijn. Maar meteen daarop werd de gast als een wapendeskundige voorgesteld.

Loop heen. Riker wist uit ervaring dat alle wapenexperts echte kerels waren – zelfs de vrouwen.

Naast het bureau van de nieuwslezeres stond een schildersezel met daarop een belachelijke uitvergroting van een spotprent, een afbeelding van de Goldy-ballon die boven een stel getekende toeschouwertjes zweefde.

De wapendeskundige stond naast de ezel en wees op dikke blauwe lijnen die door het lijf van de reuzenpup waren getrokken. 'Dit is de baan van de kogel. Aan deze lijnen is te zien dat de kogel het puntje van de staart van de hond binnendrong, even een achterpoot raakte, verder vloog door de schoft, er bij de halsband weer uitkwam en in de kaak terechtkwam.' Hij zweeg even om op adem te komen. 'Om er ten slotte via het puntje van het linkeroor van de pup weer uit te komen.' Zijn wijzende vinger gleed naar een plek op het trottoir en de cameralens zoomde in voor een close-up van een getekende blondine met een revolver.

Riker wierp een blik op Mallory en was opgelucht toen hij zag dat ze nog steeds in de krant verdiept was.

'En deze lijn,' zei de expert, 'toont dat de plaats waar de kogel vandaan kwam, overeenstemt met de plek waar de politieagente stond die de ballon neerschoot.'

Mallory keek op toen de nieuwslezeres zich weer tot haar kijkers wendde en stralend haar overbeet toonde. 'Dat is dus duidelijk. Doorslaggevend nieuw bewijsmateriaal tegen de agent die Goldy neerschoot. Met als getuige-deskundige de schrijver van populaire technothrillers, Rolf Warner.'

'Die klungel komt me bekend voor.' Riker boog zich naar de tv over. 'Hé, is dat niet dezelfde deskundige die ze hebben gebruikt om de oorlog in Bosnië te verklaren?'

'… nog even kort samenvatten voor de kijkers die net hun toestel aangezet hebben,' zei de roodharige dame. 'Het laatste nieuws is dus dat een getuige van de schietpartij plotseling is overleden. Plus de geheimzinnige verdwijning van een andere getuige, de Kruisboogman.' De vrouw glimlachte en verblindde Riker even met haar enorme voortanden. 'De politie heeft bij haar onderzoek nog geen enkele vooruitgang geboekt. Volgens onze bronnen op One Police Plaza wijst alles erop dat de NYPD de zaak in de doofpot probeert te stoppen. De Kruisboogman is nog steeds…'

Mallory pakte hem de afstandsbediening af en zette het toestel uit. 'Ik zal die kleine smeerlap zelf wel gaan zoeken.'

'Als je dat maar uit je hoofd laat!' zei Riker. 'In dat opzicht heeft Coffey gelijk. Jij mag niet in de buurt van Richard Tree komen. De hoofdinspecteur heeft twee mannen aangewezen die fulltime naar die knul op zoek zijn. Die vinden hem heus wel.'

'Dus er is wel dégelijk sprake van een moordonderzoek.' De achterdocht was weer in haar stem geslopen.

'Nee, Mallory, dat is niet zo. Maar iemand heeft naar de pers laten uitlekken dat het joch een jeugdstrafblad heeft.'

Ze wierp hem meteen een boze blik toe, alsof ze wilde zeggen: *Dus je houdt wel degelijk dingen voor me verborgen.*

Riker wist wanneer het tijd was om op te stappen. Hij greep zijn hoed en liep naar de kast om zijn jas te pakken. 'We volgen alleen maar de richtlijnen van de voorlichter van de burgemeester. Hij wil dat we de Kruisboogman vinden en hem uitleveren aan de pers. Dit heeft niets met politiewerk te maken.'

Hij trok de kastdeur open en keek neer op een pakket dat groot genoeg was om een Shetlandpony te herbergen. 'Wat zit er in die enorme doos?'

'De broodplank voor rabbijn Kaplan,' zei ze.

Riker stak zijn handen op. 'Oké, al goed. Ik heb niets gevraagd.'

De jonge rechercheur had haar revolver aan de kapstok naast de voordeur van de rabbijn laten hangen, maar ze maakte nog steeds een gevaarlijke indruk terwijl ze zich met haar schroevendraaier over het aanrecht boog en de vonken van een rommelige hoop draden in de muur liet afspatten.

Rabbijn David Kaplan stond naast de lege kartonnen doos en knikte beleefd, alsof hij precies snapte hoe ze ervoor wilde zorgen dat het nieuwe vrijstaande slagersblok draadloos van elektriciteit werd voorzien. Maar hij wist niets van elektriciteit af. Alleen zijn vrouw begreep iets van overbelaste stopcontacten en wist waar de meterkast verstopt was. Vandaar dat de rabbijn ook geen flauw idee had waar Kathy Mallory het over had.

Terwijl ze het omhulsel van de wandcontactdoos weer op zijn plaats bracht, wendde hij zijn ogen af en staarde naar het magnifieke keukenmeubel dat ze in het midden van de ruimte in elkaar had gezet. Het verrijdbare blok was een stuk vakwerk en gefineerd met platen hardhout waarvan de nerven in elkaar overliepen.

De rabbijn schudde zwijgend zijn hoofd. Kathy overdreef altijd. Of misschien probeerde ze het op deze manier weer goed te maken. Maar ging het om wat ze in het verleden had misdaan of om wat er in de toekomst nog zou gebeuren? Zou hij er spijt van krijgen dat hij had geregeld dat ze een gesprek met de oude man kon hebben?

Nu was het te laat.

Meneer Halpern verheugde zich op een ontmoeting met dat 'knappe kind' dat hij gisteravond zo vluchtig had gezien.

Wat was het ergste wat kon gebeuren als ze elkaar opnieuw ontmoetten?

Tja, meneer Halpern was erg broos.

Ze was klaar met het controleren van de aansluitpunten op het blok en stond inmiddels rabbijn Kaplan fronsend aan te kijken omdat ze zijn uitdrukking verkeerd begreep. 'Vindt u het niet mooi?'

'O ja, Kathy. Ik vind het heel mooi. Het is prachtig, maar het is wel erg...' *Erg overdreven? Erg verdacht?* 'Je hebt een broodplank van vijf dollar kapotgemaakt, geen familiestuk.' Ze had ook zijn hart gebroken en zijn vertrouwen beschaamd. Het was niet verstandig om haar dat niet onder de neus te wrijven. Maar hij zou zijn woorden heel zorgvuldig moeten kiezen, ze kon niet goed tegen kritiek.

'Gisteravond heb je gezegd dat iedereen aan tafel Malakhai zou kunnen vertellen hoe verknipt je was. Hoe kon je zoiets nou zeggen in...'

'U hebt u niet bepaald ingespannen om me tegen te spreken, hè rabbijn?'

Haar gezicht was van hem afgewend terwijl ze zich bukte om een schroef aan te draaien, maar hij had de kille beschuldiging in haar stem gehoord, de openingszet. Het spel was begonnen.

'Kathy, hoe kon ik je onder die omstandigheden nu tegenspreken? Dat had je mooiste uitspraak van de avond verpest.'

Die zat.

De rabbijn glimlachte terwijl hij naar het slagersblok liep om zijn voordeel uit te buiten. 'Maar nu zou ik wel graag willen weten of je dat echt geloofde of dat je met opzet hebt gelogen.'

'U geloofde het wel.'

Dat was een klap die aankwam – een schot dat een vitale plek raakte. Hij legde zijn hand op zijn hart terwijl hij het pareerde met: 'Dacht je echt dat ik geloof dat jij verknipt bent? Geen moment, hoor.'

Maar was dat wel zo? Nou nee, maar hij had gewoon niet willen liegen – niet op dat moment. Sommige van zijn tegenwerpingen waren puur zelfverdediging, haastige woorden om haar van zich af te houden: 'Ik ken je al sinds je tien jaar oud was en...'

'Elf.'

'Tien. Je hebt gejokt om een jaar ouder te lijken. Ontken het maar niet.' Hij hield even zijn mond om zichzelf een schouderklopje te geven voor deze manoeuvre waarbij hij aan de ene kant eerlijk was en aan de andere kant druk doende om de waarheid te verdoezelen. 'Ik sla het oordeel van Helen Markowitz hoger aan dan dat van jou.'

Daardoor was ze een beetje van haar stuk gebracht. Het noemen van Helens naam kon haar nog steeds tot zwijgen brengen, maar lang zou dat niet duren. Hij moest een verbale linkse directe uitdelen om op gelijke voet met haar te blijven. 'Kun je je nog herinneren hoe je kamer eruitzag, toen Helen je voor het eerst naar bed bracht?'

Ze knikte. 'Dat was eerst de logeerkamer.'

'Ja, zo noemden ze het wel. Ze hadden dat huis tien jaar voordat jij bij hen kwam wonen gekocht. En al die jaren verschoonde Helen zonder mankeren één keer per week de lakens. Maar als er iemand bij hen bleef logeren, maakte Helen altijd de slaapbank beneden op. Wel een beetje vreemd, vind je niet?'

Ja, hij kon zien dat zij dat ook vond. 'Tien jaar voordat jij kwam, stond er een wiegje in die kamer. Louis heeft het weggedaan voordat Helen uit het ziekenhuis thuiskwam – zonder het kind.'

Met uitzondering van de vervanging van het wiegje door een bed was de slaapkamer de volgende tien jaar onveranderd gebleven. Het gestreepte behang was nooit verschoten, maar behield de oorspronkelijke tinten die zo uit het kleurboek van een kind hadden kunnen komen. Een zacht vloerkleedje was uitnodigend voor de zolen van blote voetjes en de vrolijke lappendeken op het bed was versierd met sprookjesdieren. De hele kamer maakte de indruk van een slimme val die Helen had gezet om een losgeslagen kind te vangen dat op de vlucht was. Tien jaar lang had die lieve vrouw met geen woord gesproken over het dode kind, dat ze had verloren voordat het zelfs maar was geboren.

Tien jaar lang had de kamer het uitgeschreeuwd.

'Helen had al zo lang op je gewacht. Jij hebt haar leven compleet gemaakt, Kathy. Voor haar was jij in alle opzichten volmaakt – helemaal niet verknipt.'

En vanwege die blinde vlek, een gigantisch gapend gat waarin de vreselijkste misdaden over het hoofd werden gezien, was moederliefde niet alleen volmaakt maar tegelijkertijd gewoon fantastisch.

'Ik heb Helen nooit met enig woord of gebaar tegengesproken – en dat weet je best, Kathy.'

En zo slaagde hij erin om met een vernuftig samenraapsel van woorden de dans te ontspringen, maar wat moest hij daarvoor inleveren? Hij wist wat ze was – ook al had haar pleegmoeder dat nog zo heftig ontkend. Helen Markowitz had het psychiatrisch rapport verscheurd dat in het begin van het kind was opgemaakt en al haar woede afgereageerd op het versnipperen van het papier, omdat ze het woord *sociopaat* onacceptabel vond in verband met een klein meisje dat nog maar net aan haar leven begonnen was.

Rabbijn Kaplan wilde blijven geloven dat Kathy Mallory niet wist wat ze was. Zolang ze zich niet bewust was van de waarheid kon dit meedogenloze, amorele kind met onschuldig fatsoen door blijven leven. Af en toe had hij het idee dat de waarheid helemaal geen groot goed was, maar een wapen met een enorme vernietigingskracht. Bij andere gelegenheden vroeg hij zich af of hij niet gewoon een bedreven bedrieger was geworden, een doortrapte leugenaar.

Terwijl er een diepe stilte tussen hen bleef hangen, bestudeerde hij haar gezicht, op zoek naar tekenen van verlossing – voor haar of voor hem? Dat wist hij niet. De verbale strijd was voorbij en hij had nauwelijks bloed verloren – zoals gewoonlijk.

Hij liet zijn hand over het oppervlak van het slagersblok glijden. 'Ik heb je hier nog niet eens voor bedankt. Het is prachtig.' Hij keek op en zag met voldoening de flauwe glimlach op haar gezicht. 'Ik heb voor morgen een afspraak met meneer Halpern voor je geregeld. Maar het zou heel goed tijdverspilling kunnen zijn. Tijdens de bezetting was hij niet in Parijs.'

'Ik weet zeker dat die twee in het verleden samen iets hebben meegemaakt.' Ze pakte haar gereedschap op en gooide het in haar rugzak. 'Die oude man huilde gisteravond, nadat hij met Malakhai had gepraat.'

Ze had gekregen waarvoor ze was gekomen en nu maakte ze aanstalten om weg te gaan.

Niet zo snel.

'Kathy, je gaat meneer Halpern géén kruisverhoor afnemen.' Nu klonk hij als een leraar. Hij was nog niet klaar met de gigantische taak om Kathy Mallory moreel besef bij te brengen. 'Meneer Halpern is een geboren verteller. Je luistert gewoon naar hem, zonder hem in de rede te vallen. Hij zal je alles vertellen wat hij kwijt wil. Alles wat hem verdriet doet, zal hij weglaten. Als hij uitverteld is, vertrek je – tevreden met wat je van hem hebt gekregen, zonder om meer te vragen.'

8

'Je hebt het vanmorgen druk gehad, zie ik.' Charles stopte de nutteloze sleutel weer in zijn zak en richtte de zaklantaarn op een metalen doos die op de vouwwand was geschroefd. De kettingen waren verdwenen en van de spleet tussen de beide wanden was nog maar een kiertje over waardoor het elektrische licht van de andere kant viel. Een nummerpaneel op het nieuwe slot gaf aan dat er een cijfercode nodig was om de grendel te kunnen openen. 'Was je ook nog van plan om mij de combinatie te geven?'

Mallory drukte vier knoppen op het paneel in. Boven aan de doos ging een groen lichtje branden, gevolgd door een metaalachtige klik. 'Dit is een goed slot. Dat krijgt Malakhai niet open.'

Charles duwde de panelen opzij. Ze bewogen zonder geluid te maken over pas geoliede rails en de scharnieren kraakten niet meer. 'Maar ik vind het helemaal niet erg dat Malakhai komt en gaat wanneer hij wil. Ik vind het...'

'Eigenlijk wel leuk. Ja vast.' Ze voegde meteen insluipers toe aan rijtje van dingen waar hij een zwak voor had, zoals krakkemikkig oud meubilair en elektrische bedrading die de geest had gegeven.

Charles liep om het drakenscherm heen en haalde de nieuwe pezen voor de kruisbogen uit een papieren zak. Hij bleef staan en staarde naar de ruimte voor het podium. 'Mallory, heb jij het hier schoongemaakt?'

De overblijfselen van het drink- en goochelfestijn van de avond ervoor waren verdwenen. Lege flessen en gebroken pezen waren tegelijk met andere rotzooi weggegooid en ze had de vloer rondom het podium aangeveegd. Maar zelfs zonder sporen in het stof kon ze zien dat Malakhai opnieuw op bezoek was geweest. Terwijl zij bezig was geweest met Riker en de rabbijn had Malakhai zijn speurtocht uitgebreid tot de dozen en koffers op de eerste rij planken. Hij had dus geen enkele moeite gehad om langs het nieuwe slot te komen. Het werd dus tijd dat ze haar clichématige vooroordelen over de generatie die niet in staat was om een video te programmeren herzag.

Charles stond over de gereedschapskist gebogen. 'Heb je vandaag het nieuws gevolgd?' Hij haalde een blikje machineolie tevoorschijn. 'De pers heeft zich weer op Olivers dood gestort.' Met een schroevendraaier in de hand liep hij naar de kruisboog die hij gisteren op het voetstuk had bevestigd. 'Ik wist niet dat zijn neef nog een strafblad uit zijn jeugd had. Wat heeft hij gedaan? Winkeldiefstallen of zo?'

'Ik zal het aan Riker vragen.' Mallory glimlachte. Hoofdinspecteur Coffey zou wel vermoeden dat zij die gegevens naar de pers had laten uitlekken, maar dat kon hij nooit bewijzen. En de hoge omes van One Police Plaza zouden Coffey achter zijn vodden blijven zitten tot hij de neef had gevonden – ook al kwam het budget daardoor nog zo onder druk te staan. Ze was erin geslaagd om de mankracht voor een moord-zaak die officieel niet bestond te verdubbelen.

'Ik heb vanmiddag de persconferentie van de burgemeester gezien.' Charles trok de pistoolkolf van de kruisboog uit de opening die daar-voor in het voetstuk was uitgespaard. 'Een van de verslaggevers vroeg iets over de móórd in het park en de burgemeester was des duivels – hij stond te stampvoeten op het podium. Volgens hem is Central Park het veiligste deel van New York City. Hij heeft het drie keer herhaald.'

'Dat zegt hij altijd,' zei Mallory. 'Iedere keer als we een lijk in het park vinden.'

Charles schroefde de metalen plaat los die het trekkermechanisme be-dekte. 'Is Central Park dan níét het veiligste deel van Manhattan?'

'Nou ja, eigenlijk wel. Volgens de statistieken worden er minder mis-daden gepleegd. Maar het park is het enige stadsdeel dat niet bewóónd wordt.'

Ze staarde naar de geopende dozen op de planken. Ze maakten geen deel uit van de zending vanuit *Faustine's Magic Theater*. Waar zocht Malakhai naar? Opeens schoot haar een andere onbeantwoorde vraag te binnen, waardoor haar speurtocht naar zijn antecedenten was vastge-lopen. 'Hoe heet Malakhai met zijn voornaam?'

Charles leek de vraag letterlijk te ontduiken toen hij knielde om het middelste rad van het voetstuk beter te bekijken. 'Als hij nog een naam heeft, dan heb ik die nooit gehoord.' Hij stak een vinger omhoog waar een veeg verse olie op zat, het bewijs van de schietpartij van gisteravond. 'Ben jij bezig geweest...'

'Ik heb de eigendomsakte van die kliniek in het noorden bekeken. Nick Prado zei dat Malakhai de eigenaar was.'

'Dat is ook zo.' Charles veegde de olie af aan zijn spijkerbroek. 'Jij hebt dit ding toch niet afge...'

'Volgens de papieren is een buitenlands trustfonds eigenaar van dat pand.'

'Hij loopt niet graag met zijn privé-leven te koop, Mallory.' Charles hield de kruisboog omhoog. 'Ik heb toch gezegd dat deze dingen gevaarlijk waren, hè?' Hij verboog het halfronde metalen deel van de boog om de nieuwe pees erop te zetten en draaide haar vervolgens de rug toe om de kolf weer in de uitsparing in het voetstuk te drukken.

Hij was dus niet van plan om haar meer over Malakhai te vertellen. Bést. Ander onderwerp, een kleine afleidingsmanoeuvre – ze vond het prima. Er waren andere manieren om op onderzoek uit te gaan en er waren nog meer verdachten. Ze kon gebruikmaken van het feit dat hij doctor in de psychologie was. 'Wat kun je me over de typische narcist vertellen?'

'Dus Nick Prado staat ook op je lijst. Dat zal hij prachtig vinden.' Charles bukte zich diep om door het vizier van de kruisboog te kijken. 'Een echte narcist zou het heerlijk vinden als jouw onderzoek zich op hem concentreerde, of hij nou schuldig was of niet. Schiet je daar iets mee op?'

'Laten we aannemen dat hij schuldig is.'

Charles schudde ongelovig zijn hoofd. 'Nick had geen enkele reden om Oliver kwaad te doen.'

'Help me dan om hem als verdachte te elimineren.' Ze legde een hand op zijn arm. 'Als Prado het niet heeft gedaan, kan ik hem ook niets maken, hè? Dus laten we gewoon eens aannemen dat hij het heeft gedaan.'

'Ik maak me geen zorgen over wat jij Nick zou kunnen aandoen. Zijn ego is niet kapot te krijgen.' Charles legde een pijl op de kruisboog, spande hem en drukte op de hendel om de raderen van het voetstuk in werking te stellen. Hij bukte zich naar een open kist en haalde er een andere kruisboog uit. Mallory ging naast hem op de grond zitten terwijl hij het apparaat uit elkaar haalde.

'Goed,' zei Charles. 'Hij is inderdaad het klassieke voorbeeld van een narcist. Dat heb je waarschijnlijk al geraden toen hij laatst met je probeerde te flirten. De meeste mannen zouden een vrouw als jij met rust laten.'

Hij keek op van zijn pogingen om de kruisboog uit elkaar te halen. 'Je bent heel knap.' Dat klonk als een schuldbekentenis. Het gezicht van Charles zag er zelfs komisch uit als hij ernstig was. Zijn ogen leken op die van een verliefde kikker. 'Maar Nick denkt echt dat hij een goede partij voor je is. Ik weet dat het belachelijk klinkt, maar hij vindt zichzelf nog steeds jong en viriel.'

Charles klikte de boog aan de schacht vast en pakte toen een nieuwe pees uit de zak die hij had meegebracht. 'Ik maakte geen grapje toen ik zei dat hij het prachtig zou vinden om van moord verdacht te worden – zelfs al zóú hij schuldig zijn. De ware narcist is ervan overtuigd dat hij iedereen in zijn omgeving te slim af is.'

'Dus als hij plannen zou maken om iemand te vermoorden, zou hij wel eens slordig met de details kunnen omspringen?'

'Nee, zo zou ik het niet willen stellen. Het plan zou heel zorgvuldig uitgedacht zijn, maar mogelijk te complex zijn. Hoe ingewikkelder het plan, hoe groter de kans op fouten. Dat verliest een narcist al snel uit het oog. En het past ook niet bij je theorie over het verwisselen van een sleutel. Dat is voor Nick veel te simpel.'

'Maar de simpele moord is de gehaaidste,' zei Mallory. 'Deze was verdomme bijna volmaakt.'

'En dat is meteen het grootste probleem.' Charles legde de kruisboog opzij en pakte een andere. 'Dat past niet bij het profiel van een narcist. Het verwisselen van de sleutels is nauwelijks een uitdaging te noemen. Gewoon een kwestie van vingervlugheid. Nee, als Nick van plan was om een zo ernstige misdaad als moord te begaan, zou hij iets bedenken met veel meer haken en ogen. Dus hij is waarschijnlijk je minst aannemelijke verdachte.' Charles hield een schroef omhoog die duidelijk verroest was en pakte toen het blikje olie op. 'Malakhai had gelijk, weet je. Deze dingen zullen je niet helpen om achter het geheim van de Verloren Illusie te komen.'

'Over welk geheim heb je het?' Ze keek omhoog naar de schietschijf. 'Hij hoefde zich alleen maar uit die boeien te bevrijden voor hij door die pijlen werd geraakt.'

'Gewoon een doorsnee ontsnappingstruc?' Charles schudde zijn hoofd. 'Oliver probeerde een truc van Max Candle na te doen. Daar hoorde een ongeluk bij – dat was het handelsmerk van Max. Oliver heeft dat ook aan de politieagenten en de verslaggever uitgelegd. Hij wilde niet dat ze hem te hulp zouden schieten als hij begon te schreeuwen. Toen de eerste pijl hem tot bloedens toe verwondde, mocht ik van hen het podium niet op. Ik denk dat ze geloofden dat ik ook acteerde.'

Charles stond op en klopte zijn spijkerbroek af. 'Het openmaken van handboeien en het ontwijken van pijlen.' Hij stak zijn handen omhoog. 'Wat heeft dat met magie te maken? Als je ooit een truc van Max had gezien, zou je weten wat ik bedoel.'

'Oké, laat me er dan maar eens een zien.'

'Gemakkelijker gezegd dan gedaan. Ik weet niet hoe de grote trucs in elkaar zaten.'

Maar Charles had een IQ dat in geen enkele tabel was onder te brengen. Probeerde hij iets voor haar verborgen te houden? Nee, dat zou aan zijn gezicht te zien zijn. 'Is er dan niet één waarvan je weet hoe hij in elkaar zit?'

'Ik zou je een truc kunnen laten zien die Max voor een kinderfeestje had bedacht. De truc heet "Materie door materie".' Hij liep de trap op naar de bovenkant van het podium. Hij pakte de schietschijf tussen de beide staanders uit en legde hem bij de rand van het podium op de vloer. 'Bij deze truc maak je gebruik van het harmonicastatief. Kun je je nog herinneren dat Oliver zijn cape uitspreidde en dat die vervolgens leeg op de grond viel?'

'Heb je het over dat metalen ding dat uit het valluik omhoogkomt?'

'Precies.' Charles liep de trap weer af. 'Ik kan je in ieder geval laten zien hoe dat werkt.' Hij bukte zich over een open kist en pakte er een groot plat voorwerp uit dat in gewatteerd materiaal was verpakt. Nadat hij het rechtop tegen de zijkant van het podium had gezet, trok hij het verpakkingsmateriaal weg en onthulde een spiegel in een dikke essenhouten lijst. Hij was even groot als de schietschijf met dezelfde ovale vorm en had soortgelijke zwarte steunpennen aan de zijkanten. Het glazen oppervlak vervormde alles wat het weerspiegelde op een groteske manier. Het deed haar denken aan een lachspiegel die beurtelings reuzen en dwergen van de spiegelbeelden van gewone mensen maakte.

'Ik heb deze truc geleerd toen ik negen jaar was. Ik ga dwars door deze spiegel heen.' Hij droeg de spiegel de trap op en haakte hem met behulp van de steunpennen tussen de beide staanders, waardoor hij ongeveer anderhalve meter boven de planken hing. 'Max heeft deze truc gemaakt voor een kinderfeestje ter gelegenheid van Halloween, dus hij wijkt een beetje af van wat hij bij zijn normale optreden deed.' Hij trok de rode fluwelen gordijnen zo ver dicht dat ze de staanders bijna raakten. 'Hierbij ging hij niet dood.'

'Waarom niet? Kinderen vinden dat soort dingen juist prachtig.' Ze liep naar de onderkant van de trap. 'Bang maken hoort bij Halloween.'

'Nee, hij wilde niet doodgaan voor een publiek dat alleen uit kinderen bestond.' Toen hij tevreden was met de opstelling, kwam Charles opnieuw de trap af en liep langzaam tussen de verzameling dozen door terwijl hij de etiketten las. 'Ik was eraan gewend om Max op het podium dood te zien gaan. Dat gold niet voor de andere kinderen.' Hij deed een doos open en haalde er vier koperen pijpen en schijven uit. 'Je begrijpt het nog steeds niet. Voor Max draaide alles om realisme. Een volwassen publiek dacht echt dat hij in de climax van elke truc doodging.'

'Massa's bloed en viezigheid?' Ze ging op de onderste tree zitten.

'Zo grof was het helemaal niet.' Snel maakte hij van de onderdelen paaltjes die zonder steun konden staan, en schroefde in elk daarvan vervolgens een metalen oog in de bovenkant. 'Het publiek kreeg nooit echt bloed voorgeschoteld, maar in hun verbeelding zagen ze het wel – emmers vol.'

'Was hij nooit bang dat iemand uit het publiek hem zou willen redden en de voorstelling zou verpesten?'

'Nee nooit. Ik geloof dat Houdini dat probleem in de jaren dertig wel had. De wereld zal wel veranderd zijn.' Charles zette de vier koperen paaltjes zo neer dat ze onder aan de trap een vierkant vormden. Daarna verbond hij ze met rode fluwelen koorden die in de koperen ogen werden gehaakt. 'Max kon er altijd op rekenen dat een paar barmhartige Samaritanen naar het podium stormden. Ze verhoogden het dramatische effect van de voorstelling. Maar ze waren altijd te langzaam, ze kwamen altijd te laat. De meeste mensen bleven gewoon zitten en keken toe hoe hij stierf.'

Charles liet zijn blik op het cafétafeltje en de stoel vallen die Malakhai de avond ervoor had gebruikt. 'Max had geen graad in de psychologie, maar hij begreep de duistere roerselen van zijn publiek.' Charles pakte de stoel op en zette die in het midden van het door de fluwelen koorden omzoomde vierkant. Hij dook opnieuw in een van de kisten en haalde een lange cape van vuurrode zijde tevoorschijn, precies zo'n zelfde als Oliver Tree had gedragen.

'Denk je dat het een soort kudde-instinct is? Blijven ze daarom op hun stoel zitten?'

'Ja, maar er komt meer bij kijken.' Hij bekeek de stof en drapeerde die over een van de voetstukken. 'Tijdens mijn studie leerde ik het fenomeen beter begrijpen. Toen heb ik een scriptie over het gedrag van een menigte gemaakt. Mijn beste praktijkvoorbeeld stamt uit een stadje in New Jersey. Daar brak brand uit in een kledingzaak. Een schoolmeisje raakte opgesloten in een vertrek dat aan de voorkant was afgesloten met een ruit van spiegelglas.'

Zijn gezicht stond somber toen hij een van de fluwelen koorden loshaakte en het vierkant binnenliep. Het was geen leuke herinnering. 'Ze heette Mary Kent. Ze was vijftien.' Terwijl hij achter de stoel bleef staan, keek hij omhoog naar het podium. 'Mary had botbreuken in haar handen. Zo hard had ze op die ruit staan rammen, maar het spiegelglas was te dik. Ze was maar een nietig ding, niet sterk genoeg om het te breken. En dat gebeurde op een zaterdagmiddag terwijl er massa's voetgangers op straat liepen. Ze verzamelden zich voor het raam en stonden gefascineerd naar de brand te kijken – en naar het meisje dat zo schreeuwde en op de ruit stond te bonzen. Ik denk dat het raam op een soort gigantisch tv-scherm leek. Ze vormden een publiek en keken toe hoe ze stierf.'

'Waar was de brandweer?'

'Niemand heeft hen gewaarschuwd. Uiteindelijk zag een brandweerman de rook vanaf de andere kant van stad. Maar voor Mary kwamen ze te laat. Hun viel niets te verwijten.'

Hij stapte het vierkant uit en liep de trap van het podium op. 'Ik heb alle getuigen ondervraagd – de toeschouwers. Ze gaven de brandweer de schuld van Mary's dood – ze lieten geen spaan van hen heel omdat de brandweerauto veel te laat was gekomen. Ze dachten allemaal dat iemand anders de brandweer had gealarmeerd – dat zeiden ze tenminste tegen mij. Ik vroeg waarom niemand op het idee was gekomen om een steen te pakken en de ruit te breken zodat Mary had kunnen ontsnappen. "Helemaal niet aan gedacht," zeiden ze. Het was gewoon bij niemand opgekomen.'

'Geloofde jij die getuigen?'

'Nee, helemaal niet.' Hij wees naar het afgezette vierkant. 'Jij moet daar gaan zitten. Vergeet niet dat deze truc werd opgevoerd voor een klein publiek in een beperkte ruimte. Dat komt door de spiegel. Je moet dus binnen de koorden blijven.'

Charles controleerde het spiegelbeeld van de stoel in de spiegel. 'Max had dat Halloweenfeestje voor mij georganiseerd.' Hij knipte een schakelaar aan de zijkant van de linker staander aan. In de dwarsbalk begon een verzonken gloeilamp te branden. 'De andere gasten waren kinderen van goochelaars – een heel moeilijk publiek.'

Mallory ging op haar plaats tussen de koorden zitten terwijl Charles met twee treden tegelijk de trap kwam afrennen om de roodzijden cape op te halen. Ze keek naar een kist die vlak bij haar stond en helemaal vol zat met hetzelfde materiaal. 'Waarom had hij er zoveel?'

'Echte zijde.' Hij deed de staande schemerlamp die naast het podium stond uit. 'De stof scheurde wel eens als het metalen harmonicastatief uit het valluik omhoogkwam. Dus Max moest er wel een voorraadje van hebben.'

Hij verdween achter het drakenscherm. Meteen daarna gingen overal in de kelder de lampen uit. De gloeilamp in de dwarsbalk veroorzaakte een vage lichtkring rond de spiegel.

'Klaar?' Charles kwam weer terug, gehuld in de roodzijden cape. Een capuchon bedekte zijn haar en hield zijn gezicht in de schaduw verborgen, terwijl hij naar het podium liep.

De spiegel reflecteerde alleen de zwarte schaduwen van de ruimte achter haar stoel. Toen Charles bijna boven aan de trap was, kon ze zijn gezicht omhoog zien klimmen in het bolle glas dat alles vervormde, langer maakte of tot groteske karikaturen in elkaar drukte. Hij stond in het midden van het podium en spreidde zijn armen. De stof van de cape verborg de hele spiegel en raakte de gordijnen aan weerszijden van de staanders. Een paar ogenblikken later zakte de zijde in elkaar. Charles was verdwenen, maar de rode stof viel niet op de grond. Hij gleed dwars door de spiegel in een steeds smaller wordende sliert rode zijde.

Toen was de cape helemaal in de spiegel verdwenen en het lichaamsloze hoofd van Charles zweefde binnen de ovale lijst. De spiegel werd rondom verlicht, er waren geen voeten te zien, er was geen tastbare man die voor dat beeld zorgde. Zijn neus werd langer in de lachspiegel en veranderde in een lange snuit terwijl zijn ogen zo groot als schoteltjes werden. Toen hij zijn tanden liet zien, werden ze door de spiegel tot slagtanden vervormd op het moment dat hij zijn mond voor een geluidloze kreet opensperde.

Twee witte handen verschenen naast het zwevende monsterlijke hoofd. Hij knipte met zijn vingers en de spiegel begon om zijn steunpunten te draaien, alsmaar in het rond tussen de staanders. Toen de ovale lijst tot stilstand kwam en weer recht hing, zat Charles niet langer in het glas gevangen. De spiegel was leeg en donker.

Een vinger tikte Mallory op de schouder en ze maakte een sprongetje van schrik.

Charles stond achter haar.

Dat zou dus wel het enge gedeelte zijn.

Hij stond heel tevreden te grinniken. 'Wat vond je ervan?'

'Een leuke truc.' Ze keek weer naar het podium. 'Vertel me nou eens of ik gelijk heb. De cape zat vast aan een draad die door een scharnierende opening in de spiegel liep. Daarom gebruikte hij een lachspiegel, hè? Zodat je door de vervorming niet kon zien dat er een naad in zat?'

Charles knikte. Hij lachte niet meer en deed het licht weer aan.

'De gordijnen zijn met zwart gevoerd,' zei Mallory. 'Ik weet dat je de staanders niet weg kunt halen. Maar de lijst van de spiegel is dik genoeg om het glas erin te kunnen laten kantelen. Toen het harmonicastatief de cape openspreidde, duwde jij het glas scheef en ging achter het gordijn staan. Daarna werd je vanuit een andere hoek in de spiegel weerspiegeld.'

'Nou ja, goed.' Toen hij haar aankeek, stond de teleurstelling duimendik op zijn gezicht. 'Maar hoe vond je het effect? De truc…'

'Gaat het inderdaad zoals ik zei?'

Charles gaf geen antwoord. Hij liep terug naar het podium en klom met langzame bewegingen de trap op, alsof hij plotseling doodmoe was. Toen hij voor de ovale lijst stond, drukte hij op een kant van het glas om het weer recht te zetten. Op dat moment zag hij haar gezicht in het bolle, vervormende glas. Hun ogen vonden elkaar en zijn trieste spiegelbeeld staarde haar aan. Vanuit deze andere hoek maakte de spiegel de neus van Charles korter en liet zijn bolle ogen tot normale proporties slinken.

Mallory hield haar adem in.

In de lachspiegel werd Charles herboren in een reïncarnatie van zijn beroemde neef. Mallory kon haar ogen niet van de mooie man in het glas afwenden – levend en wel honderd keer aantrekkelijker dan op die oude foto's. De man in de spiegel liet haar van binnen zinderen en zorgde ervoor dat haar wangen begonnen te branden. Het kostte de grootste moeite om stil te blijven zitten en zo de broze illusie in stand te houden. Eén beweging zou alles bederven, maar haar hoofd en haar lichaam waren zo licht, bijna hol, dat ze het gevoel kreeg dat ze langzaam opsteeg.

Wat was hij ontzettend knap.

Dit was wat Louisa te zien kreeg op de dag dat ze Max Candle voor het eerst ontmoette. In die eerste seconde was Malakhai gedoemd zijn jonge vrouw te verliezen. Deze man was zo...

En toen was Max weg, verdwenen op het moment dat de spiegel uit zijn steunpunten werd gelicht. Charles keek haar aan met het gezicht dat ze beter kende, met de grote neus en de ogen van een verdrietige maar charmante kikker, onbewust van het feit dat hij de doden tot leven had gewekt.

'Magie is aan jou verspild,' zei hij.

Nadat Charles de kelder had verlaten, bleef Mallory tussen de dozen ronddwalen tot ze de ontbrekende enkelboeien voor de Verloren Illusie had gevonden.

Alle vier de kruisbogen waren op hun voetstuk bevestigd en stonden op de schietschijf gericht. Ze spande het wapen dat het dichtst bij de trap stond. Het ging heel soepel, zonder problemen. Het was niet nodig om de raderen van het voetstuk opnieuw uit te proberen. Elk wapen vuurde keurig op tijd. Nu moest ze er alleen nog achter zien te komen hoe de rest in elkaar zat.

Met een cape achteloos over haar schouder klom ze naar de bovenkant van het podium en ging voor de schietschijf staan. Ze had de werking van de kruisbogen beneden op de grond vanuit elke hoek bestudeerd. Nu wilde ze de truc bekijken vanuit het gezichtspunt van Oliver Tree op het podium.

Ze knielde op de grond en bevestigde een enkelboei aan de ringen die onder aan de staanders zaten. De boeien hadden geen sleutels, alleen haken die in elkaar grepen. In gedachten draaide ze de videoband weer af die ze wel honderd keer had gezien. Deze boeien waren precies dezelfde die Oliver om zijn enkels had gehad toen hij met gespreide armen en benen voor de schietschijf hing.

Mallory keek omlaag en pakte een paar NYPD-handboeien die aan haar riem hingen. Oliver had twee paar gebruikt, maar slechts één sleutel gehad. Ze had stukken uit zijn gefilmde voorstelling opgeblazen en het afgebroken verlengstuk van de sleutel tegen de grijze achtergrond van het openluchttheater zien vallen. Er was geen spoor van een tweede sleutel te zien geweest toen de vingers van zijn linkerhand zich in een scheut van pijn hadden gespreid.

Uit macht der gewoonte pakte ze haar eigen boeiensleutel. Natuurlijk kon ze daar niets mee beginnen. Als ze met uitgestrekte arm en hand aan de staander vastzat, zou haar arm veel te kort zijn om het slot open te maken. Ze legde haar sleutelbos op de grond en stak haar hand in de achterzak van haar spijkerbroek om het relikwie van *Faustine's Magic Theater* tevoorschijn te halen. Ze schroefde de bol boven aan het verlengstuk los en koos een sleutel met een baard die overeenstemde met die van haar eigen boeiensleutel.

Mallory stond op en haakte een van de armbanden om de metalen ring aan de rechter staander. De ketting tussen de boeien zorgde ervoor dat de open armband op een hoogte bungelde waar ze gemakkelijk bij kon – veel gemakkelijker dan Oliver. Hij was tien centimeter korter geweest dan zij met haar lengte van een meter vijfenzeventig.

En nu kreeg ze te maken met het eerste probleem. Dit podium was gebouwd op Max Candle, een man die dertig centimeter langer was geweest dan Oliver. Toch was er geen verschil in de plaats waarop de ringen aan de staanders waren bevestigd. Bij de kopie van Oliver hadden de ringen ogenschijnlijk even ver van de bovenkant van de staanders gezeten.

Mallory schudde de stof van de zijden cape uit, sloeg hem om haar schouders en trok de capuchon over haar haar. De lange zoom sleepte over het podium achter haar aan. Ze keek omlaag naar de randen van het valluik. Het voetpedaal was duidelijk te zien en toen ze erop trapte, viel er een vierkant stuk hout achter de hakken van haar sportschoenen open.

Het mechanische statief rees uit de vloer omhoog, kwam onder de stof die achter haar aan sleepte en spreidde geluidloos zijn metalen staken om de cape op te vangen in de houding van een lichaam met gespreide armen. Een gebogen metalen plaat wekte de illusie van de bovenkant van een menselijk hoofd onder de capuchon. Ze stapte onder de cape uit en ging in spreidstand staan om de aan de vloer bevestigde boeien om haar enkels te sluiten. Daarna stak ze haar arm omhoog en stopte haar pols in de armband die aan de metalen ring hing. Ze moest even wringen om de boei met één hand te sluiten en toch de loper vast te houden. Oliver Tree had dit met twee stel handboeien veel sneller gedaan.

Het was de eerste tik van het voetstuk waardoor ze de sleutel liet vallen.

Haar mond werd droog toen ze het stuk metaal op de planken neer zag komen, waar het belandde naast de plek waar ze haar eigen sleutelring had neergelegd.

De uitgespreide cape benam haar het zicht op de kruisbogen. Mallory strekte een voet uit zo ver als de ketting van de enkelboeien dat toeliet, maar ze kon niet bij het vloerpedaal om de cape te laten vallen en haar een duidelijke blik op de wapens te gunnen. Hoe had Oliver Tree dat voor elkaar gekregen?

Geketend aan beide benen en één hand luisterde ze naar het getik van de ronddraaiende raderen. Het geluid kwam van haar linkerkant. Ze zag in verbeelding hoe de pen omhoogkwam en steeds dichter bij de trekker van de kruisboog kwam.

Waar stond die kruisboog op gericht?

Ze had Oliver zo vaak zien sterven en ze kende de baan van elke pijl uit haar hoofd. De proef met het afschieten van de kruisbogen van Max stemde overeen met de banden van de dood in het park.

Het voetstuk tikte en tikte maar door.

Denk na! Waar komt die pijl terecht?

Ze kon zich Oliver nu duidelijk voor de geest halen. De bogen aan de linkerkant hadden de pijlen afgevuurd die in zijn dijen terechtkwamen. Ze had maar net genoeg tijd om die gedachte te formuleren en één been te verplaatsen. Het tikken hield op. De pijl verscheurde de uitgespreide zijde en pinde haar vast aan de schietschijf.

Geen pijn.

Mallory keek neer op de pijl die door haar spijkerbroek was gegaan en haar huid op een haar na had gemist. Ze ademde licht en langzaam om beter te kunnen luisteren naar de bewegingen van degene die bij haar in de kelder was, de geluiden van een aspirant-moordenaar. De laatste tijd had ze haar geloof in ongelukken bijna volledig verloren.

Ze had de revolver in haar vrije linkerhand, maar Mallory kon zich niet herinneren dat ze hem uit de holster had getrokken. Ze had zich volledig geconcentreerd op het geluid van voetstappen op de trap.

De rode stof werd opzij getrokken.

Malakhai.

Hij stond neer te kijken op de pijl die haar linker been aan de schietschijf vastnagelde. Na een blik op het openstaande valluik drukte hij op het voetpedaal dat er vlak voor zat. 'Het harmonicastatief heeft een vertraagde werking. Over een minuutje gaat het weer naar beneden.' Hij negeerde de revolver in haar hand en wees naar het vloerpedaal. 'Je moet éérst daarop trappen en dan pas de hand- en de enkelboeien omdoen. Alles draait om de timing, Mallory.' Hij werd even afgeleid door de loop van haar revolver die omhoogkwam. Nu ze hem op zijn gezicht richtte, moest hij hem wel zien.

'Ik begrijp het,' zei hij. 'Ik vergeet mijn manieren. Goedenavond. Je ziet er prima uit.'

'U hebt me op een paar centimeter gemist.'

Hij wierp weer een blik op de pijl die zich door de stof van haar spijkerbroek had geboord. 'Volgens mij was het minder. Je hebt waarschijnlijk de raderen van het voetstuk iets verschoven toen je de kruisboog spande.' Hij stak zijn hand in het borstzakje van zijn jas en haalde er een pakje sigaretten uit, terwijl hij net deed alsof het volkomen normaal was om een praatje met een geketende vrouw te maken. 'Je hebt de boog écht gespannen. Dat is toch zo, Mallory?'

'Wordt er nu van mij verwacht dat ik geloof dat dit alweer een ongeluk was?'

Uit zijn trage glimlach was op te maken dat dit de mildste conclusie was – een ongeluk in plaats van een stomme fout. 'Ik heb je gewaarschuwd dat je niet voor een geladen kruisboog langs moest lopen.'

Was het wapen geladen geweest toen ze het had gespannen? Ze kon zich niet herinneren dat ze had gekeken of er nog een pijl in het magazijn zat die bij haar proef met het mechanisme niet was afgevuurd. Moest ze nu toegeven dat ze iets dergelijks over het hoofd had gezien?

Helemaal niet.

Ze trok aan de handboei die om haar pols zat – een niet al te subtiele wenk dat hij die best open mocht maken – en wel onmiddellijk.

Malakhai stak een sigaret op. 'De voetstukken werken even nauwkeurig als een Zwitsers uurwerk. De raderen kómen zelfs uit Zwitserland.' Hij blies een smalle sliert rook uit – het toonbeeld van een man die zich op zijn gemak voelde. 'Er is heel wat handigheid voor nodig om deze truc uit te voeren.'

Ze gaf een ruk aan de boei, maar hij begreep het nog steeds niet.

Malakhai keek neer op de revolver toen ze die met gestrekte arm op zijn borst richtte. 'Ik krijg de indruk dat je niet van kritiek houdt.' Hij negeerde de revolver, bukte zich en trok de pijl uit de schietschijf. 'Je doet me denken aan een oud gezegde. Een meisje dat niet kan dansen, wijt dat altijd aan de band.'

Inmiddels had hij een scherpe pijl in zijn hand en hij stond veel te dichtbij. Haar vinger rustte licht op de trekker.

Ze werd bekropen door gemengde gevoelens. Malakhai toonde geen enkele angst voor de revolver. Dat was genoeg om haar nijdig te maken. En ze wilde dat het zijn schuld zou zijn, niet de hare. Maar nu keek hij naar haar sleutels die op de grond lagen. Alweer een bewijs dat ze zelf fouten had gemaakt en dat nam ze hem hoogst kwalijk. Ze keek strak naar de pijl die hij in zijn hand hield. Was hij van plan daar iets mee te doen? Of speelde hij gewoon een misselijk spelletje?

Haar lichaam verstrakte. Klaar voor de strijd kolkte de adrenaline in haar spieren, alsof het kracht kostte een trekker over te halen. En omdat ze zo boos was, kwamen er in haar hersens ook minder prettige chemicaliën vrij, die haar woede zo aanwakkerden dat ze niet redelijk meer kon nadenken.

Met het laatste restje gezond verstand hoorde ze zichzelf ijzig kalm zeggen: 'Doe die pijl weg. Laat hem maar vallen en ga achteruit.'

Een druppeltje zweet gleed langs haar gezicht omlaag. Het trillen van de hand waarin ze de revolver had, was nauwelijks waarneembaar. Haar spieren verkrampten in uiterste zelfbeheersing – om te voorkomen dat ze haar revolver op zijn borst zou afvuren.

Mallory trok zo hard aan de handboei dat het metaal in haar pols sneed. Pijn verhoogde haar concentratie, een trucje dat ze zelf had bedacht om alle gedachten aan geweld uit haar hoofd te bannen. Maar ze voelde de woede nog steeds opwellen en tot één driftaanval uitgroeien. Als ze die niet onder controle kreeg, zou ze hem vermoorden. Ze rukte aan de armband en trok die nog feller omlaag om meer pijn te veroorzaken, maar het was niet voldoende.

'Laat vallen!' schreeuwde ze.

Op het moment dat Malakhai haar de rug toekeerde, schoot haar geboeide hand uit met meer kracht dan waarover ze beschikte als ze rustig was.

Er klonk een luid gekraak en heel even dacht ze dat haar revolver was afgegaan.

Malakhai draaide zich om en zag verbaasd dat haar metalen handboei van de staander was losgekomen. De ijzeren ring die aan het andere uiteinde van de ketting van haar handboeien bungelde, zat nog steeds aan een stuk versplinterd hout vast.

'Bloed je?'

'Nee.' Ze boog zich over de rode schaafwond op haar pols omdat ze hem niet wilde laten merken dat zij zelf ook was geschrokken. Het afbreken was niet opzettelijk gebeurd. Ze had alleen maar pijn willen voelen. 'Dus u kwam zomaar langs? Is dat uw smoes?'

Hij pakte haar metalen armband met twee handen vast. Ze zag hem niet eens een sleutel gebruiken. De handboei ging gewoon open en haar pols was vrij. Hij hield de boeien en het afgebroken stuk hout omhoog. 'Dit kan ik wel weer maken. Maar zou je het erg vinden om niet nog meer kapot te maken? Kun je je handen niet in je zakken houden?'

Hij knielde neer om de enkelboeien open te maken en Mallory duwde hem weg. Daarna stopte ze met tegenzin haar revolver weer in de holster en maakte de klemmen los die om haar enkels zaten. De boosheid nam niet af, maar was wel onder controle toen ze naast de schietschijf ging staan.

'Dat is een lelijke scheur in die spijkerbroek, Mallory. Gelukkig was het je vel niet. Misschien word je een volgende keer wel op een vitale plaats geraakt – net als die arme Oliver.'

'Is dat een dreigement?'

'Het is gewoon zo. Ik denk dat je beter iets anders aan kunt trekken als we uit eten gaan. We hebben voor acht uur een tafeltje gereserveerd. Je hebt geen tijd meer om naar huis te gaan en je om te kleden. Vond je de rozen mooi?'

'Hoe bent u achter mijn adres gekomen?'

Hij wees naar de garderobekoffer die over de bovenkant van het drakenscherm nog net zichtbaar was. 'Ik zou je het groene zijden pak willen aanraden.'

Mallory was gekleed voor een ander jaargetijde in 1942. Terwijl ze wegliep bij de taxi voelde ze de wind om haar voeten zwiepen. De gouden dansschoentjes waren niet op november berekend. Hoewel ze haar precies pasten, voelde ze zich gehandicapt door de smalle bandjes en de dunne hakken. Vlak achter de entree van het restaurant kwamen ze langs een spiegel en Malakhai maakte haar attent op de glanzende stof van het pak. 'Louisa zegt dat de zijde een beetje verschoten is. Vroeger was die zo groen dat hij precies bij je ogen zou hebben gepast.'

Het restaurant in Greenwich Village werd voornamelijk door Europeanen bezocht. Overal in het langwerpige vertrek waren andere talen te horen. Bij een raam dat uitzicht bood op West 4th Street was een tafeltje voor drie personen gedekt. Drie mensen namen plaats – als je Louisa tenminste meetelde en dat deed Mallory wel. Of om de vaste uitspraak van dokter Slope bij hun kaartavondjes te citeren: *Ik wil alleen maar spelen.*

Malakhai haalde een pakje sigaretten tevoorschijn.

'Ze vinden het vast niet goed dat u hier rookt,' zei Mallory. 'Dat is bij de wet verboden.'

'Ach, de nieuwe draconische maatregelen.' Malakhai pakte een sigaret uit het pakje. 'Maar je gelooft toch niet echt dat dit restaurant zich iets van die kinderachtige stuipen van de burgemeester aantrekt?' Hij wees naar de naam van het café die met grote letters op het menu stond. 'Deze mensen zijn toch Frans? Wat denk je nou wel?'

Het moordlustige gevoel dat hij bij Mallory had opgeroepen, was inmiddels verdwenen.

Andere vrouwen in het restaurant zaten naar hen te kijken – vooral naar hem. En de mannen namen hem ook stiekem op. Hoewel hun tafel vlak bij het raam stond, vormde Malakhai het middelpunt van het vertrek.

Zijn ogen waren donkere verleiders. Ze voelde zich beurtelings aangetrokken en afgestoten. 'Was u van plan om de kelder weer te doorzoeken? Of kwam u alleen maar langs om mij te laten schrikken?'

'Schrik je wel eens ergens van?' Er klonk geen spoor van sarcasme in zijn stem. 'Het mechanisme van de voetstukken is al oud. Wie weet wat er nog meer kapot is – behalve de staander.'

'Uw asbak, meneer.' Een jonge kelner in een rood smokingjasje dook plotseling naast het tafeltje op. Het was geen asbak die hij voor Malakhai neerzette, maar een gewoon schoteltje. 'Als iemand heibel gaat schoppen...'

'Ik weet het, Jean. Dan zie je tot je grote schrik dat ik in jouw etablissement zit te roken – en dan zul je me op hoge toon gebieden om mijn sigaret uit te maken. Ik beloof je dat ik veel berouw zal tonen.' Toen de kelner weer wegging om hen de kans te geven het menu te bestuderen, rolde Malakhai de onaangestoken sigaret tussen zijn vingers. 'Zie je die vrouw daarginds? Die verontwaardigde dame met die paarse jurk aan?'

Mallory draaide zich om en keek naar een groepje van drie bezoekers dat bij de deur stond. Ze trokken net hun jassen aan en gebaarden naar de vrouw in het paars. Maar ze negeerde hen en staarde in plaats daarvan openlijk naar Malakhai en zijn sigaret, een rode vlag voor een militante antiroker.

Hij schonk de vrouw een glimlach terwijl hij tegen Mallory zat te praten. 'Zij en haar vrienden staan op het punt om te vertrekken. Maar toch, hoe kan ze weggaan zonder dat beetje macht uit te oefenen dat ze over een vreemde heeft?' Hij pakte een zilveren aansteker. 'Hier zit ik, op het punt me over te geven aan een eenvoudig genoegen en dat kan zíj me verbieden.'

De wenkbrauwen van de vrouw kropen naar elkaar. Ze stak haar hand op naar hun kelner, alsof de jongen een passerende taxi was. Jean liep gewoon door en deed net alsof hij niets gezien had. Haar drie tafelgenoten stonden bij de deur en riepen dat ze mee moest gaan. De vrouw in het paars voegde zich met duidelijke tegenzin bij haar metgezellen. Buiten op het trottoir kon ze Malakhai nog steeds niet van zich afzetten. Ze bleef bij het raam staan om hem een nijdige blik toe te werpen en duidelijk te maken dat hij niets ongestraft kon doen.

Hij verborg de onaangestoken sigaret in zijn gesloten hand. Toen hij zijn vingers vlak voor de vensterruit weer opende, was zijn hand leeg. De drie metgezellen begroetten de truc met applaus terwijl de paarse dame over het trottoir wegbeende. Malakhai sloot zijn hand weer. Toen hij hem opnieuw openvouwde, had hij een brandende sigaret tussen zijn vingers.

Mallory keek naar het schoteltje waar een tweede sigaret lag te branden. Op het filter zat lippenstift. Die moest hij daar hebben neergelegd toen zij werd afgeleid door de kleine goochelvoorstelling bij het raam. Ze zat er even naar te staren en keek hoe de rook omhoog kringelde. 'Waar kwam Louisa vandaan?'

'Als je dat te weten kon komen, zou je meteen een beroemdheid in de muziekwereld zijn. Er zijn nergens gegevens over Louisa te vinden. Een of andere gefrustreerde geschiedkundige heeft zelfs het gerucht verspreid dat ik haar bestaan uit mijn duim had gezogen.'

'Zijn er ook geruchten over moord?'

'Zeker, en niet zo zuinig ook. Begin jaren vijftig heeft Nick Prado de meeste daarvan verspreid om de platenverkoop te stimuleren. Dat was vijftien jaar voor hij het theater vaarwel zei om zijn public-relationsbureau te beginnen. Maar zelfs toen had hij al de aangeboren kwaliteiten van een eersteklas pr-man.'

'Prado weet wat er echt is gebeurd.'

'Is dat zo? Dat heeft hij nooit gezegd – en zeker niet tegen jou, Mallory.'

'U hebt nooit geloofd dat haar dood een ongeluk was. U wist dat Louisa vermoord was. Dat wist u al lang voor dat spelletje poker.'

Ze had verwacht dat hij het zou ontkennen. Maar dat deed hij niet. Aan zijn gezicht was niet af te lezen of ze goed geraden had of niet.

'Waarom maak je je zo druk over Louisa?'

'In zijn testament heeft Oliver alles aan liefdadige instellingen nagelaten, dus geld kan het motief niet zijn geweest. Ik denk dat hij de man die uw vrouw heeft vermoord bang heeft gemaakt.'

Hun gesprek stokte toen de kelner terugkwam met een fles bourgogne. Hij deed een scheutje in een van de glazen en wachtte tot Malakhai er zijn goedkeuring aan had gehecht. Daarna schonk hij alle drie de glazen vol en ging weer weg.

'Oliver heeft die truc wel degelijk verknald,' zei Malakhai. 'Dat kon ik uit de tv-reportage al opmaken.'

'Wat heeft hij dan fout gedaan?'

'O, ik zal de laatste zijn die jou het plezier zou willen ontnemen. Ik weet zeker dat je er wel achter komt.'

'Hoe zit dat met die jongen die overleed, toen Max Candle de truc opvoerde? Of was dat ook weer een van de verhaaltjes van Nick Prado? Uit zijn duim gezogen reclame?'

'Nee, dat is echt gebeurd, maar er is niet veel ruchtbaarheid aan dat verhaal gegeven. Max was er kapot van. Hij zou de dood van die jongen nooit om publicitaire redenen hebben gebruikt.'

'Dat ongeluk zou overal in het land voor grote koppen hebben gezorgd.'

'Waarom? Max Candle stierf op het podium en kwam op magische wijze weer tot leven. De jongen bleef dood – daar kwam geen magie aan te pas, alleen de vermelding van een ongeluk op een werkstaat van de politie. Meer niet.'

'Misschien bevond u zich die avond wel onder de toeschouwers toen Max die truc opvoerde.'

'Ja, inderdaad.'

'Dus dan had u kunnen weten hoe u de truc van Oliver in Central Park moest saboteren.'

'Dat hoeft niet. Hij voerde hem niet op dezelfde manier uit als Max. Dus dan had ik moeten weten wat Oliver precies van plan was.'

Uren later was ze nog geen stap dichter bij de oplossing van de Verloren Illusie. Haar magische wijnglas bleef voortdurend halfvol, hoewel ze niet één keer zag dat Malakhai het bijvulde. En toen de lange avond op zijn einde liep, had ze geleerd om goed op te passen bij de uitspraak van elk woord, voordat ze met dubbele tong zou gaan praten of nog meer lettergrepen zou wegslikken.

In de taxi onderweg naar huis bleef Mallory keurig rechtop zitten, maar de rest van de wereld hield zich daar niet aan. Alles stond scheef of draaide. De wéreld had zichzelf niet meer in de hand.

In het zijraampje kwam haar appartementsgebouw aan Upper West Side in zicht. Het achterportier ging open en Malakhai stapte uit. Hij stak zijn hand uit om Mallory bij het uitstappen te helpen, alsof hij bang was dat haar voeten de grond niet zouden vinden als ze dat in haar eentje zou proberen. Terwijl ze over de marmeren drempel het gebouw binnenliepen, knikte ze in de richting van een vage groene uniformvlek, die Frank de portier wel zou zijn.

Zwijgend gingen ze met de lift naar boven, niet recht omhoog maar een beetje schuin. Toen ze op haar verdieping waren aangekomen, liep Malakhai met haar mee de gang door en hield beleefd en stevig haar rechterarm vast. Dat was een in onbruik geraakte beleefdheid die ze herkende uit zwartwitfilms uit een vervlogen tijd. Mallory maakte sluw gebruik van zijn archaïsche goede manieren om te voorkomen dat ze zou struikelen over de onstuimig golvende vloerbedekking.

Ze bleven voor haar voordeur staan en hij wachtte geduldig terwijl zij drie keer probeerde het slot open te krijgen. Twee keer jokte ze en deed ze net alsof het aan een nieuwe sleutel lag. Uiteindelijk ging de deur open. Malakhai stond vlak naast haar en toch leek zijn stem uit de verte te komen toen hij 'Welterusten' zei.

Ten slotte was Mallory in haar appartement en leunde tegen de ene muur die op zijn plaats bleef, terwijl ze de rest van het vertrek probeerde te dwingen stil te blijven staan. Op dat moment herinnerde ze zich plotseling de vraag die ze aan het begin van de avond had willen stellen.

Ze trok de deur open bij haar tweede poging om de knop in de juiste richting om te draaien – helemaal rond. Toen holde ze door de gang. De lift was bezet. Ze duwde de deur naar het trappenhuis open en voerde een knap stukje ballet op om haar evenwicht te bewaren op het beton dat steeds onder haar voeten weg probeerde te schuiven, alsof de trap stiekem zijn best deed om haar haar nek te laten breken.

Ze liep dwars door de hal, vrijwel voortdurend bergopwaarts, en dankzij de snelle reactie van Frank de portier bevond zich geen in staal gevat glazen beletsel tussen haar en de straat. Mallory belandde ademloos op het trottoir en zwabberde maar een heel klein beetje – althans dat dacht ze.

Malakhai was net achter in de gele taxi gestapt. Hij vertelde de chauffeur waar hij naartoe wilde toen zij ineens naast het portier opdook.

'Aan welke kant stond u in de Tweede Wereldoorlog?'

De auto reed net weg van de rand van het trottoir, toen hij zich uit het raampje boog en haar toeriep: 'Op de avond dat ik Louisa neerschoot droeg ik een Duits uniform.'

9

Hoe ze haar hoofd ook hield, het deed pijn. En als ze het maar iets schuin hield, naar welke kant maakte niet uit, begon het nog erger te bonzen. Mallory zat op de sofa met haar rug naar de ramen aan de voorkant van het appartement van Charles Butler. Haar overgevoeligheid voor zonlicht was ook al iets waar ze anders nooit last van had.

Riker, met zijn ruime ervaring op het gebied van katers, keek diep in haar bloeddoorlopen ogen en richtte zich toen weer tot Charles. 'Nee hoor, ze is niet ziek. Hier kunnen we wel iets aan doen.'

De twee mannen liepen naar de keuken en lieten haar achter in een barmhartige stilte. Ze boog haar hoofd over de dikke stapel vellen met juridische taal die op haar schoot lag.

Buiten op straat, vlak onder het raam, ging de plotselinge kreet van een kat over in een langgerekt gehuil en Mallory's broze zenuwen reageerden daar onmiddellijk op – al was dat met weinig sympathie. Ze schepte zelfs enig genoegen in het feit dat het beest duidelijk pijn leed, terwijl ze het een snelle en gewelddadige dood toewenste, en ging toen verder met het lezen van Oliver Trees laatste wil en testament.

Via de gang drong Rikers stem vanuit de keuken tot haar door. 'Ik moet een rauw ei hebben, mineraalwater en Tabasco.'

Ze kon het antwoord van Charles nog net verstaan. 'Weet je zeker dat ze daar niet in blijft?'

Toen Riker weer terugkwam in de woonkamer, had hij een glas in zijn hand waar een verdacht donker slijm in zat, bedekt met een laag schuimende belletjes. 'Charles zet een kop cappuccino voor je om de smaak weg te spoelen.'

'Ik drink dat spul niet op,' zei Mallory.

'Ja, dat doe je wel.' Hij gaf haar het glas. 'Sla het maar in één teug achterover. Dan heb je alle ellende meteen achter de rug en hoeven we je niet neer te schieten.'

Ze kantelde het glas en zoog de inhoud bijna naar binnen om er zo gauw mogelijk vanaf te zijn. De smaak en het slijmerige gevoel waren even vies. Ze had zich lelijk beet laten nemen en wierp een boze blik op Riker, die haar had willen vergiftigen.

'Oké, meid.' Hij liet zijn jas van zijn schouders glijden en gooide die op een stoel naast de deur. 'De volgende keer dat je je een stuk in je kraag drinkt, moet je voor je naar bed gaat een aspirientje nemen. En veel water drinken. De pijn wordt voornamelijk veroorzaakt door een gebrek aan vocht.'

Haar pijnlijke ogen bleven aan de bruine vlek op de revers van zijn jas kleven – een nieuwe bron van ergernis. Hoe lang was die koffievlek al ingetrokken?

Ze hield de velletjes van het testament omhoog. 'Hoe heb je dit van die advocaat losgekregen?'

'Ik dacht wel dat je daarvan op zou knappen.' Riker ging naast haar zitten en rommelde in de zakken van zijn colbert. 'Ik ben naar het kantoor van die executeur gegaan. Joh, die tent rúíkt zelfs naar geld. Toen heb ik dus aan de secretaresse gevraagd op welk cruiseschip haar baas zat. Ik wilde hem per telegram een paar vragen over het testament stellen.'

Hij haalde een slonzig pakje kaartjes en gekreukelde velletjes papier tevoorschijn. 'Daarna zei die secretaresse, hoe heet ze ook alweer...' Hij hield een visitekaartje op armlengte afstand in plaats van zijn leesbril op te zetten. 'Gina. Ze heeft me verteld dat ze op de wachtlijst van de politieacademie staat. Aardig kind... echt dól op dienders. Goed, Gina vraagt of ik denk dat ze kans maakt om aangenomen te worden. Dus ik zeg tegen haar dat het er een stuk beter voor haar uit zal zien als ik een aanbeveling voor haar schrijf. Vervolgens vertelt ze me dat haar baas helemaal niet op een cruiseschip zit.'

'Heeft hij zich voor de politie verborgen gehouden?'

'Het lijkt er meer op dat hij het podium en de kruisbogen voor de politie verborgen houdt. Na die stunt van de boogschutter bij de optocht kreeg hij het idee dat we misschien nog eens naar Olivers dood zouden gaan kijken... en mogelijk nog voor de veiling beslag zouden leggen op de rekwisieten.' Hij wees naar de papieren op haar schoot. 'Ga maar eens naar pagina tweeëndertig.'

Mallory bladerde de papieren door tot ze de lijst met voorwerpen vond die ten bate van een liefdadig doel bij opbod verkocht zouden worden. Alle goochelrekwisieten stonden per categorie gerangschikt. Ze liet haar vinger langs de eerste kolom van de inventarisatie glijden.

'Ik zal je de tijd besparen,' zei Riker. 'Het podium staat niet op die lijst. Maar volgens Gina is dat het klapstuk van de veiling. Het bieden begint vanmiddag om een uur. De advocaat wil al die goochelspullen van de hand doen voor de heisa in de media afneemt.'

Hij gaf haar het visitekaartje en ze keek naar het adres dat met potlood achterop was geschreven. Het was een heel eind van haar volgende afspraak op Times Square af. 'Wat betalen ze tegenwoordig voor een goocheltruc die de mist in is gegaan?'

'Heel wat,' zei Riker. 'En de advocaat krijgt een percentage van de opbrengst. Het hoogste bod is van een producer uit Hollywood. Hij wil een film over die fatale mislukking van Oliver Tree maken.'

'Wie hebben er verder een uitnodiging gehad?'

'Een heleboel goochelaars die voor het festival in de stad zijn. Daarom moet er eerst gedokt worden, voor iemand een kijkje binnen in het podium mag nemen. De advocaat is bang dat ze hem anders beet zullen nemen.'

Mallory keek op haar zakhorloge. Het was bijna tijd voor haar afspraak met meneer Halpern. Ze vroeg zich af hoe lang het zou duren voor ze de hele lijst met de instructies van rabbijn Kaplan had afgewerkt over hoe ze moest omgaan met een bejaarde die de holocaust had overleefd. Aangezien ze niet van plan was om de veiling te missen, ging ze ook na welke straffen haar mogelijk te wachten stonden als ze de oude man zou dwingen om zijn verhaal sneller te vertellen.

Wat was het ergste wat de rabbijn haar aan kon doen?

'Riker, heeft die secretaresse ook iets over Olivers neef gezegd? Hij staat niet bij het rijtje van begunstigden.' En op deze plek werd al evenmin gewag van het podium gemaakt.

'Ja, inderdaad.' Hij keek neer op een opengeslagen notitieboekje. 'Richard Tree is een achterneef, de kleinzoon van Olivers halfbroer. Hij is het enige levende familielid van de oude man.'

'Maar de voornaamste begunstigde is een plaatselijk ziekenhuis.'

'Ja, Gina zegt dat Oliver daar iedere zondag doorbracht. Hij trad als goochelaar voor zieke kinderen op. Dus de neef erft helemaal niks, maar hij heeft wel een groot trustfonds.'

'Dus hij heeft er wél voordeel van.'

'Van dat overlijden? Geen cent. Dat geld is al jaren geleden opzijgezet. Die knul moet een drugstest ondergaan om de cheques met zijn aandeel in handen te krijgen. Hij is er nog nooit doorheen gekomen. Daarom heeft hij ook dat klusje met die kruisboog voor honderd pop aangenomen. Er zit een smak geld in dat trustfonds, maar hij kan niet lang genoeg clean blijven om het op te strijken.'

'Nu de oude man dood is, zal het gemakkelijker worden om dat fonds te liquideren.'

'Alweer mis,' zei Riker. 'Oliver had niet veel met zijn neef op, maar hij wilde niet dat die knul aan een overdosis geld zou overlijden. Dus heeft die ouwe de beste advocaat van Manhattan in de arm genomen om een waterdicht trustfonds op te zetten. Olivers advocaat is het prototype van een gehaaide jurist. Daar moet je goed aan denken als je hem ontmoet. Die klootzak lul je niet plat.'

Mallory hield een knisperend, nieuw biljet van twintig dollar omhoog. Riker knikte en de weddenschap stond.

'Oké, door naar de volgende.' Riker bladerde achter in zijn aantekenboekje. 'Ik heb de vent gesproken die het beheer had over Olivers zaak nadat de oude man met pensioen ging. Hij zegt dat Oliver er nog steeds bijkluste. Hij was eigenaar van een oud theater in de binnenstad. De renovatie daarvan was min of meer zijn hobby. Daar heeft hij een paar jaar geleden het podium gebouwd.'

Ze trommelde met haar vingers op het pak papier. 'Dit testament is acht maanden geleden gedateerd. Waarom wordt het podium er dan niet in genoemd?'

Riker haalde zijn schouders op. 'Een oude man, een slecht geheugen.'

'Misschien heeft hij het voor zijn dood al weggegeven. Kun je je dat etentje nog herinneren, Riker? Die geschenken aan zijn oude vrienden? Een van hen heeft het podium gekregen, plus Olivers plannen voor de Verloren Illusie. Die man wist hoe hij de truc moest saboteren.'

'Dat is een mooie theorie, maar...'

'Het wordt nog beter. Ik heb gisteren het podium van Max Candle grondig bekeken. De ringen voor de handboeien zijn hoog op de staanders aangebracht. Ze zaten op beide podia op dezelfde plaats.'

'Nou en?'

'De truc was oorspronkelijk ontworpen voor een langere man. Max Candle was een meter tachtig. Oliver was twintig centimeter kleiner. Prado en Futura zijn allebei ongeveer even...'

Charles kwam weer binnen met een blad vol mokken koffie. Hij zette het op het lage tafeltje voor haar en ze werd niet misselijk van de geur van de cappuccino. Rikers remedie tegen de kater had echt geholpen. 'Dank je wel, Charles. Is de staander erg beschadigd? Moet ik een timmerman laten komen...'

'De staander is niet kapot,' zei Charles en dat leek hem te spijten.

'Natuurlijk wel,' zei ze – héél nadrukkelijk. 'Ik heb hem gisteren kapot getrokken.'

'Weet je zeker dat hij beschadigd was?'

'Wat heeft dit verdomme nou weer te betekenen?' Dacht hij soms dat ze zich dat verbeeld had?'

Riker keek Charles met samengeknepen ogen aan. 'Wil ik eigenlijk wel weten waar jullie het over hebben? Ben ik soms een leuk feestje misgelopen?' Hij keek Mallory aan. 'Ik mag ook nooit met je mee.'

'Zo is het wel genoeg,' zei Mallory. 'Ik heb die rat wél doodgeschoten, ik heb die ballon níét neergeschoten en ik heb die staander wél stukgemaakt.' Ze hoopte dat ze allebei goed zouden begrijpen dat het een grote fout zou zijn om één van die dingen tegen te spreken. 'Malakhai moet hem gerepareerd hebben.' Hij had kennelijk een bezoek aan de kelder gebracht, toen zij vanmorgen door de wekker heen was geslapen.

Het ging hem dus niet om het paspoort. Malakhai was nog steeds naar iets op zoek.

Het mandje van de jonge fietskoerier zat vol pakjes terwijl hij met een noodvaart over het drukke Broadway reed zonder op de verkeerslichten te letten. Hij richtte zijn voorwiel op een meute voetgangers op het zebrapad bij 42nd Street. Hij slaakte waarschuwende kreten in de richting van de mensen die dom genoeg waren om hem in de weg te lopen. 'Niet verzekerd! Niet verzekerd!'

Mallory trok meneer Halpern achteruit en de rest van de menigte week uiteen om de weg vrij te maken voor de fiets. De koerier stoof verder, met aan weerszijden dicht opeengepakte lichamen. Honende opmerkingen en opgestoken vingers opperden dat de fietser bij de eerste de beste gelegenheid maar een onnatuurlijke seksuele handeling bij zichzelf moest verrichten.

Meneer Halpern schudde zijn hoofd en glimlachte terwijl hij de fietser nakeek die in de verte verdween. 'Dat is nou echt New York.' Hij zei het op een toon alsof dat een goede verklaring zou zijn voor een bijnadoodervaring. En dat was waarschijnlijk ook zo.

Op de avond dat er gepokerd werd, had de oude man een homburg op gehad. Vandaag droeg hij een pet met een bontrand die omlaag getrokken was om zijn oren tegen de kou te beschermen. 'Tijdens mijn middagpauze loop ik altijd een rondje om Times Square, ook al is het nog zulk hondenweer. Als ik maar even het kantoor uit ben.'

Mallory moest zich inspannen om zijn zwakke stem te verstaan. Het nerveuze straatbeeld met knipperende elektronische reclameborden, zich haastig voortspoedende voetgangers en dito voertuigen kwam van alle kanten op hen af. De auto's en de bussen van Broadway mengden zich tussen het verkeer van Seventh Avenue, en alle zijstraten droegen een steentje bij aan de drukte.

'Het is zo ontzettend veranderd,' zei meneer Halpern. 'Het is net alsof je naar een opgroeiend kind kijkt.' Hij wees naar de Disney-winkel. Rijen vrolijke tekenfilmfiguren hadden de hoeren, de peepshows en de sekswinkels verdrongen. Mickey Mouse regeerde op Times Square. 'Mijn achterkleinkinderen zijn dol op die...' Op hetzelfde moment hield hij zijn mond, wellicht omdat hij zich plotseling krantenkoppen herinnerde waaruit kon worden opgemaakt dat brigadier Mallory niet veel met de wereld van de stripverhalen ophad.

Een auto toeterde en overtrad daarmee een stadsverordening tegen onnodige overlast. Mallory kreeg plotseling de geur van gepofte kastanjes in haar neus en keek om. Een straatventer had zijn waren op zijn kar uitgestald en zondigde dus ook tegen de wet, want de burgemeester had net bepaald dat er geen handel meer op het plein gedreven mocht worden. Omdat de politie schitterde door afwezigheid, werden er vandaag heel wat overtredingen begaan. En dat was wel raar – er was nergens een politieman in uniform te zien.

Ze concentreerde zich weer op de oude man terwijl ze naast hem voortliep en hem opnam. Volgens de rabbijn was meneer Halpern van dezelfde leeftijd als Malakhai, maar hij leek tientallen jaren ouder. Was hij ziek of alleen maar moe?

'Ik weet wat u denkt, brigadier. U vraagt zich af waarom ik nog steeds werk? Dat is bij het onfatsoenlijke af, hè? Ik zou plaats moeten maken voor de jeugd – mijn opvolgers.'

'Niet als u daar geen zin in hebt.' Ze hield zich precies aan de voorschriften van de rabbijn. Dit was het voorspel, een gesprek over koetjes en kalfjes, wat haar betrof volslagen tijdverspilling.

'O, maar ik wou wel met pensioen gaan,' zei meneer Halpern. 'Toen mijn zoon het familiebedrijf overnam, had ik mijn garage tot een schildersatelier willen laten verbouwen. Ik zou eindelijk tijd hebben voor mijn tekeningen. Ik had al jaren op die kans gewacht. Maar mijn jongen had andere plannen. Nu heeft hij een kantoor voor me ingericht. Daar zit ik iedere dag en doe werk dat volkomen onbelangrijk is. Hij doet net alsof ze niet zonder me kunnen. Ik doe net alsof ik niet weet dat ik hem voor de voeten loop. We vertellen elkaar de schitterendste leugens.'

'Waarom zegt u niet gewoon tegen hem wat ú wilt?' In het gunstigste geval zou deze oude man nog hooguit een paar jaar hebben om te tekenen.

'Dat héb ik tegen hem gezegd. Ik heb hem verteld dat ik me terug wil trekken. Maar mijn zoon weet dat ik erg veel van hem houd. Hij was ervan overtuigd dat ik hem iets op de mouw speldde.' Meneer Halpern haalde zijn schouders op. 'Dus om te bewijzen dat hij nóg meer van mij houdt, kwam hij met de flagrantste leugen aandragen. Hij zei dat hij zonder mijn hulp geen leiding aan het bedrijf kon geven. Maar goed, hij is mijn zoon. Ik kan hem toch niet van leugens beschuldigen?' Hij trok zijn wenkbrauwen op en vroeg haar op die manier of ze er de humor van inzag.

Ja, inderdaad. En dankzij rabbijn Kaplan, de uitvinder van het begrip ironie, had Mallory zelfs de clou aan zien komen.

Ze haalde haar zakhorloge tevoorschijn en fronste toen ze zag hoe laat het was. Nou, het praatje vooraf was absoluut voorbij. 'Volgens de rabbijn zou u me iets over Malakhai kunnen vertellen?'

'O ja.' Hij keek naar het horloge in haar hand en knikte om aan te geven dat hij begreep dat ze ergens anders belangrijkere dingen te doen had.

'U hebt onlangs 's avonds bij de rabbijn thuis met hem gesproken.' Ze hield het horloge geopend in haar hand, een zichtbare aansporing om hem sneller te laten praten.

'Ja, ik was verrast om te zien hoe goed hij eruitzag – hoe jong. Alleen zijn haar was oud geworden.'

'Hoe oud was hij toen u hem voor het eerst ontmoette?'

'In het kamp? Hij was ongeveer van mijn leeftijd, een jaar of zeventien. Ik haalde de postzakken uit de trein. Dat was mijn...'

'Hebt u het over een concentratiekamp?'

'Ja, maar er waren daar geen crematoria of gaskamers. Het was een doorgangskamp, een tussenstation op weg naar ergere plaatsen. Je werd gevangen gehouden, maar er was genoeg te eten. En die dag hadden we zelfs muziek. Er was altijd muziek als we bezoek van buiten kregen. Die dag kwam er een inspectieploeg van het Rode Kruis. Terwijl zij een rondleiding kregen door het kamp, arriveerde de trein met nieuwe gevangenen die afgehandeld moesten worden. Later zou de lijst met namen opgelezen worden van degenen die moesten instappen. Als de trein weer ging...'

Zijn gezicht vertrok bij een oude herinnering en hij keek omlaag naar de straat. 'Nou ja, het laatste wat je wilde, was in zo'n vertrekkende trein stappen. Mijn ouders, mijn hele familie was over dat spoor richting Auschwitz vertrokken. Geen van hen kwam ooit terug. Nog geen neef, geen tante, geen oom. En ik wist dat mijn naam op een dag ook op die lijst zou staan.' Hij zweeg weer even. 'Maar ik dwaal af – neem me niet kwalijk.' Hij boog zich voorover om de wijzerplaat van haar horloge beter te kunnen zien.

Mallory klapte het dicht en stopte het weg. 'Ik heb tijd genoeg,' zei ze. 'Neemt u er de tijd maar voor.'

De oude man knikte en haalde een pakje sigaretten uit zijn jaszak. Hij hield het omhoog om te vragen of ze daar bezwaar tegen had. Dat was niet het geval.

'Louisa had ongeveer een maand in het kamp gezeten. Destijds wist ik niet hoe ze heette. Ik heb nooit met haar gepraat. Maar ik zag haar iedere dag als ze naar het kantoor van de kampcommandant werd gebracht.

Haar ogen waren altijd op iets in de verte gericht – een slaapwandelende droomster. Ik dacht dat ze haar verstand had verloren.'

Hij priemde één vinger in de lucht alsof hij een bepaald moment in de tijd vastpinde. 'Maar dié dag was alles anders. Louisa stond op het podium en speelde viool om de bezoekers te vermaken. De ploeg van het Rode Kruis moest het kamp controleren. De commandant wilde hen graag laten zien hoe goed wij behandeld werden. De kampen verderop langs het spoor – wat daar gebeurde, was het slechtst bewaarde geheim ter wereld. De gevangenen wisten alles van de vernietigingskampen af. En de mensen van het Rode Kruis – die wisten het ook. Desondanks kwamen ze naar het dóórgangskamp om foto's te maken en dié aan de buitenwereld te tonen.'

Hij hield de onaangestoken sigaret vast terwijl hij in een andere zak naar zijn lucifers zocht. 'Ik stond met mijn kar bij de trein te wachten tot de postwagon geopend zou worden. Malakhai dook ineens naast me op – een jonge knul, recht van lijf en leden en lang. Zijn ogen waren net zo donkerblauw als nu. Vreemd dat zijn ogen nooit veranderd zijn. Zijn lange haar had de kleur van een leeuwenvacht. Een ontzettend knappe jongen, maar heel vreemd en misplaatst. Het was een warme dag, maar hij had zijn mouwen niet opgerold en zelfs de boord van zijn overhemd was dichtgeknoopt. Ik wist dat hij niet met de anderen uit de trein was gestapt. Hij was geen gevangene, maar ook geen soldaat. Later kwam ik tot de conclusie dat hij met de mensen van het Rode Kruis naar binnen moest zijn gekomen.'

De houten lucifer van meneer Halpern streek vergeefs langs de zijkant van het doosje. 'Nadat de post was uitgeladen, liep de jongen met me mee en hielp me de kar voortduwen. De bewakers keurden hem geen blik waardig. Zij waren afgericht om angst en slinks gedrag op te merken. Iets anders viel hen niet op. Terwijl de kar voortrolde, hield Malakhai zijn ogen strak op het podium gevestigd. Dat was ongeveer drie meter hoog, een planken vloer op vier dikke poten en onder aan de trap stonden bewakers opgesteld. De rijen gevangenen uit de trein stroomden er als een levende rivier omheen.'

Mallory werd zich bewust van iemand die vlak bij hen stond. Ze draaide zich om en zag een kleine man met een baard en een skimuts op die plotseling net deed alsof hij bijzonder geboeid werd door een etalage. Had hij iets te verbergen?

Ze concentreerde zich weer op het verhaal van meneer Halpern.

'Er stonden drie muzikanten op het podium. De celliste en de hoboïste waren vrouwen van middelbare leeftijd. Louisa was nog maar een schoolmeisje. Lang rood haar en lichtblauwe ogen. Ze had net zo'n melkwitte huid als u. Ik kan me nog elk detail van haar gezicht herinneren. Maar wat me tot mijn dood bij zal blijven is haar gelaatsuitdrukking. Ik geloof niet dat ze wist wat er aan de hand was. Ze leek volkomen op te gaan in haar muziek, dromend of waanzinnig.'

De oude man zag het allemaal weer voor zijn geestesoog gebeuren, terwijl hij terugkeek in de tijd. 'De gevangenen marcheerden langs het podium. Een soldaat riep de namen voor de trein naar het vernietigingskamp. En de muziek was van Mozart.' Hij zwaaide met een lucifer door de lucht alsof het een dirigeerstokje voor zijn herinneringen was.

'Ik was afwezig en luisterde of ik mijn naam hoorde afroepen. Ik was er die dag niet bij. Toen ik me naar de jonge vreemdeling omdraaide, was hij verdwenen. De twee oudere vrouwen zaten nog steeds te spelen. De bewakers die onder aan de trap stonden, leken niet te merken dat een van de muzikanten ontbrak. Niemand had de ontsnapping opgemerkt, ook al gebeurde alles onder de neus van honderden mensen. Niemand had het gezien.'

'Kunt u zich herinneren of er nog iets anders plaatsvond?'

'Een afleidingsmanoeuvre bedoelt u?' Hij stopte de niet aangestoken sigaret in zijn mond. 'Ja, op dat idee ben ik later ook gekomen. Ik weet nog dat er ergens achter de rijen met gevangenen wat beroering ontstond. Ik heb niet gezien wat er aan de hand was... ik luisterde zo gespannen naar het oplezen van de namen. Louisa moet in zijn armen zijn gesprongen op het moment dat de bewakers afgeleid werden.'

Mallory knikte. 'Als de afleidingsmanoeuvre zich op de grond afspeelde, was er geen reden voor de bewakers om omhoog te kijken.' De meeste mensen keken dag in, dag uit niet hoger dan hun eigen hoofd.

De sigaret bungelde tussen zijn droge lippen. 'De trein was vol en klaar om te vertrekken. De laatste keer dat ik de jongen en het meisje zag, hadden ze zich in het struikgewas langs de spoorbaan verstopt – veel te dichtbij. Ik wilde ze waarschuwen dat de soldaten hen zouden zien als ze de trein afsloten. Toen besefte ik dat Louisa en Malakhai van plan waren om erin te stappen.'

Mallory hield de andere man in de gaten, de kleinere gestalte met de skimuts. Hij stond nu wat dichterbij, met zijn armen om een koffer die hij vasthield alsof het een baby was, terwijl hij op zijn gympen heen en weer schuifelde. Een zakkenroller op zoek naar een geschikt slachtoffer? Nee, dat kon niet met die koffer. Ze keek om zich heen over het plein. Waarom was er nergens politie?

'Ik wilde ze tegenhouden en ze waarschuwen,' zei meneer Halpern. 'Het was waanzin om in de doodstrein te stappen. Toen ze in de postwagon klommen, stond ik doodsangsten voor hen uit. Daarna keek ik de andere kant op. Ik wilde niet dat de aandacht door mijn angst op hen gevestigd zou worden. Het doorzoeken van de postwagon duurde maar een paar minuten. Het was geen groot veiligheidsprobleem. Wie zou er nu vrijwillig in willen stappen? Verderop langs de spoorbaan wachtten de dood en nog veel ergere dingen.'

Hij streek opnieuw afwezig een lucifer langs het doosje. Ook die ontbrandde niet. 'De soldaten controleerden de postwagon, maar ze vonden de jongen en het meisje niet. De trein reed weg.'

'Dus Louisa en Malakhai hadden zich in de postzakken verstopt?'

'Dat idee had ik toen ik zelf ontsnapte. Er lagen altijd tien of twaalf postzakken in die wagon. Maar één daarvan werd in het doorgangskamp uitgeladen. Alle zakken waren groot genoeg om een lichaam in te verstoppen en de meeste ervan zaten nooit vol. Ik ging ervan uit dat de trein nog een paar keer zou stoppen voor hij Duitsland binnenreed. Tot op dat moment had ik er nooit aan gedacht om op die manier aan de dood te ontsnappen – via een trein naar een vernietigingskamp.'

Mallory werd opnieuw afgeleid. Haar oog viel weer op de man met de baard en de skimuts die nog steeds zijn koffer omklemd hield. Hij stond op iets of iemand te wachten.

Meneer Halpern pakte nog een lucifer uit het doosje. De onaangestoken sigaret bewoog in zijn mondhoek terwijl hij praatte. 'Twintig jaar later zag ik hen terug op het podium – hier in New York. Louisa was inmiddels allang dood en haar geest was onderdeel van een goocheltruc. Ik kon Malakhai tegen haar horen praten, maar ik kon haar niet zien – alleen de voorwerpen die ze droeg. En daarna stuurde hij haar het publiek in, dat arme dode meisje. Ik voelde een luchtvlaag langs mijn stoel strijken. Ik rook het parfum van een vrouw, de geur van een bloem.'

'Een gardenia?'

'Ja, misschien was het wel een gardenia. En ik durf te zweren dat Louisa daarna met haar hand langs mijn wang streek. Na de voorstelling wilde ik naar de kleedkamer gaan, om het hem te vragen – hoe ze er toen in geslaagd waren om te ontsnappen. Maar ik was in tranen. Ik kon niet praten.'

Mallory was het rare mannetje met de skimuts kwijt. Hij was weer door de menigte opgenomen. 'Maar zei u niet dat ú ook ontsnapte?'

'Niet op dezelfde manier als zij, ook al dacht ik dat destijds wel. Ik stapte op de volgende trein. Zodra de bewakers doorhadden dat Louisa was verdwenen, zou het kamp hermetisch afgesloten worden. Dan zou ik de kans nooit meer krijgen. Ik liep met mijn kar langs het spoor. Ik schonk geen aandacht aan de bewakers en dus was ik voor hen onzichtbaar – net als Malakhai was geweest. Ik wachtte tot de stoom van de locomotief over mij heen sloeg en toen stapte ik in de postwagon. Er stonden geen namen op de zakken, alleen nummers. Uit niets viel op te maken waar de volgende postzak gelost zou worden. Voor de trein vertrok, werd de wagon doorzocht. Mijn hoofd werd op een haartje gemist door een geweerkolf die door een soldaat in mijn zak werd geramd. Begint u het probleem te snappen? Hoe konden ze twee mensen in twee verschillende postzakken missen?'

Hij streek de lucifer aan, die in de wind opvlamde en weer uitging. Hij pakte er opnieuw een. 'Ik heb me daar urenlang verborgen gehouden. Ik was bang dat de trein niet zou stoppen voor we in Duitsland zouden zijn. Toen hij eindelijk stilstond, kon de deur van de postwagon niet van binnenuit geopend worden – daar zat geen klink. Kunt u zich voorstellen hoe ik me op dat moment voelde? Ik dacht dat ik ten dode was opgeschreven en kroop weer terug in de zak, mijn lijkwade.

Toen werd de deur opengetrokken. Er werd maar één zak uitgeladen en daar zat ik in. Puur geluk, een kans van één op tien postzakken om uit de trein te ontsnappen. Ik werd op de laadbak van een vrachtwagen gesmeten. Zodra die onderweg was, kroop ik uit de zak en sprong eraf. Ik was vrij.'

Hij streek opnieuw een lucifer aan en Mallory beschutte het vlammetje tegen de wind door een kommetje van haar handen te maken.

'Maar u begrijpt het wel, hè? Dat kon niet de manier zijn waarop Malakhai en Louisa ontsnapt waren. U snapt ook wel dat ze dan vrijwel geen kans hadden gehad.' Hij boog zich over de brandende lucifer en stak zijn sigaret aan. 'Maar volgens mij ben ik er toch achter gekomen – de enige manier waarop het gebeurd kan zijn.'

Hij keerde zich van haar af om de rook uit te blazen en in zijn ogen verscheen een blik van grote ontzetting. Mallory stapte opzij en zag het sproeigeweer in de hand van de kleine man met de skimuts omhoogkomen. Het sproeigeweer vuurde een straal zwarte verf op meneer Halpern af. Inmiddels stond er ook verrassing op het gezicht van de kleinere man te lezen. Hij probeerde zijn sproeigeweer in de koffer te stoppen terwijl hij ervandoor ging.

Mallory hoefde hem niet ver achterna te zitten. Hij lachte toen ze hem tegen de grond smeet, helemaal niet bang en zelfs een beetje trots – tot hij de pijn voelde.

'Je breekt mijn arm!' schreeuwde hij toen ze die hardhandig naar achteren trok om hem de handboeien om te doen.

Een groep mensen troepte om hen heen, een deel om niets van de voorstelling te missen en anderen die waarschijnlijk hoopten dat ze haar op overdreven bruut optreden van de politie zouden betrappen. Mallory, die zich nooit naar de wensen van het publiek schikte, besloot om de botten van het mannetje niet te breken.

'Bedankt,' zei een vrouw in burgerkleding toen ze naast haar op de grond knielde. Een man kwam naar hen toe en toonde Mallory zijn penning en zijn papieren terwijl hij zich over de gevangene bukte. 'Wij nemen hem wel van je over.'

Ze keek langs het stel en zag de anderen aankomen, zeker tien agenten in burger die zich niet langer verstopten maar al hollend hun penningen op hun jassen spelden. Toen ze zich omdraaide, zag ze er nog meer van de overkant van het plein aankomen.

Ze hadden dus op de loer gelegen. Dat was natuurlijk de verklaring voor het ontbreken van straatagenten. Ze hadden allemaal geweten wat die kleine gek van plan was. Ze hadden waarschijnlijk staan toekijken toen hij de oude man met zijn sproeigeweer te lijf ging – en ze hadden niet ingegrepen. Een poging tot een overval was niet half zo goed als een echte.

Ze liep weg van de menigte toeschouwers en agenten in burger. Er was niemand bij meneer Halpern, die een eind van het oploopje af stond. Zijn gezicht zat onder de spatten en de zwarte verf drupte van zijn jas op de grond. Terwijl ze de oude man bij diens arm pakte, voerde ze hem mee over het trottoir. Mallory beschouwde elke tegemoetkomende voetganger als een potentiële misdadiger die hem zou kunnen aanvallen en ze hield de arm van meneer Halpern nog iets steviger vast.

Het kamertje was aan het eind van de gang, ver van het heen en weer geloop van de administratieve medewerkers van dit bedrijf dat de naam van Halpern droeg. De muren waren getooid met een verzameling tekeningen van Paul Klee en Max Ernst. Er lagen geen papieren op het bureau en het cryptogram uit de *Times* was al opgelost en in de prullenbak beland.

'Het spijt me dat dit is gebeurd.' Mallory zetten een kop thee op het vloeiblad voor meneer Halpern. Zijn gezicht zat nog onder de rode vlekken van het wegpoetsen van de verfspatten. Zijn jas had het grootste gedeelte opgevangen en op zijn lichtgrijze pak waren maar een paar spettertjes terechtgekomen.

'Het spijt me,' zei ze nog eens, hoewel ze heel goed wist dat dit soort schade met geen enkel excuus te ondervangen was. Ze kon de blik niet vergeten die ze in zijn ogen had gezien, toen het sproeigeweer werd afgeschoten. Ze had hem eigenlijk moeten beschermen.

Alweer een miskleun.

Hij stak zijn hand uit en legde die over de hare. 'U kon er niets aan doen.' Zijn huid was koel en droog en zijn magere hand voelde aan als een tere laag pakpapier. Ze vroeg zich af hoeveel tijd hem nog restte om zijn tekeningen te maken.

In de gang voor de deur van het kantoor stond de zoon van meneer Halpern met een politieman in uniform te praten.

'Brigadier Mallory, kunt u me vertellen wat de bedoeling van dat mannetje met dat sproeigeweer eigenlijk was?' vroeg de bejaarde meneer Halpern. 'Was het mijn bontmuts die zijn woede opwekte? Een van die actievoerders voor de rechten van het dier heeft een paar maanden geleden naar me gespuugd.'

'Nee, hij hoorde bij de bond van antirokers.' Mallory zag inmiddels in gedachten de krantenkoppen van de volgende dag al: RECHERCHEUR VELT NA BALLONPUP OOK POLITIEK ACTIVIST. 'Het kwam door uw sigaret. Zijn vader is aan een hartaanval gestorven en volgens hem kwam dat door passief roken.'

'Maar... in de buitenlucht?'

'Een gek werkt altijd op straat. Daar kan hij gemakkelijker toeslaan en wegkomen. Hij heeft dit al bij een heleboel mensen gedaan, meestal vrouwen. Hij heeft nog nooit iemand besmeurd die groot genoeg was om hem een dreun in zijn gezicht te verkopen. Agent Rodriguez zegt dat u zich net op het verkeerde moment moet hebben omgedraaid. Hij pakt zijn slachtoffers meestal van achteren. Vervolgens steekt hij een preek over het roken af en gaat ervandoor voor ze doorhebben dat ze geraakt zijn.'

'Dus die andere agenten wisten wie hij was voor...'

'Times Square is zijn favoriete plek.' En vervolgens bevestigde ze de vermoedens van de oude man. 'De agenten van het arrestatieteam stonden hem dit keer op te wachten.'

Vijftien politiemensen waren opgetrommeld om één vandaal op te pakken. God verhoede dat de man met het sproeigeweer iemand van buiten de stad te pakken zou nemen en een smet zou werpen op de campagne ter bevordering van het toerisme, die de burgemeester voerde. Ondertussen moest zij liegen en bedriegen om voor een moordzaak een fractie van die mankracht te krijgen.

Ze draaide zich om en keek even naar de agent die in de gang stond te wachten. 'Als u zo ver bent, zal die agent u met de auto naar uw huis in Scarsdale brengen.'

'Nee, brigadier Mallory. Ik voel me prima, dank u wel. Mijn zoon zou er niets van begrijpen als ik...'

'Hij begrijpt het wel als ik met hem heb gesproken.' Verstrakte het gezicht van de oude man een beetje? Op een wat zachtere toon en iets geruststellender zei ze: 'Als ze worden aangevallen, raken mensen altijd een beetje overstuur, ook al heeft iemand op straat alleen maar tegen ze staan schreeuwen. Dat zal ik wel aan uw zoon uitleggen. Hij begrijpt het heus wel.'

'Heeft u nog tijd voor de rest van het verhaal? Ik wil u graag vertellen wat mijn theorie is – hoe Louisa en Malakhai ontsnapten.'

'Natuurlijk.' De gedachte dat ze op tijd bij de veiling zou kunnen zijn voor het openingsbod, had ze al opgegeven. Tot dusver was het niet bepaald een geslaagde dag geweest.

'Ik had u al verteld dat Malakhai zijn overhemd helemaal dichtgeknoopt had, toen ik hem voor het eerst zag. Volgens mij zat er onder die kleren...'

'Een Duits uniform?'

'Ja, ja.' Hij lachte en liet zijn vlakke hand met een klap op het bureau neerkomen. 'Onder de kleren van Malakhai zat een uniform verstopt.' Hij was kennelijk bijzonder ingenomen met haar, alsof ze een veelbelovende student was. Of misschien was hij alleen al blij dat ze goed opgelet had. Dat kwam waarschijnlijk maar zelden voor als hij op kantoor zat, in deze chique ingerichte arrestantencel.

'Dat was de zekerste manier om te voorkomen dat de soldaten de wagons doorzochten en de zakken met hun geweerkolven te lijf gingen,' zei meneer Halpern. 'Malakhai moet de soldaat zijn geweest die de postwagon doorzocht voor de trein vertrok.'

'Dat is een goed idee,' zei Mallory. 'Dus u denkt dat Malakhai in het Duitse leger zat?'

'O nee. Het was beslist een vermomming. Hij heeft die dag maar een paar woorden tegen me gezegd. Zijn taalgebruik was heel kinderlijk en zijn accent deugde helemaal niet. Ik ben Duitser van geboorte. Dat gold niet voor hem, dat kan ik u verzekeren.' Hij boog zich naar haar over alsof ze iets te bedisselen hadden. 'Ik geloof dat hij precies wist wat er zou gebeuren als de trein weer stopte om post af te leveren.'

Mallory knikte. 'Hij had de hele route waarschijnlijk grondig bestudeerd.'

'De trein stopte dus. De deur van de wagon werd geopend om de post in ontvangst te nemen en daar stond Malakhai in een Duits uniform. Hij was de soldaat die de postzak met Louisa erin uitlaadde. Ik zei al dat hij maar een mondje Duits sprak. Maar hij speelde het wel klaar, een jonge knul met een ontsnapte gevangene in zijn armen – omringd door al die soldaten. Het is voor mij altijd veel meer geweest dan een raadsel. Dit was een liefdesverhaal.'

Meneer Halpern leunde inmiddels fronsend achterover in zijn stoel.

'Ach, maar ik zal nooit zeker weten of ik het bij het rechte eind had.'

'Hebt u het dan niet aan hem gevraagd? Die avond bij rabbijn Kaplan thuis...'

'Malakhai kon zich niet herinneren hoe hij Louisa uit het kamp had weggehaald. Hij zei dat ik te lang met mijn vraag had gewacht. Hij heeft last van hersenbloedingen, kleintjes die zijn geheugen aantasten. Dat is al ongeveer een jaar aan de gang. Hij zei dat het om de haverklap gebeurt. Iedere ochtend is hij weer een stukje van zijn leven kwijt. Dus ik zal nooit weten hoe hij zijn beste truc uitvoerde – of ik gelijk had of niet.'

'Voor mij is het goed genoeg.' Mallory draaide zich om naar de deur waar de agent stond te wachten om meneer Halpern naar huis te brengen.

'Zal ik tegen dat mannetje met het sproeigeweer moeten getuigen?'

'Nee, dat denk ik niet,' zei ze. 'De agenten die hem hebben gearresteerd hebben meer dan genoeg klachten om die idioot vast te houden. Het is een misdadige gek.'

'Zo denkt u er vandaag over, brigadier. Alles verandert – en zo snel. Als u over een paar jaar terugdenkt aan dat gevalletje met het sproeigeweer vol verf – dan zult u zich míj herinneren als de misdadiger die een sigaret rookte.' Hij klopte haar glimlachend op haar hand. 'Daar kunt u niets aan doen. Alles verandert.'

Ze wenkte dat de agent moest binnenkomen. 'Hij zal u nu naar huis brengen. Zoudt u daar niet liever blijven? Ga maar lekker tekenen en vergeet deze plek. U wilt hier eigenlijk helemaal niet zijn.'

'Ach, maar mijn zoon...' Zijn beminnelijke glimlach herinnerde haar aan het feit dat er liefdevol aan leugens werd vastgehouden. Hij zou iedere dag terugkomen om onbelangrijk werk te doen. Vader en zoon zouden doorgaan met de komedie dat hij niet gemist kon worden.

Op dat moment kwam de jonge meneer Halpern het kantoor van de oude man binnen.

'Alles verandert,' zei Mallory.

10

Het hoofd van brigadier Riker lag achterover op de rugleuning van de fluwelen theaterstoel. Hij keek omhoog naar de kroonluchter. Een ontelbare hoeveelheid spitse kristallen pijltjes bungelde aan een gigantische lichtbol en hij had het gevoel dat het ding ieder moment naar beneden kon komen.

De angst voor vallende voorwerpen was heel gewoon in het riskante gedeelte van Manhattan waar voetgangers om de haverklap verpletterd werden door afbrokkelende waterspuwers en kroonlijsten. Dit loterijaspect van het leven in de stad bracht de sportieve inborst van de Newyorkers aan het licht, die de stand van voltreffers bijhielden en missers of bijna-treffers die de dood niet tot gevolg hadden met een schouderophalen afdeden.

Deze kroonluchter was veel te chique en te groot voor een theater met maar driehonderd stoelen. Een vlag op een modderschuit was de uitdrukking die hem aanvankelijk niet te binnen wilde schieten. Maar volgens het persbericht van Nick Prado was het wel een exacte kopie van de originele luchter uit *Faustine's Magic Theater*.

Oliver Tree had een fortuin uitgegeven om het theater van zijn grootmoeder te laten herleven. De galaopening zou over drie dagen plaatsvinden en er liepen nog steeds bouwvakkers rond. Er hing een geur van vers pleisterwerk en verf.

Riker keek op zijn horloge.

Waar hing ze uit?

Als Mallory nu niet snel kwam, zou ze het klapstuk mislopen, het bieden op Olivers podium.

Hij keek omhoog naar het toneel, waar mannen en vrouwen lange tafels vol goochelattributen bekeken. Tijdens de pauze had de veilingmeester zijn spreekgestoelte boven op het podium verlaten. Er werd verwacht dat de man uit Hollywood de hoogste bieder zou zijn en dan zou Mallory's kostbare bewijsmateriaal richting westkust verdwijnen. Riker vroeg zich af of de veilingmeester het eng had gevonden om op de plaats van Oliver Tree te staan en op de kruisbogen neer te kijken.

Nick Prado wuifde even vriendelijk naar Riker terwijl hij de paar treetjes aan de zijkant van het toneel opliep. Gedurende het afgelopen uur was de man overgelopen van professionele charme en minzaamheid en had hij zich gedragen alsof ze al jarenlang de beste maatjes waren. Maar Riker gaf de voorkeur aan de afstandelijkheid van een argwanende kennis. Hij moest niets hebben van Prado's brede glimlach die uitnodigend tegen iedereen die hij ontmoette, zei: *Vind me aardig. Maar ja, hoe zou je ook anders kunnen, niet?*

Nu kwam de man met veel branie over de lange groene loper naar hem toe. Groen was ook de kleur van de theaterstoelen, de muren en hun hoge loges, en van de lange gordijnen die aan weerszijden van het toneel met gouden koorden waren opgenomen.

'Zo ziet de binnenkant van een avocado er dus uit.'

'Je mag de verantwoordelijkheid voor het decor op rekening van Olivers grootmoeder schrijven. In feite is het federaal groen, de kleur van Amerikaans geld. Faustine was dol op toeristen. Daarom heeft ze het theater ook een Engelse naam gegeven. Ze wist niet zeker of Amerikanen wel slim genoeg waren om *Théâtre de Magie* te begrijpen.'

Emile St. John stond aan de rand van het toneel en riep iets naar zijn vriend. Prado excuseerde zich en liep terug naar de bezoekers van de veiling.

Toen Riker zijn angst voor de kroonluchter van zich af had gezet, bewonderde hij de plafondschilderingen van figuren uit beroemde toneelstukken. Op het velletje dat hij van Prado had gekregen werden de rollen niet met name genoemd en de enige die Riker thuis kon brengen was Cyrano de Bergerac met zijn lange neus. Die week duidelijk af van de originele schildering van rond 1900. Maar was het een grap of een blijk van eerbetoon? Er waren kennelijk tientallen jaren verlopen sinds de oude en de jonge man elkaar hadden ontmoet, want Cyrano leek sprekend op Charles Butler als tiener.

Riker stond op uit zijn stoel en draaide zich om naar de deur van de foyer.

Waar zat ze toch?

Hoewel Mallory een zakhorloge bij zich had, wist hij dat ze daar alleen maar voor de schijn op keek, om wat normaler over te komen. Ze liet zich leiden door een inwendige klok die in directe verbinding met haar hersens stond en ze was nooit, helemaal nóóit te laat.

Hij liep door het middenpad en klom de trap op die naar het toneel leidde. Toen hij de zware groene gordijnen was gepasseerd, keek hij opnieuw omhoog.

O, nog méér dingen die naar beneden konden komen.

Zes meter achter de afhangende rand van de gordijnen strekte zich een holle ruimte uit. Een smalle loopbrug overkoepelde de volle breedte van het toneel. Dit plankier van smalle houten latjes was allerminst stabiel en zwiepte hoog in de lucht heen en weer toen een arbeider naar het midden liep om de kabels te controleren waaraan enorme decorstukken boven Rikers hoofd hingen.

Hij richtte zijn blik op de wat minder riskante uitstaltafels en schatte dat een dertigtal veilingklanten de overgebleven stukken stonden te bekijken. Een groepje had zich verzameld bij de voet van het podium en een eenzame goochelaar stond achter het spreekgestoelte van de veilingmeester. Franny Futura was het nieuwe mikpunt van de kruisbogen.

Voor de tweede keer die middag bleef Riker bij alle voetstukken staan en controleerde de magazijnen van de wapens om er zeker van te zijn dat er geen pijlen in lagen. En nog steeds kreeg hij een onbehaaglijk gevoel als hij zag hoe de kruisdraden van de vier vizieren precies over de oude man vielen.

De witharige illusionist liep naar de rand van het podium en zocht oogcontact met Nick Prado die beneden op het toneel stond. Futura maakte een golvende beweging met zijn hand. 'Nick, kom eens. Kom naar boven en kijk hier eens naar.'

Prado schudde zijn hoofd en wendde zich af.

'Nog steeds last van hoogtevrees?' Futura zei het op vrolijke toon, alsof het een punt in zijn voordeel was. 'Het is maar drie meter. Eigenlijk helemaal niet zo…' Zijn woorden stokten toen Prado's lichaam verstrakte en hij zich langzaam naar het podium keerde.

'Franny, mag ik je eraan herinneren dat ik in een penthouse woon – een heel hóóg penthouse?'

Riker noteerde een dubbel punt in het voordeel van Prado. Hoogtevrees viel niet te rijmen met een appartement hoog in de lucht. En Futura had niet de middelen om zich net als Prado een duur appartement te kunnen veroorloven, althans niet volgens de financiële rapporten die Riker over de beide mannen had ontvangen. Op Futura's gezicht verscheen de nederige trek van een bedeesd man, de armste van de twee, een man die aan de aarde gekluisterd was. Hij week terug van de rand en leek nu zelf ook wat angst te voelen. Misschien had hij nu pas de kruisbogen in de gaten gekregen en voelde hij zich kwetsbaar. Voorzichtig kwam hij langs de trap van het podium omlaag.

Prado stond naar de deuren van de foyer te kijken en glimlachte.

Riker keek om en zag zijn partner over het middenpad lopen. Mallory's ogen namen de kroonluchter en het beschilderde plafond op en gleden vervolgens over de groene wanden en de loges. Ze had het uiterlijk van iemand die… wat? Iets herkende? Was ze hier eerder geweest? Nee, dat klopte niet helemaal, want ze was kennelijk verrast door haar omgeving.

Terwijl ze de paar treetjes aan de linkerkant van het toneel opklom, keek Riker met een overdreven gebaar op zijn horloge en genoot van deze zeldzame gelegenheid om haar te treiteren met haar stiptheid en haar erop te wijzen dat ze minstens veertig minuten te laat was. Die kans zou hij misschien nooit meer krijgen.

Maar inmiddels kwam een bekende reus in een driedelig kostuum over het middenpad naar het toneel hollen en Mallory riep hem toe: 'Je bent te láát, Charles.'

Riker keek niet meer op zijn horloge.

'Sorry.' Charles Butler bleef even bij de eerste rij staan om op adem te komen. 'Ik was beneden in de kelder en ik had geen flauw idee van de tijd. Ik wilde de staanders op het podium nog eens goed bekijken. Weet je, er is inderdaad een breuklijn...'

'Dus je gelooft me eindelijk.' Mallory keerde hem de rug toe. 'Riker, wie hebben een bod op het podium uitgebracht?'

'Nog niemand. De veilingmeester heeft een pauze ingelast.'

Charles stond naar het plafond te staren. Hij had zichzelf in de schildering van Cyrano herkend. Maar hij glimlachte toch en deed net alsof hij het sportief opvatte, terwijl hij de trap naar Mallory opliep. 'Wil je dat ik nu even naar het inwendige van het podium kijk?'

'Dat kan niet. Het is verzegeld.' Riker wees naar de veiligheidsbeambte die zich naast de trap van het podium had opgesteld. 'De deur blijft dicht tot de advocaat de poen in zijn vette knuistjes heeft. Ik heb met die filmproducent gepraat. Hij zal zeker het hoogste bod uitbrengen. Hij vindt het goed dat we na de veiling even snel binnen rondkijken, voor hij het naar de kust verscheept.'

'Dat is niet voldoende,' zei Mallory. 'Het podium gaat nergens naartoe tot ik tijd heb gehad om...'

'Wacht even.' Riker trok zijn laten-we-redelijk-blijven-gezicht. 'Je kunt het niet in beslag nemen en we hebben geen bevel tot huiszoeking. We hebben niet eens een onopgeloste moord. De nieuwe eigenaar mag het naar de maan sturen, als hij daar toevallig zin in heeft.'

Charles werd afgeleid door een tafel vol goochelaarsattributen. Hij las de tekst op een van de labeltjes en hield vervolgens een rond zilveren voorwerp omhoog, dat Riker voor een taartstolp had gehouden. 'Deze duiventil is meer dan honderd jaar oud.'

Mallory dwaalde naar een andere tafel omdat ze meer belangstelling voor de vuurwapens had. Ze keek op ieder labeltje terwijl ze langs de hele tafel liep.

Was ze aan het winkelen?

Alsof ze nog niet genoeg wapens had. Maar hier zat vast geen exemplaar bij dat ze aantrekkelijk vond. Wat was het nut van een pistool dat geen kogels kon afvuren? Riker had ze al vergeleken met de veilinglijst in het testament en had op de labels gelezen waarvoor ze bestemd waren. Uit de oude musketten kwam alleen rook. Eén Luger kon geladen worden met draad en pijltjes en er waren een paar revolvers bij die er even dodelijk uitzagen als de wapens die Mallory bij zich had, maar deze startpistolen konden alleen maar lawaai maken.

Franny Futura stond onder aan de trap van het podium toen Mallory hem van achteren aansprak. 'Ik ben gisteravond met Malakhai uit eten geweest,' zei ze. 'Ik weet precies wat er in *Faustine's* gebeurd is.'

Futura draaide zich om en keek haar aan terwijl hij met zenuwachtige gebaartjes zijn handen balde en weer ontspande. 'Ik weet niet...'

'Al goed, Franny.' Nick Prado dook bij de onderste tree van de trap op en glimlachte tegen Mallory. 'Emile en ik hebben vanmiddag met Malakhai gebruncht. Ik vraag me af waarom hij ons niets over dat gesprek heeft verteld.'

'Nou ja, zijn geheugen is niet meer wat het geweest is.' Er klonk ontegenzeggelijk een ondertoon in Mallory's stem, maar Riker begreep niet waar het op sloeg. Ze was kennelijk teleurgesteld door Prado's reactie toen hij alleen maar zijn schouders ophaalde.

Toen ze iets dichter bij Futura ging staan, week het hoofd van de man achteruit, wat het komische effect had dat zijn magere nek nog slapper scheen, terwijl zijn voeten aan de grond vastgekleefd leken.

'Malakhai heeft me niet verteld hoe jullie je van het lichaam hebben ontdaan,' zei Mallory. 'Wat hebben jullie met haar gedaan?'

Riker had medelijden met Mallory's doelwit, maar hij wist dat ze beet had. Futura's mond hing open – te verbaasd voor woorden.

Nick Prado gaf in zijn plaats antwoord. 'We hebben haar in de kelder begraven.'

Futura knikte met een ziekelijk glimlachje. 'We hebben de oude dame echt niet vermoord.'

Nu was het Mallory's beurt om verbaasd te zijn. 'De óúde dame?'

Prado grinnikte en gunde haar een blik op al zijn tanden. 'Olivers grootmoeder, Faustine. Ik kan je verzekeren dat ze een natuurlijke dood is gestorven.'

'En daarom hebben jullie het lichaam in de kelder verstopt?' Mallory wapperde met een van haar handen. 'Logisch.'

'Nou ja, we hebben nagelaten om aan de bevoegde autoriteiten door te geven dat ze dood was.' Prado's stem klonk achteloos, alsof stiekeme begrafenissen dagelijkse kost voor hem waren. 'We hadden het geld van haar pensioen nodig om de huur van het theater te kunnen betalen. Ze was Olivers grootmoeder. Als hij het niet erg vond, waarom zou jij je er dan druk over maken?'

'Prima, het kan me echt niets schelen, al hadden jullie die oude vrouw laten opzetten. Ik wil het over Louisa hebben.' Ze richtte zich uitsluitend tot Futura, maar die had de macht over zijn benen teruggekregen en week achteruit. Mallory kwam weer een stap dichterbij. 'Ik durf te wedden dat jij de verklikker was die haar heeft aangegeven.'

Riker schudde zijn hoofd. Dat was duidelijk bluf, eigenlijk niets voor Mallory.

'Die weddenschap zou ik niet aannemen.' Nick Prado ging tussen Mallory en Futura staan. Hij glimlachte luchtig en minzaam. 'De kans dat je gelijk hebt is fiftyfifty. Half Parijs collaboreerde met de Duitsers.'

Riker onderdrukte een glimlach. Daarmee had Nick Prado alleen maar bevestigd welke positie Louisa Malakhai in de maalstroom van de gebeurtenissen had ingenomen. Mallory had deze man juist ingeschat, hij was de ultieme egoïst die nooit een kans voorbij zou laten gaan om haar af te troeven.

'Dat klopt,' zei ze. 'Maar de Duitsers hebben haar niet vermoord.' Mallory stond nog steeds naar Futura te kijken, althans naar wat ze achter de rug van Prado van hem kon zien.

Vervolgens rechtte Futura zijn rug en hield zijn hoofd iets meer rechtop, een stuk moediger nu een andere man zich bij hen had gevoegd. De grotere, wat kalmere Emile St. John had een van zijn zware handen op Futura's magere schouder gelegd en de rol van beschermer op zich genomen.

Riker voelde een vreemd soort affiniteit met St. John die rondwandelde in een draagbare oase van rust waardoor iedereen in zijn omgeving beïnvloed werd – met uitzondering van Mallory.

Natúúrlijk. St. John deelde die eigenschap met wijlen haar pleegvader. Zou Mallory dat ook in de gaten hebben?

'Louisa's dood was een ongeluk,' zei St. John. 'Het was geen…'

'U bedoelt die truc met de magische kogel?' Mallory ging naast Nick Prado staan, waardoor ze Futura weer duidelijk in het oog kreeg. 'Dat nummer met een pistool, dat was aangepast voor een kruisboog? Nee, Louisa is niet door een pijl gedood.'

Futura was een beetje uit het lood geslagen; hij hield zijn hoofd niet als een verbaasd vogeltje opzij, zoals gewoonlijk, maar leunde met zijn hele lichaam naar één kant en zelfs St. John was van zijn stuk gebracht. Maar dat gold niet voor Prado, die onverstoorbaar bleef glimlachen.

Mallory liep om Prado heen om Futura aan te kunnen spreken. 'Wist Louisa dat ze echt zou worden neergeschoten? Wist ze dat de kruisboog die Malakhai gebruikte geladen was?'

Futura reageerde alsof iemand hem een stomp had gegeven. Zijn hoofd bewoog in iets wat het midden hield tussen gewiebel en ontkennend schudden. 'Als ze het wist, was ze een fantastische toneelspeelster.' Hij keek op naar St. John. 'Weet je nog hoe ze keek, Emile? Ze was verbijsterd.'

Riker besloot dat dit waarschijnlijk niet het beste moment was om Mallory eraan te herinneren dat het haar verboden was om iemand aan een kruisverhoor te onderwerpen. Door het luide elektronische gepiep van rondzingende microfoons werd zijn aandacht weer op het spreekgestoelte boven op het podium gevestigd.

De advocaat van Oliver Tree stond achter de microfoon van de veilingmeester. 'Mag ik even uw aandacht?' Het kale hoofd glom spiegelend in het licht van een batterij lampen boven zijn hoofd. Hoewel hij zeker honderdvijfendertig kilo woog, zou je hem niet dik noemen; geld had met die enorme onvolkomenheid afgerekend. Een grote hoeveelheid donkere kostuumstof omgordde zijn brede taille met de geniale lijnen van Armani. 'De pauze wordt over enkele minuten beëindigd. Wilt u allemaal weer op uw plaats gaan zitten?'

Mallory liep naar de voet van de podiumtrap en hield haar gouden penning omhoog. 'Ik wil eerst even de ruimte binnen in deze kist bekijken. Bent u de executeur? Atkins?'

'Ja-a-a.' Alleen een man met een adres op Park Avenue kon zoveel lettergrepen in een woord van twee letters aanbrengen. En uit zijn houding bleek duidelijk dat ze hem als menéér Atkins diende aan te spreken. De advocaat liep geaffecteerd het trapje af op zijn lakleren voetjes die onwerkelijk aandeden bij zijn omvang. Terwijl hij haar identiteitsbewijs wegwuifde met een van ringen glinsterende hand, vermeed hij het opzettelijk om haar aan te kijken. Hij richtte zich tot de lucht boven haar hoofd: 'Ik weet wie u bent. U hebt die ballon neergeschoten. Ik heb al met die andere rechercheur gesproken... Riker, nietwaar?'

De toon van de advocaat liet niets te raden over – Riker kon zijn naam net zo goed door het woord 'gajes' vervangen.

Atkins stak een bestraffende vinger naar Mallory op alsof hij met een kind te maken had. 'Niemand anders dan de koper mag de binnenruimte van het podium bekijken.'

'Dit is een politiezaak,' zei Mallory – een alternatief voor *stomme lul*.

'Hebt u een bevel tot huiszoeking? Nee? Dat dacht ik al.' De advocaat draaide zich om en zeilde met veel bombarie het toneel over als een groot donker schip dat de haven uitvoer.

Ze riep hem na: 'Atkins? Dit podium houdt verband met een moord.'

Nu was ze het middelpunt van de aandacht. Dertig hoofden keerden zich naar haar toe.

De jurist glimlachte toen hij zich omdraaide. 'Maar géén bevel tot huiszoeking?' Hij zeilde terug over het toneel en meerde vlak voor haar af, waarbij hij zich dit keer wel verwaardigde haar in de ogen te kijken. 'Ik ben er echter van overtuigd dat uw korte opmerking het bieden aanmerkelijk zal opvoeren. Wilt u een scène maken? Doe wat u niet laten kunt. Ga maar flink tekeer over moord, dan bied ik u misschien wel een klein percentage van de winst.'

'Dat riekt naar omkoping, meneer de jurist.'

Atkins snoof en sloeg een hand voor zijn mond. Aan zijn vingers glinsterden de grote edelstenen in vier ringen. 'Dan zult u toch beter uw best moeten doen, brigadier.' Zijn toon maakte duidelijk dat ze met wanstaltige rijkdom en macht te maken had en dat ze dus véél beter haar best moest doen.

Mallory wees naar de kruisbogen. 'Hebt u een vergunning om schietwapens te verkopen?' Ze glimlachte. 'Nee? Dan zal ik een eind aan de veiling moeten maken.'

De jurist trok slechts één wenkbrauw op. 'Ik zou dat dreigement maar niet herhalen als ik u was. Oliver Tree had een speciale vergunning van de burgemeester. Als executeur-testamentair mag ik van die vergunning gebruikmaken om zijn bezittingen van de hand te doen.'

Dat klonk Riker als juridische bluf in de oren, maar Mallory, een doorgewinterde pokerspeelster, scheen niet van zins hem te vragen zijn kaarten op tafel te leggen. Ze leek afgeleid te worden door de tafel waarop de toneelwapens lagen uitgestald. 'Die vergunning heb ik gezien, Atkins. Ik weet dat de verkoop van vuurwapens er niet onder valt.'

'Dat zijn allemaal onschuldige rekwisieten, dat weet u best.'

'Misschien is dat wel niet zo. Ik weet dat de neef van Oliver Tree toegang tot deze verzameling had. Een van deze pistolen zou een moordwapen kunnen zijn. Als u me geen vergunning kunt laten zien…'

'Oliver Tree werd door pijlen gedood. Vreemd dat ik een politiefunctionaris op dat simpele feit moet attenderen.'

'Het gaat om een ander onderzoek, Atkins.' Ze sprak zo zacht dat Riker zijn nek moest rekken om haar te kunnen verstaan. 'Ik heb een dode drugsdealer in de East Village.'

Wát? Nou ja, eigenlijk kon die leugen geen kwaad. Er was altijd wel ergens een dode dealer in het centrum. Maar nu de Dominicaanse drugsbendes hun Amerikaanse collega's volkomen uitgemoord hadden, zou ze mazzel hebben als ze een nieuw lijk op de kop kon tikken.

'Die neef is ook een cliënt van u, meneer Atkins. Ik weet dat u die knul uit de puree hebt geholpen toen hij de laatste keer wegens drugsgebruik werd opgepakt.' Inmiddels sprak ze zo luid dat iedereen haar kon verstaan. 'Als een rechercheur uw vergunning om vuurwapens te verkopen wil zien, wordt er niet over gediscussieerd. Zijn er nog andere eenvoudige wetten die ik u uit moet leggen – voor ik deze veiling afblaas?'

Riker glimlachte. Hij wist dat het grote geld in het vertrek met het ochtendvliegtuig terug zou gaan naar Hollywood. Het aandeel van Atkins zou kleiner zijn als de veiling werd uitgesteld. Mallory had de advocaat in zijn portemonnee geraakt, het equivalent van een schot in de buik bij een menselijk wezen.

'Zullen we eens kijken wat er op die labeltjes staat?' De jurist pakte een revolver van de tafel en stond er achteloos mee te zwaaien. Hij had kennelijk nog nooit eerder een vuurwapen in handen gehad – of misschien ook wel, want hij hield de loop op Mallory gericht terwijl hij het kaartje bekeek. 'Allemaal onschuldige attributen. Ziet u wel?' Hij hield het labeltje omhoog. 'Deze vuurt alleen rook af. Allerminst dodelijk.'

'Hij heeft gelijk, Mallory.' Nick Prado keek over de schouder van de advocaat. 'Een heleboel rook en een luide knal, maar geen kogels. Hier kan niet eens ammunitie in. Het mechanisme loopt via de loop en…'

Zijn verhaal stokte abrupt toen hij Mallory's blik zag. Op dat moment sloten ze een vreemd verbond. Prado gaf gehoor aan de wenk die ze hem gaf, stapte achteruit en schonk de jurist een gemene grijns.

Mallory keek omlaag naar een andere revolver op de tafel en bukte zich om hem beter te bestuderen. Het wapen was een startpistool volgens het label dat eraan hing. 'Deze ziet er volgens mij heel echt uit, maar ik ben maar een rechercheur. Hoe zou ik dat moeten weten? Ik denk dat ik de veiling gewoon schors tot de officier van justitie een beslissing heeft genomen. Dat hoeft niet meer dan een paar dagen te kosten.' Bij nader inzien voegde ze eraantoe: 'Of ik zou even in het binnenste van het podium kunnen kijken.'

'Daar trap ik niet in, brigadier.' De neerbuigende glimlach van de advocaat was verdwenen. 'Kijk eens om u heen. Ik heb een huis vol goochelaars, allemaal deskundigen. Zij kunnen u vertellen dat deze pistolen rekwisieten zijn. Kijk dan naar die verdomde kaartjes.' Er sloop iets dreigends in de toon van de man toen hij zijn stem dempte. 'Maar u had gelijk met betrekking tot Olivers neef. Die jongen is inderdaad mijn cliënt.' Hij kwam naar haar toe, wellicht in de veronderstelling dat ze terug zou deinzen. Dat deed ze niet. En nu bevond hij zich in de moeilijke positie dat hij een stap achteruit moest doen om Mallory de ruimte te geven.

Hij zuchtte en schonk haar een lange blik vol medelijden. 'Gezien wat u Richard hebt aangedaan – dat u hem zonder aanzien des persoons onderuit hebt gehaald.' Hij zuchtte. 'Tja, dan denk ik toch dat de jongen een aanklacht moet indienen wegens een onterechte arrestatie en bruut politieoptreden. Als de officier van justitie erachter komt hoe gemakkelijk dat proces vermeden had kunnen worden, bent u uw baantje kwijt, nietwaar brigadier?'

De bezoekers van de veiling dromden om hen heen als toeschouwers bij een straatgevecht.

'Dat klinkt als een dreigement,' zei Mallory. 'En nog wel in het bijzijn van getuigen.'

'O, maak toch dat u wegkomt, brigadier – voordat u zich wéér volslagen belachelijk maakt. Ga maar weer een ballon neerschieten.' De advocaat zocht steun bij de omstanders, maar op alle gezichten die hem aankeken stond afkeuring te lezen. Kennelijk hadden ze meer op met Mallory, waarschijnlijk in de onjuiste veronderstelling dat zij bij deze woordenwisseling de meeste kans liep om het onderspit te moeten delven.

'Er is een snellere manier om die vuurwapens te controleren.' Ze pakte een van de revolvers van de ene tafel en een pak kaarten van een andere.

Riker stond achter de rug van Atkins met zijn hoofd te schudden en geluidloos néé te zeggen. Ze keerde zich van hem af. Hij liep snel om de jurist heen en stak zijn hand uit om haar tegen te houden.

Te laat.

Ze gooide het pak hoog op in de lucht en vuurde het pistool af op de stortvloed van speelkaarten die omlaagkwam. Het schot ging gepaard met een harde knal.

Het gezicht van de advocaat was bleek. Zijn abstracte wereld van wetboeken en contracten was mijlenver verwijderd van het brute geweld van pistoolschoten.

Mallory bukte zich en pakte een kaart van de vloer. Ze draaide zich om en keek hem aan door het ronde gat dat er middenin zat. 'Echte kogels.'

En op dit kwetsbare moment, terwijl de mond van de advocaat nog openhing van schrik – nee, zeg maar van afschuw – snauwde ze hem bevelend toe: 'Kom maar op met die verdomde papieren van dit pistool! Ik wil die vergunning van u zien! Ik wil...'

Haar stem werd overstemd door het luide applaus en het gefluit van de toekijkende veilingbezoekers. Ze werd als de duidelijke winnaar bejubeld. Maar Riker zag dat de advocaat zich hersteld had en Mallory met onverholen haat aanstaarde.

'Misschien kunnen we allebei van de paperassen afzien?' De advocaat glimlachte niet bepaald oprecht. 'Ga uw gang als u een kijkje in het inwendige van het podium wilt nemen. Als u maar opschiet.' Hij liep terug door de meute toeschouwers. 'Dames en heren, wilt u alstublieft op uw plaatsen gaan zitten en een paar minuten wachten.'

Het merendeel van de aanwezigen ging terug naar de stoeltjes op de eerste rij. Charles Butler bleef vlak bij Mallory op het toneel staan en zijn stem klonk ongewoon kil. 'Mag ik dat pistool even zien?' Zonder te wachten tot ze hem het wapen overhandigde, pakte Charles het haar af – wat hem een nieuwe dosis respect van Riker opleverde.

Ze wilde net protesteren toen Riker haar meetrok naar de zijkant van het toneel en dat ging niet bepaald zachtzinnig. 'Mallory, ben je nu helemáál gek geworden?' Hij had haar arm zo stevig vastgepakt dat ze er misschien wel een blauwe plek aan over zou houden; hij was echt ontzettend kwaad. 'Hoe kun je hier nou in vredesnaam een pistool afvuren? Die kogel had wel af kunnen ketsen op...'

'Ben je van plan om me tegenover hoofdinspecteur Coffey te verlinken?'

'Wat? Lúíster naar me! Je bent niet...'

'Ik ben niet te vertrouwen met vuurwapens?' Ze schudde zijn hand met een ruk van haar arm af. 'Toe maar... ga maar verslag bij Coffey uitbrengen. Vertel hem alles maar over mijn trucje met die kaarten – dan zal hij me ongetwijfeld ontslaan. Dat wil je toch, of niet soms? Jij gaat ervan uit dat het beter is dat ik mijn baan kwijtraak dan dat ik als een verknipte smeris de dood vind.' Ze prikte met een lange rode vingernagel in zijn borst en behoorlijk stevig ook. 'Nietwaar?'

Hij hief zijn gezicht op en staarde naar de arbeider op de loopbrug hoog boven hen. *O, lieve god*. De man in de overall had precies in de baan van haar schot gestaan. Riker werd er niet goed van toen Mallory naar hem opkeek en glimlachte. Ze had niet op deze onschuldige toeschouwer gerekend, maar ze beschouwde hem kennelijk als een onverwacht extraatje.

Riker haalde een hand door zijn grijzende haar. Hij snakte naar een borrel. 'Als het nou alleen maar om die ballon ging. Maar eerst haal je die stomme streek met die rat uit en nu...'

'Ik verspil nooit kogels, Riker.'

'Lieg niet... niet tegen mij. Vier agenten hebben gezien dat je die rat van de snoepautomaat af schoot.'

'Riker, als ik zo'n hopeloos scharminkel ben, hoe komt het dan dat ik totaal geen moeite heb om begrip op te brengen voor al die aardige normale mensen om me heen? Denk jij dat ik een schietgrage gek ben? Prima. Ga dan maar naar Coffey. Nu metéén. Vooruit!' Ze deed een stap achteruit en stond hem aan te kijken alsof hij een vreemde was in plaats van een man die haar had zien opgroeien. 'Snap je het dan niet, Riker? Jij bent degene die ík niet kan vertrouwen. Vind je dat een leuk gevoel? Ik ben je partner, maar ik kan je niet vertrouwen.'

'Dat verdien ik niet.'

'In deze zaak werk je niet met me samen. Je blijft alleen maar in de buurt om me in de gaten te houden. En ik weet best waarom. Opgeruimd staat netjes? Dat zeggen jullie toch als een doorgedraaide diender het loodje legt? Ik moet maar hopen dat ik nooit in de knoei zal komen als ik alleen maar op jou terug kan vallen.'

Ze liep met grote passen bij hem weg, in de richting van het podium, maar Charles Butler versperde haar de weg. Hij stak zijn hand uit. Ten slotte legde ze de beschadigde speelkaart met tegenzin op zijn vlakke hand.

Charles hield het pistool omhoog dat hij Mallory had afgepakt. 'Het is echt alleen maar een toneelattribuut, Riker. Veel lawaai, maar geen kogels.'

'Ze heeft een gat geschoten in de...'

'Niet geschoten.' Charles keek neer op de beschadigde speelkaart in zijn hand. 'Dit gat is met een stalen priem gemaakt. Een roestvrijstalen priem, om precies te zijn. Zullen we eens kijken of we nog meer te weten kunnen komen?' Hij hield de kaart dichter bij zijn ogen alsof hij er op die manier nog meer informatie aan kon ontlokken en zei droog: 'Onmiskenbaar een barbecuepen uit de keukenla van rabbijn Kaplan.' Hij draaide de kaart om. 'En dit patroon op de achterkant? Dat past niet bij de kaarten op de grond.'

Charles keek Mallory aan en wees met een beschuldigende vinger naar de wollen stof die onder haar openhangende jas te zien was. 'Je droeg die blazer ook op de avond dat we zaten te pokeren. Daarom had je toevallig een kaart in je zak – een kaart met een gát erin. Die heb je tijdens het pokeren achterovergedrukt.'

Mallory toonde geen spoor van berouw. 'Nou, dat spook speelde toch ook vals? Maak dat podium nou maar open en kijk of alles in orde is, oké Charles?'

'Zomaar een kaart achteroverdrukken? Je laat me echt schrikken, Mallory.'

Dat gold ook voor Riker. Hij had zijn beide handen in zijn zakken gepropt om zijn partner niet te laten zien dat hij zijn vuisten balde.

Charles drukte even op het hout in het midden van de wand van het podium en de deur ging open. Hij keek naar binnen en week toen haastig achteruit vanwege de stank.

Een menselijke arm strekte zich langzaam en kwam op de vloer van het podium terecht met een zachte bons van dood wit vlees op hout. Een mouw was tot boven de elleboog opgerold. En op dat moment rolde een bovenlijf om en viel op de grond. Er stak een pijl uit de borst van een verkreukeld smokingoverhemd, maar op de plek van de wond was geen bloed te zien. Het had een in elkaar gezette truc kunnen zijn – afgezien van het levensgrote gat in de borst. Riker had de kruisboogschutter nooit zonder zijn hoge hoed gezien. Het rode peenhaar viel in verwarde jongensachtige lokken om het hoofd. Op het vertrokken witte gezicht streden pijn en verbijstering over de dood om voorrang.

De groep veilingbezoekers sloop opnieuw het toneel op en liep bijna op hun tenen naar het podium toe.

'Dat is Richard – de neef van Oliver,' zei Nick Prado. Zijn gezicht stond volkomen beheerst en zijn stem klonk kalm.

Riker kwam tot de conclusie dat de stank van dode lichamen voor Prado niets nieuws was, want hij bleef gewoon staan terwijl de rest van de mensen duidelijk geschokt was en misselijk achteruitdeinsde. De ingewanden van het lijk hadden zich geleegd doordat de spieren zich na de dood ontspannen hadden. Uit de bedorven lucht bleek hoe goed de deur van het podium sloot.

Franny Futura was achteruitgeweken naar de rand van het toneel. Zijn aanvankelijk blozende wangen hadden alle kleur verloren. Emile St. John toonde geen enkele emotie en Riker vroeg zich af wat er moest gebeuren voor die man zijn zelfbeheersing verloor.

Mallory knielde naast het lijk neer en raakte het aan. Het slappe lichaam bewoog gemakkelijk onder haar onderzoekende hand. De door rigor mortis veroorzaakte stijfheid was al verleden tijd.

'Hij is al een paar dagen dood.' Ze glimlachte flauw toen ze naar Riker opkeek. 'En nu kan ik er echt tegenaan.'

Jack Coffey keek neer op de paperassen op zijn bureau, een politierapport van de dood van de Kruisboogman, alias Richard Tree. 'En wanneer krijgen we bericht van de patholoog-anatoom?'

'Morgenochtend vroeg,' zei Riker. 'Dokter Slope doet het zelf. En ze heeft Heller ingeschakeld voor het forensische werk aan het podium. Kennelijk was er niets mis met het instinct van die meid.'

Coffey schoof Rikers rapport aan de kant. 'Gaat Slope een volledige autopsie doen?'

'Ja, met alle toeters en bellen,' zei Riker. 'Mallory had echt mazzel dat die pijl in zijn lijf zat. Meer had ze niet nodig om het podium in beslag te nemen. En nu heeft ze een onopgeloste moord. Verdomd knap politiewerk.'

'Over haar werk heb ik nooit te klagen gehad,' zei Coffey. 'Het is haar geestelijke toestand waarover ik me zorgen maak. Hou je wel een oogje op haar?'

Riker schudde zijn hoofd. 'Nee, ik pas niet meer op de kleintjes. Ze is volwassen.'

'Ze is gevaarlijk.'

'Is dat zo?' Riker stak een sigaret op hoewel er nergens een asbak te zien was. 'Misschien hecht u te veel geloof aan uw eigen preek, hoofdinspecteur. Die tussen twee haakjes niet de minste indruk op haar heeft gemaakt. Maar het was leuk geprobeerd.'

'Jij was anders wel onder de indruk, Riker. Je wéét hoe ze is.'

'Ja, ze is mijn partner en ze is goed. We hebben nog nooit eerder een rechercheur met zoveel talent gehad – met uitzondering van haar pa misschien. Maar zal ik u eens wat vertellen? Volgens mij wordt ze nog beter dan Markowitz ooit geweest is. Nou ja, u hebt gedaan wat u kon, en het is mislukt.' Hij stond op en knoopte zijn jas dicht. 'Het spelletje is uit, hoofdinspecteur. Geef me Mallory's revolver maar. Ik zal er wel voor zorgen dat ze hem terugkrijgt. Nu die meid weer aan het werk is...'

'Ze heeft genoeg vuurwapens om mee te spelen. Ze moet maar genoegen nemen met haar .38. Ik hou dat kanon nog een tijdje vast.' Hij glimlachte. 'Zeg maar tegen haar dat ik wacht tot de kogel van die dooie ballonhond is gevonden, zodat we die kunnen vergelijken...'

'Gelul,' zei Riker. 'Er wordt helemaal niet naar die kogel gezocht. U hebt geen enkele reden om haar revolver achter te houden. Wílt u dan dat ze het idee krijgt dat u haar niet vertrouwt?'

Coffey reageerde ongelovig. 'Ik heb haar nóóit vertrouwd. Weet Mallory dat dan niet? En die zaak van de ballon is helemaal niet afgehandeld. Er komt nog meer bij kijken.' Hij drukte op de afstandsbediening van het kleine tv-toestel in de hoek van het kantoor. De video liet nog eens zien hoe agent Henderson van zijn steigerende paard viel, terwijl de gigantische ballon naar beneden kwam. 'Deze band wordt door Henderson als bewijs aangevoerd bij het proces dat hij tegen de stad heeft aangespannen.'

'Proces? Die idioot is van zijn paard gevallen. We wisten toch niet dat hij zo'n belabberde ruiter was?'

'Hij beweert dat het paard hem niet afgeworpen zou hebben als Mallory niet voor een gevaarlijke, levensbedreigende situatie had gezorgd. Het gaat om tien miljoen dollar, Riker. En alles hangt af van het feit of Henderson al dan niet kan bewijzen dat zij die grote hond heeft neergeschoten.'

'Nou, de ballen met mijn baantje. Ik ga meteen op zoek naar een paard en een advocaat,' zei Riker.

'Het wordt nog erger. Henderson beweert dat de stad willens en wetens een gevaarlijke psychopaat in dienst heeft genomen. Zijn woordkeus mag dan wat overdreven zijn – maar het komt in de buurt.' Coffey spoelde de band terug en draaide hem opnieuw af. 'Ik vind het écht leuk om die kleine smeerlap op zijn kont te zien vallen. Hij heeft zijn stuitje gebroken.'

'Ik hoop dat hij verrekt van de pijn.'

Coffey schakelde de tv uit. 'Mallory kan gewoon aan de zaak blijven werken, maar officieel is ze nog niet aan de slag. Misschien treft de stad over een week of twee een schikking om te voorkomen dat het op een proces uitloopt. Maar Mallory moet leren...'

'Ach, barst met die ballon. Ze zegt dat ze haar revolver in die menigte helemaal niet heeft getrokken. Ik...'

'Ja, hoor. Ze heeft het niet gedaan. Dat zou ik als een goede grap kunnen beschouwen, Riker. Maar ik weet dat Mallory geen gevoel voor humor heeft. En ze heeft niet ontkend dat ze haar revolver in het bureau heeft afgeschoten, hè? Een stompzinnig cowboyschot, en waarom? Vanwege een verdomde rat. Iedere keer als ik eraan denk, slaan de vlammen me weer uit.'

'Ik geloof niet...'

'Jij hebt er niets over te vertellen, Riker. Het maakt niet uit wat jij ervan vindt.'

'Ja, dat maakt wel uit. Maar ik vind het jammer dat u er zo over denkt, hoofdinspecteur.' Riker legde zijn gouden penning op de hoek van het bureau. 'Geef me de revolver van die meid, anders kunt u mijn penning houden, als ik de deur uitloop.'

'Je moet dat niet zo persoonlijk opnemen, Riker. Het gaat om de indruk die ze heeft gewekt. Ik moet me wel zorgen maken over wat die agenten hebben gedacht toen ze die rat...'

'Die jongens in uniform zijn geen kleine kinderen meer. Ze hebben allemaal wel een hamster gehad die doodging.' Riker schoof zijn gouden penning over het bureau. 'Ik bluf nooit, hoofdinspecteur. En ik begin er ook nooit aan. Dat heb ik me vast voorgenomen.'

Terwijl de vermoeide rechercheur het trappenhuis uitkwam met een zware papieren zak waar Mallory's zwaarste revolver in zat, riep de dagcoördinator: 'Hé, Riker. Heb je een momentje?'

'Tuurlijk.'

Riker slenterde naar hem toe en leunde met een gebogen elleboog op de rand van de verhoogde balie. Die had veel weg van een chique kansel en dat paste mooi bij het werk van de brigadier die tot taak had om af en toe zegeningen maar veel vaker straffen aan zijn straatagenten uit te delen.

'Wat is er aan de hand, Harry?'

Brigadier Harry Bell was een vlezige man met een rode neus. Gedurende de afgelopen vijfendertig jaar was hij samen met Riker in het vak vergrijsd. 'Zie jij je partner nog voor ze weer van vakantie terugkomt?'

'Jawel.'

'Nou, dan kun je haar vertellen dat ze de weddenschap over Oscar de Wonderrat heeft gewonnen.' Brigadier Bell leunde over de balie en overhandigde hem een vuist vol biljetten van tien, vijf en één dollar. 'Tien dollar per persoon van vier agenten. Dan staan we quitte met Mallory.'

'Wat?' Riker staarde naar het geld in zijn hand. 'Hebben jullie een weddenschap afgesloten over een verrekte rat?'

'Riker, ik heb je dat verhaal over die rat toch verteld. Toen je...'

'Nee, Harry. Je hebt alleen gezegd dat ze dat beest doodgeschoten had.'

'Ja, maar ze zei dat de rat ziek was. Daar ging die weddenschap om.'

'Vertel me alles maar, Harry. Mallory zegt namelijk geen woord meer tegen me en ik begin me knap eenzaam te voelen. Wat heeft al dat geleuter over een zieke rat te betekenen?'

'Je hebt hem toch wel eens gezien? Hij was zo rap als de pest, of niet soms?' Harry Bell maakte een snelle, flitsende beweging met zijn hand. 'Maar laatst op een avond bewoog Oscar zich heel sloom, zo tam als een stoned poesje. Hij zat daar maar gewoon boven op de snoepautomaat om zich heen te kijken. Dus Pete Hong...'

'Die nieuwe rekruut?'

'Ja. Die knul is nog heel jong. Hij komt uit een leuk rustig stadje ergens in het noorden van de staat. Volgens mij had hij nog nooit een rat gezien. Dus hij gaat met zijn wapenstok naar Oscar zitten zwaaien. Geen reactie. Hij loopt naar hem toe alsof hij die vieze kleine haarbal wil gaan aaien. Maar voor ik mijn mond open kan doen, gaat Mallory op haar strepen staan en geeft Pete het bevel om bij die rat weg te gaan.'

Echt iets voor mijn kleine diplomaat.

'En hoe nam die jongen van jou dat op, Harry?'

'Niet zo best. Vervolgens zegt Mallory dat die rat ziek is en dat zelfs een groentje zou moeten weten dat hij hem niet aan moest raken. Nou, toen stond Pete wel even met zijn bek vol tanden. Ik vond het knap vervelend voor die knul – hij is hier nog geen week en jouw partner geeft hem in het bijzijn van twee andere agenten het gevoel dat hij een verdomde idioot is.'

'Dus toen moest jij wel achter die knaap van jou gaan staan, hè?' Riker knikte. De rest kon hij wel raden.

'Je kunt er donder op zeggen dat ik achter hem ben gaan staan,' zei brigadier Bell. 'Ik laat een van mijn mannen niet voor Jan Joker zetten door een verdomde stille van Moordzaken – daar bedoel ik verder niks mee, Riker. Maar goed, ik heb het idee dat ze gelijk heeft, alleen zeg ik dat die rat gewoon overvoerd is, opgeblazen – en dat hij dáárom zo sloom is. Die ouwe Oscar heeft zich jarenlang te goed gedaan aan onze lunchpakketten en het wás een vet mormel. En vervolgens zeggen die andere twee jongens dat ze het eens zijn met mijn theorie over die opgeblazen rat.' De brigadier haalde zijn schouders op. 'Ze zien heus wel wanneer een rat ziek is, maar...'

'Maar het is veel belangrijker om hun eigen man te steunen,' zei Riker glimlachend.

'Verdomd als het niet waar is. Dus toen zegt jouw partner: "Wat zetten jullie erop?"'

'Mallory weet precies hoe ze een stelletje sukkels geld uit de zak kan kloppen.'

'Ja, inderdaad. Dus toen hebben we er allemaal geld op gezet.'

'Ik wil het nog even op een rijtje zetten,' zei Riker. 'Jij en die andere twee agenten... jullie wísten dat ze gelijk had, maar jullie accepteerden die weddenschap toch? Jullie állemaal?'

'Ja, het was gewoon te ver gegaan. En Pete Hong was de eerste die met het geld op de proppen kwam. Hoor eens, wat konden we doen? Een tientje – dat is niet veel om ervoor te zorgen dat die knul niet op z'n bek gaat. Goed, we hadden dus allemaal geld op die kleine haarbal ingezet. Pete wilde niet dat Oscar ervandoor ging, maar Mallory wilde nog steeds niet hebben dat hij die rat aanraakte.'

'Omdat hij ziek is en misschien zelfs wel gevaarlijk.'

'Ja, je weet maar nooit met ratten. Oscar staat net op het punt om achter de snoepautomaat weg te duiken. Zo kwam hij altijd naar binnen. Door dat verdomde gat in de muur, zo groot als een vuist. Net als die rat zich uit de voeten wil maken, schiet Mallory hem met één kogel neer. Een keurig schot.'

De dagcoördinator stak Riker een pak paperassen toe. 'Dit is het labrapport van de gezondheidsdienst. Dat is vanmorgen binnengekomen. Mallory had gelijk – die verdomde rat was ziek. Nu gaat de gemeente bij iedereen hier een bloedonderzoek doen.'

Riker las de vellen vluchtig door. Er zat ook een verslag van de groepschef bij. In minder kleurige termen dan brigadier Bell had gebruikt, beschreef het kort de wettige en noodzakelijke afrekening met een potentieel gevaarlijk dier.

'Harry, ik wil dat je al die paperassen naar de afdeling bijzondere misdrijven stuurt. Zorg ervoor dat Coffey ze onder ogen krijgt.' Riker klopte op de balie. 'En wel meteen, oké?'

'Komt in orde. Had de hoofdinspecteur ook op de rat ingezet?'

'Zo kun je het wel stellen!' Riker grijnsde toen hij naar de uitgang liep.

Jack Coffey had zich in Mallory vergist. Ze had wel degelijk gevoel voor humor. En hij had haar tegelijkertijd ook goed ingeschat. Die meid was echt een monster. Ze had de hoofdinspecteur rustig zijn preek laten afsteken over de dodelijke afrekening die schietgrage politiemensen te wachten stond. En ondertussen had ze rustig zitten wachten tot de gezondheidsdienst deze officiële eersteklas knock-out zou uitdelen.

Wat een gehaaide streek!

Als het rapport op het bureau van Coffey belandde, zou de hoofdinspecteur ploffen of schreeuwend met zijn kop tegen de muur lopen.

Riker liep met één triomfantelijke vuist in de lucht het bureau uit.

Een-nul voor Mallory!

II

In een poging om de wet een stap voor te zijn, had het restaurant een kwart van de ruimte afgescheiden. Achter glazen wanden die van plafond tot de vloer reikten, zaten mensen gezellig aan hun tafeltjes onder het genot van een sigaar of een sigaret. Hun rook kringelde omhoog naar de langzaam wentelende bladen van een plafondventilator.

Voor het geval iets van die illegale rook uit de afgescheiden ruimte zou ontsnappen, stond er in het hoofdgedeelte van het restaurant een hardwerkende luchtzuiveringsinstallatie, die alles in de omgeving opzoog, met inbegrip van het aroma van wijnen, sauzen, vleesgerechten en pasta. In dit geurvrije gedeelte zaten de niet-rokers de etensgasten achter glas te bekijken alsof het historische bezienswaardigheden waren uit de tijd voordat New York City gesteriliseerd werd.

De gerant stond achter een lessenaar en bladerde in zijn reserveringsboek, terwijl hij net deed alsof hij de mensen die voor hem in de rij stonden niet zag.

Een glimlachende kelner in een wit smokingjasje liep naar de vrouw die helemaal achteraan stond. 'Brigadier Mallory? Ik herkende u van de televisie.'

Het beroemdheidsalarm was afgegaan en inmiddels mocht ze zich ook verheugen in de aandacht van de gerant, die niet alleen haar zwartleren jas met ceintuur bewonderde, maar ook de waanzinnig dure sportschoenen en de nauwelijks goedkopere handtas van Cartier. In de rij wachtenden draaiden nog meer hoofden zich om en wierpen met hunkerende ogen een blik in haar richting, alsof ze naar een filmster keken.

Toen ze haar jas uittrok, konden ook de zwarte wollen blazer en haar met satijn afgebiesde spijkerbroek de toets der kritiek doorstaan. De gerant mompelde geluidloos: *O ja*. De mensen die voor hem in de rij stonden, hadden zich formeler uitgedost maar Mallory was in geld gekleed.

De kelner pakte haar jas aan en hing die over zijn arm. 'Ze zitten al op u te wachten.'

'Ze?'

'Meneer en mevrouw Malakhai.' Hij wuifde met een hand in de richting van het glazen rookgedeelte.

'Juist, de onzichtbare vrouw.'

De kelner keek een beetje verbaasd naar het tafeltje waaraan alleen Malakhai zat. 'Zijn vrouw zal wel even naar het toilet zijn.'

'Hebt u haar dan gezíén?'

'Ja, natuurlijk.'

Deze man onderstreepte nog eens haar opvatting over getuigenissen van burgers die schoten hoorden die nooit waren afgevuurd, en gebeurtenissen zagen die nooit hadden plaatsgevonden – en nu weer geesten. Ze volgde hem naar het rokersgedeelte. 'Wacht even,' zei ze en hield hem tegen toen hij de glazen deur open wilde doen. 'Welke kleur haar heeft die vrouw?'

'Rood. Echt felrood.'

Mallory wees naar het tafeltje. 'Heeft hij u dat verteld?'

'Welnee.' De kelner leek een beetje beduusd. 'Bedoelt u dat de kleur niet echt is? Maar het ziet er wel heel natuurlijk uit.'

Toen Mallory de glazen ruimte binnenliep, zag ze dat het ronde tafeltje voor drie personen was gedekt en dat er een glas wijn was ingeschonken voor het lijk in de bebloede blauwe jurk.

Malakhai stond op toen ze haar nieuwe zwarte handtas op het tafeltje naast het enige schone wijnglas neerzette. Als haar gastheer haar beter had gekend, zou hij meteen argwanend zijn geworden. Ze had nooit een handtas bij zich.

'Goedenavond.' Hij stuurde de kelner weg voor de man haar stoel achteruit kon trekken. In plaats daarvan was Malakhai zelf zo hoffelijk. 'Je bent precies op tijd.' Terwijl Mallory ging zitten, wierp hij een blik op zijn horloge. 'Ik bedoel op de seconde af.'

In plaats van hallo, zei ze: 'U hebt wel nut gehad van dat Duitse uniform. U hebt het gedragen op de dag dat u Louisa uit dat doorgangskamp weghaalde – en nog eens op de avond dat u haar neergeschoten hebt.'

Malakhai ging rustig zitten en zette de wijnfles aan de kant zodat hij de persoon met wie hij aan tafel zat beter kon zien – de levende dan. 'Ik heb je de hele dag gemist. Ik heb voortdurend omgekeken, maar je was er niet.'

Het was weer het oude liedje, hij negeerde gewoon alles waar hij niet over wilde praten en begon ergens anders over. Zelfs zijn conversatie was een goocheltruc om iemand op het verkeerde been te zetten. Maar vanavond was ze op alles voorbereid.

'Weet u wel zeker dat ik er niet was? Ik weet dat u hebt ontbeten met Prado en St. John. En vanmiddag hebt u aan uw voorstelling gewerkt.' Volgens de toneelmeester in Carnegie Hall was Malakhai uren bezig geweest met het aanbrengen van draden en kleine metalen oogjes om ze te geleiden.

'Ik heb begrepen dat jij een gedeelte van de dag in het gezelschap van meneer Halpern hebt doorgebracht.' Hij blies rook in de lucht. 'En natuurlijk werd er in het avondjournaal melding gemaakt van je bezoek aan de veiling. Is Olivers versie van het goocheltheater je bevallen?'

'Nee.' Het was in het niet gevallen bij het beeld dat Malakhai in de kelder voor haar had opgeroepen. Olivers theater was er een flauwe afspiegeling van geweest, waarin de spanning van de oorlogstijd, de rook en de wijn, het parfum en de soldaten met hun wapens hadden ontbroken. Zelfs het lijk in Olivers podium had een bloedeloze wond gehad, eigenlijk een soort imitatie van geweld.

'Over dat uniform,' hield ze aan. 'U hebt nooit in het Duitse leger gezeten.'

Hij wenkte de kelner, wees op de lege fles en wendde zich toen weer tot Mallory. 'Ik kan het me nog goed herinneren – het zat als gegoten. Het was het eigendom van een ss-officier.'

'Hebt u die officier vermoord?'

'Nee. Het spijt me dat ik je moet teleurstellen, Mallory.' Hij blies een rookkringetje en keek het na terwijl het omhoog rees naar de bladen van de ventilator. 'Ik heb de tas van die man op het station gestolen. Dat was een vergissing – het was mijn bedoeling geweest om de kleren van zijn ordonnans te stelen, het uniform van een gewone soldaat. Ik was niet oud genoeg om voor een officier te kunnen doorgaan. Maar daarna besefte ik dat niemand ooit naar de gezichten van de nazi's keek. Ze zagen alleen maar die insignes van de ss.'

Ze reikte over de tafel en plukte voorzichtig een haar van de mouw van zijn donkere pak. Dat was voor de kelner dus het bewijs geweest dat het om een roodharige vrouw ging. Er zat geen haarzakje aan om het op DNA te kunnen testen. Desondanks vouwde ze het demonstratief in een papieren zakdoekje en stopte dat in haar tas. Hij keek met lichte nieuwsgierigheid toe.

'U begint een beetje slordig te worden, meneer Malakhai. Ik neem aan dat u geen tijd meer had om iets anders aan te trekken – nadat u dat lijk in Olivers podium had verstopt.'

'Dus zijn neef had rood haar. Bij het nieuws lieten ze geen foto van hem zien.' Hij legde zijn sigaret in de asbak naast het exemplaar dat besmeurd was met Louisa's lippenstift. 'Ik heb die jongen nooit ontmoet. Ik kan niet zeggen dat ik erg onder de indruk ben van zijn dood.'

'Weet u niet meer dat u het lichaam verborgen hebt? Dat verbaast me niets. Ik weet alles af van die hersenbloedingen.'

'Dankzij meneer Halpern? Hij was echt helemaal overstuur toen ik me niet kon herinneren hoe...'

De kelner dook op met een blad dat hij met een hand op schouderhoogte in evenwicht hield. Nadat hij met zijn vrije hand een bijzettafeltje had uitgeklapt, zette hij zijn last neer en begon vervolgens alle voorwerpen op een tafelblad te zetten dat nauwelijks groot genoeg was voor drie borden met bestek, glazen, een fles, een asbak en een handtas. Mallory en Malakhai keken zwijgend en geboeid toe hoe de kelner de wetten van de natuur naar zijn hand zette om het oppervlak te vergroten en meer ruimte te creëren voor een mandje met brood, een kaars, nog een fles wijn en een grote schaal met hors d'oeuvres.

'Dat zou ik hem niet na kunnen doen,' zei Malakhai.

Toen de drie glazen waren volgeschonken met rode wijn en de kelner met hun bestelling verdwenen was, stak Mallory haar hand in de open tas naast haar bord. Malakhai schonk er geen aandacht aan. Hij zat naar haar gezicht te kijken zonder te vermoeden dat er vanavond iets bijzonders zou gebeuren, en hij verwachtte zeker geen goocheltrucjes – niet van haar.

'Het is een interessant probleem,' zei ze. 'U moet de dood van Louisa wreken voor u vergeet wie ze was.' Haar zoekende vingers vonden het geleideringetje in haar tas. De draad zat nog steeds op zijn plaats. 'Hoe zit het met de dag waarop Oliver in Central Park stierf? Weet u nog waar u toen was?'

'Thuis, honderden kilometers hiervandaan. Ik heb het op de televisie gezien.'

Ze trok voorzichtig een stukje draad uit haar handtas. 'Hoe laat was dat?'

'Ik heb geen klok in mijn zitkamer. Ik geloof dat het een directe uitzending was – ik weet niet meer precies hoe laat die voorstelling die avond uitgezonden werd.'

'Avond?' zei Mallory. 'Hebt u dan niet gezien dat de zon op het podium en de toeschouwers scheen?'

'Waren dat geen felle tv-lampen?' Hij glimlachte om aan te geven dat hij zich echt had vergist. *Het spijt me.*

Ja, dat zal wel.

'Om een minuut over halfvier in de middag werd geconstateerd dat Oliver Tree was overleden.' Ze zette graag de puntjes op de i waar het de dood betrof. 'Maar u hebt de voorstelling 's avonds gezien.' Verborgen onder haar servet duwde ze het touwtje naar de plaats die voor Louisa was gedekt. 'Hebt u daar een verklaring voor?'

'Na zo'n lichte beroerte heb ik soms de grootste moeite om me te herinneren in welk decennium we ons bevinden. Het verwisselen van dag en nacht is maar een klein foutje in het inschatten van de tijd.'

'Of misschien hebt u de voorstelling van Oliver wel op video gezien. Misschien hebt u hem opgenomen omdat u wist dat u die middag niet thuis zou zijn.'

'Ik kan me nog herinneren dat er een wekker afliep. Misschien rinkelde dat ding al urenlang. Het kan best zijn dat ik de voorstelling heb opgenomen – als voorzorgsmaatregel tegen een mogelijke beroerte.'

Ze liet het servet naast Louisa's glas liggen. 'Dus u hebt geen alibi voor die middag?'

'Nee, ik leef bijna als een kluizenaar. Er kunnen dagen voorbijgaan zonder dat ik zelfs maar een mens zie en het is jaren geleden dat ik aan iemand heb gevraagd hoe laat het is.'

'Wat is uw voornaam?'

'Malakhai is mijn enige naam. Mijn vader heeft mijn moeder laten zitten en me nooit als zijn kind erkend. Moeder heeft zijn achternaam op mijn geboortebewijs laten zetten. Daar is zijn familie helemaal gek van geworden. Mijn moeder had een interessant gevoel voor humor.' Hij staarde naar de bobbel onder haar blazer waar haar schouderholster zat. 'De hele lijn van dat jasje wordt verpest door die revolver. Vindt je kleermaker dat niet vervelend?'

Andere rechercheurs hadden dat probleem opgelost door hun wapen wat lager te dragen, maar zij vond het intimiderende effect dat ervan uitging wel leuk.

'Louisa's kleermaker was een stuk beter,' zei Mallory. 'Het vermaken van die kleren heeft heel wat geld gekost. Hoe groot was de poet die jullie kregen nadat jullie Olivers grootmoeder in de kelder hadden begraven?'

Hij lachte. Dat was niet de reactie waarop ze had gehoopt.

'Mijn complimenten. Ik zal maar niet vragen hoe je dat verhaal hebt losgepeuterd. Het enige wat ons dat opleverde, was Faustines pensioen. Dat was maar net genoeg om de huur van het theater te betalen. Louisa's kleren waren van een jongen die het gezelschap had verlaten. Ze heeft ze allemaal zelf vermaakt.'

Mallory schudde haar hoofd. 'Ik herken goed kleermakerswerk echt wel als ik het zie. En ik weet ook wat het kost.'

'Mijn vrouw was de dochter van een kleermaker.' Toen hij zich omdraaide naar de stoel van de dode vrouw, raakte hij plotseling uit zijn evenwicht. Op Louisa's bord lagen oesters en garnalen die aan vrolijk gekleurde cocktailprikkers waren geregen, maar die had híj daar niet neergelegd.

'Waarom zat Louisa in dat doorgangskamp?'

Toen hij Mallory weer aankeek, was hij nog steeds een beetje van zijn stuk. 'O, daar kwamen massa's mensen in terecht. Vluchtelingen werden op straat altijd met een man of twintig tegelijk opgepakt. Later in het doorgangskamp werden ze dan geselecteerd. De meeste werden weer vrijgelaten.'

'Er was meer aan de hand dan dat,' zei Mallory. 'Ik weet dat de kamp-commandant Louisa iedere dag ondervroeg. Ze was niet alleen maar de dochter van een kleermaker.'

'Ze was geen spion, als je dat soms bedoelt. Maar haar vader was meer dan een kleermaker. Hij was in het bezit van een lijst met namen waarin de Duitsers geïnteresseerd waren. Ze dachten dat Louisa waar-schijnlijk wel wist waar hij zat.'

'Dus u werkte voor het Poolse verzet?'

'Nee, ik was alleen maar een van huis weggelopen schooljongen die verliefd was op Louisa. Ik heb vanaf onze kindertijd van haar gehou-den.' Hij draaide zijn hoofd toen Louisa's wijnglas bewoog, maar niet door middel van zíjn hand en niet aan zíjn touwtje. Aan zijn ogen was te zien dat hij zich heel ongerust maakte. Maar hij leek niet te vermoeden dat Mallory zijn vrouw als een marionet bespeelde.

'Dus u hebt uw leven voor haar geriskeerd en vervolgens bedroog ze u.'

'Louisa heeft me niet gevraagd om haar uit dat kamp weg te halen.' Malakhai drukte zijn peuk uit in de asbak en staarde naar Louisa's siga-ret, die half opgerookt, zwart en gedoofd was. 'In Central Park is een brede wandelboulevard. Als je die volgt, kom je bij het openluchttheater uit. Het is een indrukwekkende weg, met aan weerszijden beelden en bankjes. Weet je welke ik bedoel?'

Mallory knikte. Ze was er pasgeleden nog geweest en was tussen de lange rijen bomen doorgelopen waarvan de takken een koepel boven haar hoofd vormden.

'Het is geen Parijs,' zei hij, 'maar het kan ermee door. Op onze laatste avond in Frankrijk hadden Louisa, Max en ik op een dergelijke plek af-gesproken. Het was een paar uur voor de voorstelling in *Faustine's* zou beginnen. Uit een bistro tegenover het park klonk accordeonmuziek. Ik kan me nog herinneren dat het een vrolijk deuntje was en dat het regen-de. Ik hield een paraplu voor Louisa vast. Ze was erg overstuur – en bang. Op het plaatselijke politiebureau waren opsporingsbiljetten afge-geven. De volgende dag zou de hele stad volgeplakt worden met de foto van Louisa plus de mededeling dat er een beloning werd uitgeloofd. Emi-le St. John had haar die ochtend gewaarschuwd.'

'Wat voor soort connecties had St. John?'

'Emile was politieman. Ik heb je al verteld dat we er allemaal bij werkten. Louisa was wanhopig. Ze wilde naar de Spaanse grens vluchten. Nou, dat zou zelfmoord zijn geweest. Er werden geen uitreisvisa meer verstrekt en de hele grens werd streng bewaakt. De deur naar Spanje zat stevig op slot. Als we hadden geprobeerd om de vervalsingen van Nick te gebruiken, waren we zeker gearresteerd. Louisa zei dat ze liever dood wilde dan terug te gaan naar het kamp en de ondervragingen. Ze was vastbesloten om die avond uit Frankrijk te vertrekken – zonder mij. Ze zei dat ze niet wilde dat ik opnieuw risico zou lopen, niet omwille van haar.'

Hij schonk nog een glas wijn in. 'Ik geloof dat ik daarom moest lachen. Ik zei tegen haar dat ik altijd voor haar zou zorgen.' Hij schonk een glas wijn in voor zijn vrouw. 'En toen zei Louisa dat ze verliefd was op mijn beste vriend. Ik kan me het gezicht van Max nog herinneren – helemaal vertrokken van pijn. Huilde hij ook? Dat vraag ik me nu af. Het kan ook de regen zijn geweest.' Hij blies een rookwolk uit en keek hoe die naar boven kringelde. 'Ik hóóp dat Max huilde.'

'U haatte hem.'

Hij schudde zijn hoofd. 'Weet je hóé ik me voelde? Het was net alsof we met ons drieën betrokken waren geweest bij een verschrikkelijk verkeersongeluk. Ik had een shock van de schade die we plotseling hadden opgelopen, van de klap. En dan dat rare lege gevoel. Zo heb ik me de dood altijd voorgesteld, alsof je ziel plotseling wegdrijft, alsof er niets tastbaars meer is dat haar aan de aarde bindt.

Daarna stuurde Louisa Max weg – zodat we nog een moment voor onszelf hadden, mijn vrouw en ik. Weet je wat ik me nog het best kan herinneren? De geur van haar natte wollen jas. Dat was de laatste keer dat Louisa haar armen om me heen sloeg. Ze vroeg me om vergiffenis – voor haar en voor Max.'

'U was boos.'

'Nee, dat geloof ik niet – niet op dat moment. Nadat ze weg was, stak ik een sigaret in mijn mond. Ik weet nog dat ik als een dwaas lucifers stond af te strijken in de regen.'

'En dat was de avond waarop u voorkwam dat Louisa haar plan om naar de grens te vluchten kon uitvoeren. U schoot haar tijdens het openingsnummer neer met de kruisboog. Maar u was niet in het theater toen ze werd vermoord. U ging ervandoor.'

Op zijn gezicht stond duidelijk te lezen dat hij zich afvroeg hoe ze dat in vredesnaam kon weten.

'U was te jong om voor een officier door te gaan. En meneer Halpern zei dat u de taal niet voldoende beheerste om net te doen alsof u een Duitser was. Maar er waren altijd Duitse soldaten in het theater. Dus na-

174

dat u Louisa had neergeschoten, móést u er wel vandoor gaan.'

Hij knikte.

Ze bleef aandringen. 'Het leek op een goocheltruc waarbij iets mis was gegaan. Komt u dat bekend voor? Die arme oude Oliver. Maar laten we ons bij de moord op Louisa houden. Hoe groot was de kans dat de Franse politie naar u op zoek zou gaan? Een ss-officier die een ongewapende vrouw had neergeschoten en zich uit de voeten had gemaakt? Nee, de plaatselijke politie zou zich echt niet uitsloven. Het was veel gemakkelijker om de dood als een ongeluk af te doen – dat was het minst gênant voor iedereen. En terwijl u de benen nam, werd uw vrouw achter het toneel vermoord.'

Toen Malakhai weer naar de asbak keek, lag er een vers opgestoken sigaret in, besmeurd met lippenstift in de kleur die Louisa gebruikte. Hij keek naar het glas van zijn vrouw. Dat was halfleeg.

Mallory liet de met wijn doordrenkte spons in haar tas vallen en deed hem dicht. 'U liet uw vrouw daar dus bloedend op het podium achter. U ging de straat op. U trok het Duitse uniform uit en verborg dat ergens in een steegje. U droeg er burgerkleren onder. Dat heeft u hooguit een paar minuten gekost. Maar Louisa was dood toen u in het theater terugkwam.'

Hij knipte zijn aansteker aan. Het vlammetje trilde zo licht dat het Mallory zou zijn ontgaan als ze niet op het minste teken van zwakheid verdacht was geweest. Hij zat weer naar de asbak te kijken – en naar Louisa's sigaret. Die was inmiddels alleen nog maar een uitgedrukte peuk die uit Mallory's tas kwam. Waarschijnlijk vroeg hij zich af of hij tijd had gemist, hele minuten, de tijdsduur van een sigaret.

De kelner stond weer bij de tafel. Hij vroeg of hij het vuile bord van Louisa mee kon nemen. Malakhai wierp een blik op de garnalenschaaltjes op het bord van zijn vrouw. Maar hij had geen truc met het eten uitgehaald. Hoe kon dat dan? Hij kon kiezen uit drie mogelijkheden: waanzin, geheugenverlies – of het werk van Mallory.

De kelner liet een schone asbak achter en verdween met het bewijsmateriaal in de vorm van een sigarettenpeuk. Mallory had haar wijn nog niet aangeraakt. Malakhai dronk gulzig.

'U had uw leven voor haar geriskeerd en vervolgens ging zij met uw beste vriend naar bed. Maar dat hebt u haar betaald gezet. Dat moet een troost zijn.'

Geen reactie. Hij zat met zijn gedachten totaal ergens anders.

'Weet u wat er door het hoofd van uw vrouw ging, toen u haar echt neerschoot – toen u haar werkelijk tot bloedens toe verwondde?'

Hij was er weer helemaal bij en lette nu goed op terwijl hij haar zat aan te kijken – en wachtte.

'Dat had ze helemaal niet verwacht,' zei Mallory. 'Louisa dacht dat ze beschoten zou worden met een lange rode sjaal – zoals bij het begin van iedere voorstelling. Ik kan me voorstellen hoe ze keek toen ze u in dat Duitse uniform zag. Daar moet ze volkomen van ondersteboven zijn geweest. Dus ze was al half verdoofd, als een of ander zielig stom beest in een abattoir. Wat een gemakkelijk doelwit. En toen schoot u haar neer – uitgerekend ú. Daar moest ze aan denken toen ze in die achterkamer lag dood te gaan. U had haar neergeschoten en was weggerend. Dat was het enige wat ze wist in die laatste minuut van haar leven – terwijl die smeerlap bezig was om haar te vermoorden.'

Louisa's wijnglas bewoog opnieuw toen Mallory de draad door het geleideringetje in haar handtas trok. Een ruk, een snelle polsbeweging en het uiteinde van de draad zat weer veilig in de handtas.

Malakhai weigerde om naar het glas te kijken.

Ze boog zich voorover. 'Wat deed u tijdens de oorlog?'

'In Parijs? Ik deed goocheltrucjes op straat.' Hij keek op naar de kelner, die plotseling bij de tafel was opgedoken om zijn glas opnieuw te vullen. 'Milo, hebben jullie walnoten in de keuken?'

'Ja, meneer.'

'Haal eens drie lege notendoppen voor me.' Hij wendde zich weer tot Mallory. 'Volgens mij is de moord op Oliver de enige waarin jij echt geïnteresseerd bent.'

Ze knikte. Verandering van onderwerp was de voorspelbare tactiek waarop hij terugviel om meer verdriet te vermijden. En nu zou ze krijgen waarvoor ze gekomen was. 'Iedereen vertelt me maar steeds dat de oude man de truc verkeerd uitvoerde.'

'Olivers podium is geen exacte kopie.'

'Dat weet ik. Ik heb gezien wat hij eraan verbeterd heeft. Vertel me eens iets waar ik wat aan heb.' *Laat me niet weer over Louisa beginnen, zodat ik u geen pijn meer hoef te doen.*

'Alleen de vierde pijl was fataal. Als hij niet zo bang was geweest, had hij de eerste drie kunnen ontwijken. Angst kan een verlammende uitwerking op een mens hebben. Oliver hield op met worstelen toen hij besefte dat zijn sleutel vastzat. Dat zou voor Max niets uitgemaakt hebben.'

'Wilt u daarmee zeggen dat Max geen echte pijlen gebruikte?'

'Nee, dat deed hij wel. De rekwisieten van Max werden altijd door politieagenten gecontroleerd. De pijlen waren precies hetzelfde. Geen namaak. Het magazijn van elke kruisboog bevatte er drie.'

'Zat er dan iets in de boog waardoor de pijl tegengehouden werd?'

'Nee. De lappenpop wordt door alle kruisbogen geraakt, weet je nog wel? En als de pijl door iets tegengehouden zou worden, zou de pees gespannen blijven. Maar de pezen kwamen bij elk schot vrij. En de kruisbogen werden door de agenten in werking gesteld. Dat gedeelte deed Oliver goed.'

De kelner kwam weer opdagen met de notendoppen.

'Dank je wel, Milo.' Malakhai legde de doppen naast elkaar op het lege etensbord. 'Deze truc is een stuk gemakkelijker. Vroeger deed ik het met erwten. Mag ik je revolver even lenen?'

'U maakt zeker een grapje?' In de regel leenden politiemensen hun wapen niet uit. En die regel werd nog dwingender als de man die haar revolver wilde lenen een gek was die met zijn dode vrouw uit eten ging.

'Ben je bang dat ik je in het bijzijn van al deze mensen zal neerschieten?'

'U hebt uw vrouw in aanwezigheid van een nog groter publiek neergeschoten.'

'Maar je gelooft toch niet echt dat ik van plan ben om je te vermoorden?'

'Nee, natuurlijk niet.' Mallory glimlachte vriendelijk. 'Maar gezien uw voorgeschiedenis is de kans groot dat mij een ongeluk overkomt.'

'Je hebt anders gewoon staan toekijken toen ik een kruisboog laadde en spande. Ik weet dat het geen kwestie van angst is. Voorzichtigheid?' Hij pakte zijn servet en vouwde het open. 'Misschien denk je wel dat iemand bezwaar zou hebben tegen de aanblik van een revolver in een restaurant. We willen niet dat de mensen elkaar onder de voet lopen om hier weg te komen.' Hij overhandigde haar de vierkante linnen doek die groot genoeg was om drie revolvers onder te verbergen. 'Hier, we zullen het discreet aanpakken. Wikkel hem hier maar in. Vooruit, neem de gok nou maar. Ik weet dat je het wilt. Je houdt ervan om risico's te nemen, hè Mallory? Ik denk dat je hem wel geladen aan me zult geven, alleen maar om te zien wat er dan gebeurt.'

Het was een opwindend moment, een herhaling van haar favoriete nachtmerrie waarin ze op hoge snelheid door de lucht vloog – in volslagen duisternis.

Hij glimlachte. 'Maar ik heb alleen de kogels nodig. Als je wilt kun je de revolver op tafel laten liggen – om het nog spannender te maken.'

Ze pakte het servet uit zijn hand en bedekte de revolver ermee toen ze hem uit de holster trok. In de beschutting van haar schoot drukte ze de cilinder opzij en haalde de zes patronen uit de kamers.

Vervolgens overhandigde ze hem de ammunitie en legde de in linnen gewikkelde revolver op de lege plek waar Louisa's bord had gestaan. De verborgen loop was op Malakhai gericht.

'Ik zou dat pistool niet aanraken als ik u was.' Terwijl haar ellebogen op tafel rustten, maakten haar handen een dakje waarbij haar vingertoppen elkaar nauwelijks raakten, alsof ze in diep gebed was verzonken. 'Als u wilt proberen of uw reflexen sneller zijn dan de mijne, zal u dat een oog kosten – misschien wel twee.'

'Ik heb het begrepen, maar ik was niet van plan om met je te duelleren.' Malakhai liet vijf kogels in het mandje met brood vallen. 'Ik heb er maar een nodig.' Hij legde de kogel onder een notendop en draaide toen de drie doppen langzaam rond, waarbij hij ze onderling steeds verwisselde. 'Je kunt niet altijd op je zintuigen vertrouwen, Mallory. Dat is de enige waarschuwing die je krijgt.' De doppen bewogen steeds sneller. Toen lagen ze ineens stil en hij nam zijn handen van de tafel. 'Waar is de kogel?'

'Hier.' Ze tilde de middelste dop op en daar lag hij.

'Maar weet je wel zeker dat het dezelfde is?' Hij pakte de twee overgebleven doppen op en liet haar nog twee kogels zien die eigenlijk in het broodmandje hadden moeten liggen.

'Een leuke truc. Maar wat schiet ik ermee op?' Haar stem klonk een tikje gespannen. Ze raakte even de rand van Louisa's wijnglas aan, een opzettelijk gebaartje als dreigement dat ze hem opnieuw pijn kon doen.

'Je gelooft je ogen, Mallory. Dat is een vergissing. Magie is wat je niet ziet. En elke goede truc is in elkaar gezet om de logica te tarten.' Hij hield één kogel omhoog en duwde de twee andere aan de kant. 'Dit keer zal ik eerlijk spelen. Nu gebruiken we er maar één.'

Hij legde de kogel onder een dop en begon met de kleine tafeldans van rondcirkelende lokkertjes. Toen de doppen weer op een rijtje lagen, liet hij een van zijn vingers licht op de eerste rusten. 'Stel dat ik Oliver heb vermoord om mijn vrouw te wreken.' Hij raakte de tweede dop aan. 'Of misschien was het zijn moordenaar die tijdens de optocht dat verdwaalde schot heeft gelost.' Zijn vinger verplaatste zich naar de laatste dop. 'Of Oliver heeft de truc verknald en zichzelf om het leven gebracht. Je wilt niet dat het deze dop is, maar die mogelijkheid bestaat. Waar is de kogel nu?'

'Geen van die dingen is waar en u hebt de kogel in uw hand.'

'Heel goed, Mallory. Je begint het door te krijgen. Maar...' Hij opende zijn beide handen en er was geen kogel te zien.

'Je hebt nog een lange weg te gaan.' Hij stak zijn hand uit naar het servet waaronder de revolver was verstopt.

Mallory was sneller. Zonder haar ogen van hem af te wenden pakte ze de verkreukelde lap stof op. Niets – geen revolver. Ze draaide zich om en zag nog net één patroon uit het servet vallen en over de tafel rollen. Het servet viel in een slordig hoopje op tafel en een moment later had ze haar beide handen om Malakhais gezicht gelegd – zo teder dat de andere gasten wel moesten denken dat ze een liefdespaar vormden. Ze konden geen van allen zien hoe dicht haar duimen bij zijn ogen waren, hoe haar lange rode nagels over zijn wimpers gleden, waarbij ze bijna zijn donkerblauwe irissen raakten en dreigden hem te verblinden. 'Leg allebei uw handen heel langzaam plat op de tafel.'

Zijn handen kwamen op het grote etensbord terecht, de enige plek die nog vrij was. Hij was veel te kalm.

'Waar is mijn revolver?'

'In het servet. Kijk nog maar eens goed.'

'Ik maak geen grapje, meneer Malakhai. Ik steek u uw ogen uit.'

'Goed dan, hij zit nú in het servet. Kijk maar.'

Terwijl ze hem strak bleef aankijken, stak ze haar hand uit naar het servet en haar vingers sloten zich om de harde omtrekken van haar wapen.

Boos rukte ze het linnen weg en hield het wapen open en bloot in haar hand. Zes kogels rolden geluidloos achter elkaar tussen de wijnfles en het broodmandje door naar haar toe. Ze stopte ze weer terug in het magazijn van haar revolver zonder zich druk te maken over het feit dat de kelner op een paar meter afstand naar haar stond te kijken en dit misschien uitlegde als een reactie op de bediening.

Malakhai glimlachte. 'Je moet leren denken zonder de vaste waarden in acht te nemen, anders kom je er nooit uit.'

Mallory zag zichzelf niet in de rol van zijn student en ze had geen zin om zijn wijze lessen aan te horen. 'U hebt vanavond nog helemaal niet met Louisa gesproken. Valt u een beetje uit uw rol? Of hebt u weer een beroerte gehad?'

Teleurgesteld omdat hij zijn mond hield, ging ze verder in de hoop dat ze hem echt zou kwetsen. 'U raakt iedere dag meer herinneringen kwijt.'

Ze zag dat hij onbewust even knikte. Hij legde zijn sigaret in de asbak en pas op dat moment viel zijn oog op Louisa's nieuwe sigaret. Er zaten lippenstiftvlekken op. Mallory had er geen chemicaliën in gedaan om hem te laten branden, het feit dat hij in de asbak lag was al genoeg. Hij was plotseling op zijn hoede toen hij ernaar staarde alsof er gevaar van uitging.

'Het zal niet lang meer duren,' zei ze. 'Dan bent u zelfs uw eigen naam vergeten.'

'Dan heb ik ook minder mee te slepen.'

'De herinneringen aan uw vrouw beginnen al te vervagen.'

'Dat betekent minder verdriet.' Hij richtte zijn ogen op Mallory om haar als een soort geschenk een spoortje pijn te tonen, want hij wist dat ze die beloning op prijs zou stellen.

'U hebt de eerste Louisa verloren. Het enige wat u nog overhebt, zijn stukjes en beetjes van het monster dat u zelf hebt geschapen – misschien nog niet de helft van uw vrouw zoals ze werkelijk was.' Ze stopte haar revolver weer in de holster. 'Laten we niet moeilijk doen. Ik kan me niet voorstellen dat Oliver uw vrouw heeft vermoord. Maar hij wist wel wie de moordenaar was.'

'Mis.' Malakhai schudde langzaam zijn hoofd. 'Die arme Oliver had geen flauw idee. Hij dacht dat haar dood een ongeluk was. Louisa was het enige lijk dat hij in de oorlog onder ogen kreeg. Het leger heeft hem afgescheept met een kantoorbaantje en daar schaamde hij zich over. Hij wilde juist zo graag vechten. Het was zo'n moedig mannetje – om al die pijlen te trotseren.'

Mallory zag hoe zijn hand zich tot een vuist balde. Olivers dood maakte hem boos. Dit was niet gespeeld. Ze had hem nooit op dat soort bedrog betrapt en volgens haar paste dat ook niet bij zijn karakter.

'Nee,' zei Malakhai. 'Ik betwijfel of hij ook maar één keer aan moord heeft gedacht. Oliver was een zeldzaam goed mens en bijzonder loyaal. Hij zou nooit geloven dat een van zijn vrienden daartoe in staat was.'

'Als Oliver uw vrouw niet heeft vermoord, dan is hij niet uit wraak gedood. En hij heeft zijn hele vermogen aan liefdadige instellingen nagelaten, dus ik heb ook geen financieel motief. Daarom weet ik zeker dat hij iemand bang heeft gemaakt. Dat is mijn enige houvast.'

'Je noemt hem bij zijn voornaam,' zei Malakhai. 'Je hebt hem nooit ontmoet, maar je hebt het altijd over Oliver.'

Ze deed net alsof ze dat niet hoorde. 'De verdwaalde kogel die de ballon raakte – dat was een poging tot moord. Vandaar dat ik ervan overtuigd ben dat het moorden nog niet voorbij is. Op de banden van de optocht kan ik u of Nick Prado nergens vinden. Alle anderen waren duidelijk te zien.'

'Je trekt je Olivers dood persoonlijk aan, hè?' Malakhais flauwe glimlach was een beetje weemoedig. Hij was vreemd geroerd door dat kleine aanwensel, het gebruik van de voornaam van de dode.

'Misschien schoot Prado wel op u. Hij is een logische verdachte,' zei Mallory. 'Zijn goochelprogramma was vroeger toch helemaal gebaseerd op het feit dat hij scherpschutter was? Maar waarschijnlijk had hij zijn doelwit niet gemist. Ik denk dat u degene bent die een kogel door die ballon schoot. Voordat het schot een afzwaaier werd, had u de man die Oliver heeft vermoord in het vizier. Was het iemand op de praalwagen? Of zag u Nick Prado tussen de toeschouwers?'

'Oliver zou je aanbiddelijk hebben gevonden – zijn eigen voorvechter, zijn paladijn.'

'Misschien verknalde u dat schot wel omdat u weer een beroerte kreeg met het wapen in uw hand. Of misschien kunt u het gewoon niet opbrengen om iemand te doden. Wat hebt u in de oorlog gedaan – ná de dood van Louisa? Had u een kantoorbaantje, net als Oliver? In welk leger hebt u gediend?'

'Ik heb mijn basisopleiding van de Britten gehad. Maar voordat ik daarmee klaar was, hebben ze me naar een Amerikaanse eenheid overgeplaatst.'

'Maar wát deed u daar?'

'Ik pleegde massamoord.' Zijn hand was vast toen hij een slokje wijn nam. Zijn stem klonk effen, bijna werktuiglijk. 'Met behulp van explosieven scheurde ik mensen aan stukken. En daarna maakte ik met mijn gebruikelijke nauwkeurigheid de stand op. Ik liep rond tussen lijken met afgerukte ledematen – en mensen die nog leefden. Maar de overlevenden maakten het nooit lang. Ik rekende ze altijd bij de doden, ook al kon ik ze horen schreeuwen. Ik telde de kapotte bebloede hoofden. Op die manier kon je er gemakkelijk achter komen met hoeveel mensen je te maken had gehad – ook al kon je ze met een stoffer en blik opvegen.'

12

De instelling stond hoog aangeschreven bij de staat Connecticut – en Mallory was het daar roerend mee eens. De deuren van ieder vertrek stonden open zodat men alles kon controleren en de kille witte binnenmuren waren een bevestiging van de thematische instellingsaanpak van de gangen. Er was geen persoonlijke rommel in de vorm van familiefoto's, geen muffe luchtjes van patiënten die onder verdoving werden gehouden en geen spoor van eau de cologne of parfum. Er was geen enkele verwijzing naar de bewoners. Bovendien hing er een sterke lucht van desinfecterende middelen die elk idee van een menselijke leefomgeving de das om deed. Alleen een fanatieke schoonmaakster of brigadier Mallory konden zich in een dergelijke atmosfeer op hun gemak voelen. Ook de lange verpleger die naast haar liep, kon haar goedkeuring wegdragen. De stijfsel in zijn onberispelijke witte uniform was nog te ruiken.

De verpleger kende meneer Roland maar al te goed. 'De oude man is vorige maand zevenentachtig geworden. Hij heeft zijn vrouw en zijn zoon overleefd. De kleinkinderen trappelden van verlangen om hem hier te dumpen. Blijf op afstand en vergeet alles wat u hebt gehoord over officieren die zich als heer gedragen. Hij spuugt als hij praat en af en toe doet hij dat gericht.'

'Is hij seniel?'

'Nou, hij is wel een beetje warrig. Maar onder ons gezegd was generaal Roland volgens mij altijd al een beetje…' Een van zijn vingers maakte een ronddraaiende beweging naast zijn hoofd om aan te geven dat in de bovenkamer niet alles op een rij stond.

'Heeft hij u verteld dat hij generaal was?'

'Ja, mevrouw, een generaal met vijf sterren. Je zou haast denken dat de oorlog nog steeds niet is afgelopen, als je nagaat hoe hij de staf bevelen toeblaft.'

Maar volgens het legerdossier van meneer Roland, dat ze tijdens een middernachtelijke expeditie uit een militaire computer had geplukt, had de oude man nooit een hogere rang bereikt dan luitenant, en hij was al voor het einde van de Tweede Wereldoorlog oneervol ontslagen.

Mallory en de verpleger liepen door een gang met hoge ramen. De ruiten glommen na een recente schoonmaakbeurt en boden hen een duidelijk uitzicht op de dode tuin. In de galerij stond een lange rij rieten stoelen en rolstoelen, waarvan een deel in beslag genomen werd door bejaarden in een groene kamerjassen en met papieren sloffen aan. Hun gezichten waren uitdrukkingsloos en ze schenen niet echt te genieten van de aanblik van kale bomen en bruin gras, hun enige bezigheid, want het was net alsof iemand ze hier had geparkeerd en achtergelaten.

Maar nu kon Mallory wat meer begrip opbrengen voor de oude man die ze zo meteen zou ontmoeten. 'U laat meneer Roland maar begaan, hè?'

'O ja, dat doet iedereen,' zei de verpleger. 'Mijn grootvader heeft in de Tweede Wereldoorlog gevochten. Hij zou me levend villen als ik de oude man niet met een beetje respect behandelde. Dus spreek ik hem aan met "generaal" en af en toe salueer ik zelfs. Dat vindt hij prettig.'

Misschien was meneer Roland helemaal niet geschift, maar alleen gehaaid. Ze draaide zich om en keek nog eens naar de mensen die aan hun stoelen waren gekluisterd, gedoemd om voor de ramen te blijven zitten en elke vorm van leven en aandacht te ontberen. Ja, meneer Roland had er verstandig aan gedaan om zich voor de buitenwereld een hogere rang aan te meten.

'U zult twee minuten te laat komen voor uw afspraak, mevrouw. Dat is mijn schuld – het spijt me. Het is best mogelijk dat hij u dat betaald zet.' De verpleger bleef staan bij een deur aan het eind van de gang en deed die voor haar open. 'Hij staat tot uw beschikking.'

Toen ze de privé-kamer binnenkwam, zag ze een verschrompelde kleine man met verdwaalde plukjes wit haar die aan weerszijden van zijn kalende hoofd als hoorntjes omhoogstaken. Hij leek schuil te gaan in een netwerk van technologie. Een plastic zak hing aan de haak van een metalen stang en liet vloeistof in zijn aderen druppelen. Ze zag dat zijn armen onder de beurse plekken van heel wat andere naalden zaten. Een kabel van een monitor naast zijn bed kronkelde tussen de knoppen van zijn rode pyjama door en legde een duidelijke lijn naar zijn hart. Weer andere slangen voerden de zuurstof vanuit een toestel aan de wand naar het plastic apparaatje onder zijn neusgaten.

'Dus jij bent brigadier Mallory.' De stem van meneer Roland was het laatste restje kracht dat hem nog restte en er klonk een autoriteit in door die bij zijn oneerlijk verworven rang hoorde. Hij bekeek haar van top tot teen alsof hij inderdaad een generaal was die zijn troepen inspecteerde. Zijn ogen bleven op de bobbel onder haar blazer rusten. Hij wees ernaar met een knokige vinger. 'Is dat een wapen? Wie laat er nou zo'n klein meisje als jij met een vuurwapen rondlopen? Laat me je papieren zien.' Dat was een bevel.

Mallory stak haar hand in de achterzak van haar spijkerbroek en haalde haar penning en haar papieren tevoorschijn. Ze hield ze hem voor en hij kneep zijn ogen samen om haar naam en haar rang te kunnen lezen.

'Bedankt dat u me al zo snel wilde ontvangen,' zei ze, terwijl ze buiten bereik stapte van eventueel speeksel dat haar kant op zou kunnen komen.

'De politie bestaat alleen nog maar uit kinderen.' De oude man schudde zijn hoofd. 'Maar méísjes met pistolen. Dat gaat me toch echt te ver.'

Mallory ging in een stoel naast het bed zitten. 'Ik heb inlichtingen nodig over een man die in de Tweede Wereldoorlog onder u heeft gediend.'

'O, de échte oorlog. Kijk, dat was me nog eens een tijd. Ik heb werkelijk carrière gemaakt in het leger, weet je. Van de eerste groep waar ik het commando over had – voornamelijk sabotageopdrachten – zijn er maar verdomd weinig teruggekomen, dat staat vast. Kun je nagaan bij hoeveel gevechtsacties mijn bataljon betrokken was.'

Voorzover Mallory het kon inschatten, was er nauwelijks sprake geweest van een bataljon en van de twintig mannen waren er maar twee levend teruggekomen. Het leger van de Verenigde Staten was bepaald niet tevreden geweest met Rolands verklaring voor die onzorgvuldigheid. 'U kunt me een heleboel tijd besparen, meneer. U weet zelf wel hoe lang het duurt om inlichtingen van de militaire autoriteiten te krijgen.'

In feite had het maar heel weinig tijd gekost. Inbreken in de computer van het Pentagon was voor de technologische generatie een fluitje van een cent. Dat kon een kind nog klaarspelen en veel kinderen deden het dan ook. Het militaire systeem werd per jaar duizenden keren gekraakt. Maar de tijd dat ze de dossiers had kunnen inkijken, was beperkt door alle elektronische waakhonden. 'Het gaat om soldaat Malakhai. Kunt u...'

'Of ik me hem kan herinneren? Om de donder wel. Ik heb mijn uiterste best gedaan om die smeerlap het hoekje om te helpen.' Hij wachtte even om te zien hoe ze daarop zou reageren en hij was duidelijk teleurgesteld toen ze helemaal niet geschrokken leek en allerminst onder de indruk. 'Tijdens zijn laatste missie heb ik hem bij een opdracht overdag uit een vliegtuig laten springen. Het werd een verdomde mislukking. De Duitse schutters op de grond hebben moeten zitten pitten toen de parachute van die knul openging.'

'U wilde hem laten sneuvelen – een van uw eigen mannen?'

'Jazeker.' Hij leek wat zelfgenoegzamer nu ze begrepen had dat hij in zijn functie voor god had kunnen spelen. 'De korporaal – Edwards heette die. Nog maar een verdomd jochie, jonger dan jij. Nou, die zeikerd probeerde te voorkomen dat Malakhai van boord zou gaan. Ik moest die kleine klootzak een ram met mijn revolver verkopen om te voorkomen dat hij de deur versperde. Vervolgens heb ik Malakhai opdracht gegeven om uit het vliegtuig te springen. Ik had Edwards er ook uit moeten gooien. Maar hij had geen parachute om. Ik gun een man wel een eerlijke kans.'

Mallory knikte. Edwards was degene die ervoor had gezorgd dat alle leden van zijn eenheid alsnog alle medailles kreeg uitgereikt die hen toekwamen. Bij de onderscheidingen die hij voor soldaat Malakhai had losgepeuterd, zaten veel te veel Purple Hearts, een eerbetoon voor een bij oorlogshandelingen gewond geraakte militair. Ze kon ze niet uit haar gedachten zetten.

'O ja, hoor,' zei de oude man. 'Ik zag het als mijn plicht om ervoor te zorgen dat Malakhai niet terug zou komen uit de oorlog. Die knaap was niet iemand die je in vredestijd op een bevolking los kon laten – niet zonder gewetensbezwaren.'

'Hij heeft veel medailles gekregen.' Haar stem klonk zacht maar koppig.

'Voornamelijk blik.' De oude man wuifde achteloos met zijn hand om aan te geven dat dat van geen enkel belang was. 'Het was verkeerd om hem die medailles te geven. Hij doodde zijn slachtoffers niet een voor een, zie je. Hij blies soldaten bij tientallen tegelijk op, verdomde vrachtwagens vol. En af en toe vergat hij om onderscheid te maken tussen soldaten en burgers. Van dat soort slachtpartijen wordt nooit melding gemaakt in een staat van dienst.'

Geheime opdrachten. Dat kon een verklaring zijn voor het gebrek aan details in de dossiers van Malakhai en het feit dat er iedere keer alarm werd geslagen als ze weer een nieuw stel beveiligingscodes had gebroken.

De oude man hief een gebalde vuist op. 'Wij namen alle risico's en er was maar verdomd weinig eer voor ons weggelegd.'

Wíj? 'Dus Malakhai heeft veel uiterst riskante opdrachten vervuld?'

'Voornamelijk zelfmoordmissies. Maar hij was niet kapot te krijgen en kwam telkens weer gehavend als een verdomde straatkat in het kamp opdagen. En ondertussen werden zijn ogen steeds killer.' Roland glimlachte en begon plezier in het onderwerp te scheppen. 'Holle Knaap, zo noemde ik hem. Tegen het eind was hij niet menselijk meer. Ik had de juiste oplossing moeten kiezen – ik had gewoon mijn revolver moeten pakken en hem als een hond moeten afmaken. Ik had zo'n lekkere, echte revolver, een cadeautje van generaal Patton.'

Ja, dat zal wel.

'Wist u dat zijn vrouw twee dagen voor hij dienst nam, was overleden?'

'Dat heb ik van de Britten gehoord. Malakhai heeft zijn basisopleiding samen met hun jongens gehad. Die verdomde doktoren wilden hem platspuiten en in een ziekenhuis stoppen. In 1942 keurden ze zelfs kinderen en oude kerels goed, maar van Malakhai wilden ze niets weten. Ze zeiden dat hij geen realiteitszin had. Ze hadden het idee dat hij op het slagveld geen schijn van kans zou hebben. Ja, hij was inderdaad ziek, maar het was zo'n nuttige vorm van waanzin – geen enkel besef van angst. Je kon naast de kop van die knul een geweer afvuren – totaal geen reactie. Dus ik dacht: waarom zou ik geen gebruik van hem maken? Ik gaf een kantoorpief opdracht om met zijn repatriëringspapieren te sjoemelen en voor overplaatsing te zorgen. Hij was een Poolse bastaard van geboorte, dus hebben we hem een Amerikaanse vader bezorgd. We hebben hem uit de opleiding geplukt voor de Britten de kans kregen om hem naar een gekkengesticht te sturen. Dat was een knap stukje werk.'

'U hebt heel wat gesjoemeld met de administratie van uw eenheid. Werd u niet geacht om uw mannen naar huis te sturen als ze aan flarden geschoten waren? Was er niemand die het aantal Purple Hearts van Malakhai bijhield? Hij is zeven keer gewond geweest, hij heeft zéven Purple Hearts.'

'De administratie liep achter. Bureaucratie in oorlogstijd.'

'En hij heeft nog meer medailles wegens betoonde moed ontvangen. Ze kregen Malakhai pas vijf jaar na afloop van de oorlog in de gaten. U hebt nooit gewild dat hij die kreeg, hè?'

'Niet zolang hij nog bruikbaar was. Als ik melding had gemaakt van elk stukje metaal dat hij in zijn lijf kreeg, hadden ze hem naar de vs gestuurd.'

'En u wilde hem dood hebben.'

'Nou, ik kon hem niet naar huis laten verschepen, hè? Soldaat Malakhai was een verdomde moordmachine. En hij was eigenlijk niet eens een échte Amerikaan.'

'Hij droeg wel dat uniform.'

De oude man lag zich duidelijk te ergeren. 'Je snapt het nog steeds niet, kleine meid. Weet je waarom Hitler gebruikmaakte van gaskamers? Hij mechaniseerde de dood om het schokeffect op zijn troepen te verminderen. Die klootzak wist wat regelrechte massamoord met hen zou doen. Dan waren het allemaal Malakhais geworden. Dat zou aan hun ziel hebben gevreten. Een hele generatie holle knapen had nooit meer naar huis kunnen gaan. Dat zou het zaad van een heel verdomd land naar de knoppen hebben geholpen. En dan was Hitler koning van niets geweest.'

'Al die onderscheidingen.' Ze begon meer ontzag voor Malakhai als tegenstander te koesteren. 'Medailles voor verwondingen, medailles wegens moed.'

'Die knul was krankzínnig!' De oude man balde een slappe vuist, geïrriteerd dat ze dat simpele feit maar niet kon begrijpen. 'En meelijwekkend. De tranen liepen hem af en toe op de gekste momenten over de wangen. Hij huilde niet – die vent kende geen greintje emotie. Het was iets mechanisch. Die tranen kwamen en gingen zonder aanleiding – alsof de machine kapot was. Maar zelfs dan waren zijn ogen zo kil, zo...'

'Was u jaloers op hem?'

Dat maakte de pseudo-generaal nijdig. Hij draaide zich om en toen wist ze het zeker. Ze boog zich naar zijn bed over. 'Was u bang voor soldaat Malakhai? Wilde u hem daarom dood hebben?'

'Ik ben voor niemand ooit bang geweest. En ik ben om de dooie dood niet bang voor jou, meisje.' Hij tilde zijn hoofd op en mikte goed met zijn spuug.

Mallory schrok. Een fluim speeksel gleed langs haar wang. In kille woede hief ze haar hand tegen hem op. Hij kromp in elkaar en zijn ogen werden groot van verbazing en angst. De kleine tiran van het verpleeghuis was er niet aan gewend dat hem iets betaald werd gezet. Ze liet haar hand langzaam zakken om een hoek van het laken op te pakken. Daarmee poetste ze het slijm van haar gezicht.

De zekerheid dat ze niet van plan was om hem iets aan te doen, had hem weer wat moed gegeven en hij schudde quasi-teleurgesteld zijn hoofd. 'Jij hebt net zulke kille, lege ogen, meisje. Maar je kunt nog niet bij Malakhai in de schaduw staan.' Terwijl hij die woorden sputterde, vloog er nog meer speeksel uit zijn mond. 'Ik durf te wedden dat je me maar al te graag aan zou willen pakken.' Een hand kwam als een uitdagende klauw omhoog. 'Je wilt al mijn slangetjes en snoeren lostrekken om de oude generaal uit te schakelen, hè? Nou, dan hoef je alleen maar...'

'Mis,' fluisterde ze terwijl ze zich naar zijn oor bukte en haar hand naar het borstzakje van haar blazer bracht. Hij staarde ernaar met een gezicht vol angst. Dacht hij echt dat ze haar revolver wilde pakken? Dat was met recht hoogmoedswaanzin.

'Nog een vraag.' Ze haalde een computerprint tevoorschijn en vouwde die open. 'Ik heb hier uw staat van dienst – bij de telefoonmaatschappij.' Ze hield hem omhoog zodat hij het zelf kon zien. 'In 1950, toen u bezig was met het repareren van een telefoonlijn, werd u gebeten door een hond – een klein hondje. Hebben ze u daar ook een medaille voor gegeven?' Ze stond op uit haar stoel en keek op hem neer. 'Nee?'

Als Roland nog iets had willen zeggen, was hij dat inmiddels vergeten.

Ze had hem eindelijk de mond gesnoerd. Ze had het hebben van het laatste woord tot een kunst verheven en het gaf een heerlijk bevredigend gevoel om iemand met gelijke munt terug te betalen – alleen vandaag niet.

Mallory keek toe hoe de oude man voor haar terugdeinsde, hoe hij zich onder de lakens probeerde te verstoppen en in elk opzicht in elkaar leek te krimpen. Was hij bang? Ja. Misschien dacht hij dat ze hem aan de staf van het verpleeghuis zou verraden – dat zijn dagen als een vereerde generaal geteld waren.

Hij stierf duizend doden.

Maar toch schonk haar dat geen voldoening. Er was alleen een vaag gevoel dat ze niet meteen als medelijden herkende, want dat was een emotie die ze nauwelijks kende; die paste gewoon niet in haar denkwijze. Uit eigen ervaring wist ze nog minder van schuldgevoelens en die had ze dan ook niet toen ze het zachte gesnik vanuit het bed van de oude man de rug toekeerde. Roland was alweer vergeten toen ze door de voordeur naar buiten ging en naar de parkeerplaats liep.

Maar goed, ze had haar tijd niet helemaal verspild. Ze begreep Malakhai nu iets beter. Volgens Emile St. John was Louisa's vioolconcert na de Tweede Wereldoorlog een wezenlijk onderdeel van zijn optreden geworden. Maar dat was slechts het voorspel tot de werkelijke waanzin. Het volledig uitgewerkte waanidee omtrent Louisa had zich in de volgende oorlog gevormd.

En nu wist ze ook waarom hij zich in de jaren vijftig weer voor de oorlog in Korea had gemeld. Die bood hem een nieuwe kans op een interessante dood. Maar in plaats daarvan was hij gevangengenomen. Zijn dossier uit die tijd was vollediger geweest en had alle bijzonderheden bevat over het jaar eenzame opsluiting in een cel – nee, in een hok – anderhalve meter breed en anderhalve meter hoog. Na zijn vrijlating had hij zes maanden in een veteranenziekenhuis doorgebracht, waar hij van het trauma van de martelingen herstelde – en zat te kaarten met een vrouw die er niet was.

Brigadier Riker stond bij de wand vol stalen laden waar lijken een labeltje aan hun grote teen gebonden kregen en opgeborgen werden. Hij keek toe hoe Mallory haar .357 revolver in haar holster liet glijden. Haar officiële dienstwapen, een .38 waarvan het gewicht heel wat minder bevredigend was, zat inmiddels in de rugzak die aan haar voeten stond. Het was niet bij haar opgekomen om hem te bedanken voor het feit dat hij haar favoriete revolver van hoofdinspecteur Coffey had losgepeuterd – of voor het geld dat ze van de beetgenomen agenten had gewonnen.

Nou ja, ze glimlachte. Dat was tenminste iets. En ze had het geld van de weddenschap niet nageteld, wat erop zou kunnen duiden dat er iets van het verloren vertrouwen hersteld was.

Hoofdpatholoog-anatoom Slope zette zijn leesbril op en bestudeerde een klembord terwijl hij samen met een bediende van het mortuarium langs de stalen wand liep. Ze bleven voor een van de laden staan en de bediende opende een deur om het lijk naar buiten te trekken waarvoor Mallory was gekomen.

Riker knoopte zijn jas dicht terwijl hij naar het lijk liep dat op de plank lag. De koude lucht verminderde de stank van dood vlees en chloor. En nu keek hij neer op de kenmerken van een volledige lijkschouwing. Wrede incisies liepen over de volle lengte van het leeggehaalde bovenlijf. Alle organen waren getest en gewogen. De scheikundige samenstelling van lichaamsvloeistoffen en weefsels was gecontroleerd. Zelfs de schedel was geschonden om bij de hersens te kunnen komen en elke lichaamsopening was gemaltraiteerd – een vorstelijke behandeling voor een dode junk. Dit lijk had dan ook het geluk gehad dat brigadier Mallory het zo'n beetje als haar persoonlijke eigendom beschouwde.

De stukken huid die ongeschonden waren, vertoonden de sporen van een nutteloos en kwalijk leven. Riker kon letterlijk de ribben tellen van deze verslaafde die meer om heroïne dan om voedsel had gegeven. Op de handen stonden ruwe afbeeldingen van slangen, gemaakt met behulp van inkt en speldenprikken. Die zelfverminking duidde op een langdurig verblijf in een inrichting, mogelijk een van de vele afkickcentra waar zijn oom voor had betaald. Een opgetrokken bovenlip wekte de indruk dat het gezicht in een abrupt afgebroken gejengel was verstijfd. Een wat professionelere tatoeage op een van de schouders gaf uiting aan de klacht dat de dode jongen het leven maar lamlendig had gevonden: LIFE SUCKS.

Dokter Slope gaf de bediende met een kort knikje te kennen dat hij kon gaan. Terwijl hij zijn bril afnam, wendde hij zich tot Mallory. 'Weer terug van vakantie?'

Mallory schudde haar hoofd. 'Als de pers ernaar vraagt, hebt u me niet gezien.'

Riker keek neer op wijlen Richard Tree, bij tv en de kranten beter bekend als de Kruisboogman. Het was geen toepasselijke naam geweest, want hij had meer weg van een jongen. Hoewel hij volgens zijn papieren tweeëntwintig was geweest, was er op het gezicht geen baardgroei te zien, alleen maar een paar verdwaalde haartjes, en door zijn mopsneus leek hij zelfs nog meer op een kind. 'Dus die knul heeft een overdosis genomen, hè?'

Dokter Slope knikte. 'De uitslag van de proeven zal nog wel even op zich laten wachten. Maar ik denk niet dat er veel verrassingen zullen zijn.'

'De pijlwond werd na de dood veroorzaakt,' zei Mallory.

'Als je zelf een lijkschouwing wilt plegen, waarom val je mij dan lastig?' Dokter Slope overhandigde haar het klembord. 'Doodsoorzaak: een overdosis van een langdurig gebruiker. Maar dat wist je ook al, nietwaar?' Hij draaide de arm van het lijk om en liet haar de littekens zien die de naalden aan de binnenkant van de ellebogen hadden achtergelaten. 'Ik heb oudere sporen gevonden onder de zolen van zijn voeten en in zijn knieholten. Waarschijnlijk probeerde hij zijn verslaving verborgen te houden tot die aderen het loodje legden. Laat ik het zo zeggen: hij heeft al een hele tijd op een naaldbreedte van de dood geleefd.'

'Dus dit kan met geen mogelijkheid moord zijn geweest?' Riker haalde zijn opschrijfboekje tevoorschijn.

'Absoluut niet.' Slope was een tikje geïrriteerd, misschien omdat dit iets was wat Mallory ook allang wist. 'Geen sporen van een gevecht, geen blauwe plekken en geen verdedigingswonden. En het laatste prikje van een naald stemt overeen met een injectie die hij zichzelf heeft toegediend. Hij was waarschijnlijk de enige die nog een goede ader in die arm kon vinden.'

'Hoe zit het met aids?' Rikers pen bleef boven een blanco vel zweven, hoewel hij betwijfelde of er iets was wat de moeite van het opschrijven waard was. 'Zou het zelfmoord door een overdosis kunnen zijn geweest?'

'Nee,' zei Slope. 'Ik gok erop dat hij recentelijk wat geld in handen heeft gekregen. De heroïne was behoorlijk zuiver. Hij was waarschijnlijk gewend aan aangelengde drugs vermengd met rotzooi. Help me even om hem om te draaien.'

Riker stopte zijn nutteloze pen en opschrijfboekje in zijn zak en trok vervolgens een paar plastic handschoenen aan omdat hij het dode vlees niet wenste aan te raken. Hij wilde nog wel eens misselijk worden, afhankelijk van de conditie van een lijk, en dit was op zijn zachtst gezegd behoorlijk belegen. Waarom kon Mallory dit niet doen? Zíj had die verdomde junk gevonden.

Toen het lijk op zijn buik lag, werden de sporen aan de bovenzijde van de rug zichtbaar. Het was een gelijkmatig patroon van kriskras over elkaar lopende lijnen binnen de scherpe omlijsting van een rechthoek.

'Deze afdrukken zijn weliswaar post mortem,' zei Slope. 'Maar ze zijn rond de tijd van overlijden ontstaan en voordat het lichaam ergens anders heen gebracht werd. Het zou een metalen rooster van een vloerverwarming kunnen zijn. Als je iets vindt wat overeenstemming vertoont met dit patroon zul je weten waar hij is gestorven. Volgens mij is het lichaam zeker vierentwintig uur na het overlijden verplaatst.'

'Dus de enige aanklacht zou het verminken van een lijk zijn,' zei Riker. 'Is dat alles?'

'Dat is de enige eigenaardigheid.' Slope overhandigde Mallory de pijl, die in een plastic zak zat met een etiket waarop stond dat het om bewijsmateriaal ging. 'De borst werd dagen nadat de jongen overleed doorboord. Een dodelijk ongeval dat door moest gaan voor een moord – dat noem ik nog eens interessant.'

'Ik noem het misleiding,' zei Mallory. 'Waarom houden we de uitkomst van de autopsie niet een paar dagen geheim?'

'Mij best. Bezorg me maar wat administratieve rompslomp om dat te wettigen, dan zullen we het daar nog wel over hebben.'

'Het kan wel even duren voor ik die papieren boven water heb.'

'Prima.' Slope stak zijn handen op. 'En heb je er nu iets aan gehad? Of heb ik hier mijn tijd staan te verspillen?'

'Ik schiet er niet echt veel mee op,' zei Mallory. 'Maar u kunt me nog wel met iets anders helpen. Wat kunt u me over multi-infarctamnesie vertellen?'

'Je zou me wat tijd kunnen besparen,' zei Slope, 'als je me vertelt wat je nog niet weet.'

'Het gaat om Malakhai.'

Daarmee had ze meteen de aandacht van de dokter gewekt. Hij was even verrast als Riker.

'Het is al meer dan een jaar aan de gang,' zei ze. 'Iedere keer als hij een attaque heeft, wordt er een klein stukje van de hersenen vernietigd en gaan er herinneringen verloren. Ik weet dat ze steeds sneller achter elkaar komen. Ik moet weten hoeveel tijd ik nog heb voor hij doodgaat of zijn geheugen helemaal gewist is.'

'Het spijt me om dat te horen.' De dokter duwde de stalen plank terug in de muur en sloot de deur. 'Als hij medicijnen gebruikt, kan het nog wel even duren voor er heel ernstige beschadigingen ontstaan. Ik kan je niet tot op de dag precies vertellen wanneer iemand doodgaat. Het zou morgen kunnen zijn of over een jaar. Maar op een dag zal hij een ernstige beroerte krijgen. Wat hem nu overkomt, zal waarschijnlijk niet zulke grote gevolgen hebben – hij zal wat tijd kwijt zijn, een paar uur, een paar minuten. Zijn vingervlugheid en zijn motoriek zullen er niet onder te lijden hebben. En zijn intellect evenmin – geen dementie. In een geval als dit gaan data en specifieke herinneringen het eerst verloren.'

'En herinneringen aan mensen?'

'Het kan zijn dat hij bepaalde mensen uit zijn verleden niet meer herkent. Dat hangt af van de ernst van de attaques.'

Riker keek naar zijn schoenen in een poging om niet alleen zijn verbazing, maar ook de vernedering voor Slope te verbergen. Wat zou Mallory nog meer voor hem achtergehouden hebben?

'Momenteel heeft hij alleen kleine attaques,' zei Mallory. 'Zou hij ook pasgeleden een moord gepleegd kunnen hebben en het vervolgens vergeten zijn?'

'Dat zou kunnen,' zei Slope. 'Maar in dit stadium is het niet waarschijnlijk. Het is niet te vergelijken met Alzheimer. Meestal blijft het heden intact en verdwijnt het langetermijngeheugen het eerst. Maar jij was degene die Malakhai vertelde hoe zijn vrouw werd vermoord. Dan is het toch uitgesloten dat er al vóór het pokeravondje een wraakmotief bestond?'

Riker was boos, want die informatie had hem ook niet bereikt. Hij probeerde haar blik op te vangen.

Mallory negeerde haar partner opzettelijk door haar gezicht af te wenden en alleen tegen Slope te praten. 'Malakhai wist allang hoe zijn vrouw was gestorven. Misschien kende hij niet alle bijzonderheden, maar hij wist wel dat ze door die schouderwond niet doodgebloed kon zijn. Hij heeft meer lijken gezien dan u. En hij is zelf erger gewond geweest dan Louisa.'

Dokter Slope schudde zijn hoofd. 'Waarom zou hij meer dan vijftig jaar wachten voor hij wraak nam?'

Het viel haar niet op dat Riker een beetje verder van haar af ging staan. 'Dat weet ik niet.' Mallory staarde naar de lade waarin 'haar' junk lag. 'Maar dat lijk was een eersteklas poging tot misleiding.' Ze hield een groenfluwelen zakje omhoog. Riker herkende het als het exemplaar dat Charles haar had gegeven toen hij haar de buis met sleutels uit *Faustine's Magic Theater* had laten zien.

Ze gaf het aan de dokter. 'Komt u dat bekend voor?'

Slope bestudeerde de geborduurde F. 'Het lijkt precies op dat ding dat we op het lichaam van Oliver Tree hebben aangetroffen.'

'Wij?' vroeg Riker in de hoop dat Slope het over een van zijn assistenten had. 'Heb ik iets gemist? Heeft er een lijkschouwing plaatsgevonden op het slachtoffer van een ongeval?'

Slope deed zijn bril af. 'Een gewelddádig ongeval dat bijzonder veel aandacht trok. Natuurlijk hebben we het lichaam bekeken. Er kwam geen lancet aan te pas. Niets bijzonders. Mallory was de enige rechercheur die de moeite had genomen om op te komen dagen. Heeft ze je dat niet verteld?'

'Het zal haar wel ontschoten zijn.' Riker leunde tegen een van de kasten en voelde zich plotseling eenzaam.

Mallory pakte Slope het groene zakje weer af en wendde zich tot haar partner. 'Ik heb je verteld dat Olivers moordenaar alleen maar de sleutels hoefde te verwisselen – er was alleen wat vingervlugheid voor nodig om de nieuwe om te ruilen voor de oude. Het sleutelzakje maakte alles nog eenvoudiger. De eerste de beste zakkenroller had het voor elkaar gekregen.'

Riker keek haar niet aan toen hij zijn hoed opzette en zijn jas dichtknoopte. Ze leek niet te merken dat hij boos was. Of liever gezegd, het kon haar niets schelen. Hij liet Mallory in het luchtledige praten terwijl hij door de klapdeuren naar buiten liep. Hij was al halverwege de gang toen hij het roffelende geluid van haar sportschoenen op de grond hoorde.

'Riker, wacht even!'

Hij bleef doorlopen, want eigenlijk wilde hij nu niets anders dan wat frisse lucht happen op het trottoir en even alleen zijn. Ze haalde hem in en bleef naast hem lopen. Hij weigerde haar aan te kijken – dat kon hij niet opbrengen.

'Waar ga je naartoe, Riker?'

'Naar het theater.' Hij keek op zijn horloge. Hij zou te laat komen voor zijn afspraak met Futura. 'Ik ga de linten van de afzetting weghalen, zodat de goochelaars kunnen…'

'Niet zo snel. Ik moet nog wat monsters uit de ruimte in Olivers podium hebben. Ik zie je daar wel. Daarna gaan we lunchen, oké?'

'Ik heb geen honger, meid.' Hij was bijna aan het eind van de gang en zijn geduld was op. 'We gaan wel een andere keer lunchen – als je volwassen bent.'

Hij voelde haar hand op zijn arm en op dat moment bleef hij abrupt staan en keek haar aan. Stond er verbazing in haar ogen te lezen? Ja. Ze bestudeerde zijn gezicht en vroeg zich waarschijnlijk af waarom hij nou boos op haar was. Medeleven was niet haar sterkste punt.

'Je bent nooit veranderd, Mallory. Voorzover ik me kan herinneren, heb je nooit geleerd om je speelgoed met andere kinderen te delen.'

'De andere kinderen wilden niets met me te maken hebben, dat weet je best.' Het zinnetje was er zonder spijt uit gekomen, alsof het om iets heel gewoons ging. Het was een rake opmerking, op het juiste moment.

In al die jaren dat hij Kathy Mallory had zien opgroeien, had ze bij zijn weten nooit een speelkameraadje van haar eigen leeftijd gehad. Ze had zich tevredengesteld met de rechercheurs van de afdeling bijzondere misdrijven en computers hadden de plaats van het springtouw op straat ingenomen. De kinderen die gewend waren om in een meer traditionele omgeving op te groeien dan op koude straten en in afgedankte verpakkingen van ijskasten waren bang voor haar geweest.

Zijn stem klonk wat milder, alsof hij tegen het kind Kathy praatte. 'Je mag je eigen partner niet op die manier behandelen, dat weet je best. Ik heb je alle informatie gegeven waarover ik beschikte. Maar jij...'

'En iedere keer als ik jou met bewijsmateriaal confronteerde, maakte je het met de grond gelijk. Iédere keer, Riker. Je wilde gewoon niet aan mijn kant staan.'

Nu was het haar beurt om kwaad te zijn. Hij had alleen maar even met zijn ogen geknipperd en de rollen waren omgedraaid – maar hoe?

Ze zette zich schrap, met haar handen op haar heupen. 'En als ik het met jou nou wél over Olivers lijkschouwing zou hebben gehad? Op de dag van de optocht – zou je me dan niet gewoon hebben uitgelachen? En daarna ben je me samen met Coffey de voet dwars gaan zetten.'

Nee, wacht even. Daar trapte hij niet in – vandaag niet. Zij zat fout en dit keer liet hij zich niet in het verdomhoekje trappen.

'Prima,' zei hij terwijl hij zijn jas losknoopte. 'Wil je dat verdomde cadeautje van je terughebben? Je zegt het maar.'

'Nee, hou op.' Ze stak haar handen uit en legde die over de zijne. 'De jas heb je eerlijk verdiend.' De bui was voorbij. Ze glimlachte zwakjes, terwijl ze zorgvuldig zijn knopen weer dichtdeed. Daarna borstelde ze de schouders af en controleerde of ze nog meer ongerechtigheden kon vinden. Door die glimlach werd ze weer Kathy, tien jaar oud.

Ze vocht niet eerlijk.

'Met die jas heb ik je terugbetaald,' zei ze. 'Voor de dag dat je de tandarts te pakken nam.'

'Wat?'

Mallory draaide zich om en liep terug naar het mortuarium, waardoor hij verward en een tikje ontdaan achterbleef. Zo gedroeg ze zich altijd: toeslaan en dan snel wegwezen – dat was in vijftien jaar niet veranderd.

De tándarts?

Het was jaren geleden dat hij aan dat voorval had gedacht. Hoe oud was ze die dag ook alweer geweest – elf? Hij had aangeboden om na schooltijd met haar mee te gaan naar die afspraak. In de wachtkamer had de tandarts hen met een gemene grijns begroet. 'Waar is inspecteur Markowitz eigenlijk?' Hij wees naar het kleine meisje naast Riker. 'Heeft ze hem vermoord?'

De jonge Kathy had dat helemaal niet grappig gevonden. Ze had haar voet naar achteren getrokken om de tandarts een welgemikte schop tegen zijn schenen te geven, maar Riker had haar stevig in haar kraag gepakt om dat jeugdige enthousiasme voor geweld in te tomen.

Toen had de tandarts die zichzelf erg leuk scheen te vinden gezegd:

'Kunnen we dat kleine monster dit keer aan de stoel vastketenen?'

Nadat Riker de tandarts tegen de muur had geduwd en hem daar tegenaan gedrukt hield, had hij de man nog meer angst aangejaagd door hem te vragen hoe vaak hij kleine meisjes met boeien aan zijn stoel vastketende. En of die smeerlap soms dacht dat dat normáál was?

Even was er opgewonden, blije blik in Kathy's ogen verschenen toen ze het idee kreeg dat de tandarts al zijn tanden kwijt zou raken, maar Riker had haar teleurgesteld en de man weer losgelaten.

Daarna had hij het kind bij de hand gepakt en mee naar buiten genomen om rustig een uurtje de eekhoorntjes in Washington Square Park te gaan voeren. Hij had over het leven verteld en haar gewaarschuwd dat het heel onrechtvaardig en heel gemeen kon zijn. *Wat een sukkel.* Alsof het voormalige straatkind daaraan herinnerd moest worden, het kind dat uit vuilnisbakken had gegeten op dagen dat ze geen kans had gezien om eten te stelen. Toen hij haar had gevraagd of ze zich gekwetst voelde door de woorden van de tandarts had ze haar hoofd geschud in een zwijgende, nadrukkelijke leugen: *Nee, natuurlijk niet, mallerd.*

In dat korte ogenblik had hij haar beter leren kennen; het had iets te maken met die onderlip die onder haar voortanden verdween – stoïcijnse Kathy. Als ze alleen maar had gehuild of had geklaagd – één keertje maar – dan zou ze nu niet zo'n macht over hem hebben.

Daarna keek hij neer op zijn nieuwe jas. Terúgbetaald? Was dat in haar herinnering de laatste keer geweest dat hij aan haar kant had gestaan?

13

Mallory hield haar hand omhoog tegen de laagstaande middagzon terwijl ze omhoogkeek naar de man op de ladder. Hij stond te werken aan een ouderwetse luifel met een rand gele gloeilampen en een rij elegante gouden letters daarboven. De arbeider schroefde de laatste letter van de tekst FAUSTINE'S MAGIC THEATER vast. Op de witte vlakken aan de drie zijden van de vierkante overkapping stonden mededelingen die wat minder permanent waren. De naam van Franny Futura stond boven aan het rijtje illusionisten die de komende voorstelling zouden verzorgen en het was de enige die ze herkende.

Het gebouw lag een heel eind ten noorden van het theaterdistrict, maar wél aan Broadway. Geen slechte plek voor de man die Charles had omschreven als een vermoeid museumstuk van de goochelkunst.

Mallory draaide zich om naar de glazen deuren die op stalen wieltjes liepen. Riker had het gele lint waarmee de politie de plaats van een misdrijf altijd afzet weggehaald. Zou hij er nog steeds zijn? Zou hij nog steeds boos zijn? Haar verjaardagscadeautje was in feite bedoeld als een goedmakertje voor een groot aantal zonden, de compensatie voor al die overtredingen die ze nog niet had begaan. Maar eigenlijk had ze de jas alleen maar gekocht omdat zijn oude veel te versleten was om hem in de winter genoeg warmte te bieden. Maar een dergelijke simpele verklaring kon ze niet over haar lippen krijgen.

Ze bleef bij de ingang staan om een pas aangebrachte, in chroom gevatte glazen vitrine te bekijken. Foto's van Olivers grootmoeder hingen in een kring rond haar gedenkplaquette. Met de klok mee vertoonden privé-kiekjes en publiciteitsfoto's het levensverhaal van Faustine die geleidelijk van een tenger donkerharig meisje veranderde in een statige diva die onmiskenbaar een pruik droeg. Op het recentste portret werden haar ogen omrand door harde zwarte lijnen en was de mond met donkere lippenstift groter gemaakt. De trekken die Faustine haar leven lang hadden gekenmerkt, waren onder andere een hongerige blik, een uitstekende, vastberaden kin en harteloze ogen. Mallory vroeg zich af of er ooit iemand was geweest die deze vrouw had gedwarsboomd. Ze dacht van niet.

Ze duwde de deuren open en stapte een kleine foyer binnen. Ook hier waren sinds de veiling kleine veranderingen aangebracht. In de intieme ruimte was een donkergroene bank neergezet. De geur van nieuw leer vermengde zich met de lucht van verse pleister. Een dof geworden koperen kwispedoor stond op de vloer naast een asbak op een piëdestal. De muren en de vloerbedekking waren van lichtere tinten groen. Faustine had kennelijk een zwak gehad voor die kleur – en voor aantrekkelijke jonge jongens.

De leerlingen van de oude vrouw stonden samen op een gigantisch aanplakbiljet in een rijkversierde gouden lijst. Mallory keek wat er op de kleine koperen plaquette stond die rechts van haar aan de muur hing.

Die foto was dus bewaard gebleven uit 1940 toen Faustine nog in leven was; voordat de theaterstoeltjes weggehaald waren om plaats te maken voor eettafeltjes; voordat de oorlog de stad was binnengemarcheerd in de grijze uniformen van het bezettingsleger. Het zou nog twee jaar duren voor Louisa in Parijs arriveerde. Oliver Tree stond niet bij het gezelschap jeugdige artiesten in avondkleding met hoge hoed. Kennelijk had zijn eigen grootmoeder hem niet als een illusionist beschouwd.

De jonge Max Candle stond op de achtergrond, nog maar net binnen de lijst. Uit zijn lichaamstaal sprak een uitbundige, jongensachtige energie. Hij stond op het punt om ervandoor te gaan, om aan het oog van de camera te ontsnappen en zich in het echte leven te storten. De blik in zijn ogen hunkerde naar de dingen die komen gingen – fantastische dingen.

Maar er ging zoveel meer uit van Malakhai, hoewel hij dat jaar hooguit vijftien kon zijn geweest. Hij vormde het dynamische middelpunt van de foto, tronend op een stoel met een hoge rug, een kindkoning met lange haren tot op zijn brede schouders. In zekere zin had meneer Halpern gelijk gehad – alleen Malakhais haar was oud geworden. De man had nog steeds iets van de jongen en zijn aantrekkelijkheid in zich.

Op de rest had de tijd een natuurlijker uitwerking gehad en hen volkomen andere gezichten en vormen gegeven. De jonge versie van Emile St. John was een prachtvent met dik krullend haar en het lichaam van een god – een afstandelijke god, want zijn ogen waren op een of ander innerlijk landschap gericht. Franny Futura was tenger geweest, haast meisjesachtig met zijn volle pruillippen en zijn lange wimpers. Maar de grootste moeite had Mallory met Nick Prado; ze herkende hem nauwelijks in de gladde en sombere tiener. Hij stond een paar passen van de anderen af, een donkere gestalte met smeltende Spaanse ogen en een ondeugende grijns die zei: *Ja, wat ben ik mooi, hè?* Er was niet eens genoeg gelijkenis om Prado tot de vader van deze elegante jongen te bestempelen. Het enige wat was overgebleven, was de innige eigenliefde.

Mallory draaide zich om toen ze mensen hoorde lachen. Ze tuurde door het ronde ruitje in de deur van de foyer. Drie van Faustines leerlingen bevonden zich op het toneel. Emile St. John stond afgetekend tegen een groen gordijn, Nick Prado en Franny Futura zaten op houten kratten en deelden een fles wijn. De veilingtafels waren verdwenen, net als Olivers podium. Dat zouden de filmmensen wel meegenomen hebben.

Verdomme nog aan toe, Riker.

Hij wist dat ze nog een keer binnenin had willen kijken, maar toch had hij de nieuwe eigenaar toegestaan om het podium naar de westkust te verschepen. Met een plotseling opwellende woede duwde ze de klapdeur open en liep met grote passen het middenpad af.

'Wat spoken jullie hier uit?' Drie hoofden draaiden zich naar haar om. 'Ik heb zo het vermoeden dat dit geen wake voor de neef van Oliver is.'

'Hé, hallo.' Nick Prado glimlachte en hield zijn buik in. 'We maken gewoon de restjes van de veiling op.' Hij hield een bos sleutels omhoog. 'Brigadier Riker heeft ons binnengelaten.' Hij keek neer op de champagnefles die hij in zijn hand had. 'En natuurlijk moesten we Olivers theater fatsoenlijk ten doop houden.'

Terwijl hij zijn ogen samenkneep om haar beter te kunnen zien, liep Franny Futura angstig dicht naar de rand van het toneel toe. Hoewel hij er gewoonlijk schoon en netjes uitzag, zat zijn das scheef en hetzelfde gold voor zijn mond; die wiebelde in een dwaze glimlach. Hij had een plastic wijnglas in zijn hand en zwabberde dronken vooruit tot hij over zijn eigen voeten viel, struikelde en op zijn achterwerk terechtkwam. Met ronde, onschuldige ogen zat Futura als een verbijsterde, grijsharige baby rechtop op de planken, zijn benen wijd. Hij staarde naar zijn glas en het mirakel van de niet gemorste wijn en mompelde iets onsamenhangends dat misschien wel: 'God bestaat toch' had kunnen zijn.

Mallory liep de trap naar het toneel op. 'Waar is het podium?' Als het kortgeleden was opgehaald, was het misschien nog in de stad en binnen bereik.

'Maak je geen zorgen.' Emile St. John schoof het gordijn aan de achterkant van het toneel opzij om haar een blik te gunnen op het grote houten bouwsel erachter. Alle kruisbogen stonden op hun plaats en waren op de houten staanders boven aan de trap gericht. 'Riker heeft tegen die lui uit Hollywood gezegd dat het pas over een paar dagen verscheept mag worden.'

'Olivers advocaat is dolgelukkig met je.' Prado stond naast haar, veel te dichtbij, en ademde met elk woord een wijnlucht uit. 'Dat lijk heeft het openingsbod op het podium waarschijnlijk verdubbeld. En natuurlijk vindt Franny je ook een schat. Zijn voorstelling is gedurende het hele festival uitverkocht.' Hij keek neer op Futura die op de grond rustig van zijn champagne zat te nippen.

'En jij dacht nog wel dat deze tent te ver van het theaterdistrict verwijderd lag om veel publiek te trekken.' Prado bukte zich om Futura een klap op zijn rug te geven. Het bovenlijf van de man zakte naar voren en viel toen langzaam de andere kant op. Nu lag hij plat op het toneel en van de wijn was nog steeds geen druppeltje gemorst.

Emile St. John liet het ontkurken van een volgende champagnefles maar even achterwege. Hij pakte met één kolossale hand de arm van Futura vast om de kleinere man van de grond te tillen. 'Heb je genoeg gedronken, Franny?'

Prado's glimlach was uitsluitend voor Mallory bestemd terwijl hij met een snelle beweging een zwarte zijden schijf tot een hoge hoed uitklapte. 'Je wilt Franny toch wel excuseren? Hij is zichzelf niet.'

Dat is dan heel jammer.

Futura leunde op de arm van St. John en grijnsde tegen haar zonder ook maar een spoortje angst te vertonen – maar dat zou wel veranderen. Morgenochtend, als hij weer nuchter was, zou deze zaak officieel aan haar toegewezen worden. Alleen om hem bang te maken zou ze twee agenten opdracht geven om Futura naar het bureau te brengen. Ze gaf niet veel voor zijn kansen om het bij een kruisverhoor langer dan vijf minuten uit te houden.

Nick Prado trok Futura's das recht. 'Hij ziet er niet meer uit tegenwoordig, hè? Ik wou dat je Franny had kunnen ontmoeten toen hij nog jong en mooi was. Faustine nam alleen de aantrekkelijkste jongens uit Parijs in dienst. Ach, wat kan een menselijk lichaam toch van de tijd te lijden hebben.'

Kennelijk rekende Prado zichzelf niet tot de slachtoffers van het verouderingsproces. Wat een vreemde spiegel moest deze egoïst hebben, een spiegel die zijn ogen sloot voor de tijd en die misschien wel iets weg had van de lachspiegel van Max Candle. Oliver Trees kopie daarvan was over een houten krat gelegd. Het vertekenende glazen oppervlak diende als een geïmproviseerde tafel voor champagneflessen en een aantal bakjes met verschillende hapjes.

Ze keek in de spiegel naar de bewegende gestalte van St. John die afwisselend dunner en dikker werd. Het ouder worden was voor hem minder dramatisch verlopen. De rust die de jongen op het aanplakbiljet uitstraalde, was nog steeds aanwezig en hij droeg zijn overgewicht als ballast tegen de wereld. Deze man zou zich niet zo gemakkelijk onder de voet laten lopen. Hij vormde het interessantste probleem als het om het afnemen van een kruisverhoor ging.

Mallory keek naar de restanten van hun geïmproviseerde picknick. De lachspiegel stond vol met de overblijfselen van chique hapjes op papieren bordjes. Ze bleef Futura aanstaren tot ze zijn ronddwalende glazige blik onderschepte. 'Hebben jullie Malakhai niet voor het feestje uitgenodigd?'

'Volgens mij komt hij zo meteen vast nog wel,' zei Futura volkomen onaangedaan en veel te opgewekt. 'Hij zwerft rond in de kelder van Charles.'

St. John pakte een plastic wijnglas uit een papieren zak. 'Waar is die andere champagne nou gebleven...'

'Die heb ik al, Emile.' Prado was met de kurk van een nieuwe fles in de weer, die er met de knal van een geweerschot afvloog. Een moment later maakte Franny Futura in een vertraagde reactie nog een sprongetje van schrik.

St. John overhandigde Mallory een wijnglas en schonk dat vol uit een fles van een beroemd merk die kapitalen moest hebben gekost. Hij stak een sigaar op, al even duur.

'Een havanna,' zei Mallory terwijl ze naar het sigarenbandje keek dat hij had weggegooid. En hij knikte, kennelijk zonder zich druk te maken dat hij onder de neus van de politie met smokkelwaar liep te pronken. Ze richtte haar opmerkingen tot het wijnglas in haar hand, in de hoop dat ze op die manier een achteloze indruk zouden maken. 'Dus Malakhai heeft in de kelder niet gevonden wat hij zocht?'

St. John haalde alleen maar zijn schouders op om aan te geven dat hij geen flauw idee had. 'Dat weet Charles misschien wel. Er was bijna niets meer te eten, dus hij is samen met Riker nog wat hapjes gaan halen. Ze komen zo terug.'

'Denkt u dat Malakhai op zoek zou kunnen zijn naar een foto van zijn vrouw?' Ze zette het wijnglas op de spiegel. 'Ik heb begrepen dat foto's van Louisa nogal schaars zijn.' Ze keek Futura aan. Hij glimlachte en stak langzaam zijn handen op om aan te geven dat hij haar niet kon geven waar ze op uit was. Mallory kwam iets dichterbij. 'Kunt u zich nog herinneren hoe ze eruitzag? Hoe lang was haar haar toen u haar voor het eerst zag?'

Futura gebaarde naar een plek vlak onder zijn schouders. 'Ongeveer zo lang.'

'Voorzover ik me kan herinneren, had ze heel kort haar.' Prado schonk nog meer wijn in het glas van de dronken man dat een soort bewegend object was geworden.

'Maar dat was later,' zei Futura. 'De eerste keer dat ik haar zag...' Hij raakte de draad kwijt toen Prado zijn wijnglas ophief om een dronk uit te brengen.

'Op de betoverende tijd bij *Faustine's*.'

St. John klonk met hem. 'Betoverend? O Nick, wat ben je toch een leugenaar.' Een van zijn handen maakte een gebaar dat de hele omgeving omvatte. 'Oliver heeft een paar verbeteringen aangebracht. Het originele *Faustine's* was heerlijk sjofel. Nadat de oude dame was gestorven, hebben we het in een theater met eetgelegenheid veranderd. Er hing altijd een walm van rook. De vloer stonk naar whisky en wijn.'

'En het eten was heel slecht.' Mallory stond St. John aan te kijken als een bokser die op het punt staat om toe te slaan. 'Duitse soldaten waren uw beste klanten. Maar geen officieren. Tenzij u de avond meerekent dat Malakhai op het podium dat Duitse uniform droeg.' Hoe bracht ze het eraf onder het kritische oog van St. John? Uit zijn uitgestreken gezicht kon ze niets opmaken. Wat moest er gebeuren om deze man uit zijn evenwicht te brengen?

'Toch deden we goede zaken.' Nick Prado verbrak de onbehaaglijke stilte tussen Mallory en St. John en vulde hun glazen bij. 'Er was alleen te vaak gratis drinken voor de Duitsers. Dus was er eigenlijk nooit genoeg geld voor ons allemaal.' Hij pakte het glas dat Mallory had neergezet en gaf het haar in de hand. 'Maar het was een groot feest. En het heeft jaren geduurd.'

'Maar zonder winst te maken.' Mallory's blik bleef op St. John gevestigd. 'Jullie werkten er overdag allemaal bij om de eindjes aan elkaar te knopen. Wat deed u?'

'Ik had aanleg voor zakkenroller.' De grote man boog vanuit zijn middel terwijl hij haar een glanzend gouden voorwerp voorhield dat uit een horlogezakje kwam. 'Ik geloof dat dit van jou is.'

Nu had Mallory een ongewenst glas wijn in haar ene en haar zakhorloge in de andere hand. Haar bron bij Interpol had de achtergrond van St. John bevestigd en ze deed haar best om zijn carrière als opsporingsambtenaar te rijmen met zijn talent voor diefstal. Het kwam geen moment bij haar op om ter opheldering eens in de spiegel te kijken, toen ze haar glas neerzette. 'Op welke wijze verdiende Louisa haar geld?'

Emile St. John deed als eerste zijn mond open. In dit gezelschap zou hij altijd de leiding hebben. De anderen onderwierpen zich daaraan. 'Louisa speelde op straat viool.'

Futura sloeg zijn wijn achterover en zei: 'Maar ze verdiende meer geld met pokeren in een achterkamer van het theater.'

'Dezelfde kamer waar ze vermoord werd?'

Gedurende een moment zag Futura er ontnuchterd uit. Toen gaf Prado hem een klap tussen de schouderbladen, alsof de man op die manier weer in een gelukzalige dronkaard zou veranderen – en dat gebeurde inderdaad.

'Louisa's dood was een tragedie,' zei St. John. 'Een ongeluk.'

Ze draaide zich om en keek hem aan. 'Net zo'n ongeluk als dat van Oliver?'

'Precies.' Hij glimlachte, blij dat ze het eindelijk begreep.

'Ik kan bewijzen dat Oliver werd vermoord.' Ze keek hen een voor een aan. Alleen Futura leek enigszins onder de indruk en was opnieuw de roes van de wijn kwijt.

Prado schonk haar een gemaakt wellustige blik. 'Zo'n knap meisje en dan al die morbide belangstelling voor moord. Is er ook nog iets anders wat voor je telt – behalve de dood?'

'Het is vakmatige belangstelling, meneer Prado.' Ze keek hem vanuit haar ooghoeken aan en nam niet de moeite haar hoofd om te draaien toen ze die opmerking maakte. 'Ik weet wat u in de oorlog hebt gedaan. U hebt u bij de Britten aangesloten. U was een uitstekend schutter.'

'Ik was meer dan dat.' Zijn glimlach was vriendelijk, zonder haar die vergissing en het onbegrip dat ze voor hem toonde aan te rekenen. 'Op het toneel was ik de meester van de trucageschoten.'

'U was sluipschutter.' De manier waarop ze het zei, klonk als een belediging en ze keek hem aan alsof ze nu pas zag dat hij nog geen meter van haar af stond, alsof ze hem volkomen onbelangrijk vond. 'U kwam nooit bij uw slachtoffers in de buurt. Ze waren zo groot als insecten als u ze doodschoot. En dat stemt aardig overeen met de moordaanslag bij de optocht. Daarvoor ben ik toevallig wel op zoek naar een langeafstands-schutter – die man die dat schot heeft afgevuurd.'

Tot haar teleurstelling begon hij luid te lachen. Het was haar bedoeling geweest om hem kwaad te maken.

'Gaat het daar allemaal om? Wie die grote pup heeft neergeschoten?' Prado wees naar haar onaangeroerde glas. 'Drink je wijn op, Mallory. Wees eens wat vrolijker.'

St. John nam het ernstiger op. 'Als dit een politieverhoor is, kan ik misschien beter contact opnemen met mijn advocaat.'

'Maar jij kunt die ballon niet neergeschoten hebben.' Futura vertrok zijn lippen in een dwaze grijns. Hij zwabberde naar Emile St. John toe en kneep even met een geruststellend gebaar in de arm van de langere man. 'Toen dat schot afging, stond jij naast me op de praalwagen.'

'De volgende keer,' zei Mallory, 'zal die sluipschutter niet missen. Dan zal een van jullie hartstikke dood zijn. Als jullie je huid willen redden, zullen jullie met mij moeten praten. Het houdt allemaal verband met de moord op Louisa. Waarom pakken we daar de draad niet op?'

'Toen Louisa stierf,' zei Prado, 'hadden wij nog geen ervaring met moorden. Toen waren we nog geen van allen bij de oorlog betrokken.'

'Dat is niet waar.' Futura stond op, een beetje wankel als gevolg van de wijn. 'Emile was bij de oorlog betrokken. Hij zat in het verzet.'

Het was de eerste keer dat St. John verrast werd. 'Wist je dat dan, Franny? Hoe ben je daar achter gekomen?'

'Laat me eens raden,' zei Mallory. 'Ons kent ons?'

'Ik beken,' zei hij.

Mallory schoof iets dichter naar Futura toe. 'En er is nog een andere manier waarop u het te weten had kunnen komen... Als u voor de Duitsers werkte.'

Prado sloeg zijn arm beschermend om de schouders van de dronken man. 'Dat heb ik je toch al verteld, Mallory. Half Parijs werkte voor de Duitsers. Ik heb zelf ook bepaalde dingen voor hen gedaan. Ik was dol op Amerikaanse sigaretten, maar de Duitsers hadden de beste Franse wijn. Wat kan een jongen anders doen?'

Mallory negeerde hem en richtte zich tot Futura. 'Verzetsstrijders? Dat is gewoon een ander woord voor terroristen. U en Emile smeten met bommen en voor ze de grond raakten, waren jullie al weg. Dus met jullie tweeën...' Ze wierp een blik op Prado, 'plus deze sluipschutter... heb ik nu de keus uit dríe sluipmoordenaars.'

'Jij laat het allemaal zo kil klinken,' zei Prado. 'Het lijkt niet op het werk van een politieman, hè? Jullie hollen naar de vijand toe. Jullie willen hem omhelzen en hem ten val brengen. Het klinkt allemaal erg seksueel, vind je niet? Is er een gebrek aan normále seks in je leven, Mallory?'

'Nick.' Meer hoefde St. John niet te zeggen. Hij bepaalde tot hoever ze konden gaan en de andere man liep met tegenzin naar de zijkant van het toneel.

Mallory liep over de planken achter Prado aan. Ze was nog niet met hem klaar. 'In 1942 had u nog wat leuke bijverdiensten. Ik heb er een voorbeeld van gezien in Louisa's paspoort.' Ze draaide zich om naar St. John en Futura. 'Jullie hadden allemaal iets te verliezen als ze door de Duitsers opgepakt zou worden. Zij kregen hun gevangenen altijd aan het praten, hè?'

'De Fransen van het Vichy-bewind waren net zo slecht,' zei Prado. 'En wat zouden de Duitsers van Louisa willen? Ze was nog maar een schoolmeisje toen ze naar Parijs kwam.'

Mallory keek hem weer aan en schudde haar hoofd om de man duidelijk te maken dat ze hem op een leugen had betrapt. 'Jullie wisten dat Louisa niet de eerste de beste vluchteling was. Nadat Malakhai haar meebracht naar Parijs heeft hij haar haar afgeknipt, waarna ze zich als jongen kleedde. Vervolgens verborg hij haar op de enige plek waar niemand haar ooit zou zoeken – voor het voetlicht op een toneel omgeven door Duitse soldaten. Zelfs als hij jullie nooit heeft verteld dat ze een ontsnapte gevangene was, wisten jullie tóch dat ze gezocht werd. Dat wisten jullie stuk voor stuk.'

Ze richtte haar aandacht weer op Futura, de man die waarschijnlijk het eerst door de knieën zou gaan, dronken of niet. 'Malakhai schoot zijn vrouw neer met een kruisboog. Maar hij is niet degene die haar vermoord heeft. De moord vond plaats nadat hij het theater was uitgerend.'

Futura richtte zich tot Nick Prado, misschien wel met het idee dat hij fluisterde. 'Malakhai heeft zich niet aan de...'

Prado sloeg zijn arm om de man, keek hem recht in zijn dronken gezicht en dwong hem om zijn mond te houden.

St. John vulde hun glazen opnieuw. 'Niet zoveel praten, neem er nog maar eentje, Franny.' Hij keek Mallory aan. 'Dus dit is tóch een officieel politieverhoor?'

'Helemaal niet,' zei ze. 'Je zou eerder kunnen zeggen dat ik jullie een dienst bewijs. Een van jullie heeft Louisa vermoord.' Mallory bleef Futura strak aankijken en zag tot haar genoegen dat hij dit keer wel wijn morste. Ze bracht haar mond vlak bij zijn oor. 'Ik kan jullie maar beter te pakken krijgen voor Malakhai dat doet. Jullie weten toch wat hij in de oorlog heeft gedaan? Al zijn slachtoffers werden aan stukken gescheurd.'

Prado lachte niet langer toen hij de wijn die Futura had gemorst verving. 'We hebben met ons allen afgesproken om niet over Louisa te praten – omwille van Malakhai. Het zijn oude koeien, Mallory. Ik zou het allemaal maar laten rusten.'

'Oliver is anders maar verdomd kort geleden vermoord.'

'Maar wat heeft dát nou met Louisa te maken?' Prado leek oprecht verbaasd.

'Oliver heeft Max Candle en Malakhai geholpen bij de bouw van het podium, maar de rest van jullie heeft hij tussen 1942 en de dag dat hij in Central Park stierf niet meer ontmoet.' Ze keek hen stuk voor stuk aan, wachtend op de blik die zou verraden dat ze zich in dit opzicht vergiste, dat ze misschien in hun verklaringen tegenover de politie gelogen hadden. 'Inmiddels zijn er vijftig jaar voorbijgegaan. En dan komt hij met die raadselachtige uitnodiging op de proppen. Een van jullie dacht dat hij van plan was om over Louisa's dood te gaan praten. Voor een moord geldt geen verjaringstermijn. Maar het wordt pas echt beangstigend als je weet wat haar man in de oorlog heeft gedaan. Wie zou Malakhai als vijand willen hebben?' Zou er nog iemand zijn, behalve zij zelf?

Futura sloeg zijn hand voor zijn mond ten teken dat hij op het punt stond om over te geven. Nick Prado knikte en liep met de woorden: 'Volgens mij is het feestje voorbij, Franny' samen met de man de trap af in de richting van de foyer.

St. John liep achter hen aan. Toen de deur van de foyer achter het drietal was dichtgevallen, trok Mallory het gordijn opzij waarachter de kopie van het podium van Max Candle schuilging. Dit keer controleerde ze of er geen pijlen in de magazijnen van de kruisbogen zaten voor ze de dertien treden naar de bovenkant van het podium opliep.

Ze kroop een paar minuten lang in stilte op handen en knieën rond, terwijl ze de maat nam en de op de vloer aangebrachte bedieningshendels controleerde. Die zaten op precies dezelfde plaats als het geval was bij het oorspronkelijke podium van Max Candle. Het enige verschil betrof de scharnieren van de valluiken. Deze waren beter, steviger. Er zat geen wijde spleet tussen de planken op de plek waar de scharnieren aan het podium waren bevestigd,

Toen ze klaar was met de buitenkant, drukte ze op het slot dat op de wand naast het middenpaneel was aangebracht en de deur sprong open. Ze bleef naar het duistere interieur staren. In haar jongere jaren zou ze er niet over hebben gepiekerd om naar binnen te gaan, want er was maar één uitgang en Kathy, het kind dat door schade en schande wijs was geworden, had altijd de plekken gemeden die bij het minste of geringste in een valstrik konden veranderen. Zelfs nu vond ze het geen prettig idee.

Waarom ze plotseling omkeek, zou ze niet kunnen zeggen. Emile St. John had geen enkel geluid gemaakt terwijl hij naar haar toe was komen sluipen. Hij hield haar zakhorloge omhoog – alweer.

'Sorry, macht der gewoonte.' Hij gaf haar het horloge terug en liep door de opening tussen de gordijnen weer naar de geïmproviseerde tafel. Hij pakte het volle wijnglas op dat ze op de spiegel had laten staan. 'We moeten ergens over praten. Misschien bij een borrel.'

Mallory accepteerde het plastic glas dat hij haar aanreikte. 'U wilt dat ik ophou Franny Futura angst aan te jagen.'

'Nou, dat zou heel fijn zijn.' Hij glimlachte terwijl hij nog een glas wijn voor zichzelf inschonk. 'Franny is altijd een angsthaas geweest. Maar ik ben ervan overtuigd dat je dat zelf enkele ogenblikken nadat je hem had leren kennen ook al doorhad.'

Ze knikte. 'Maar hoe kon hij dan in het verzet verzeild raken? Dat valt niet te rijmen met...'

'Molotovcocktails en tommyguns?' Hij lachte alsof dat een goede grap was. 'In Parijs werkte Franny overdag in het postkantoor. Hij heeft nooit van zijn leven met bommen gesmeten en zelfs nooit een geweer vastgehouden. Zijn werk voor het verzet bestond uit het onderscheppen van brieven van aangevers. Weet je wat...'

'Brieven van verklikkers.' Zelf had ze geen enkel bezwaar tegen verklikkers. Zonder hen zou de politie haar werk niet kunnen doen.

'Ja, dat was een vervelend gebruik in oorlogstijd, mensen die zich tegen elkaar keerden.' Hij liep weer tussen de gordijnen door naar achteren en ging op de onderste tree van het podium zitten. 'Maar van echte overtredingen werd zelden gewag gemaakt. Pist de hond van je buren tegen de azalea's? Rotzooit de postbode met je vrouw? Nou, dan geef je hem gewoon aan als lid van de ondergrondse. Stiekem per brief. Je hoeft er niet eens je naam onder te zetten.'

St. John leunde met een arm op de trede achter hem en keek argwanend naar haar glas.

Omdat ze niet met hem meedronk?

Ze tilde het glas op – één slokje om hem door te laten praten.

'Dat gebeurt nog steeds,' zei hij. 'Verslaggevers en hun geheime bronnen – onderkruipsels die het daglicht niet kunnen zien. We hebben geen bal geleerd! Van die hele oorlog niet!'

Toen hij even zweeg, nam ze opnieuw een slokje. Riker beweerde altijd dat hij geen enkel vertrouwen had in iemand die weigerde om samen met hem het glas te heffen. Ze was nog nooit met Riker een borrel gaan drinken, dat zou veel kunnen verklaren.

'Franny heeft met zijn onderscheppingen een heleboel levens gered,' zei St. John. 'Maar hij verkeerde voortdurend in doodsangst – wachtend op de klop op de deur, het moment waarop hij midden in de nacht opgepakt zou worden. Heb je ook maar een flauw idee welk afschuwelijk lot dat soort mensen wachtte? Daarbij vergeleken zou een kogel in het hoofd een gunst zijn geweest. En nu sta jij, Mallory, jong en sterk, in het bezit van een revolver, ineens op Franny's deur te kloppen.'

Ze dacht na over de nieuwe rol die hij haar opgedrongen had – die van het monster. 'Mag ik u iets vragen – als politiemensen onder elkaar?'

Daar moest hij alleen maar om glimlachen. Misschien had Malakhai hem al verteld dat hij die opmerking tijdens een gesprek aan de eettafel had laten vallen.

Ze ging naast hem op de tree zitten. 'U bent in de jaren vijftig gestopt met goochelen. Dus moet ik me wel afvragen hoe u aan uw fortuin komt, uw enórme fortuin. Met het salaris van een bureauchef bij Interpol hebt u dat vermogen niet bij elkaar gekregen.'

Daar keek hij ook al niet van op. En dat was wel vreemd. De informatie over zijn lange loopbaan bij Interpol had ze niet van Malakhai gekregen, maar losgepeuterd van haar computercontact bij het buitenlandse bureau. Had St. John dat verwacht? Ja, dat bleek duidelijk uit zijn glimlach die zoveel wilde zeggen als: *Eindelijk.*

Dus haar Internet-correspondentievriend uit Europa had haar verlinkt.

De lafbek, die...

'Je hebt gelijk.' St. John nam genietend een slokje van zijn wijn en had kennelijk de tijd. 'Mijn theatercarrière was maar kort vergeleken bij al die jaren bij Interpol. Maar ik heb een aanzienlijk pakket aandelen van mijn familie geërfd. Ik ben geen zwarthandelaar geweest, als je dat soms...'

'Laten we weer even teruggaan. In 1942 was u een beginnende politieman in Parijs. Ik weet dat de overlijdensakte van Louisa vervalst is. De avond waarop ze overleed, bevond u zich op de plaats van het misdrijf. Wat heeft...'

'Dat is alleen maar een slag in de lucht.' Alsof hij een verkeersagent was, stak St. John een hand op om het verontwaardigde protest te voorkomen, nog voor Mallory dat in gedachten had kunnen formuleren. Hij pakte een sigaar uit een platina koker en gebaarde toen naar haar wijnglas. 'Drink jij maar, dan praat ik wel.'

Ze keek toe terwijl hij tijd rekte door een sigarenknippertje uit zijn borstzak te halen en vervolgens het uiteinde van zijn sigaar af te knippen. Hij stopte de knipper weer weg en zocht op z'n gemak in de zakken van zijn kostuum naar zijn aansteker. Mallory kon wel waardering opbrengen voor die aanpak; ze noteerde in gedachten de tips voor marteling-door-uitstel terwijl ze met haar voet zat te tikken – wachtend tot hij zijn verhaal zou vervolgen.

'Mallory, ik weet dat je navraag naar me hebt gedaan. Ik heb met die agent van Interpol gesproken – jouw internetmaatje.' Gemaakt treurig schudde hij langzaam zijn hoofd. 'Je moet je vrienden echt zorgvuldiger uitzoeken. Philippe Breton was niet bepaald discreet. Ik ben al vijftien jaar met pensioen, dus hij moet behoorlijk wat moeite hebben gedaan om mij in mijn hotel in New York op te sporen. Hij belde me op om te vragen of ik je in levenden lijve had ontmoet. Hij wilde weten hoe zijn mysterieuze Amerikaanse rechercheur eruitzag.'

St. John knipte zijn gouden aansteker aan en trok aan de sigaar, waarbij hij een wolk rook uitblies. 'Het is een vaalbleke jongeman. Je bent veel te goed voor hem. Ik heb Philippe dan ook verteld dat je een dikke bril droeg en nog dikkere enkels had. Je moet het me maar vergeven, Mallory, maar ik heb je ook een nogal lelijke huid toegedicht. Ik hoop dat je me dat vaderlijke gedrag niet kwalijk zult nemen.'

Ze zaten even zwijgend in vriendschappelijke stilte toe te kijken hoe de rook opsteeg naar de loopbrug hoog boven hun hoofd. Ze nam een slokje champagne en hij ging verder.

'Natuurlijk is het uit met die gesprekjes tussen Philippe en jou. Hij gaat nu actieve dienst doen – geen computers meer. Ik heb zijn superieuren namelijk een heel andere beschrijving gegeven, zie je. Ik heb hen op de hoogte gebracht van je goudkleurige haar, je prachtige groene ogen – en je onbedwingbare zucht naar kennis. Het leek hen beter om die jongeman niet langer in verleiding te brengen. Een dergelijke houding had je van Fransen zeker nooit verwacht, hè?'

'Knap werk.' En dat meende ze. Ze was niet boos omdat hij haar internetconnectie om zeep had geholpen. Emile St. John was in zijn tijd een goede rechercheur geweest. Als zou blijken dat hij Oliver had vermoord, zou ze geen moment aarzelen om hem voor te dragen voor de doodstraf, maar dat zou wel gepaard gaan met een lichte wroeging. 'U weet dat ik van plan ben om Futura aan een kruisverhoor te onderwerpen. Bent u van plan om hem een advocaat te bezorgen?'

'Absoluut.' Hij blies een rookkringetje en keek toe hoe het in een halo veranderde voor het oploste. 'Mijn advocaten zijn behoorlijk goed. Ik ben bang dat ze je niet zullen toestaan om die arme Franny te terroriseren omdat je naar bewijsmateriaal zit te hengelen. Maar wat me veel meer dwarszit, zijn deze officieuze ondervragingen. Daar moet een einde aan komen. Ik wil je niet platwalsen met behulp van geld en invloed – dat is zo onbeschaafd. Maar ik zal het wel doen, als je me daartoe dwingt.'

Dat dreigement was meer dan waarop ze had durven hopen. Hij zou al die moeite niet nemen als Futura geen goudmijn van inlichtingen was. Maar ze koesterde argwaan jegens alles wat haar in de schoot werd geworpen. Er kon nog een andere beweegreden zijn: misschien was St. John gewoon een fatsoenlijke vent die niet langs de zijlijn bleef toekijken hoe ze zijn liefste konijn martelde.

'Wat hebt ú bij het verzet gedaan?' Ze hield zich aan het ritueel dat zich tussen hen had gevormd en nam weer een slokje wijn om hem aan te sporen.

'Er zijn mannen die het leuk vinden om over de oorlog te praten. Dat geldt niet voor mij.' St. John zat even haar gezicht te bestuderen. Wat hij ook in haar ogen las, het beviel hem niet. 'En nu moet ik ervandoor.' Hij pakte de fles van de grond en zette die op de trap naast haar. 'Ik vertrouw erop dat je die leegmaakt. Het zou een schande zijn om zulke dure champagne te verspillen.'

'Ik neem aan dat er mensen zijn die alle reden hebben om hun oorlogsverleden te verbergen.'

Hij bleef bij de voorste gordijnen staan. 'Ik verwacht niet dat je daar begrip voor op zult kunnen brengen, Mallory. Je hebt het niet meegemaakt.'

'U wist dat Futura in het verzet zat. Ze hebben u gevraagd om een oogje op hem te houden, hè? U was zijn waakhond.'

Hij draaide zich om en keek haar aan. 'Heel goed, Mallory. Ja, bepaalde mensen maakten zich zorgen, omdat Franny zo timide van aard is. Maar juist daarom werd hij voor mij een held.'

'Hoeveel mensen waren op de hoogte van uw contacten met het verzet?'

'Vier. Drie ervan zijn dood.'

'En Franny behoorde daar niet toe. Daarom was u zo verbaasd dat hij het wel wist. Wie zou hem een dergelijk geheim toevertrouwen? U niet. Dat was duidelijk te merken.' Nog steeds viel er niets uit zijn gezicht op te maken. 'Ik geloof niet dat u en Prado in dezelfde kringen verkeerden als Futura. Jullie hadden hem sinds de oorlog geen van beiden meer gezien. Heb ik gelijk of niet?'

St. John knikte. 'Het theater werd na de dood van Louisa gesloten. Dat was in alle opzichten het einde. We waren allemaal...'

'Toen Futura zei dat u in het verzet had gezeten, was Prado niet verbaasd.'

'Nou ja, Nick heeft dat altijd geweten. Ik heb vaak van zijn vervalsingen gebruikgemaakt.'

'U begrijpt niet wat ik bedoel. Ik zat naar Prado's gezicht te kijken. Hij was absoluut niet verrast dat Futúra het wist. Uw oude vriend was degene die hem op de hoogte had gebracht. En wat u zich nu wel moet afvragen, is: wannéér heeft Prado uit de school geklapt? Was dat vorige week? Of tijdens de bezetting? Wanneer heeft hij uw geheim aan dat bange mannetje verklapt?'

Ja, ze bespeurde een miniem breuklijntje in de muur van goochelaars. Emile St. John zou gaan piekeren over dat verraad, maar meer ook niet. Ze wist dat hij Prado nooit iets zou vragen. Hij zou gewoon verder leven met die twijfel – met de aangerichte schade. Zo was de man nu eenmaal.

Er hing een intense triestheid om hem heen; die drong door tot in zijn botten zoals dat met vochtig weer het geval is – en hij werd er door en door koud van, hoewel zijn huivering nauwelijks waarneembaar was. 'Je bent veel beter dan ik ooit ben geweest. Je bent geschapen voor dit werk.'

Dat was niet als compliment bedoeld – dat begreep Mallory heel goed. Emile St. John had haar dat al uitgelegd: zij was de volmaakte rechercheur, het monster dat in de nachtmerries van Franny Futura op de deur stond te kloppen.

Mallory stond bij de opening tussen de achterste gordijnen en keek hem na terwijl hij wegliep. Toen hij aan het eind van het middenpad was gekomen en de deur achter hem dichtviel, zette ze haar glas weer op de lachspiegel. Haar oog viel op haar bewegende spiegelbeeld, een langgerekt en besmeurd gezicht. Het beeld werd nog wanstaltiger toen ze zich bewoog en haar gelaatstrekken tot iets wreeds werden samengeknepen. Ze hield haar hoofd scheef op zoek naar een ander beeld van zichzelf, maar in deze spiegel was geen normale vrouw te vinden.

Een vlaag tocht streek door haar haar, alsof er iemand achter haar langs was gelopen. Ze draaide zich om en keek naar het raam achter het toneel. Er zaten geen ruiten in en er was een stuk plastic over de opening gespannen. Kille windvlagen gierden door de kieren tussen de spijkers.

Mallory stak een arm in het podium en trok aan een kettinkje van de schakelaar om de gloeilamp aan te doen. Net als in het exemplaar van Max Candle zorgde een ronde metalen lampenkap voor een heldere lichtcirkel op de grond en liet het plafond in duisternis gehuld. Langs de wanden zaten in de beide podia dezelfde pinnen en inkepingen.

Ze keek op naar de valluiken, maar ze kon de in schaduwen gehulde randen nauwelijks onderscheiden. De bedieningshendels en de grendels zaten allemaal boven op het podium – net als bij het origineel van Max Candle. Ze verzamelde alle gegevens van de ruimte zonder een tekening te maken, want ze had alleen getallen nodig die ze in haar computer kon invoeren.

Achter haar voelde ze de luchtstroom die aangaf dat de deur dichtging. Ze draaide zich net te laat om.

Néé!

Hij zat potdicht. Alweer net als bij het podium van Max, zat ook hier geen knop aan de binnenkant van de deur. Ze drukte tegen het hout, maar het centrale paneel wilde niet wijken. Haar vuisten roffelden op de deur. *Wat een stomme, stomme fout!*

Zelfs als kind was ze nooit zo dom geweest om met haar rug naar een deur te gaan staan. Toen ze acht was, had ze inmiddels geleerd om ruimtes zonder tweede uitgang te vermijden om te kunnen ontsnappen aan pedopooiers en loslopende gekken. Het kind had klappen opgelopen voor ze die harde les had geleerd en was daarna weggekropen om haar wonden te likken en na te denken over wat ze door schade en schande te weten was gekomen: vertrouw niemand – en draai je nooit om.

Nooit! Nooit! Ze trommelde weer tegen het hout.

Hoe kon haar dit overkomen? Ze had de deur vast moeten zetten.

Wat een stomme fout.

Nu stond ze met één hand op het hout te slaan, net hard genoeg om zich pijn te doen zonder haar hand te breken. Pijn was goed. Daardoor kon ze weer helder denken. Mallory trok een mobiele telefoon uit de zak van haar blazer, maar ze kreeg geen signaal. Ze bevond zich in een dode ruimte.

St. John had gezegd dat Charles en Riker zo terug zouden komen. Maar zouden ze ook blijven als ze dachten dat het theater leeg was, als het feestje kennelijk voorbij was? Deze ruimte was zo goed afgesloten dat zelfs de stank van het lijk van Richard Tree van buiten niet te ruiken was geweest. Was de ruimte luchtdicht? En geluiddicht op de koop toe?

Mallory hoorde boven haar hoofd het geknetter van elektriciteit. De gloeilamp ging uit, de kamer werd donker en ze vergat bijna om adem te halen.

Hoewel ze iedere vierkante centimeter van deze ruimte kende, kon ze het idee niet van zich afzetten dat ze met één verkeerde stap in een diepe afgrond zou vallen. In deze volkomen duisternis was geen boven of beneden, geen enkel kenmerk van de tastbare wereld. Haar armen hingen doelloos langs haar lichaam. En haar longen lieten haar ook in de steek door elke keer minder lucht in te ademen. Een gevoel dat deed denken aan fladderende vlindervleugels streek langs de binnenkant van haar borst.

Maar paniek wilde ze het niet noemen; het waren herinneringen.

Dit was ieder leegstaand gebouw waarin ze zichzelf als kind tot een stijve bal had opgerold en met ingehouden adem had gewacht tot de gevaarlijke voeten haar in het duister waren gepasseerd. Vervolgens moest een klein meisje op leven en dood beslissen tussen te lang blijven en te vroeg weggaan. De illusionisten hadden gelijk – alles hing af van de timing.

Was het podium luchtdicht? Als ze hier te lang bleef zitten...

Een van haar handen kwam omhoog uit pure wilskracht die niet de hare was. Kathy het straatkind nam het heft in handen door een gebald vuistje als hamer te gebruiken en op de wand te bonzen. Mallory stond er in gedachten naast en luisterde naar het woedende kleine meisje. 'Laat me eruit, smeerlappen!' schreeuwde de jonge Kathy. 'Laat me eruit!'

Het podium was niet geluiddicht. Mallory hoorde geluiden aan de andere kant van het hout. Rennende voetstappen kwamen haar kant op. Het kind krijste uit volle borst, een stortvloed van woede en scheldwoorden; maar de vrouw, ontdaan van elke emotie, trok kalm haar revolver en richtte die op de plek waar de deur open zou gaan.

Het licht was een brede, pijnlijke kier in het hout.

Rikers verbaasde blik bleef aan de loop van haar revolver kleven. 'Het kan beslist niet komen door iets wat ik heb gezegd. Ik ben hier net.'

14

Charles Butler vroeg zich af of het alleen maar aan de dubieuze eer van een extra grote neus lag, want hij leek de enige te zijn die last scheen te hebben van die lichte stank, dat muffe souvenir dat door het lijk van gisteren in de binnenruimte van het podium was achtergelaten. Riker trok zich er niets van aan. De rechercheur stond gewoon van zijn broodje pastrami te happen terwijl hij naast de open deur stond.

Charles dwong zichzelf te glimlachen, hoewel hij zich er heel goed van bewust was dat hij door elke vrolijke uitdrukking op een circusclown onder invloed van medicijnen leek. Hij hoopte dat de kille woede die op Mallory's gezicht stond te lezen op die manier een beetje af zou nemen. 'Heb je jezelf opgesloten?'

Wacht even. Dat had hij niet moeten zeggen. Dat hield in dat ze zelf een fout had gemaakt.

'Nee, helemaal niet!' Ze keerde zich om en negeerde hem verder terwijl ze zich tot Riker richtte. 'Iemand heeft me opgesloten en de elektriciteit afgesloten.'

Riker hield op met kauwen. *Wat zeg je me nou?* zeiden zijn ogen duidelijk.

Charles keek omhoog naar de rails met brandende spotlights boven zijn hoofd. En door de spleet tussen de achterste gordijnen kon hij de rij voetlichten zien en de sprankelende kroonluchter, allemaal duidelijke tekenen van een ononderbroken stroomtoevoer. Maar hij voelde er niets voor om Mallory daar op te wijzen. 'Nou ja, je weet dat de bedrading nieuw is. Misschien is er een probleem met de...'

'Het lag niet aan de bedrading,' zei ze. 'De timing was verdomme perfect.'

De klank van haar stem viel maar op één manier te interpreteren. Ze rekende hem kennelijk tot haar tegenstanders. Het vijandige team werd gevormd door iedereen die het niet roerend met haar eens was.

Charles trotseerde de stank toen hij de ruimte onder het podium binnenging en zijn hand opstak naar de lamp die aan het plafond hing. Hij schroefde de gloeilamp los en schudde die. 'Je hebt gelijk, het lag niet aan de bedrading.' Hij liep de kamer weer uit en schudde opnieuw met de lamp zodat ze het geluid van de losse gloeidraadjes tegen het glas kon horen. Dat was al jaar en dag het bewijs dat een gloeilamp doorgebrand was. Dat zou haar gerust moeten stellen.

Hij begreep te laat dat hij zijn tweede fout van die middag had gemaakt. Hij keek neer op de kapotte gloeilamp in zijn hand en verontschuldigde zich schouderophalend voor dat onweerlegbare bewijs tegen haar eigen theorie.

Riker deed een dappere poging om haar aandacht van Charles af te leiden en zei: 'Als Nick Prado niet had gezegd dat jij hier...'

'Waar is Prado nu?' Ze had niet bepaald een gezellige bui.

'Hier ben ik.'

Charles keek naar het einde van het toneel, voorbij het achtergronddoek en buiten bereik van de lampen boven hun hoofd. Als dit in schaduwen gehulde silhouet dat zijn buikje niet toonde, kon Nick Prado doorgaan voor zijn eigen idee-fixe van eeuwige jeugd.

'Iemand heeft me in het podium opgesloten.' Mallory wierp Nick een nijdige blik toe, om duidelijk aan te geven dat er niets dubbelzinnigs in die beschuldiging school.

Charles voelde een vlaag tocht langs zijn nek strijken en draaide zich om naar het vierkante gat in de muur waarin nog geen ruit was gezet. Het stuk plastic was bij een van de hoeken losgeraakt, waardoor er een constant windje in zijn richting blies. Daardoor was de deur dus dicht gewaaid. Hij aarzelde of hij er iets over zou zeggen. Ten eerste was het nogal grof om zoiets voor de hand liggends op te merken. En daar kwam nog bij dat ze er zo'n hekel aan had om op haar nummer gezet te worden, vooral als ze ongelijk had.

Riker was wijs genoeg om zijn handen in zijn zakken te proppen en zijn mond te houden.

'Het was alleen maar de wind,' zei Nick Prado. 'Je slaat de plank nogal eens mis, hè Mallory?' Hij werd bij elke stap in de richting van het licht een stuk ouder. 'Neem nou de dood van Louisa. Dat leek mij echt een ongeluk. Ik was erbij en jij niet.'

Mallory was inmiddels bedaard. In haar stem was nog hooguit een vlaagje boosheid te bespeuren. 'Het mag dan als een ongeluk zijn gecamoufleerd, maar ze was niet dodelijk gewond.'

Nick scheen daar over na te denken terwijl hij langs het achtergronddoek liep om de nieuwe zakken met hapjes te inspecteren. 'Ze kan als gevolg van de shock zijn overleden. Dat gebeurt wel vaker.'

'Binnen een kwartier? Dat is veel te snel,' zei Mallory en liep weg om het plastic voor het raam te bekijken.

Charles zag dat Nick een tikje geïrriteerd was, beledigd omdat ze hem zonder pardon de rug toekeerde.

'Dat is waar ook, dat vergeet ik steeds. Jij weet alles.' Nick keek neer op de lachspiegel die dienstdeed als tafelblad. Hij lag vol met papieren zakken en een halflege fles champagne. Hij pakte de fles óp en hield die uitnodigend voor Riker omhoog.

Helemaal tegen zijn gewoonte in schudde Riker zijn hoofd, weigerend om het glas met Prado te heffen en dat bezorgde Charles hoofdbrekens. Een halfuur geleden had de rechercheur daar geen enkele moeite mee gehad. En wie kon er nou een broodje pastrami eten zonder iets te drinken om het weg te spoelen?

Nick schonk een glas wijn voor zichzelf in. 'Het kan best een shock zijn geweest, weet je. Tijdens de oorlog werden de standaard regels met betrekking tot de dood aan de lopende band doorbroken.'

Mallory was ijverig bezig met het verzamelen van spijkertjes die op de grond lagen onder het stuk plastic dat het raam bedekte. 'De patholoog-anatoom heeft gezegd...'

'Luíster je wel eens?' Prado verhief zijn stem. 'Naar wíe dan ook?'

Charles zat in zijn wijnglas te staren alsof hij daar redding kon vinden, en Riker keek naar zijn afgetrapte schoenen. Maar Mallory haalde niet uit. Ze liet alleen haar verzameling spijkers in een ritsvakje van haar rugzak vallen.

Nick ging verder terwijl hij het volume van zijn stem opschroefde alsof hij een zaal vol mensen moest bereiken. 'Op een ochtend, toen de oorlog al bijna was afgelopen, stortte in de buurt van het kamp waar ik gelegerd was een vliegtuig neer. Het stond een paar seconden nadat het tegen de grond sloeg al in lichterlaaie.'

Hij pauzeerde even ter verhoging van het effect, maar Mallory verpestte het moment met de opmerking: 'Ik heb geen tijd voor oorlogsverhalen.'

'Hou je mond!' zei Prado in een zeldzame opwelling van woede; in feite was het zelfs de eerste keer dat Charles hem ooit zijn geduld had zien verliezen.

Vreemd genoeg hield Mallory inderdaad haar mond en negeerde de man terwijl ze een aantekenboekje opensloeg bij een bladzijde vol cijfers die ze veel interessanter scheen te vinden.

Nick vervolgde met een nog luidere stem. 'Een van de vleugels was tijdens de klap afgebroken en de neus was helemaal ingedrukt. Met een stuk of tien man renden we over het veld naar het brandende toestel toe. En toen – op een meter of tien van het wrak, kon ik mijn ogen niet geloven.'

Hij wendde zich tot Mallory – en dat was een vergissing. Het maakte haar niet uit waarnaar hij keek, in het verleden of in het heden. Nick was nauwelijks ontmoedigd en richtte zich in plaats daarvan tot Riker. 'De drie bemanningsleden van het vliegtuig liepen weg van de plaats van het ongeluk – ongeschonden. Maar dat kon gewoon niet. Iedereen aan boord had morsdood moeten zijn. Toch was de bemanning eruit gekomen – allemaal. Ze gingen in de schaduw van een boerderij zitten en dáár stierven ze. Het was binnen een paar minuten voorbij. Een paar minúten. Er was niets aan hen te zien, ze hadden geen schrammetje.'

'Shock?' zei Riker in een poging om zich als een beleefde toehoorder te gedragen.

Mallory was duidelijk niet onder de indruk en liep met haar potlood langs een kolom cijfers. 'Volgens mij kan het geen shock zijn geweest.'

'Volgens mij ook niet,' zei Nick. 'Ik had een ander idee. Die drie mannen hadden stuk voor stuk de grond op zich toe zien komen waar ze te pletter zouden slaan. Mensen geloven in hun zintuigen en dit was een onweerlegbaar feit – het bestond gewoon niet dat ze die klap zouden overleven. Ik denk dat die drie jongens zich neerlegden bij de logica van wat hun was overkomen. Het was belachelijk dat ze nog in leven waren en dus sloten ze hun ogen en stierven.'

Charles had even het idee dat de man een buiging zou maken, maar hij week alleen iets achteruit en ging op de trap van het podium zitten om een slok uit zijn glas te drinken.

Mallory's houding sloeg om in een lichte irritatie die normaal gesproken voor vliegen bewaard wordt. 'Ik zeg het nog één keer: Louisa was niet dodelijk gewond. Ze had geen idee dat ze zou sterven tot die klootzak een kussen op haar gezicht legde.'

'Mallory, dat kun je niet weten,' zei Charles. 'Alles wat zich tijdens dat pokeravondje afspeelde – dat was pure speculatie. Je kunt van Edward niet verwachten dat hij uit de tweede hand en een halve eeuw te laat een autopsie verricht.'

'Bedankt, Charles,' zei ze, niet in het minst erkentelijk en met de duidelijke wenk dat hij beter zijn mond kon houden... en wel metéén. Ze sloeg haar boekje met cijfers dicht. 'En Olivers dood was al evenmin een ongeluk.'

'Die arme Oliver,' zei Nick. 'De donquichotterige uitstraling van de ongelukkige mislukking. Maar in werkelijkheid was het een vrij prozaïsche dood. Hij heeft de truc verknald. Het leven kan zo eenvoudig zijn, Mallory, als je het maar de kans geeft.'

Nick was gewoon veel te zelfingenomen. En Mallory stond kennelijk op het punt om die uitdrukking van zijn gezicht te krabben. Alles wees daarop. Toen ze opstond, deed ze dat op de bal van haar voeten en ze leek bijna op te stijgen als voorbereiding voor de aanval. Als ze een staart had gehad, zou die heen en weer gezwiept hebben. Charles was dol op haar katachtige gratie – maar katten konden dingen doen waar zijn maag van omdraaide.

Met het gevoel alsof hij zich in de baan wierp van scherpe klauwen die het op de bejaarde man hadden voorzien, zei hij: 'Nick heeft gelijk, Mallory. Oliver heeft de truc verknald. Hij was kennelijk niet op de hoogte van de uitwerking...'

'Je hebt met Malakhai gepraat.' Het was duidelijk wat ze daarmee wilde zeggen. Charles werd beschuldigd van heulen met háár vijand, een man met wie híj zijn leven lang bevriend was geweest.

'Dus alleen maar een aaneenschakeling van ongelukken?' Haar wenkbrauwen gingen omhoog. 'Mij best.' Ze zette haar handen in haar zij. Er zou geen waarschuwing meer volgen. 'Ik begrijp dat ik me heb vergist.' Dat klonk veel te vriendelijk. 'Maar hoe zit het dan met dat vervelende lijk dat ik in het podium heb aangetroffen? Olivers neef, weet je nog wel?'

Nick sloeg het restant van zijn champagne achterover. 'Die jongen is aan een overdosis drugs gestorven. Iedereen wist dat Richard verslaafd was. Er zat een bloedvlekje op de mouw van zijn overhemd. Dat was van de naald, hè? Maar bij de pijl zat geen bloed. Doden bloeden niet – dus was er geen sprake van moord.' Hij wuifde met zijn hand. 'Van de oorlog geleerd.'

Inmiddels was het tot Charles doorgedrongen dat Riker vooral luisterde naar wat niet werd gezegd. De rechercheur wisselde een blik met zijn partner. Mallory begreep hem zonder woorden en liep naar de zijkant van het toneel, terwijl hij naar Nick toe drentelde.

'U zei dat iederéén wist dat die knul een junk was.' Riker zocht iets in zijn zakken. 'Maar hoe dan? Die knaap heeft zijn uiterste best gedaan om zijn verslaving te verbergen – er zaten sporen van naalden op de zolen van zijn voeten en in zijn knieholtes.' Hij haalde een versleten opschrijfboekje tevoorschijn en ging naast Nick op de trap zitten. 'Oliver Tree wist dat zijn neef verslaafd was. Hij heeft betaald voor zijn behandeling. Maar dat is niet iets waarop een oom prat zou gaan, of wel?'

De rechercheur bladerde in het boekje en keek vluchtig de met potlood geschreven aantekeningen door. 'O, hier heb ik het.' Hij had de bladzij gevonden die hij zocht. 'U en uw vrienden, St. John en Futura, zijn alle drie in de stad aangekomen op de dag dat Oliver Tree overleed. Dat hebt u tegenover de politie verklaard. Geen van u had de oude man sinds de oorlog gezien.'

'Dat is waar,' zei Nick. 'We hebben Olivers neef na het ongeluk leren kennen. De knul probeerde ons constant geld af te troggelen en hoewel het telkens om een paar dollar ging, was het toch duidelijk dat hij om contanten verlegen zat. Daarom heb ik hem bij de optocht dat klusje met die kruisboog gegeven.'

Rikers pen gleed over de bladzijde. Zijn stem klonk droog. 'En die knaap heeft tegen u gezegd dat hij geld nodig had voor drugs?' De woorden 'Laat me niet lachen' bleven onuitgesproken.

'Het viel me gewoon op.'

Riker knikte. 'Naar aanleiding van een bloedvlekje op de mouw van zijn overhemd. Niet gek. Hebt u dat ook in de oorlog geleerd?'

'Zo zou je het wel kunnen stellen,' zei Nick. 'Ik heb een tijdje in een legerhospitaal doorgebracht. Ik heb zelf ook wel eens wat morfine gebruikt.'

Charles vermeed het om Mallory aan te kijken. 'Dus het was inderdáád een overdosis. Nou, laten we zeggen dat Richard weggekropen is in het podium van zijn oom omdat hij afzondering zocht. Er liepen voortdurend arbeiders heen en weer. En hij zou niet willen dat iemand zag dat hij spoot, hè? Laten we eens aannemen dat hij in het podium opgesloten raakte, net als...'

Vanuit zijn ooghoeken ontdekte Charles een bepaalde stramheid in de lichaamstaal van Mallory en bedacht zich halverwege zijn zin. 'Misschien kon Richard de trekschakelaar niet vinden waarmee je het licht aan kunt doen. Het zou kunnen dat hij in het donker in paniek is geraakt. En als die kruisbogen daar opgeborgen waren...'

'Ja hoor,' zei Mallory. Het klonk bijna gezellig. 'Hij struikelde in het donker en viel op de pijl – nadat hij al een paar dagen dood was. O, maar dat had Nick je niet verteld.' Ze keek naar de illusionist en neeg haar hoofd. Ze maakte nog net geen buiging. 'Ook van de oorlog geleerd, meneer Prado.'

Háár oorlog, uiteraard.

'En de technische recherche heeft geen injectiespuit in het podium aangetroffen,' zei Riker.

Mallory knikte. 'Een keurige dode man. Dat mag ik wel. En hij had ook bijzondere gaven. Ik weet dat het lijk na zijn dood nog steeds rondliep. De afdrukken op zijn rug stemden overeen met het patroon van het rooster van de vloerverwarming in zijn appartement. Daar is hij gestorven. Maar we zullen ons omwille van het verhaal niet storen aan de feiten.'

Ze keek naar de deur van het podium. 'Dus de dode man staat op van de vloer in zijn appartement en pakt – nog stééds dood – de ondergrondse. Ik veronderstel dat het lijk goedkoop reisde. Want nadat hij stierf, liet hij zijn portefeuille achter in het appartement, ziet u. Hij had geen geld voor een taxi, maar hij had wel een strippenkaart in zijn zak. Dus vervolgens wandelt de dode man het theater binnen en sluit zichzelf op in het podium – per óngeluk. Snapt u wel? Ik ben heel sportief hoor. Ik ben echt op zoek naar de zwakke punten in mijn redenering. En dat hij die pijl in zijn eigen dode lichaam heeft gestoken – dágen na zijn dood? Nou, dat was een stunt van jewelste.'

Charles zag waar haar monoloog toe zou leiden. Uit de meewarige glimlach van Nick Prado was duidelijk op te maken dat hij haar op een fout of op een leugen had betrapt.

Met de armen over elkaar geslagen stond ze op Nick neer te kijken en glimlachte. 'Vertel me nu dan maar in welk opzicht ik het mis had.'

De val klapte dicht.

Nick sperde zijn ogen iets open – net genoeg om aan te geven dat hij waarschijnlijk beter op de hoogte was van de details dan zij. Of misschien was hij gewoon verbaasd over het feit dat ze hem leek te beschuldigen.

Charles ging tussen hen in staan en glimlachte, alsof hij daarmee zijn eigen huid zou kunnen redden. 'Maar Richard is dus eigenlijk helemaal niet vermoord als de pijl...'

'Maar Oliver wel.' Ze keek Charles even aan met een blik die vroeg waarom hij haar sterkste argument ontzenuwde. Probeerde hij soms om te voorkomen dat Nick de volle laag kreeg?

Ja, natuurlijk. En dat zou hem duur komen te staan.

Ze liep bij hem weg en bleef bij het gordijn staan. Zowel de rug die ze hem toegekeerd had als haar stem dropen van het verwijt. 'Jij kende die oude man, Charles.'

'Eerlijk gezegd was het al een hele tijd geleden dat ik hem...'

'Je kénde hem en je mocht hem graag.' Mallory draaide zich weer om zodat hij kon zien hoe geschokt ze was, hoewel haar uitdrukking een beetje gekunsteld was. 'Oliver stierf helemaal alleen op dat podium, doodsbang terwijl hij vermoord werd.'

Nu bevond Charles zich in de eigenaardige positie dat hem de les gelezen werd over zijn ongevoeligheid, maar... door Mállory? Wat was de verklaring voor dat onwaarschijnlijke voorval? Misschien kon ze toch oprecht menselijk medeleven opbrengen.

Nee, dat was het niet.

Maar hij wist dat ze nog een bedoeling had behalve het feit dat ze hem op zijn vingers tikte vanwege zijn zogenaamde verkeerde houding, zijn gebrek aan diepe verontwaardiging over een dodelijk ongeval.

Ze liep met grote passen naar de trap die van het toneel naar de zaal leidde. 'Oliver werd écht vermoord. Dus kom me niet aan met kletspraatjes over ongelukken, Charles. Je kunt maar beter helemaal niets tegen me zeggen.'

Het klonk alsof hij afgepoeierd werd – onterecht, maar het was wel zo.

De terreinen waren afgebakend en wat haar betrof, behoorde hij tot de tegenpartij, samen met Nick Prado. Riker liep achter zijn partner aan het middenpad af en nam afstand van het vijandelijke kamp.

Het was nauwelijks vier uur geleden sinds ze op het trottoir voor het theater afscheid van elkaar hadden genomen. Riker keek om zich heen in de studeerkamer in Mallory's flat aan de Upper West Side en vroeg zich af hoe ze dit klaar had gespeeld. Het kostte de meeste Newyorkers tien dagen om een bank uit een meubelzaak in het centrum naar een van de omliggende wijken vervoerd te krijgen. Zij had het meubilair van een hele kamer vanuit het pand van Charles in SoHo een halve stad verder laten verhuizen.

Mallory zat met razendsnelle vingers achter het toetsenbord van een computer te tikken. 'Zat ik ernaast met dat rooster?'

'Ja, ik heb in dat appartement van die dooie geen enkel rooster kunnen vinden. Maar de afdrukken op zijn rug kwamen overeen met een verwarmingsrooster in het theater. Daar kwam ik achter toen ik de afzettingslinten had weggehaald.'

'Heeft de ploeg van Heller dat over het hoofd gezien?'

'Daar hebben ze helemaal niet naar gekeken, Mallory. Ze hebben het lijk op de plaats van het misdrijf niet uitgekleed. Er was geen reden om...'

'Natuurlijk, voor zo'n dooie junk hoef je niets bijzonders te doen. Het is gewoon weer zo'n verdomd ongeluk.'

Maar het podium was zorgvuldig onderzocht. Heller was zelf naar de plaats van het misdrijf toegekomen om de leiding op zich te nemen. Waardoor Riker zich prompt afvroeg wat het hoofd van de technische recherche op zijn kerfstok had en hoe Mallory daar achter was gekomen.

Hij keek naar zijn aantekeningen. 'Dat verwarmingsrooster bevond zich in een kamertje achter het toneel. Waarschijnlijk heeft Richard zich daar volgespoten. Er zit een slot op die deur.'

'Een afgesloten kamer zou voor iemand die ik op mijn lijstje heb staan geen enkel probleem vormen,' zei Mallory. 'Hebben de technici van Heller daar die portefeuille gevonden?'

'Ja, maar je had gelijk wat het geld betrof – er was niet genoeg voor een taxirit. Hij heeft waarschijnlijk de hele poet aan heroïne besteed.' Riker stopte zijn opschrijfboekje weer in zijn borstzak.

Hij had het even te kwaad gehad toen hij Mallory's studeerkamer binnenliep. Dit was meer dan een kwestie van déjà vu. Afgezien van het uitzicht op Central Park had hij in het privé-kantoor aan de achterkant van de woning van Charles in SoHo kunnen staan. Ze had er zelfs voor gezorgd dat de beeldschermen van de computers weer een perfecte rechte hoek met de ramen vormden. De enige kale muur vertoonde een projectie van meer dan levensgrote toeschouwers bij de Thanksgiving-optocht.

'Die film werd bij het nieuws van zes uur vertoond,' zei ze. 'Een of andere toerist heeft zijn videoband aan de tv-maatschappij verkocht.'

Waarom kon Mallory niet als een normaal mens alleen maar naar het nieuws op tv kijken? Hij stond voor de muur en keek omhoog naar het geprojecteerde beeld. De camera was op een rotsachtig heuveltje in Central Park gericht. Het rees omhoog achter de lage muur langs het trottoir. Het geluid was weggedraaid, maar hij kon nog steeds het interview horen van de presentator met de amateur-cameraman, een zestigjarige toerist uit Rhode Island.

Met zijn blik op het heuveltje gevestigd, wachtte Riker op wat er komen ging. Op dat moment verscheen een wit rookwolkje tussen de schaduwen van de bomen en de rotsen.

Een geweerschot?

Ja, de presentator bevestigde dat het tijdstip waarop de witte rook verscheen precies gelijk viel met het geluid van een schot. En nu beklaagde de tv-stem zich over het feit dat de wapenexpert van de omroepmaatschappij, een schrijver van technothrillers, niet voor commentaar bereikbaar was. Het schot vanaf het stenen heuveltje zou het zorgvuldig door de schrijver in diagram weergegeven traject tot onzin bestempelen. Mallory kon de kogel die de ballon had neergehaald nooit afgevuurd hebben.

'Dus nu ga je vrijuit wat het neerschieten van die grote pup betreft.'

'Nog niet.' Ze drukte op een knop van de afstandsbediening van de projector. De band spoelde terug tot het witte rookwolkje zichzelf weer ongedaan had gemaakt en terugsijpelde in de schaduwen van de bomen en de rotsen. 'Ze beweren nog steeds dat er drie schoten waren. Dus nu maak ik deel uit van een samenzwering. Ik word ook verdacht in verband met de dood van de Kruisboogman en van Oliver Tree.'

'Nou, laat Slope dan de uitslag van de autopsie vrijgeven. Waarom zouden we die achter de hand houden? We hebben het toch al aan Prado verteld.'

Mallory draaide de band opnieuw af en zette het beeld op de muur stil. Ze zat naar de stilstaande opname van het rookwolkje te staren en wees naar het stenen heuveltje. 'Raad eens wie dat is.'

Riker liep naar de muur toe. 'Het is te korrelig. Ik kan er geen bal uit opmaken.' Hij keek opnieuw de kamer rond. 'Wanneer heb je de tijd gehad om al deze spullen uit SoHo weg te halen?'

'Ik heb een ploeg kunsthandelaren ingehuurd. Die gaan heel voorzichtig om met gevoelige apparatuur.'

En ze begrepen waarschijnlijk ook geen snars van de illegale toepassingen en het dito gebruik. De gevoeligste elektronische inbraakapparatuur zat in de doos die Riker uit de kofferbak van haar auto naar boven had gedragen.

Hij ging op een kille metalen stoel zitten. 'Hoe reageerde Charles toen je hem vertelde dat je al je spullen weghaalde?'

'Daar kun je maar op één manier op reageren. Het samenwerkingsverband is voorbij. Hij springt te slordig met sloten om.'

Of misschien was Charles te slordig geweest bij de keuze van zijn vrienden. Een van beide wandaden had de doorslag gegeven. 'Dus je hebt Charles niet verteld dat je vertrok.'

Nee, natuurlijk niet. Ze had het zo geregeld dat die arme klootzak zonder iets te vermoeden een lege kamer binnen zou lopen en dan zelf zijn gevolgtrekkingen mocht maken. 'Ik neem aan dat je het podium van Max Candle niet langer nodig hebt?'

Mallory wees op het kleine computerscherm. Er rolden kolommen vol glanzend witte cijfers en symbolen over een blauwe achtergrond. 'Het zit allemaal hierin – het hele apparaat.'

Hij pakte het groenfluwelen zakje op van de rand van haar stalen bureau en liet de buis met de bungelende sleutelbaarden eruit glijden. 'Ik kan best begrijpen waarom die oude kerels deze dingen hebben bewaard.'

'Geloof je nu eindelijk dat de sleutels verwisseld zijn?'

'Ja, maar ik heb toch nog wel wat problemen met jouw theorie. Hoe zit het met dat zinnetje dat je me tijdens de optocht naar mijn hoofd slingerde? "Mijn dader houdt van spektakel." Dat heb je toen gezegd.'

'En jij dacht dat ik dat uit mijn duim had gezogen? Nee, ik heb alleen tegen Coffey gelogen.' Het was duidelijk dat ze dat als iets eervols beschouwde, iets wat van haar verwacht werd. 'Ik weet wat je denkt. Het gaat om de methode. Oliver stierf schreeuwend, met veel heisa en bombarie. Maar dat schot tijdens de optocht was zonder omhaal, hè? Snel en ter zake. De schutter wilde er gewoon meteen een eind aan maken. Het slachtoffer zou nooit hebben geweten wat hem overkwam.' Mallory draaide zich naar het beeld op de wand, het rookwolkje. 'Dat is Malakhai daar boven op de rotsen.' Ze schakelde het uit.

'En de moord in Central Park?'

'Daarvoor is mijn keus op Nick Prado gevallen. Een public-relations-man maakt beroepshalve spektakel. Maar ik sta open voor andere mogelijkheden.' Nu draaide ze zich met stoel en al om en keek hem aandachtig aan. 'Iemand heeft me in dat podium opgesloten. Geloof je me?'

Riker wist dat ze eigenlijk vroeg of hij aan haar kant stond. 'Ja. Als het nou alleen maar een kwestie van een dichtgeslagen deur was geweest, of alleen maar een kapotte gloeilamp... maar ik geloof niet echt in toevalligheden. Ik ga ervan uit dat een van die twee dingen opzet is geweest.'

'De deur werd met opzet dichtgegooid.' Ze pakte een doorzichtig zakje uit haar rugzak en gooide het op het bureau. Er zaten vijf glimmende spijkers in. 'Die zijn afkomstig van dat vel plastic dat over het raam achter het toneel was gespannen. Die zijn er niet spontaan uit gevallen. Hij wilde het doen voorkomen alsof het een ongeluk was, alsof de wind de deur had dichtgeblazen. En die kapotte gloeilamp was ook opzet.'

'Mallory, Charles heeft je die lamp zelf laten zien. Je hebt toch gehoord...'

'Charles weet net zoveel van elektriciteit af als jij.' Ze deed haar bureaulamp aan. 'Hou die gloeilamp in de gaten.' Ze bukte zich naar het stopcontact.

Riker stond naar de lamp te kijken toen hij de vonk zag en het geluid hoorde, daarna ging de lamp uit. Mallory draaide hem los. Toen ze hem schudde, hoorde hij de gloeidraden tegen het glas tikken.

'Hiermee heb ik kortsluiting veroorzaakt.' Ze hield een metalen nagelvijl omhoog. 'De kabel voor de verlichting van het podium stond op een aparte groep. Daarom ging alleen die ene lamp uit. Als *Faustine's Magic Theater* een exacte kopie was geweest, had ik je de kapotte stop kunnen laten zien, maar Oliver gebruikte een moderne schakelkast.'

Riker ging op de rand van haar bureau zitten en sloeg zijn armen over elkaar. 'Dus jij verdenkt Nick Prado daarvan?'

'Dat zou kunnen. Ik vermoed dat Futura in het herentoilet aan het kotsen was toen jij samen met Charles weer in het theater terugkwam. Maar dat kan ook komedie zijn geweest.'

'Ik heb hem nergens gezien. Maar ik geloof niet dat Futura in staat is om...'

'Omdat hij een angsthaas is? Hij is veel interessanter dan jij weet. Tijdens de oorlog heeft hij in het verzet gezeten. Dat past toch ook niet bij hem, hè? Hij blijft op mijn lijstje staan. En waar waren die andere twee toen jullie binnenkwamen?'

'Prado en St. John zaten in de foyer. We hebben een paar minuten staan kletsen voor Charles en ik de zaal inliepen.'

'Dus ze hadden het stuk voor stuk kunnen doen. Iemand wilde mij weer in ongelukken laten geloven. Of misschien wilde hij alleen maar dat ik hysterisch zou lijken. Dat is ze bij Charles gelukt, hè? Hij trapte er met beide benen tegelijk in.'

Arme Charles. Maar ze had in zekere zin gelijk. In zijn begintijd, toen hij als straatagent nog met huiselijke twisten te maken had, was het Riker opgevallen dat mannen zich opvallend vaak beriepen op het excuus van de hysterische vrouw: wie zou een bloedende vrouw die maar bleef janken op haar woord geloven?

Iemand was dus met een nieuwe variant op een kwalijk oud trucje gekomen en Charles was er ingetrapt. Riker kon nog wel een paar redenen voor de breuk van Mallory met haar zakenrelatie bedenken – het briljante verstand van Charles Butler, zijn gezicht als een open boek en zijn nauwe banden met alle verdachten. Het was verstandig van haar geweest dat ze zich had teruggetrokken, maar dat had ze wel op een correcte manier moeten doen.

'Dat was ik bijna vergeten.' Hij haalde een cd uit zijn jaszak en legde die op de hoek van haar bureau. 'Een cadeautje. *Louisa's Concerto.* Emile St. John vroeg of ik die aan je wilde geven.'

Ze deed het doosje open en stopte het schijfje in een van de computers. Een compleet orkest kwam uit de luidsprekers die aan elke muur hingen. Hij werd omringd door muziekinstrumenten, een muur van geluid. Het was klassiek, waar hij niet van hield, en hij luisterde vol verwarring, alsof hij zijn best deed om uit een vreemde taal wijs te worden.

'Het zal wel mooi zijn. Maar weet je wat je pa gezegd zou hebben? Wat heb je eraan, als je er niet op kunt dansen?'

Dat was het criterium van zijn oude vriend geweest voor alle muziek in een uitgebreide verzameling blues, jazz en rock-'n-roll. Zelfs de langzame, treurige liedjes deden iets met het menselijk lichaam. Maar nu raakte de muziek van de dode vrouw hem op een andere manier. Plotseling werd hij er volkomen door geboeid, alsof de strijk- en de blaasinstrumenten tot hem spraken in een taal die hem wel bekend voorkwam. Dit gedeelte maakte een trieste, eenzame indruk.

De telefoon ging. Rikers hand bleef boven de hoorn zweven terwijl hij naar de tekst in het venster van de nummermelder keek. 'Het is Charles.'

'Niet opnemen.'

'Moet hij dan maar gewoon naar de muren in je lege kantoor gaan zitten staren tot hij erachter komt wat er is misgegaan? Is dat je bedoeling?'

'Ja, en?'

'Hij is een vriend van je, weet je nog wel? En je vader mocht hem ook graag.'

Inmiddels klonk *Louisa's Concerto* klaaglijk, waardoor het gerinkel van de telefoon iets melancholieks kreeg, begeleid door de lage tonen van een verdrietige, jammerende trompet. Plotseling was Riker verrast. Hoewel het concerto Mallory totaal niets deed, werd ze om een of andere reden onverklaarbaar triest van de telefoon. Haar hoofd bewoog langzaam heen en weer, alsof ze op die manier haar droefheid af kon schudden.

Riker wist niets anders te doen dan de muziek nog harder te zetten en zijn ogen van de telefoon af te wenden. 'Dus als Charles niet voor de volle honderd procent achter je staat...'

'Laat nou maar zitten, Riker, goed?'

Toen het gerinkel van de telefoon ophield, keek hij ernaar alsof een gesprek plotseling afgebroken werd, zonder bevredigend resultaat.

Mallory zette het antwoordapparaat aan, zodat ze niet weer door het gerinkel van haar stuk zou worden gebracht.

'Heb je een briefje voor de man achtergelaten?'

'Nee!' Mallory's ogen waren vast op het computerscherm gericht. Haar gezicht leek een masker, terwijl ze opging in haar apparaat.

In het besef dat hij niet meer bestond, althans niet voor haar, liep Riker stilletjes de deur uit.

Er ging een uur voorbij voor Mallory van het scherm opkeek. Waar ze al die tijd was geweest, wist ze niet. Haar inwendige klok had haar weer in de steek gelaten. Dat gebeurde steeds vaker. Misschien kwam het alleen maar door de wijn van Emile St. John.

Ze was klaar met het uitbenen van de files van een computerspelletje waarin aan de lopende band per joystick kon worden gemoord. Het bevatte alle programmeergegevens om de kruisbogen op het scherm af te vuren.

De telefoon ging twee keer over en daarna hoorde ze de stem van Charles via het antwoordapparaat. 'Mallory? Ben je thuis?'

Niet echt. Ze had alleen maar aandacht voor het scherm waar haar schepping tot leven kwam met behulp van cijfers en symbolen die waren omgezet tot een beeld dat als een driedimensionaal voorwerp in de ruimte rondwentelde zodat ze het van alle kanten kon bekijken, waarna het kantelde om de bodem te tonen. Ze schakelde de projector in die met een platte voedingskabel aan de computer was gekoppeld. Nu stond het beeld op de muur. Het podium bleef langzaam ronddraaien.

'Mallory, als je thuis bent, neem dan alsjeblieft op,' zei de lichaamsloze stem aan de telefoon.

Ze sloeg een paar toetsen aan om de wand met de trap doorzichtig te maken, waardoor de inwendige apparatuur met het harmonicastatief en de schakelaars zichtbaar werd.

'Ik zal alle sloten laten veranderen,' zei Charles.

Ze bleef met de toetsen spelen. Een van de valluiken in het podium viel open. Het harmonicastatief kwam langzaam tevoorschijn, de metalen armen vouwden open en spreidden zich om de cape op te houden.

'Zul je me terugbellen?' Er klonk niet veel hoop in de vraag van Charles. 'Je bent toch wél van plan om hier een verklaring voor te geven?'

Mis. Mallory vuurde de vier getekende kruisbogen af. Een voor een raakten ze de schietschijf. Vervolgens vergrootte ze de wachttijd tussen de schoten.

'We moeten praten.' De stem van Charles begon een beetje vermoeid te klinken. 'Dit is... nou ja, het is zo kil.'

Je vindt me toch een monster.

'Nee, zo bedoelde ik het helemaal niet,' zei Charles, alsof hij had gehoord wat ze dacht. 'Toen ik dat lege kantoor binnenliep... ik was zo ontzettend verbaasd.'

Ze vuurde opnieuw een stel grafische pijlen af.

'Vaarwel, Mallory.'

Het hightech speelgoed begon haar te vervelen. Charles had in één opzicht gelijk gehad. Een eenvoudige ontsnappingstruc was te simplistisch voor een Max Candle-illusie. Waar was de magie? De omlaag vallende cape was alleen maar het begin, een smaakmaker.

'Natuurlijk meende ik niet vaarwel in permanente zin,' ging de stem via haar antwoordapparaat hardnekkig door.

Waar bleef die magie?

'Ik bedoelde alleen maar vaarwel voor nu.' Charles zweeg even. 'Dus...'

Er moest nóg iets zijn. Ze sloot het getekende podium af en startte de band van de moord op Oliver. De oude man verscheen weer op de muur en stierf opnieuw.

'Dus je belt wel?'

Ja, hoor.

Max Candle stierf altijd. Het was niet de bedoeling dat hij alle pijlen zou ontwijken.

'Vaarwel,' zei Charles.

Maar alle kruisbogen waren afgeschoten en er zat niet één namaakpijl bij het stel.

'Voor nu,' verbeterde Charles zich.

Ze staarde naar de muur waar Oliver doodgeschoten werd. Als de truc niet compleet was, hoe kon Malakhai dan weten dat hij verknald was?

Opnieuw had het apparaat een uur opgeslorpt, terwijl ze bezig was met het perfectioneren van haar eigen illusie. De deurzoemer wekte haar uit een trance veroorzaakt door cijfers en codes.

Charles? Dat kon haast niet anders. Frank de portier mocht hem graag. Bij haar laatste verjaardag had hij Charles in het gebouw toegelaten zonder hem aan te kondigen, zodat hij haar met bloemen kon verrassen. En natuurlijk was er sprake geweest van een stevige fooi. Had ze dat de portier betaald gezet? Nee, dat was haar kennelijk door het hoofd geschoten.

Vijf minuten later begon de hardnekkige zoemer op haar zenuwen te werken en ze kreeg werkelijk zin om Frank zijn nek om te draaien, omdat hij had verzuimd door te geven dat er bezoek voor haar was. Ze liep de studeerkamer uit en wandelde door de gang, geërgerd en met het vaste voornemen om de portier verbaal in mootjes te hakken, zodat dit nooit weer zou gebeuren. Maar nu zou ze eerst Charles met een paar rake opmerkingen om zeep helpen, zodat ze weer aan het werk kon.

Toen Mallory de deur opendeed, stond rabbijn Kaplan in de gang. *O, leuk.* Wat moest ze nu beginnen met al die overbodige adrenaline?

'Het is al laat,' zei de rabbijn. 'Ik kom niet binnen. Dit zal niet veel tijd in beslag nemen.'

Op zijn gezicht stond niet veel te lezen en ze had geen idee of ze zich echt moeilijkheden op de hals had gehaald.

'Het gaat over wat gisteren is gebeurd,' zei hij. 'Meneer Halpern heeft me verteld dat je ondanks het feit dat je het zo druk had toch nog tijd hebt kunnen vrijmaken om een grote mond tegen zijn enige zoon op te zetten.'

De hand van de rabbijn ging omhoog om haar de mond te snoeren voor ze hem in de rede kon vallen. 'Ik heb begrepen dat je die arme man van oudermishandeling hebt beschuldigd. Toen de zoon die avond thuiskwam, heeft meneer Halpern een uur moeten praten om hem gerust te stellen en hem te vertellen dat hij niet echt... hoe noemde je hem ook alweer...? Een harteloze kleine smeerlap.'

'Ik heb niet...'

'Pardon, Kathy, was ik al uitgesproken? Dat dacht ik niet.'

Hij glimlachte en Mallory was meteen op haar hoede.

'Goed, de zoon heeft zijn eigen vader ontslágen.' Rabbijn Kaplan maakte de sloten van zijn koffertje open. 'Meneer Halpern wilde je laten weten dat hij eindelijk met pensioen is. Dat is alles, Kathy.'

Vergeet het maar.

De rabbijn hield haar alleen maar aan het lijntje door haar het idee te geven dat ze er gemakkelijk vanaf zou komen. Nu zou hij haar met één zin onderuithalen. Vroeger was hij daar erg goed in geweest. Inmiddels was hij voorspelbaar geworden.

'Daar trap ik niet in, rabbijn. U had me die preek ook per telefoon kunnen geven.'

'Maar dit niet.' Hij haalde een plat pakje uit zijn koffertje en keek er even naar. 'Het schijnt dat niemand ooit een woord van medeleven tegen meneer Halpern heeft geuit voor alle ellende die hij in het concentratie-kamp heeft moeten meemaken – of voor het feit dat zijn hele familie is uitgemoord. Hij was onder de indruk van het feit dat jij je verontschul-digde voor de man met dat sproeigeweer.' Rabbijn Kaplan hield haar het pakje voor. 'Dit is een cadeautje voor je. Hij heeft er de hele dag aan ge-werkt.'

Ze pakte het pakje uit en hield een ingelijste portrettekening in kleur omhoog. Het gezicht van een schoolmeisje zweefde tussen losse golven lang rood haar. De afwezige blauwe ogen stonden heel nadenkend, alsof het meisje met een groot probleem worstelde – hoe te overleven in de hel.

Mallory keek op naar de rabbijn. 'Louisa Malakhai?'

Rabbijn Kaplan knikte. 'Goed, vind je niet?' Hij wandelde terug naar de lift en zij liep met hem mee. 'Dit is gekopieerd van oude dagboek-schetsen die hij heeft gemaakt toen hij nog jong was – en van plan om kunstschilder te worden. Meneer Halpern is een begaafd en heel geluk-kig man. Nu heeft hij alle tijd om zijn tekeningen te maken. Dus jij hebt ervoor gezorgd dat hij ontslagen werd.' De rabbijn haalde zijn schouders op. 'Door zijn eigen zoon.' Hij drukte op het knopje om de lift te halen. 'Nou en? Alles bij elkaar genomen heb je goed werk verricht.'

Zijn glimlach was veel te mild en ze zette zich schrap voor de klap die hij op het punt stond uit te delen.

'Misschien kan het je niets schelen, Kathy, maar ik ben het nog steeds met Helen eens.' De lift ging open en hij stapte in de zoemende kooi. 'Je bevalt me uitstekend – ook al ben je nog zo verknipt.' Terwijl de metalen deuren sloten, stond hij zich te verkneukelen over haar ergernis.

Zoals gewoonlijk was de timing van de rabbijn weer onberispelijk. Hij was er opnieuw in geslaagd om het laatste woord te hebben. In dat opzicht had ze hem nog nooit de loef afgestoken. Maar hij werd ouder en langzamer – die dag zou niet lang meer op zich laten wachten.

15

Malakhai werd volledig gekleed wakker op het bed in zijn New-yorkse hotelkamer. Hij liep in zijn dromen niet meer te rennen, maar hij kon evenmin het gevoel van zich afzetten dat alles onwerkelijk was.

En het bellen ging ook nog steeds door.

Hij deed de lamp naast het bed aan en keek op zijn horloge. Het was twee uur in de ochtend. Hij pakte de hoorn van de telefoon op met de bedoeling om die meteen weer met een klap terug te leggen, toen hij een vrouwenstem hoorde.

'Meneer Malakhai?'

'Ja?'

'Toen u in Korea krijgsgevangen zat, was uw cel toen helemaal donker? Of zat er een lamp in?'

'Mallory.' Wat een vreemd kind – en zo onbeschoft. Malakhai wierp een blik op de kant van het bed waar zijn vrouw lag. Hij staarde naar de glans van een stukje goudfolie en zijn vingers verkrampten zich om de hoorn van de telefoon. Dus het was weer gebeurd. Hij was in slaap gevallen voor hij het pepermuntchocolaatje van het hotel van Louisa's kussen had gepakt. Nee – hij was het vergéten. 'Het spijt me verschrikkelijk.'

'Die gevangeniscel,' zei Mallory's stem aan zijn oor, ongetwijfeld met het idee dat hij zich tegenover haar had verontschuldigd. 'Was die verlicht? Zat er een raam in?'

Hij werd overvallen door een gevoel van schaamte – allemaal vanwege een stukje chocola verpakt in goudfolie. Hij wist de tranen uit zijn stem te houden toen hij Mallory antwoord gaf. 'Overdag was er licht, maar niet veel.'

Die oude geschiedenis zat vol leemtes, maar de tastbare omstandigheden stonden hem duidelijk voor ogen. 'Er zat een raampje in mijn cel met uitzicht op een blinde muur. Ik kon wel zien dat het licht was, maar geen lucht en geen zon. Schaduwen bewogen van het ene eind van de muur naar het andere. Op die manier kon ik de tijd in de gaten houden.'

'Wat deed u met al die tijd?'

'Die bracht ik in gezelschap van Louisa door.'

'En was dat het begin van…?'

'Van mijn waanzin? Volgens de psycholoog van het leger wel.' Maar hij had het zelf altijd als een discipline beschouwd, een religie waarvoor absoluut vertrouwen en onontbeerlijke zonden en verzoeningen noodzakelijk waren – zelfs een schuldbelijdenis. Hij pakte het snoepje van Louisa's kussen en kneep het plat in zijn hand. *Het spijt me zo.*

Wat zou hij morgen weer vergeten?

'Het was niet omdat u zo van oorlog hield – van het doden,' zei Mallory. 'Daarom hebt u zich niet voor Korea aangemeld.'

'Ik hield van Louisa.' Hij ging rechtop zitten en knoopte zijn overhemd los, waarbij zijn ogen de andere kant van het bed meden. 'Maar er is wel een interessante parallel. Ik heb ooit in Warschau een aanplakbiljet gezien, een uiting van politieke kunst. Het was het portret van een jonge vrouw. De bovenkant van haar hoofd ging schuil achter een bloedrode vlek, alsof die weggeschoten was. Onder aan het aanplakbiljet stond de tekst – hoe zal ik die vertalen? "Oorlog, wat een vrouw ben je." Volgens mij zegt dat voldoende.'

De verbinding werd verbroken. Kennelijk was Mallory tevreden met dat korte antwoord. Zou ze de muziek begrepen hebben? Nee, het had geen zin om te proberen dat uit te leggen. Dat zou haar alleen maar ongeduldig maken.

Hij had Louisa vormgegeven en tastbaar gemaakt in een Koreaanse cel, maar ze was al jaren eerder bij hem teruggekomen, in de chaos van de Tweede Wereldoorlog, toen Roland hem de toepasselijke bijnaam Holle Knaap had gegeven.

Malakhai zakte terug op het kussen. Het plafond veranderde in de laaghangende wolken boven het vlakke land tijdens een Europese winter. Zijn armen wikkelden zich stijf om zijn schouders, want het was bitterkoud. Geen nacht meer, maar ochtend – de dageraad.

Hij had het kind kunnen redden als hij het vanuit de veilige beschutting onder de rotswand iets had toegeroepen, maar dat deed hij niet. Hij keek toe hoe een vijfjarig jongetje het veld op liep. Eigenlijk was het perfect. In plaats van nog een uur te wachten tot een van de Duitsers een explosie zou veroorzaken, liep het nieuwsgierige kind in de richting van een landmijn.

De jonge soldaat Malakhai had zijn ijskoude handen zitten wrijven tijdens een aaneenschakeling van irritante wonderen die de Duitse jongens in leven hadden gehouden. Ze waren bijna klaar met het stuk zagen van de zware boom die ze stukje voor stukje weghaalden om de weg vrij te maken. Hij wist niet waarom alle soldaten in de vrachtwagen zaten te lachen en het kon hem niet schelen ook. Een van heen wees naar het kind dat over een paar minuten dood zou zijn. De soldaat wenkte het jochie en de kleine gestalte kwam dichterbij, inmiddels sneller lopend.

Goed zo.

Malakhais vingertoppen begonnen de blauwgrijze tint van bevriezingsverschijnselen te vertonen en hij wenste dat het kind zich nog wat haastiger naar zijn lot van afgerukte ledematen en de dood zou spoeden.

Een glimlachende, lichtblonde soldaat hield een worstje op. De kleine jongen kwam dichterbij, met verlegen ogen als ronde bruine koekjes, een klein handje uitgestrekt naar de traktatie die hem voorgeschoteld werd.

De eerste mijn ontplofte onder de voeten van het kind en de rest volgde. Er was gedurende de kettingreactie van explosies nog geen seconde tijd om de soldaten de schok te laten ondergaan van wat er met hen gebeurde terwijl lichaamsdelen zich van hun torso scheidden en ergens anders heen vlogen. En toen regende het een poosje bloed; een lichte nevel die de dood in bevroren rode druppeltjes kristalliseerde.

De vrachtwagen stond in brand. De lucht was vervuld van het scherpe mengsel van de stank van zwavel en rook, verbrande banden en verbrande jongens. Malakhai voelde op dat moment nog niet de pijn van de hoofdwond die was door een stukje rondvliegend metaal veroorzaakt. Hij kwam van achter de beschuttende rotsen tevoorschijn en begon met het tellen van de lijken van de vierendertig soldaten ten behoeve van zijn rapport. Hij telde het kind niet mee, want dat was geen militair gegeven.

Toen hij klaar was, bleef hij bij het kleinste lijk staan. Het kleine lichaam aan zijn voeten was verminkt, maar niet uiteengerukt. De jongen had zich midden in de eerste ontploffing bevonden, maar toch was het kleine, volmaakte gezicht ongeschonden en zijn ledematen zaten nog steeds met rode pezen en botten aan hem vast.

Malakhai voelde een erectie opkomen. En dat was ook heel vreemd. Hij kon het niet verklaren, maar terwijl Louisa's gezicht zijn gedachten in beslag nam, ervoer hij het als heel natuurlijk om aan haar te denken en haar in verband te brengen met elke seksuele gewaarwording. Hij kon het vuur in zijn lendenen voelen dat nu nog feller begon te branden – een open vuur in de winter. En op onverklaarbare wijze was het allemaal begonnen met dat kleine lijk aan zijn voeten. Het kind zou wel op de boerderij in de verte thuishoren.

Malakhais lichaam verstijfde en nam de strakke houding van volledige concentratie aan – luisterend. Aan de andere kant van de besneeuwde vlakte hoorde hij vioolmuziek.

Onmogelijk. De hoofdwond?

Auditieve hallucinatie? Natuurlijk, dat overkwam hem niet voor het eerst. Na elke wond begon hij het medische jargon beter onder de knie te krijgen. Maar dit was niet het vertrouwde gerinkel, de pijn van helse klokken en bommen. Dit was muziek en violen maakten geen deel uit van zijn repertoire van verwondingen aan lichaam en geest.

Hij keek neer op het gezicht van het kind. Sneeuwvlokken vielen op het bolle glas van starende bruine ogen en smolten daar. Malakhai voelde niets anders dan de seksuele beleving die zijn kruis verwarmde met een zaadlozing.

Hij draaide zijn hoofd in de richting van de boerderij om de muziek beter te kunnen horen. De wind stak op en de vage noten dreven van hem af. En op dat moment voelde hij nog iets nats. Zijn hand ging omhoog naar zijn gezicht.

Tranen?

Voor Louisa.

Zijn gedachten aan haar waren niet vergezeld gegaan van gevoelens van verdriet of verlies. Hij proefde alleen het zout van de tranen – het geschenk van Louisa. De holle knaap huilde in een reflex die werd opgeroepen door een gefantaseerde viool. Hij schonk Louisa de eer voor die truc, het oproepen van onechte tranen voor een dood kind, het vertoon van verdriet, een illusie van spijt.

Maar waarom?

Twee vage gestalten maakten zich los van de boerderij in de verte. De ouders? Misschien waren ze net tot de ontdekking gekomen dat hun kind niet in zijn bedje lag te slapen. Hij wist dat hun angstige blik zich op de brandende vrachtwagen zou richten. En desondanks voelde Malakhai geen greintje medeleven of sympathie, niets anders dan het bonzen van zijn hoofdwond.

Wat zou Louisa nu willen dat hij deed?

O, natuurlijk.

Soldaat Malakhai tilde het kleine lichaam op dat niets woog en draaide de donkere rook, het verwrongen metaal, de verschroeide uniformen en de dode jongens de rug toe. Hij ging op weg over het witte veld dat met een laagje verse witte sneeuw bedekt was en volgde de nietige voetsporen van de kleine jongen.

De jeugdige soldaat bewoog zich met ongewone gratie op bevroren voeten terwijl hij langzaam naar de boerderij toe liep waar de voetsporen van het kind begonnen.

Mallory begon genoeg te krijgen van de muur waarop Oliver Tree opnieuw meer dan levensgroot werd vermoord.

Ze haalde het schijfje met *Louisa's Concerto* uit haar computer. Op het bureau lag een draagbare cd-speler. De oude batterijen waren al langgeleden weggegooid en nu spitte ze in alle laden op zoek naar de nieuwe. Waar lagen die toch? De verhuizers hadden ze niet kwijt kunnen maken. Ze had de inhoud van haar bureau zelf ingepakt en de doos in haar auto gezet.

Geen batterijen – maar dat maakte niet uit. Ze verbond de cd-speler met een adapter die in het stopcontact in de muur paste en hing daarna de enorme koptelefoon van een geluidsfreak om haar nek. Ze zat aan het snoer vast terwijl ze voor de lens van de projector langsliep. De bewegende beelden omhulden haar lichaam en vliegende pijlen schoten geluidloos door haar haar.

Ze deed de kastdeur open en haalde alle keurig opgevouwen dozen tevoorschijn. Een hoek van de studeerkamer was vrijgemaakt zodat de twee wanden de muren van een Koreaanse gevangeniscel vormden. Ze zette de dozen weer in elkaar zodat ze dienst konden doen als grote kartonnen bouwstenen voor nog twee muren van niet meer dan anderhalve meter hoog. Toen ze klaar was, liep een aantal stroken plakband van de bovenkant van een van de kartonnen muren naar de bepleisterde muur aan de overkant – als herinnering aan het feit dat er geen ruimte was om rechtop te staan. Het plakband had wel iets weg van tralies die haar het zicht op het plafond gedeeltelijk benamen.

Door de laatste van de dozen op zijn plaats te trekken, sloot ze zich af van de rest van haar studeerkamer en ging in kleermakerszit op de grond van haar cel van anderhalf bij anderhalf zitten. Na een paar minuten werd ze zich bewust van geluidjes die ze anders nooit hoorde, het tikken van de klok aan de muur en het striemen van de regen tegen de ruit. Blikkerige muziek uit een passerende draagbare stereo kwam uit de straat naar boven drijven. Maar op de wanden om haar heen ontbraken tenminste de beelden van Olivers vliegende pijlen en zijn dood. Mallory keek omhoog naar de pseudo-tralies van papieren plakband die haar nieuwe, minimalistische wereld afdekten. Ze zette de op maat gemaakte koptelefoon op en de oorschelpen blokkeerden alle geluiden van buiten de cel.

Volmaakte rust.

Dat had ze niet verwacht. Er was geen sprake van ongemak, hoewel ze de deur noch de ramen kon zien. Misschien kwam dat wel door haar absolute vertrouwen in het alarmsysteem.

Nee, er was nog iets anders, iets wat haar bekend voorkwam. Een oude herinnering kwam bovendrijven.

Mijn eigen huisje.

Mallory had een stukje van haar jeugd teruggehaald, de doos van een ijskast die ooit als woning voor een tienjarig vluchtelingetje had gediend.

Haar kartonnen huis was een vredig toevluchtsoord geweest voor de waanzin van de straten in de stad, de maalstroom van emoties van vluchten tot vechten.

Hier voelde ze zich veilig.

En Malakhai had op deze manier een jaar in eenzame opsluiting doorgebracht. Zij zou bijna blij zijn geweest met een dergelijke straf. Maar wat had Malakhai al die tijd gedaan, behalve luisteren naar muziek die in zijn geheugen zat gegrift en het opnieuw tot leven brengen van een dode vrouw?

Mallory pakte de cd-speler op en zette *Louisa's Concerto* op replay, zodat het eindeloos herhaald zou worden. De stereokoptelefoon wekte de indruk dat het orkest ergens midden in haar hoofd zat te spelen. Maar voor haar was er niets in deze muziek te vinden, geen geesten uit 1942, alleen maar noten die zich aaneenregen en strijkers die zich met blazers vermengden.

Malakhai, wat heb je met al die dagen gedaan?

Nou, hij had elk detail van Louisa's lijk opgeroepen, de blauwe jurk, het bloed achter haar ogen en het roze schuim in haar mondhoeken. Hij moest haar dood in gedachten wel duizend keer herhaald hebben.

Mallory schonk geen aandacht meer aan de muziek. Ze concentreerde zich op een beeld van *Faustine's Magic Theater* – dat van Malakhai, niet de kopie die Oliver had gemaakt. Ze zette er cafétafeltjes en wijnflessen in, bevolkte het met burgers en soldaten en vulde de ruimte daarna met rook. De kroonluchter doofde en het podium werd verlicht met behulp van een rij kaarsen. Naast haar op het toneel stond een roodharig meisje dat een viool vasthield. Mallory stapte in de huid van het meisje en wendde Louisa's hoofd in de richting van Malakhai. De jongen stond tussen de coulissen, onzichtbaar voor de toeschouwers door de rand van het gordijn, wachtend op het moment dat de muziek hem tot handelen zou dwingen.

Mallory's hand ging omhoog en tilde de viool op zodat die tussen haar schouder en kin kwam te liggen. Vervolgens streek Louisa de snaren aan met een strijkstok die naar vioolhars rook. Onder het instrument zat de pijl verborgen die aan het eind van het optreden de strijkstok zou moeten vervangen. Mallory richtte haar ogen weer op Malakhai.

Zie je hem al, Louisa? Kun je zijn uniform zien?

Nee, nog niet. En het was alleen Mallory die de pijl zag waarmee zijn kruisboog was geladen. Louisa's ogen waren gesloten. Ze ging helemaal op in haar muziek.

Deze truc werd gewoonlijk door Max Candle uitgevoerd. Maar vanavond houdt Malakhai het wapen op haar gericht – op hen.

Hij is zo jong. Achttien jaar oud, weer helemaal nieuw. Zijn rechterhand hield de pistoolkolf van de kruisboog vast en zijn ogen werden overschaduwd door de klep van een officierspet. Het kruisboogpistool kwam omhoog.

De stof van het uniform was grijs, de knopen waren zilverkleurig en de kraag was rood. Er mocht geen enkel detail verloren gaan. Ze keek met Louisa's ogen naar de jonge Malakhai. De knappe jongeman droeg prachtige zwarte laarzen. Zijn kruisboogpistool was inmiddels op haar gericht.

Waar zou Louisa aan denken? Het was gemakkelijker om zich in de geest van een moordenaar te verplaatsen – de rol van een slachtoffer in de kruisdraden van een vizier was veel moeilijker. Eerst zag ze het uniform en daarna de insignes van de ss. *Malakhai?*

Ja, nu heeft ze hem herkend. Ze was haar angst voor het uniform te boven gekomen. Louisa keek naar haar oude geliefde. Hij had zijn vinger aan de trekker. Vroeg ze zich af waarom Malakhai de taak van Max Candle had overgenomen? Ja.

Waarom is Max er niet?

Max kan je niet neerschieten, Louisa. Dat kon alleen Malakhai – omdat hij vanaf hun kindertijd van dit meisje had gehouden.

Mallory wachtte tot de jongeman zijn projectiel zou afschieten. Dacht Louisa nog steeds dat er een zijden sjaal aan zou komen vliegen – onschadelijke zijde aan een draad die ze om de verborgen pijl zou kunnen winden? Franny Futura had het over haar verbazing gehad. Nee, Louisa had geen flauw idee van wat haar te wachten stond. Ze keerde zich af van het publiek door al spelend om haar as te draaien, zodat niemand getuige zou zijn van het verwisselen van de strijkstok door een pijl. Ze ging gewoon verder met de truc die bij iedere voorstelling als eerste werd vertoond.

Waarom vertrouw je hem, Louisa?

Ik heb Malakhai mijn hele leven gekend.

Mallory, die wat minder goed van vertrouwen was, keek naar de jongen. Zijn donkerblauwe ogen waren op Louisa's gezicht gericht, tastend, voelend – de laatste liefkozing op afstand. Zijn vinger haalde de trekker over.

Wat dom, Louisa.

Ze had geen tijd om een kreet van verbazing te slaken. De schacht uit de kruisboog had zich in haar schouder geboord, zo diep, zo'n pijn. De viool en de strijkstok kwamen op de planken terecht. De verborgen pijl viel uit Mallory's hand. Hoe kon dit nu gebeuren? Louisa staarde hem aan toen hij zich omdraaide om te vluchten. *Waarom? Waarom heb je me pijn gedaan?*

234

Hij liep bij haar weg. Louisa viel en Mallory's wang drukte tegen het koele hout van het podium. Zijn laarzen veroorzaakten een dreunend geluid dat Louisa tegen haar huid kon voelen terwijl ze daar op de planken lag.

In het uur daarna speelde Mallory de scène keer op keer over. In een van de scenario's liet ze Louisa op het podium vallen en rende met Malakhai mee, dwars door het theater waarbij ze een spoor van omgevallen tafeltjes en verbijsterde toeschouwers achterlieten. Vervolgens stonden ze hijgend op de stoep van het theater, Malakhai en Mallory. Het had die avond geregend. De lucht was klam en koud. Malakhai keek de straat op en neer, maar Mallory zag niemand op de trottoirs lopen. In de beschutting van de regen en het duister ontdeed hij zich van de bovenste laag van zijn kleren, het uniform. Daaronder droeg hij burgerkleren. Hij rende het theater weer in. Er waren maar een paar minuten voorbijgegaan, niet de vijftien die hij had geschat, nog niet eens tien. Hij was zo jong, de tijd moest naar zijn gevoel voorbij zijn gekropen, maar het ging slechts om een paar minuten.

Louisa is stervende. Was dat je bedoeling, Malakhai?

De volgende keer dat Louisa gewond raakte, lag Mallory samen met haar op het podium en bloedde als gevolg van dezelfde pijl, als gevolg van vele pijlen, keer op keer verraden, gewond en onder het bloed, luisterend naar het geluid van Malakhais hollende laarzen die over de planken dreunden en haar achterlieten om dood te bloeden en te sterven.

Nu had Louisa een zware shock. Iemand tilde haar van de vloer en droeg haar naar een kamer achter het toneel. Sterke armen legden haar lichaam neer. Mallory kon horen hoe de deur dichtging en het geluid van het publiek buitengesloten werd, het geschraap van stoelen en tafeltjes, het gerinkel van glazen en het geroezemoes van stemmen.

Een kussen werd op haar mond gelegd.

Geen lucht. Een gevoel van paniek kwam op. Het oerinstinct om adem te kunnen halen schakelde al haar zintuigen uit. Haar handen duwden het kussen weg. Mallory vocht met meer kracht dan ze kon opbrengen, terwijl de adrenaline door al haar spieren kolkte, haar longen leken te branden en te barsten en ze snakte naar een ademtocht. Hij drukte het kussen steviger omlaag. Louisa kronkelde en duwde. Ze schopte met haar benen. Het bloed stroomde uit de wond over de vloer die helemaal glibberig en rood werd.

Waar is Malakhai?

Hij is er niet, Louisa. Hij is weggelopen. Dat weet je best.

Er kwam geen hulp en die zou ook niet komen. Haar moordenaar zat met zijn volle gewicht boven op haar en drukte het kussen omlaag. Mallory hoorde stemmen die een vreemde taal spraken aan de andere kant van de deur.

Waarom schreeuw je niet, Louisa?

Dat kan ik niet. Er staan Duitse soldaten voor de deur.

Zo gauw al? Er waren sinds het schot nog maar een paar minuten verlopen. Soldaten uit het publiek?

Haar moordenaar was inmiddels wanhopig. Ze stierf niet snel genoeg. Zijn knie drukte hard op haar borst met het volle gewicht van zijn lichaam erachter. Ze hoorde haar borstbeen breken, het knapte. De pijn werd omfloerst door de shock. Ze voelde hoe haar hart onder zijn gewicht werd samengeperst en doorboord door afgebroken botsplinters.

Nee, nee!

Toen hield haar lichaam op met worstelen. Bloed welde op achter haar ogen. Wat Malakhai in beweging had gezet, werd nu afgemaakt – het was bijna gedaan. Opeens lag Louisa stil, met wijdopen, starende ogen. Roze schuim liep over haar lippen en tere belletjes barstten, een voor een.

Mallory rolde zich op tot een bal binnen de afmetingen van Malakhais gevangeniscel. Er waren geen geluiden of beelden meer, geen leven in een slapend brein, want doden dromen niet.

Toen ze haar ogen weer opendeed, baadde het plafond boven de plakbandtralies in ochtendlicht en al haar spieren deden pijn. Ze kon voelen dat haar nek en haar ledematen helemaal verstijfd waren. Het concerto draaide nog steeds door op de cd-speler en vulde haar hoofd met muziek die haar niets zei. Daarmee was de mythe dat Louisa in haar compositie door leefde ontzenuwd.

Ze had nooit eerder nagedacht over muzikale beeldspraak. Haar lichaam had zich op de swingmuziek van haar pleegvader en op zijn rock-'n-roll in beweging gezet zonder dat ze er bewust moeite voor had moeten doen of erover had moeten nadenken. Louisa's muziek was veel te moeilijk.

Mallory dwong zichzelf om betekenis achter de muziek te zoeken. Tussen de vioolpartijen van de strijkers door vuurden de cornetten hoge noten af. Misschien moesten zij wel geweren voorstellen. Meteen daarna barstten alle instrumenten van het orkest los in een enorme muur van geluid. Die explodeerde weer in flarden van klarinetten en fluiten – bommen die in de lucht ontploften, met glinsterende scherven als vallende sterren. En daarna bruiste de muziek omlaag in vloeibare valleien van machtige lage akkoorden. Toen er weer even een stilte viel, zo'n lege plek in de muziek, knikte Mallory onbewust. Ze stond al lang op goede voet met leegheid.

Hoeveel had Malakhai uitgeplozen tijdens zijn jaar in die kooi?

Louisa's bloed had de moordenaar verraden. Op de anderen waren misschien ook een paar vlekjes te zien geweest, maar de man die haar had gedood moest van onder tot boven onder hebben gezeten. Malakhai had altijd geweten wie die man was. Zelfs het kleinste detail van die avond zou hem niet zijn ontgaan. En toch had hij al die tijd gewacht voor hij wraak nam.

Ze pakte de cd-speler op om de muziek uit te zetten. Het snoer stond niet langer gespannen, maar zat los. Ze trok eraan en de zwarte draad gleed zonder moeite tussen de dozen door tot de stekker klem kwam te zitten achter de smalle kartonnen spleet. Het apparaat zat niet meer in het stopcontact. Het was losgeraakt terwijl ze sliep. Het vakje voor de batterijen was leeg – dat wist ze zeker. Ze had de oude batterijen al lang geleden weggegooid. En toch kon ze in haar hoofd nog steeds de muziek horen.

Néé! Dat was onmogelijk!

Ze schopte tegen de dozen om haar heen en schreeuwde het toen uit van de pijn. De pezen in haar benen stonden in brand. Ze had kramp in een van haar schouders. Paniek sloeg toe in een werveling van muziek die als een spiraal omhoog rees. Ze moest zich inspannen om zich niet te bewegen en rustig te blijven liggen tot de kramp uit haar spieren was weggetrokken. Het tempo van de muziek nam toe. Zweetdruppeltjes gleden over haar gezicht. Haar hart begon sneller te kloppen, heftiger, bonzend op de maat van de muziek. Ze duwde een paar dozen opzij om een opening te maken en de pijn sneed door haar armen.

De muziek zwol weer aan en stond op het punt om zich in een crescendo over haar uit te storten. Haar handen vlogen in een afwerend gebaar omhoog. Meteen daarop werd de muziek weer zachter, alsof het een levend iets was dat had besloten om haar niet te bedelven onder een zware, omvallende muur van geluid. Mallory rolde langzaam om en kroop op handen en voeten Malakhais kooi uit, waarbij ze de cd-speler aan het snoer van de koptelefoon achter zich aan sleepte. En de muziek kroop achter haar aan.

Dit kon niet waar zijn!

De melodielijn ging weer omhoog, in steeds toenemende mate. In een aanval van woede liet Mallory haar vuist met een klap op de afspeelapparatuur neerkomen. Een klein rechthoekig stukje plastic sprong los waardoor het vakje van de batterijen zichtbaar werd. En het was niet leeg.

Ze had gedacht dat de oude cadmiumbatterijen weggegooid waren, maar daar lagen ze keurig naast elkaar – en ze wérkten omdat ze gedurende de nacht opgeladen waren.

Idióót!

Mallory drukte op de AAN/UIT-knop. De muziek hield op. Ze haalde diep adem. Dus niets was wat het scheen. Zelfs waanzin was niets anders dan een goedkope truc.

Hoofdinspecteur Coffey opende de luxaflex die het bovenste gedeelte van de wand bedekte. In de recherchekamer achter de ruit stonden al zijn mensen op een hoopje voor een klein tv-toestel en er werd contant geld ingezameld. Hij veronderstelde dat er nog steeds een op een gewed zou worden, want alleen de voorlichter van de burgemeester wist wat zich vanmorgen op de tv zou gaan afspelen. Hij keerde zich weer om naar het grotere tv-scherm in de hoek van zijn kantoor.

Brigadier Riker lag onderuitgezakt in een stoel en toonde geen noemenswaardige interesse voor de komende gebeurtenis – misschien omdat hij er geen geld op had kunnen zetten. Hij was al meegesleept naar het kantoor voor hij de kans had gehad om ook maar een woord met de gokkers in de kamer ernaast te wisselen.

Jack Coffey streek met een hand door zijn haar en stopte voor hij bij de kale plek kwam die volgens hem aan stress te wijten was en waarvan hij Mallory de schuld gaf. Samen met Riker keek hij zwijgend naar het weerbericht in het ochtendpraatprogramma. Jack Coffey had een hekel aan de verwaande weerman, een opgewekte mafkees die geheel onterecht een dikke bos haar had en een vorstelijk salaris kreeg voor het stoeien met een paar tekeningetjes. Glimlachende zonnetjes en fronsende regendruppels versierden de kaart op de achtergrond. Eén enkele uit de kluiten gewassen sneeuwvlok bedreigde de hele staat Connecticut.

De hoofdinspecteur boog zich voorover en bladerde door een nieuwe stapel paperassen op zijn bureau.

Verdorie, wat was dat nou weer?

Hij greep het bovenste vel en wapperde ermee naar brigadier Riker. 'Hoe heeft ze de ploeg van Heller zo ver gekregen dat ze dit hebben gedaan? Ik heb schriftelijk toestemming gegeven voor het onderzoek van het podium, níét voor dat van de praalwagen!'

Riker haalde zijn schouders op en Coffey kwam tot de slotsom dat het best mogelijk was dat zijn brigadier inderdaad in het duister tastte. Mallory had er waarschijnlijk wel voor gezorgd dat haar partner zou kunnen ontkennen dat hij ook maar iets met deze zeker niet legitieme opdracht te maken had.

Coffey wierp opnieuw een blik door de ruit. Er werden op het laatste moment nog een paar weddenschappen afgesloten, terwijl de weerman stond te lachen om de getekende regendruppel die samen met een waarschuwing voor storm op de staat New York werd losgelaten.

Het beeld op het scherm veranderde in de amateuropnamen die een toerist van de optocht op Thanksgiving Day had gemaakt. De camera was op de vrouw en kinderen van meneer Zimmerman gericht. Het hele gezinnetje stond braaf te glimlachen terwijl het haar van mevrouw Zimmerman rechtop stond in de wind. De kinderen zwaaiden terwijl ze naast de praalwagen met de reusachtige sneeuwpop stonden. Om de een of andere duistere reden maakte de videocamera een duidelijke longshot van het rotsachtige heuveltje dat omhoog rees achter het laatste stuk van de route die de optocht zou afleggen. Mevrouw Zimmerman en de kinderen stootten elkaar aan terwijl ze zich verdrongen om zich weer voor de nieuwe camerapositie op te stellen. Nu liepen ze allemaal achteruit in de richting van het park, terwijl elke andere camera in New York City gericht was op het spektakel van de enorme ballonnen die de andere kant op dreven.

Het beeld vervaagde en in plaats daarvan verscheen het decor van de ochtendtalkshow waar de burgemeester een grote voorkeur voor had. Een man en een vrouw zaten op een bank. Het vader-en-moedertje-koppel van omroepland was nauwelijks veranderd sinds de tijd dat Jack Coffey nog een schooljochie was. De presentator had altijd een lelijke toupet gedragen, maar de donkere kleur was niet langer te rijmen met het gegroefde gezicht en de driedubbele onderkin die de middelbare leeftijd met zich mee had gebracht. Zijn vrouwelijke medepresentator was nog enger. Zij was helemaal niet ouder geworden en ze bleef onophoudelijk glimlachen. Haar onwrikbare grijns was volgens geruchten een voorbeeld van een mislukt staaltje plastische chirurgie.

Riker boog zich naar het toestel en zette het geluid harder toen Heller het decor in kwam lopen. Het hoofd van de technische recherche scheen de tv-mensen met tegenzin de hand te schudden. Misschien voelde Heller zich helemaal niet op zijn gemak met de ogen van de halve bevolking op zich gericht. Maar het was ook heel goed mogelijk dat Mallory zijn gezin ergens op een afgelegen plekje in gijzeling hield.

De grote beer van een vent ging op de bank tussen zijn televisiegastheer en -vrouw zitten. Heller was uiterst kalm en knipperde niet eens met zijn ogen toen ze een potje maakten van zijn schitterende staat van dienst en de lange lijst met successen die hij bij de bestrijding van de misdaad al had geboekt. Zijn langzaam ronddwalende bruine ogen vestigden zich op de monitor naast de bank. Met behulp van een splitscreen werd datzelfde beeld ten behoeve van de kijkers vergroot. Het was een stilstaande opname van het stenen heuveltje boven het hoofd van de glimlachende echtgenote van de toerist.

'Let nu op dat heuveltje,' maande de presentator het kijkerspubliek. Het stilstaande beeld veranderde in een vertraagde opname van het haar van mevrouw Zimmerman dat in de wind wapperde. De tv-presentator sprak elk woord met grote nadruk uit. 'Ziet u die donkere schaduw op de rotsen? Ja? Ziet u dat witte rookwolkje?'

Riker pakte de tv-gids op en liet zijn vingers langs de kolom met ochtendprogramma's glijden, misschien wel om zich ervan te overtuigen dat de voorlichter van de burgemeester de forensische expert van de NYPD niet per ongeluk naar een kleuterprogramma had gestuurd.

'Goed, dat rookwolkje. Dat is een geweerschot, begrijpt u wel?' De presentator richtte zich tot Heller. 'Een overduidelijk bewijs dat de agente er niet alleen bij betrokken was. Zo is het toch, meneer?'

'Brigadier Mallory was er helemaal niet bij betrokken,' zei Heller. 'De rook stemt overeen met de geluidsband van de reportageopnamen. De beweging van de schaduwen werd ook vergeleken met de opnamen van de toerist. De rook was afkomstig van een geweer. We hebben de patroonhuls gekregen van twee kinderen die op die ochtend in het park aan het spelen waren.'

De grijnzende vrouw tikte Heller op zijn mouw. 'Maar weet u zeker dat het een geweerschot was waardoor Goldy werd geraakt? Ik bedoel maar, die ballon was zo groot.' Ze keek in de camera en liet haar handen een grote boog beschrijven als uitleg van het woordje 'groot' ten behoeve van haar door leerstoornissen getroffen kijkers. 'Het zou ook best de revolver kunnen zijn geweest, nietwaar? Je zou een dergelijk voorwerp met geen énkel wapen kunnen missen.'

'De ballon was het doelwit niet,' zei Heller. 'Die werd door de afgeketste kogel geraakt. Naar aanleiding van het vermoeden van brigadier Mallory dat de praalwagen het voornaamste doel was, hebben mijn mensen al het bewijsmateriaal bestudeerd. We hebben twee gaten in het materiaal van de gigantische hoge hoed gevonden. Er is een gat waar de kogel is ingeslagen en een gat waar de afgeketste kogel weer naar buiten is gevlogen. Ik heb afdrukken op het metalen binnenwerk onder de stof van de hoed gevonden die dat bevestigen.'

De presentator trok één van zijn wenkbrauwen op en hield die uitdrukking vast. 'Wilt u daarmee zeggen dat het een moordaanslag op een van de goochelaars was?'

'Nee,' zei Heller. 'Ik zeg alleen maar dat het om een kogel gaat die op een van de praalwagens van de optocht is afgeketst. Wat de rest betreft, zou het net zo goed om een schietgrage dronkelap kunnen gaan.'

'Nou ja, nu hebben we in ieder geval een verklaring voor één van de kogels,' zei de grijnzende vrouw. 'Maar de schoten…'

'Eén schot,' zei Heller, terwijl hij zijn wijsvinger opstak, rekening houdende met wie hij te maken had. Ze hadden dat visuele hulpmiddel kennelijk nodig om een kogel te kunnen tellen. En dat onderstreepte Rikers theorie-dat ze inderdaad naar een kinderprogramma zaten te kijken.

De mannelijke presentator gaf lik op stuk door drie vingers omhoog te steken. 'Wij hebben getuigen die dríé schoten hebben gehoord.'

Er waren twee elektronische piepjes nodig om bepaalde woorden in Hellers antwoord te censureren. Coffey had het vermoeden dat het om weinig complimenteuze beschrijvingen ging van getuigenissen van de doorsnee burger. Heller herhaalde alles nog eens in wat beleefdere bewoordingen. 'U hebt die banden zeker al honderd keer afgedraaid. Hebt u drie schoten gehoord? Nee.' Zijn wijsvinger kwam opnieuw omhoog. 'Eén schot. Brigadier Mallory heeft haar revolver niet afgevuurd.'

Coffey keek naar het brede raam dat uitzicht op de recherchekamer bood. Achter het glas barstte een luid gejuich en gefluit los. Geld werd weggegrist en in broekzakken gepropt. Een paar verfrommelde briefjes vlogen door de lucht, afgevuurd door ongelukkige verliezers.

Riker boog zich voorover en zette het toestel uit. 'Of u het nou leuk vindt of niet, baas, die meid gaat vrijuit. Zal ik haar bureau maar even gaan afstoffen?'

Coffey knikte met een treurige glimlach.

'Ik weet best wat u denkt, hoofdinspecteur,' zei Riker. 'Hoe zal Mallory ooit leren om zich aan de regels te houden, als u haar er niet op kunt betrappen dat ze die overtreedt?' Hij glimlachte. Het was niet de brede grijns van een onbeschofte winnaar. Riker was er al tevreden mee dat hij niet aan de kant stond van de verliezer – zijn meerdere.

Vanuit zijn ooghoeken volgde Coffey een man in uniform. Brigadier Harry Bell was vanuit het trappenhuis binnengekomen en liep nu door de recherchekamer. Toen de dagcoördinator op een paar passen van de deur van het kantoor was, strekte Coffey langzaam een arm uit en hield zijn hand op. Alsof hij een seintje had gekregen, kwam brigadier Bell naar binnen en deponeerde vier briefjes van tien dollar in de hand van de hoofdinspecteur – zijn winst.

Op Harry Bells gezicht stond een diepe teleurstelling te lezen toen hij zich tot de verbijsterde brigadier Riker wendde. 'Heb jij niet eens op je eigen partner gewed? Jezus, Riker, zelfs al dacht je dat Mallory schuldig was, dan had je voor de show toch wel íéts kunnen inzetten.'

Mallory knielde op de vloer van de kelder en liet het licht van de zaklantaarn op het cement schijnen. De talkpoeder was onaangeroerd. Het was over een brede strook uitgestrooid. Er waren geen tekenen die duidden op een geïmproviseerde steiger van planken waarmee hij de poederval had kunnen vermijden en hij was er niet overheen gevlogen. Toch hoorde ze Billie Holiday aan de andere kant van de vouwwand zingen en ze wist dat hij daar was. Ze kon de rook van hun sigaretten ruiken, een van Malakhai en een van Louisa.

Bij een van de uiteinden van de scheidingswand bestudeerde ze de lange rij bouten waarmee de rand van de houten wand aan de keldermuur was bevestigd. Met een gewone koevoet zou je die niet los kunnen wrikken. Te oordelen naar de kop van de metalen bouten zouden ze diep in de dubbelsteens muur verankerd zitten. Toch trok ze aan het laatste paneel en de metalen strip met de rij bouten kwam los van de muur en gleed gemakkelijk opzij, waardoor de overige vouwpanelen over de rails van de muur achteruitweken. Door deze nieuwe deur ging ze het opslaggedeelte binnen.

Ze kroop langs een rij planken en liep gebukt om stapels dozen heen. Het deed haar genoegen om de verraste uitdrukking op Malakhais gezicht te zien toen hij opkeek van de geopende doos aan zijn voeten.

Hij glimlachte. 'Ik vroeg me al af hoe lang het zou duren voor je daar achter zou komen. Zelfs Charles denkt dat je alleen maar tussen de middelste panelen naar binnen kunt. Ik veronderstel dat je Max' gevoel voor humor moet kennen om het door te hebben.'

'Hebt u gevonden wat u zocht?'

Hij hield de verbrande leren rug van een boek omhoog. De doos aan zijn voeten was gevuld met as en zwartgeblakerde stukken van boekomslagen. 'Dit waren de dagboeken van Max. Ik denk dat Edith ze na zijn dood heeft gevonden.'

'Waarom wilde u die hebben?'

Hij liet de rug van het boek weer in de doos vallen en veegde zijn handen aan een doek af. 'Er stonden passages over mijn vrouw in. Max heeft me tijdens een avondje stappen verteld dat hij die dagboeken had. Hij was ontzettend dronken en voelde zich schuldig.'

'Hield hij in Parijs een dagboek bij?'

'Nee, daar is hij pas veel later mee begonnen – nadat ik met mijn herrezen Louisa uit Korea terugkwam. Het feit dat ik mijn dode vrouw bij mijn optreden als illusionist gebruikte, raakte Max dieper dan ik had beseft. Zijn dagboeken waren liefdesbrieven aan een dode vrouw. Daarom heeft Edith ze verbrand – uit jaloezie jegens een geest.' Hij gaf een slap schopje tegen de doos.

'Was Max Candle net zo gek als u?'

Malakhai glimlachte toen hij een fles wijn uit de kist pakte en het etiket bestudeerde. 'Ik weet bij jou altijd waar ik aan toe ben, Mallory.' Hij schonk een glas wijn in en overhandigde dat haar. 'Ik weet dat het niet netjes is om voor de middag al te drinken.'

Ze pakte het glas aan.

'Goed zo,' zei hij. 'Ik hoop dat je nooit echt fatsoenlijk zult worden.' Hij keek neer op de doos. 'Een vrouw weet zoiets altijd, hè? Het feit dat haar rivale dood was, moet haar stapelgek hebben gemaakt. Arme Edith – arme Max.'

Hij nam een trekje van zijn sigaret en hield zijn hoofd achterover om het wolkje blauwe rook na te kijken terwijl het omhoog rees naar het plafond. 'Aan de hand van de sigaretten kan ik je mijn hele levensverhaal vertellen. Zoals die avond dat we uit Parijs wegvluchtten, Max en ik. Hij heeft me het leven gered door me de straten door te sleuren en de treinen in te duwen. We zijn de Spaanse grens overgestoken.'

'U hebt me verteld dat de grens potdicht zat. U zei dat u Louisa niet uit Parijs weg kon krijgen – niet via die weg.'

'Hij zat ook dicht. O, af en toe ging hij wel eens een uurtje of soms zelfs een hele dag open, maar die nacht zat de grens even potdicht als het deksel van een doodskist. Maar wat kon mij dat schelen? Ik was er slecht aan toe. Max zou veel meer kans hebben als hij de oversteek alleen maakte, maar hij wilde me niet achterlaten. Er was helemaal geen uitweg, zie je. Maar Max gaf altijd gehoor aan een innerlijke stem die zei: "Pompen of verzuipen." Zelfs toen nam hij al belachelijke risico's.'

Hij sloot de doos met de asresten.

'We zijn in Cerbère uit de trein gestapt. De grenspolitie dwong alle passagiers om in de rij te gaan staan zodat ze hun reispapieren konden controleren. We hadden een paar van Nicks vervalsingen in onze zak, uitreisvisa om Frankrijk te kunnen verlaten, vervoersdocumenten waarmee we uit Lissabon weg konden komen. Die waren uiteraard nutteloos. Niemand kon die maand een geldig uitreisvisum krijgen, dus alle papieren waren verdacht. We hadden geen bagage – dat was ook verdacht. En Max droeg nog steeds zijn smoking. De grenspolitie bestond uit Fransen, een modebewust volk, maar dat moeten ze toch vreemd hebben gevonden, met name de hoge hoed.

Max ging een babbeltje maken met een politieagent die de deur van het station bewaakte. Toen hij weer bij me terugkwam, was hij al zijn geld kwijt, maar hij had aanwijzingen gekregen om de Franse controleposten te omzeilen. De bewaker vertelde hem dat alle papieren via telefoon en telegraaf werden nagetrokken, dus we konden niet weer in de trein stappen. We liepen samen met de passagiers die Cerbère als eindbestemming hadden het station uit. Daarna klommen we een steile helling op. Ik weet nog dat we langs lage stenen muurtjes en olijfbomen liepen.

Er stonden wel een miljoen sterren aan de hemel. We stopten bij een Spaanse grenspost.

Max sprak met de douaniers. Ik zat in die hut en bleef tijdens het hele gesprek huilen. Ze vroegen hem waarom zijn vriend zo overstuur was. Hij vertelde hen dat mijn vrouw die avond was gestorven. Daarna vroegen ze Max waarom óók hij huilde. De tranen stroomden over zijn gezicht toen hij hen vertelde dat hij de minnaar van de vrouw van zijn vriend was. En vervolgens deed hij iets waar de douaniers echt stómverbaasd over waren. Hij vertelde hen dat hij maar een paar francs op zak had en een half pakje sigaretten. Hij had er niet op gerekend dat hij iemand zou moeten omkopen. O, en onze papieren waren vals. Dat vertelde hij ook. Inmiddels rolden de douaniers over de grond van het lachen. Ik snapte niet wat er zo grappig was, dus ik bleef gewoon door huilen. Ze lieten ons passeren. Waarom weet ik niet. Het was puur mazzel dat we die nacht niet opgepakt zijn. Overal langs de grens stonden Duitse soldaten op wacht, als katten voor een muizenhol.

Er stond ons nog een verrassing te wachten toen we uiteindelijk in Lissabon aankwamen. Men ontdekte dat onze vervoersdocumenten vervalst waren. Natuurlijk wist ik dat ze dat door zouden hebben, maar het kon me eigenlijk niet schelen wat er met me zou gebeuren. We zaten op een bank in de wachtkamer van een of andere ambtenaar. Die idioot stond in zijn dure pak voor ons met het bewijs te zwaaien. Wat was die vent boos. Max stond op in zijn stoffige smoking en boog. Hij was ongelooflijk charmant. Hij zei dat hij hoopte dat de ambtenaar zich er niet aan had gestoord dat het een sléchte vervalsing was, want het was nooit onze bedoeling geweest om hem te beledigen.

O nee, hoor, zei de ambtenaar. De papieren waren werkelijk prima. Hij tróóstte Max. Daarna verdwenen ze samen naar het kantoor van de man. Af en toe kon ik ze door de deur heen horen lachen. Een uur later waren we op een vliegtuig uit Lissabon gezet. Waarom weet ik niet. Het was gewoon absurd. Dat gold voor de hele oorlog.' Hij tikte met zijn sigaret tegen de asbak. Die van Louisa was intussen gedoofd.

'Ik kan me nog herinneren dat we aan boord van het vliegtuig een sigaret rookten. Die nacht werd overal ter wereld gerookt. Jonge soldaten lagen in schuttersputjes te paffen, generaals namen een sigaar bij hun whisky – op straathoeken staken hoeren er één op, die in het donker opgloeide. Tussen het geweervuur en de sigaretten door vroeg ik me af of iemand van ons nog wel iets zag met al die rook. Later bleek dat niemand van ons daarin geslaagd was.'

Hij keek naar het slanke witte cilindertje tussen zijn vingers. 'Het werkt genezend, zie je. Mijn vrouw was dood. Ik nam een paar trekjes nicotine en ik werd getroost. Ik was ervan overtuigd dat ik Louisa met mijn pijl had gedood. Nog meer verdriet. Weer een sigaret en opnieuw troost.' Hij hield zijn hoofd scheef.

'En nadat ze was gestorven,' zei Mallory, 'en u haar in uw voorstelling gebruikte, hoe wist u toen dat Max nog steeds...'

'Nog steeds gek was op Louisa? Toen ik haar geest mee terugbracht uit Korea, ben ik samen met haar bij Max thuis gaan eten. Hij werd weer opnieuw verliefd op haar. Het maakte niet uit dat ze dood was. Hij was een Amerikaan. Voor Max was niets onmogelijk.'

Hij duwde de asbak aan de kant. 'Maar dat is een ander verhaal, voor bij een andere sigaret.' Hij liep naar de garderobekoffer. 'Vanavond is de herdenkingsdienst voor Oliver. Ik raad je aan om de witsatijnen smoking te dragen.'

'Dat is gebruikelijk bij de dood van een goochelaar, hè? Maar iedereen vertelt me telkens weer dat Oliver dat niet was.'

'En daar hebben ze groot gelijk in. Hij was een hopeloze klungel. Het zal geen uitgebreide dienst worden, niet te vergelijken met wat we voor Max Candle hebben gedaan. Dat was een hele gebeurtenis. Vanuit alle hoeken van de aarde kwamen goochelaars opdagen om hem een mooi afscheid te bezorgen. Bij mijn weten is er sinds zijn dood nooit meer zo'n groot evenement geweest. En trouwens, Oliver is al begraven. We houden gewoon een wake in een klein tentje bij jou in de buurt.'

'Futura zei dat Oliver ook van Louisa hield.'

'Hij was aan haar verknocht. Oliver is nooit getrouwd, weet je. Hij heeft haar herinnering altijd in ere gehouden.'

'En hebt u nooit van iemand anders dan van Louisa gehouden?'

Hij knielde naast Mallory neer. 'Je weet het nog steeds niet zeker... ben ik nou gek, of is Louisa gewoon een onderdeel van het spel? Sleep ik haar mee omdat ik me schuldig voel of uit winstbejag?'

'Ik denk dat u gedurende een bepaalde periode wel degelijk gek bent geweest. Maar nu is het gewoon routine geworden. Het wordt steeds moeilijker om al die draden te bedienen, hè?' Mallory wees naar de asbak. 'Haar sigaretten blijven steeds uitgaan. Het eind is bijna in zicht.' Ze glimlachte. Hij beschouwde dat als een waarschuwing en week achteruit.

'Dit is al de tweede keer dat ik vanmorgen in de kelder ben,' zei ze. 'Ik dacht dat ik had gevonden waarnaar u op zoek was... een oude brief die in de neus van een schoen was verstopt.' Dat was de plek waar Mallory's pleegmoeder haar waardevolle papieren altijd had verstopt om ze uit handen van inbrekers te houden – alsof er een zwarte markt was voor de slechte poëzie geschreven door Helens echtgenoot van middelbare leeftijd.

Malakhai torende boven haar uit. 'Was het een brief van Max?'

'Van Louisa. Hij was aan u geadresseerd. Ze dacht waarschijnlijk dat u haar eigendommen wel zou houden als ze die nacht niet zou overleven.' Mallory wierp een blik op de garderobekoffer. 'Ik heb me altijd afgevraagd waarom u dat niet hebt gedaan.' Ze zat haar vingernagels te bestuderen alsof deze transactie niets voor haar betekende. 'In ruil voor de brief wil ik iets van u weten. Op wie van het stel richtte u eigenlijk toen u op Thanksgiving Day dat geweer afvuurde?'

Hij schudde langzaam met zijn hoofd om aan te geven: *Vergeet het maar.*

'Er zijn regels waar ik me aan houd, meneer Malakhai. Niets is gratis. Vertel me nou maar op wie u richtte – anders vernietig ik de brief van Louisa.'

'Het zij zo.' Zonder enige aarzeling. Hij blufte niet.

Mallory stond op en liep naar de garderobekoffer. 'Ik weet dat ze hem schreef op de avond dat ze stierf.' Ze draaide zich weer naar hem om. 'Nog een laatste kans. Was het Nick Prado? Stond hij in de buurt van de praalwagen toen u dat geweer afvuurde?'

Hij keek neer op de kist met wijn, nog steeds hoofdschuddend. *Vergeet het maar.*

Mallory stak haar hand in de zak van haar blazer en haalde het losse velletje tevoorschijn. Het was een teer gevalletje, vergeeld en verkreukeld – en zulk dun papier. De inkt was vervaagd tot sierlijke violette krullen, bijna onleesbaar. Ze liep naar hem terug en gaf het hem als een offerande – voor niets.

Hij keek neer op het oude papier alsof hij het nog niet kon geloven.

Ze draaide zich om naar de vouwwand. Malakhais hoofd was gebogen terwijl hij de verbleekte regels van zijn brief las. Hij was geschreven door een vrouw die niet wist hoe de nacht zou aflopen, of ze zou ontsnappen of gevangengenomen zou worden – of ze in leven zou blijven of sterven. 'Lieve Malakhai' was de aanhef en daarna volgde het lange afscheid.

Mallory had een soortgelijke brief van haar vooruitziende pleegvader gekregen, geschreven voor zijn eigen gewelddadige dood en besteld op de dag van zijn begrafenis. Drie generaties Markowitzen, allemaal bij de politie, hadden dat soort brieven aan hun familie geschreven. De dochter van de diender begreep hoe belangrijk het afscheid was.

Ze liep vlak langs de vouwwand naar de zij-ingang toe, zonder om te kijken voor het geval ze hem erop zou betrappen dat hij huilde.

Ze had regels waar ze zich aan hield.

16

Franny Futura luisterde of hij nog een geluid hoorde waaruit hij zou kunnen opmaken dat hij niet alleen was. Uiteindelijk kwam hij tot de conclusie dat alle dansers en toneelknechten waren vertrokken om te gaan lunchen.

Hij lachte hardop en maakte een dansje over de planken, met roffelende voeten en rondwentelend met zijn armen stijf om zijn bovenlichaam geslagen, alsof hij daardoor zijn plezier aan banden zou kunnen leggen. Dat was niet zo. Er stond een brede grijns op zijn gezicht toen hij stil bleef staan en een diepe buiging maakte voor de lege theaterstoeltjes.

'Broadway.' Het heiligste der heiligen. Hij sprak de naam uit, terwijl hij op zijn tenen ging staan. En vervolgens, zacht alsof het een gebed betrof: 'Bedankt, Oliver.'

Goed, dit gedeelte van de straat lag weliswaar een heel eind van het centrum af, maar hij had nooit verwacht dat hij zo dicht bij de verwezenlijking van een oude droom zou komen, zo dicht bij de *Great White Way*. Franny kende zijn plaats onder de goochelaars. Ze hadden hem een levend museumstuk genoemd, een samenraapsel van afgezaagde oude trucs waar niemand meer van opkeek. Maar desondanks zou hij aanstaande vrijdagavond een Max Candle-illusie uitvoeren in een uitverkocht theater waar hij de belangrijkste trekpleister was. Op de luifel buiten stond zijn naam in grotere letters dan die van alle andere goochelaars die aan het programma meewerkten.

Hij liep naar de lange zwarte tafel waar zijn glazen doodskist op stond. De transparante panelen waren gevat in loden randen en er liep ook een loden strip in het midden waar de twee helften van de doodskist samen waren gevoegd. Hij pakte de tinnen handvatten vast en trok de twee aparte kisten uit elkaar. Ze gleden moeiteloos over de metalen rails die in de tafel aangebracht waren. Hij klopte op de grote pompoen die midden op de bank lag. Die werd op zijn plaats gehouden door een metalen beugel, zodat hij niet meteen op de grond zou vallen bij de eerste keer dat het vlijmscherpe mes naar beneden suisde. Hij had de bij deze periode passende vrucht speciaal uitgekozen omdat die zou bloeden, wat niet het geval zou zijn geweest met de lappenpop van Max. Hoewel het sap veel lichter was dan bloed, was het stukken beter dan zaagsel.

Iets meer dan een meter achter de tafel rees een rechthoekige zwarte houten plank omhoog van het toneel naar de loopbrug. Er waren efficiënt ogende veren en tandwielen op aangebracht die de indruk wekten dat er glanzende uurwerken op een enorme fluwelen bijouteriedoos waren uitgestald. Aan de bovenkant van het apparaat staken twee metalen armen omhoog waar de slinger in hing, een dunne stalen schacht die eindigde in een vlijmscherp halvemaanvormig mes.

Hij tapdanste naar de coulissen met zacht schuifelende schoenen en klom de ladder naar de loopbrug op. Toen hij over de smalle houten planken liep, zwaaide de brug op dezelfde manier heen en weer als die bij *Faustine's*. Hij greep de railing vast en glimlachte.

Net als in die goeie ouwe tijd.

Dit theater was niet zomaar een kopie; het was alsof hij in *Faustine's* terug was. Hij was weer bij af – weer thuis.

Franny keek omlaag en zag in gedachten Max Candle in de glazen doodskist liggen, aan handen en voeten gebonden terwijl hij een zorgvuldig gerepeteerde tekst uitschreeuwde om het publiek te vertellen dat er iets mis was met de slinger, dat het apparaat hem zou doden – iedere avond opnieuw.

Vanuit de duistere coulissen aan de rechterkant van het toneel kringelde rook in de richting van het voetlicht. 'Emile?'

Het enige antwoord was een klopje op een houten plank en nu wist hij wie zijn bezoeker was. Hoeveel jaar zou het nog duren voor dat geluid hem geen angst meer zou aanjagen?

Nick Prado zei met een slecht geïmiteerde fluisterstem: 'Plotseling werd er geklopt.'

Franny's handen krampten om de reling toen de man naar het midden van het verlichte toneel liep. Nick stond onder de loopbrug en keek naar boven terwijl hij de tekst van de beroemde schrijver verminkte. 'Wie klopt daar op mijn deur? Franny, je moet proberen om Poe op de een of andere manier in je voorstelling te verwerken.' Nicks ogen gleden over de lange stang van de slinger naar de vlijmscherpe halvemaan. 'Ik heb horen fluisteren dat je zes dansers hebt ingehuurd.' Hij keek weer omhoog. 'Zeg alsjeblieft dat het niet waar is.'

Franny leunde over de railing. Hij hoorde zelf hoe schril zijn stem klonk, veel te hoog, veel te luid. 'De spanning wordt langzaam opgebouwd. Ik had het idee dat de truc de aandacht van een modern publiek anders niet vast zou houden. Het dansnummer is echt heel goed.'

Nick huiverde met gespeelde afschuw. 'Kom je nog naar beneden? Of moet ik blijven schreeuwen?'

Het kostte Franny moeite om de leuning los te laten. Hij voelde zich veilig op de loopbrug, maar welke reden kon hij aanvoeren om hier te blijven?

Geen enkele.

Hij slofte naar het einde van de loopbrug en klom langzaam langs de ladder naar beneden. Misschien waren er helemaal geen veilige plaatsen. Hij had er nog nooit een gevonden, ondanks het feit dat hij er zijn leven lang naar op zoek was geweest.

Nick liet zijn hand langs de bovenrand van de doodskist glijden. 'Jammer dat je het niet net zoals Max Candle kunt doen. Je moet concurreren met heel wat spektakel in de binnenstad. Het wemelt van de hightech-trucs. Als het publiek nou het idee kreeg dat ze je misschien zouden kunnen zien sterven...' Hij liep naar het apparaat en haalde de hendel over die de slinger in werking stelde. 'Het was zo'n schitterende illusie.'

Nu stonden de mannen zij aan zij toe te kijken hoe het mechaniek in beweging kwam, hoe raderen andere raderen aandreven, veren in werking stelden en onafgebroken bleven tikken. Nick trakteerde hem op een gemene grijns. 'Ik hoop niet dat dit het apparaat is dat Oliver heeft gemaakt.'

'Nee,' zei Franny. 'Ik was bang dat hij dat misschien ook verprutst had. Charles heeft me de spullen van Max geleend.'

Nick keek naar de slinger die een kleine boog beschreef. 'Heb je problemen gehad om het mechanisme goed af te stellen? Het zou misdadig zijn om de originele doodskist kapot te maken. Die hoort in een museum thuis.'

'Nee, Emile heeft me geholpen. Nou ja, hij heeft het eigenlijk helemaal alleen gedaan. Hij zwaait precies tussen de twee kisten door. Er zit hooguit een afwijking van een centimeter in.'

Nick keek opnieuw omhoog terwijl de slinger sneller begon te zwaaien en het mes aan het uiteinde een steeds grotere boog begon te maken. 'Een schitterend apparaat. Allemaal Zwitserse raderen en gewichten. Alleen miljonairs als Max en Oliver konden dit soort apparaten bouwen. Kan ik je niet overhalen om het op de manier van Max te doen?'

Franny zei niets. Hij stond alleen maar naar de slinger te kijken. Die zakte omlaag en zwaaide nu over de uit elkaar getrokken doodskist.

Nick klopte hem op zijn rug. 'Ik heb niets gezegd, ouwe jongen. Het zou veel te riskant worden met dat originele apparaat. Het is al zo oud. Heb je er echt vertrouwen in?'

'Emile zegt dat het in een perfecte staat verkeert.' Franny bleef kijken hoe het vlijmscherpe mes weer iets zakte en tussen de gescheiden doodskist door zwiepte.

'Wat doet dat ding daar in vredesnaam?' Nick wees op de feloranje vrucht in de doodskist.

'Die pompoen? Dat is een variatie op de pop van Max. Ik wil dat het publiek ziet dat hij echt dwars door de... O nee!' Franny's hoofd bewoog mee met de slinger. Zaden en prut kleefden aan het halvemaanvormige mes. Lichtgeel pompoensap drupte op de vloer en besmeurde het hele interieur van de doodskist. Andere druppeltjes vlogen over het voetlicht toen de boog groter werd.

'Briljant.' Nick haalde zijn bril tevoorschijn en zette hem op om de rotzooi te bekijken. 'Laat ik eens een gokje wagen... is dit de eerste repetitie met de pompoen?'

Franny holde naar de kamer achter het toneel waar schoonmaakspullen zijn geluidsapparatuur gezelschap hielden. Toen hij terugkwam op het toneel stond Nick bij een van de uiteinden van de doodskist naar het interieur te kijken. Hij keek op naar Franny. 'Er zit geen pompoenvlees op de microfoon, maar die zou je eigenlijk nog een keer moeten testen. Als hij naar de maan is, kan het publiek je niet in de doodskist horen schreeuwen. Dat was toch je bedoeling, hè?'

Nick liep om het voeteneind van de doodskist heen en schudde zijn hoofd toen hij de krakkemikkige kabeldoorvoer bekeek die onder de scharnierende zijwand zat. 'Er zullen bij de première critici in de zaal zitten. Ik heb veel moeite moeten doen om dat voor elkaar te krijgen, Franny. Je wilt er toch geen potje van maken, hè?' Hij wierp een blik op de stoffen vierkantjes die keurig opgevouwen naast de doodskist lagen. 'Dus je bent van plan om de kisten te bedekken terwijl je eruit kruipt.'

'Natuurlijk. Dat kan niet anders.'

'Nou ja, er is ook nog de manier waarop Max het deed. Hij bleef in de doodskist liggen, schreeuwend om hulp en toekijkend hoe de slinger steeds lager zakte. Ik kan je wel vertellen hoe hij het klaarspeelde.'

Franny schudde langzaam met zijn hoofd terwijl hij de binnenkant van de doodskist met een handdoek schoonwreef.

Nick glimlachte. 'Je gebruikt handboeien die openklappen, hè? We kunnen de slinger zo instellen dat het laagste punt van de boog voor de doodskist langs zwaait.' Hij gebaarde naar de wand met het mechaniek. 'Daarom zijn de tafel en de achtergrond zwart geschilderd. Je kon geen onderscheid zien tussen de achtergrond en de tailleband van Max' smoking. Natuurlijk zijn er altijd risico's als je met apparaten werkt. Maar je zou de mooiste truc van het hele festival kunnen opvoeren.'

Nadat hij de zaden en het sap van de met satijn bedekte bodem van de doodskist had opgedept, keek Franny naar de microfoon waar geen spatje op zat. 'Ik denk het niet, Nick.'

'Er zou nog jaren over gesproken worden als jij je leven in de waagschaal stelde... een heel klein beetje maar.'

Franny keek naar de zaden op de vloer. De schoonmaakploeg kon de rest van de rotzooi opruimen. Hij maakte een prop van de handdoek en gooide die tussen de coulissen.

'Ik zou er ik weet niet wat voor overhebben,' zei Nick, 'als ik de kans zou krijgen om nog een keer te zien dat die truc op de juiste manier werd uitgevoerd – nog één keertje. Het was zo hypnotiserend – en beangstigend.' Hij liep om de hele doodskist heen en bestudeerde de loodomrande gaten aan beide uiteinden. 'Ik kan jouw werkwijze een stuk verbeteren. Zonder enig risico. We zouden een apparaat in de kist kunnen zetten aan de kant waar je benen zouden moeten zitten. Iets om het glas te breken, zodat het net lijkt alsof je er nog steeds in zit en probeert om je eruit te schoppen. Max trapte bij iedere voorstelling een paneel kapot. Alleen maar een gewelddadig trekje om het publiek naar adem te laten happen. Meer heb je niet nodig. Ik zal het wel voor je regelen.'

'Nee... Sorry. Ik bedoel... hartelijk bedankt, maar Emile helpt me al. Hij komt zo weer terug. Hij kan elk moment hier zijn.' Waarom had hij dat gezegd?

'We moeten nu weg, Franny. We laten bij de kassa aan de voorkant wel een beleefd briefje voor Emile achter.'

'Weg? Waarheen?'

Nick klopte op de houten tafel. 'Misschien kunnen we – vlak voor je het toneel opkomt – een zwarte raaf laten opvliegen. Die zou op de rand van het podium kunnen gaan zitten. En dat kloppen.' Hij trommelde weer op het hout. 'O ja, absoluut. Er moet geklopt worden. Het theaterpubliek in New York is heel belezen. Ik weet zeker dat ze het door zouden hebben.'

Franny schudde zijn hoofd.

Nick haalde zijn schouders op. 'Te veel van het goede? Ik denk dat het inderdaad een beetje overdreven zou zijn. Maar we moeten het echt nog eens over dat dansgroepje hebben. Je hebt bij deze truc beslist hulp nodig.'

'Emile zal...'

'Emile kan je nu niet helpen, Franny. Hij doet vanavond in het centrum de truc van Max met de man die wordt opgehangen, weet je nog wel? Ik hoop dat Oliver die ook niet heeft verknald. Toen ik bij Emile wegging, was hij nog steeds bezig met het testen van zijn attributen. Ik geloof dat het nog wel even zal duren voor hij hier zal komen opdagen.'

Franny drukte op de hefboom om de slinger weer omhoog te halen. 'Mijn assistenten komen zo terug. Ik moet...'

Nick schudde zijn hoofd. 'We hebben een afspraak gemaakt, Franny.'
'Ik heb Mallory niets verteld.'

'Omdat ik haar over de dood van Faustine heb verteld.' Hij keek omhoog naar het mes dat in de lucht hing. 'Mijn contactpersonen hebben me verteld dat Mallory nu de leiding in de zaak heeft. Het is een officieel onderzoek naar de dood van Oliver.' Hij hield even zijn mond om naar het tikken van het mechaniek te luisteren.

Franny richtte zijn ogen op de loopbrug waar hij veilig was geweest.

'Misschien kunnen we dat geluid met behulp van een microfoontje versterken,' zei Nick. 'Tik, tik, tik. Veel spannender, denk je ook niet?' Hij draaide zich om, wierp een blik op de deur van de foyer en keek vervolgens op zijn horloge. 'Mallory kan ieder moment naar je toe komen, Franny. Een meedogenloos kind. Ze zal je meesleuren naar het politiebureau. Je weet wat er op dat soort plekken allemaal gebeurt. Je zult er niet meer uitkomen tot je door de knieën gaat en haar alles vertelt.'

Zou ze 's nachts komen?

'Ach, wat een schepseltje,' zei Nick. 'Ze heeft de kilste ogen die ik ooit heb gezien – bij een lévende vrouw.'

'Denk je echt dat iemand Oliver...'

'Oliver is dood. Hij is het probleem niet, Franny. Maar wat moeten we met jou beginnen? We kunnen je hier niet alleen laten.' Hij stond op en gebaarde naar het lampje boven de uitgang. 'Zullen we dan maar?'

'En Malakhai dan? Hij heeft allang met haar gepraat.'

'Wat zou dat? Er is geen gek ter wereld waar meer over bekend is.'

Hoewel er geen pistool aan te pas kwam, geen opgeheven vuist en zelfs niet de geringste dwang, liep Franny naar het bordje dat aangaf waar de uitgang was. Hij ging niet vrijwillig mee, maar toch bood hij geen weerstand. In zijn eigen besloten wereld waren de ss-ers nooit weggeweest. Schimmige soldaten marcheerden achter hem aan toen hij door de artiestenuitgang de straat op liep. Hij kon bijna marcherende voetstappen horen die met hen meeliepen terwijl hij samen met Nick Broadway af liep. Franny kneep zijn ogen samen tegen de middagzon. Op beide trottoirs liepen voetgangers. Twee politieagenten reden voorbij in een patrouillewagen. Er waren meer dan genoeg mensen die hij aan had kunnen roepen. Maar hij ging rustig mee en huilde nauwelijks – bang om in het openbaar een scène te maken.

Alle oude dingen waren weer helemaal in.

De wanden herhaalden dat thema met muurschilderingen die de tijd van de drooglegging met de clandestiene kroegjes en de zelfgestookte drank in beeld brachten. Op het lage podium speelden muzikanten schitterende jazz. En het mooist van alles was, dat er asbakken op de tafeltjes stonden. Brigadier Riker zat midden in een wolk van zijn eigen rook en staarde naar de gardenia op de vensterbank. Hij had kunnen zweren dat die daar een ogenblik geleden nog niet stond.

Het publiek in de kroeg was heel jong, met uitzondering van de paar grijze hoofden van goochelaars die hij herkende. Hij had hen het afgelopen halfuur gemeden, omdat hij niet met de verhoren wilde beginnen tot Mallory aanwezig was. Ze was alweer te laat en daar maakte hij zich zorgen over. Er was een tijd dat hij zijn horloge op haar gelijk had kunnen zetten.

Charles Butler stormde naar de deur en dat was Rikers eerste aanwijzing dat Mallory was gearriveerd, want hij kon alleen haar blonde krullen zien, en tussen de lichamen van andere gasten door stukjes wit satijn.

Wacht even. Satijn?

Op dat moment ving hij een glimp op van goudkleurige hooggehakte schoentjes die ze in plaats van haar sportschoenen aanhad. Het enige wat hij goed van haar kon zien, was haar spiegelbeeld in de ruit. Een witte smoking dreef over het donkere glas. De elegante lijnen van de stof koesterden haar lichaam en sprankelden van het weerkaatste licht. Ze had een handtas bij zich in plaats van haar rugzak.

Hij voelde zich bestolen; dit was zíjn Mallory niet. Ze was te laat, zoals een vrouw altijd te laat is, en ze was zelfs gekleed als een vrouw. Er zat geen blouse onder haar jasje en hij had het vage gevoel dat het niet netjes was om naar dat gewaagde decolleté te staren – haast incest. Hij had nooit de vergissing gemaakt om de NYPD als zijn echte familie te beschouwen, maar Mallory was altijd een bron van verwarring geweest. En nu bracht die meid verandering aan in haar vaste patronen en haar stijl.

Hij haatte verandering.

Riker gaf de schuld aan die nieuwe gewoonte van haar om wijn te drinken met verdachten. Goed, daar moest snel een eind aan komen. Dat gebeurde er nou, als amateurdrinkers in kroegen en drankwinkels losgelaten werden.

Ze hing haar lange leren jas over de arm van Charles, alsof hij een wandelende kapstok was – hoewel hij het niet erg scheen te vinden. Zijn gezicht was veel te gelukkig en te hoopvol. Op dat moment stak Charles zijn lege handen omhoog, misschien als voorspel voor een poging tot vredestichten, de verzekering dat hij haar ongewapend tegemoet trad. Plotseling verscheen er een gardenia in zijn rechterhand.

Mallory's glimlach was geforceerd en Riker had het vermoeden dat ze kotsmisselijk werd van al die geintjes.

Ze duwde het steeltje door het knoopsgat in haar revers. Op dat moment kwam de zwarte leren jas op Riker afvliegen. Hij plukte hem uit de lucht en keek toe hoe Charles Mallory meevoerde naar de muzikanten. Hij hield haar in zijn armen tijdens een langzame dans op een oud bluesliedje uit de jaren veertig.

Mallory liet Charles begaan en deed niet langer alsof ze een reden had om boos op die arme drommel te zijn. Ze was duidelijk van plan om zich vanavond van haar beste kant te laten zien en daar maakte Riker zich ook zorgen over. Het enige wat hem troostte, was de vertrouwde bobbel in haar witsatijnen pak, veroorzaakt door haar revolver.

Nick Prado stond bij de bar en hief het glas met Emile St. John. Malakhai was er nog niet, maar beide mannen hadden hem verzekerd dat hij het meteen zou weten als die man het vertrek binnenkwam.

De band stopte abrupt met spelen om een paar woorden te wisselen met de gerant die er gekweld uitzag. Charles en Mallory liepen terug naar het tafeltje. Prado onderschepte hen en raakte de bloem in haar knoopsgat aan, terwijl hij net deed alsof hij daar bijzonder veel belangstelling voor had. Alsof er niet zo'n vijftig identieke bloemen overal in het vertrek waren opgedoken. 'De gardenia was Louisa's lievelingsbloem. En ook die van Oliver. Hij heeft de opdracht gegeven om er bij zijn begrafenis een auto vol van te...'

Prado werd afgeleid door de komst van twee agenten in uniform. Alle hoofden keerden zich naar de deur. 'O geweldig! Een overval.'

Riker herkende een van de agenten, een man van zijn eigen leeftijd die nog niet ten prooi was gevallen aan de haast waarmee de NYPD alle grijze mannen verving door kinderen die net van school afkwamen. Agent Estrada stond bij de gerant toen Riker zich bij hen voegde. 'Wat is er aan de hand?'

Estrada wees naar een jong stel dat een paar meter verderop aan een tafeltje zat. 'Die twee hebben opgebeld om te klagen over de rook.'

De gerant deed ook een duit in het zakje. 'Juist. Maar roken is hier toegestaan. Dit is een kroeg, geen restaurant. We serveren alleen hors d'oeuvres. Dus nu hebben ze zich bedacht en klagen over het dansen.'

'Wat?' Nick Prado was bij hen komen staan. 'Mag er niet gedanst worden?'

De gerant sloeg zijn ogen ten hemel en vertoonde alle klassieke symptomen van een Newyorks slachtoffer van een overval. 'We hebben geen nachtclubvergunning, meneer. De burgemeester zegt dat er niet...'

'Juist.' Riker had nooit het geduld kunnen opbrengen om naar het achterliggende verhaal te luisteren. 'Er mag niet gerookt worden in restaurants en er mag niet gedanst worden in kroegen.'

Agent Estrada grinnikte. 'Het wordt nog veel erger, Riker. De burgemeester heeft vandaag je favoriete striptent laten sluiten.'

Riker trok een gezicht terwijl hij nog iets aan zijn opsomming toevoegde. 'En geen seks meer in New York City.' Hij keek neer op de koppels van Estrada en zijn jonge partner. Uit beide riemen ontsproten gardenia's. 'Oké, jongens, jullie horen bij mij.'

Terwijl de drie politiemannen naar het klagende stel toe liepen, zag Riker ineens dat er een bloem uit zijn borstzakje groeide. Hij smeet hem op de grond, alsof het een gevolg was van het delirium tremens dat hem ooit met kruipende spinnen had bedekt.

'Goedenavond, meneer, mevrouw,' zei Riker. 'U wenst een klacht in te dienen?'

'Ja,' zei het stel eenstemmig, alsof het een antwoord tijdens een gebedsbijeenkomst betrof. En dat was ook zo, veronderstelde Riker. Hij begon gewend te raken aan de religieuze felheid waarmee de belastingbetalers hun macht wensten uit te oefenen.

'Dan hebben we een geschreven verklaring nodig, mensen. Deze twee agenten nemen u mee naar het bureau South Bronx. Dat zal niet meer dan een paar uurtjes kosten.'

'U maakt een grapje!' De man keek met uitdrukking van schrik naar Riker op. De vrouw schudde haar hoofd en zei: 'Niet naar de Brónx.' Maar haar stem klonk alsof ze eigenlijk bedoelde: Niet naar de dúímschroeven.

Riker klasseerde hen als inwoners van Manhattan en hij kon zelfs ruwweg aangeven waar ze aan de Upper East Side woonden. Zij beschouwden de buitenwijken van New York City ongetwijfeld als moeilijk bereikbare satellieten, verafgelegen planeten waarvoor visa en inentingen vereist werden.

De vrouw trok een gardenia uit haar haar en hield die voor haar verbijsterde ogen omhoog, eerlijk verrast door het ontbreken van een kaartje met de naam van de bloem.

'Het spijt me mensen,' zei Riker. 'Zo staat het in de politieverordening. Alle klachten over dansen worden door South Bronx afgehandeld. Maar ik stel het bijzonder op prijs dat u uw hele avond naar de knoppen laat gaan om correct te handelen.'

De agenten keken de andere kant op om hun glimlach te verbergen terwijl het stel met een heftig ontkennend hoofdschudden hun jassen pakte. Vervolgens ging het in sneltreinvaart naar de deur.

Riker liep achter hen aan. 'Hé, waar gaat u nou naartoe? Als u niet meewerkt, hoe kunnen we deze tent dan sluiten?'

Toen de deur achter hen dichtviel, draaide Riker zich om naar de zwijgende omstanders en riep: 'Ga maar weer dansen!'

De band en het publiek gehoorzaamden.

Midden onder de toejuichingen voor de held van de avond moest Riker plotseling de eer aan iemand anders laten. Precies zoals Prado en St. John hadden voorspeld, herkende hij Malakhai op het moment dat de illusionist zijn entree maakte.

Alle ogen waren op hem gevestigd, op deze geboren beroemdheid met zijn natuurlijke gratie en houding die onbewust op de maat van de muziek liep terwijl hij de dansvloer overstak. Of misschien volgde de band wel gewoon het tempo van de man.

Hoewel hij nooit eerder het woord 'schoonheid' had gebruikt om een andere man te beschrijven, schoot het hem nu toch door het hoofd. Malakhais donkerblauwe ogen waren jong en in flagrante tegenstelling met zijn lange witte manen. Riker had dat fenomeen al eerder aanschouwd in de gezichten van honkballers uit een ander tijdperk, eeuwige zomervrienden, en hij noemde dat magie.

Mallory's ogen werden onweerstaanbaar naar de bar getrokken, waar Malakhai in zijn eentje stond te drinken. Sinds hij er was, had hij haar nog niet aangekeken, maar ze was zich constant van hem bewust. En dat gold ook voor de andere vrouwen. Ze was niet het enige roofdier in deze ruimte.

Emile St. John stond alleen op het podium en dirigeerde met brede handgebaren een zwarte zijden sjaal die over het kleine toneel zweefde. De stof zwol op en nam de vorm van een bol aan. Toen hij de zijde wegtrok, snakten de toeschouwers naar adem toen ze een duif zagen die met zijn vleugels tegen de binnenwand van een doorzichtige ballon fladderde. St. John stak een sigaar op en raakte het plastic aan. De ballon knapte met een knal en de duif verdween.

Charles boog zich over de tafel om zich boven het geluid van het applaus voor Riker verstaanbaar te maken. 'Mijn neef Max kreeg bij zijn begrafenis duizend duiven.'

'Nou ja,' zei Prado, 'Oliver heeft de truc verknald, dus hij krijgt er maar één. En als hij niet tijdens de uitvoering was gestorven, had hij ook daar nog naar kunnen fluiten.'

'Dus in dat opzicht klopte de timing van Oliver wel?' Rikers glimlach was wrang.

'Alles draait om timing,' zei Prado, tot wie het sarcasme niet was doorgedrongen. 'Oliver ging het hoekje om voor het leven echt vervelend werd. En ik – ik ben van plan om dood te gaan op het moment dat de wereld nog precies zes minuten vreugde rest. En dat zal niet meer zo lang duren.' Hij hief zijn glas om een dronk uit te brengen. 'Velen sterven te laat en sommigen sterven te vroeg. Toch komt de doctrine vreemd over…'

'Sterf op het juiste moment,' zei Riker, terwijl hij het citaat afmaakte. 'Nietzsche, nietwaar?'

Drie hoofden draaiden zich om en staarden de verfomfaaide rechercheur aan. Charles keek met een verbijsterde blik door het brede raam aan de voorkant en rekte zijn nek om de maan boven Columbus Avenue te kunnen zien, misschien om zichzelf ervan te overtuigen dat die nog steeds aan de hemel stond en dat er in ieder geval één aspect van het universum normaal functioneerde.

Nick Prado glimlachte over de rand van zijn wijnglas. 'En Riker, wat brengt jou hier vanavond?'

'Politiezaken.' Riker knikte tegen Emile St. John toen de man een stoel achteruit trok om naast Prado te gaan zitten.

'Wat is er dan aan de hand?' vroeg St. John.

'Het onderzoek naar de dood van Oliver Tree is nu officieel door de afdeling moordzaken heropend.' Riker keek Nick Prado aan. 'Maar dat wist u allang, meneer. Dat hebt u vanmiddag van de voorlichter van de burgemeester gehoord.'

Aan de gezichtsuitdrukking van Emile St. John te zien, was dit voor hem kennelijk nieuws. Meteen daarop richtten de ogen van St. John zich met een behoedzame blik op Prado, die grinnikte met een air van 'touché'.

'O, zeg maar Nick tegen me. Dus je stelt een onderzoek naar de dood van Oliver in.'

'Mallory heeft de leiding in deze zaak.' Riker hief zijn glas op, zonder zich druk te maken over het voorschrift dat drinken tijdens diensttijd verbood. 'Maar dat wist u ook al, meneer… Nick.' Riker zocht tussen de gezichten die aan de bar stonden. 'Ik had verwacht dat Franny Futura hier vanavond ook wel zou zijn. Hij is halsoverkop uit zijn hotel vertrokken. Een snorder heeft de hotelrekening betaald en een hotelbediende heeft de koffers in de achterbak van een oude brik gezet.'

Prado zuchtte. 'Ach, die arme Franny. Niet bepaald een chique aftocht.'

'Nou ja, hij zat niet zo goed in de slappe was dat hij een verlengde limousine kon bestellen,' zei Riker. 'Enig idee waar hij is gebleven?'

Terwijl Mallory toekeek, wisselden de goochelaars een blik. St. John hoorde het verhaal voor het eerst, maar Nick Prado niet.

'Nee? Goed, volgende vraag. Die naam van hem.' Riker boog zich over zijn opschrijfboekje en bladerde verder. 'Franny Futura. Dat klopt niet met dat Franse accent. Die heeft hij verzonnen, hè?'

'Nee, Oliver heeft hem verzonnen,' zei St. John. 'Franny was nog maar zestien toen Oliver hem herdoopte.'

'Hoe heet die vent dan in werkelijkheid?' Riker hield zijn potlood in aanslag boven een bladzijde.

'François en nog wat,' zei St. John. 'Nick, zijn achternaam leek toch heel veel op Futura?'

Prado schudde zijn hoofd. 'Ik kan me alleen herinneren dat Futura zo'n beetje de ergste manier was waarop je de oorspronkelijke uitspraak kon verbasteren. Oliver heeft hem die nieuwe naam gegeven toen hij hem aankondigde. Het was een grapje, een kleine wraakneming. Franny zat Olivers slechte Frans altijd te verbeteren. Maar toen kreeg Franny een aardige kritiek in het ochtendblad en besloot om zijn nieuwe naam te houden – zodat die recensie niet voor niets zou zijn geweest.'

Riker bladerde door naar een lege bladzij in zijn opschrijfboekje. 'Dus die twee mochten elkaar niet zo?'

'O, juist wel,' zei Emile St. John. 'Ze waren boezemvrienden. Ik weet niet zeker of ze na de oorlog contact met elkaar hebben gehouden. Franny heeft nooit in New York opgetreden. Hij heeft zijn hele leven op deze kans gewacht. Maak je maar niet ongerust. Hij komt heus wel opdagen voor de voorstelling.' St. John had het tegen Riker, maar hij keek Nick Prado aan en de boodschap was duidelijk: Franny Futura zou bij de première wel degelijk optreden. En alsof er een zwijgende overeenkomst was gesloten, reageerde de andere man met een nauwelijks waarneembaar knikje.

Riker zag het wel. Hij zat ook naar Prado te staren. 'Gaat het om een publiciteitsstunt? Ik hou er niet van om mijn tijd te verspillen.'

'Nee,' zei Prado. 'Maar misschien kan ik er toch wel iets mee doen. Alweer een getuige van de moord op de ballon die onder mysterieuze omstandigheden verdwijnt. Je bent een genie, Riker.'

Mallory draaide zich om naar de bar. Malakhai was verdwenen en op het mahoniehouten blad bloeide een keurig rijtje gardenia's. Ze zag hem aan een tafeltje aan de andere kant van het podium zitten. Hij was in gesprek met een brunette, ongeveer een derde zo oud als hij, die duidelijk het initiatief had bij het geflirt. Mallory keek toe hoe de vrouw de verschillende stadia van de paringsdans afwerkte, terwijl ze voorovergebogen met een lok van haar haar speelde en daarna even zijn arm aanraakte toen ze lachte.

Malakhai draaide zich om en zag dat Mallory naar hen zat te kijken. Hij glimlachte en stond op van het tafeltje. Toen hij over de dansvloer liep, stond Prado op van zijn stoel en ging er snel vandoor naar de andere kant van het vertrek.

Mallory stak haar hand op en trok weer een ongewenste bloem uit haar haar, terwijl ze de illusionist met haar ogen bleef volgen. In zijn kielzog verschenen bloemen bij alle vrouwen die hij op de dansvloer passeerde. Toen hij naast haar stoel stond, stelde Charles hem aan Riker voor en excuseerde zich om nog een glas en een nieuwe fles wijn bij de bar te halen.

Emile St. John was op de dansvloer en zwierde met een partner van ongeveer zijn eigen leeftijd rond. Ze bewogen zich op een swingliedje uit de jaren veertig met danspassen die een halve eeuw oud waren. Malakhai ging aan het tafeltje zitten en knikte naar de dansers. 'Dat zou ik jou ook kunnen leren.'

'Mijn vader heeft me leren dansen,' zei Mallory. 'Het begint erop te lijken dat ik steeds minder van u kan leren. En ik begin al die leugens zat te worden.'

'Ik heb nooit tegen je gelogen – niet echt.' Malakhai liet een van zijn handen op haar arm rusten. Ze keek er strak naar. Hij begreep de wenk en trok zijn hand terug. 'Volgens mij kun je het best liegen door de waarheid een tikje te verdraaien en iemand op het verkeerde been te zetten.'

Aan de andere kant van de tafel zat Riker te knikken zonder dat hij het besefte, want hij herkende de manier van misleiden die zijn partner zelf hanteerde.

'Precies,' zei Mallory. 'Een gewone leugenaar heeft een goed geheugen nodig. En dat hebt u niet meer.'

Op dat moment merkte ze dat de jonge brunette naar hun tafeltje toe kwam. De vrouw boog zich voorover om Malakhai alle inkijk te geven die haar laag uitgesneden blouse te bieden had. Zodra Malakhai de tafel had verlaten, kwam Nick Prado weer opdraven.

Mallory wisselde een blik met Riker en hij knikte. Er was nog een zwakke plek in de rangen van de goochelaars.

Toen de muziek afgelopen was, trok Emile St. John een stoel bij en ging zitten. 'Ik snap nog steeds niets van die dansverordening. Wat is er met deze stad gebeurd?'

Prado hield zijn hoofd schuin en zat daar even over na te denken. 'Ik geloof dat ik het zo veel leuker vind. Nog meer regels die overtreden kunnen worden.' Hij glimlachte tegen Mallory, die de wet vertegenwoordigde. 'Heeft die bereden politieman zijn eis tot schadevergoeding ingetrokken? Ik heb begrepen dat jij niet langer van het neerschieten van die ballon beschuldigd wordt.'

'Niks daarvan,' zei Riker die voor zijn partner het woord voerde. 'Het proces gaat nog steeds door, maar de tekst van de vordering blijft veranderen. Nu verwijt Henderson de burgemeester dat hij gevaarlijke tekenfilmfiguren zo maar op straat heeft losgelaten. Dus heeft de burgemeester Macy's bevolen om alle grote ballonnen af te danken. Als ze dat niet doen, trekt hij hun vergunning in om optochten te organiseren.' Hij hief zijn glas op. 'En dan zal de stad veilig zijn voor Henderson – zelfs de grootste sufferd kan zich hier geen buil meer vallen.'

Emile St. John toastte met Riker. 'Op de laatste optocht.' Daarna hield hij Mallory's horloge omhoog, maar haar hand had nog steeds het staafje aan het eind van de ketting vast.

Haar gezicht stond ijzig toen ze het zakhorloge weer opborg.

Prado zuchtte. 'Je begint langzaam te worden, Emile. Het wordt tijd om naar huis te gaan. Dit rondje is voor mijn rekening. Volgens mij is de bodem van je portemonnee zichtbaar.'

'Nonsens,' zei de Fransman terwijl hij zijn hand in zijn borstzakje stak. Toen hij zijn portemonnee openmaakte, zaten er alleen maar stukjes papier in.

Nick knikte goedkeurend. 'Aardig gedaan, beste kind.'

Mallory hield een handvol papiergeld en creditcards omhoog. Ze legde ze met tegenzin op tafel.

St. John leek een beetje ingetogen toen hij met de kelner afrekende, maar Prado zat te lachen. Beide mannen wensten hun goedenacht en liepen naar de deur, die inmiddels met bloemenslingers was versierd.

Riker keek Mallory aan. 'En wat heb je nog meer, meid? Dat dingetje uit Nicks jaszak? Was je nog van plan om mij dat ook te laten zien?'

Ze trok weer een bloem uit haar haar en gooide die over haar schouder. Daarna haalde ze een opgevouwen recept tevoorschijn en streek het glad op de tafel. 'Ik laat het morgenochtend wel even aan Slope zien. Het zal wel iets onschuldigs zijn, maar je weet maar nooit waarmee je iemand allemaal om zeep kunt brengen als je het in de juiste dosis geeft. Waarom wedden we dat de handtekening van de dokter vervalst is?'

'Ach, die brave borst,' zei Riker, terwijl hij Nick Prado nakeek tot de deur achter hem dichtviel. 'Ik hoop dat ik nog steeds in staat zal zijn om mensen van kant te maken als ik zo oud ben als hij. Maar vergif is veel te sloom. Ik wed niet – ik wil je geen geld aftroggelen, meid. Of is het geld van St. John?'

De band speelde de openingsakkoorden van een langzaam dansnummer. Malakhai dook op naast de tafel en pakte haar hand. Ze stribbelde niet tegen toen hij haar naar de dansvloer meenam.

'Ik zal je één bijzondere truc leren.' Toen ze in het midden van de dansende menigte stonden, liet hij haar los. Andere dansers wervelden om hen heen. 'Ik heb deze illusie nog nooit eerder met een levende vrouw gedaan.'

Hij hief zijn rechterhand op in de houding van een danspartner. Toen haar hand omhoogkwam om de zijne vast te pakken zei hij: 'Nu moet je me niet aanraken. Hou je hand vlak en voor de mijne. Je linkerhand moet ongeveer twee centimeter boven mijn schouder blijven zweven. Laat hem niet zakken. Vergeet geen moment om afstand te bewaren.' Hij glimlachte. 'Alsof je daartoe in staat zou zijn.'

Zijn arm reikte om haar heen en ze kon een hand in haar middel voelen hoewel er geen lichaamscontact was. Haar eigen linkerhand hing in de lucht boven de stof van zijn pak, de vingers gebogen in de vorm van zijn schouder.

'Sluit je ogen, Mallory, anders voel je niet welke pas je moet maken. Dit kun je alleen in het donker klaarspelen.'

De geur van bloemen werd sterker toen haar ogen gesloten waren. Ze voelde de warmte van zijn opgeheven hand die alleen lucht vasthield. Mallory stapte achteruit en zijn lichaamswarmte volgde.

'Heel goed,' zei hij en kwam weer naar haar toe terwijl zij zich terug-trok om de afstand tussen hen te bewaren. Hij bewoog naar rechts en zij ging met hem mee, dit keer zonder hem te volgen maar bij voorbaat. Een klarinet versmolt met de fluwelen saxofoon.

Ze maakten een cirkel, draaiend op de muziek, zonder elkaar ook maar een moment aan te raken. Het ene nummer ging over in een ander met een hoger tempo. Ze voelde zich lichter worden naarmate de muziek sneller werd. De trompet murmelde. Rappe noten repten zich rond in het duister op de hartslag van de drums. Mallory's gezicht voelde plotseling verhit aan toen het bloed onder haar huid begon te tintelen. De muziek rees naar een hoogtepunt. Daarna zakte het tempo weer en wiegde haar lichaam in spiegelbeeld met de bewegingen van een partner die ze niet kon zien of aanraken. In haar nek gingen donshaartjes rechtop staan.

Ze bleef maar draaien, met gesloten ogen, in blinde navolging van de tartende warmte. De muziek werd benevelend, met heerlijke lage tonen, zoet en lui, en noten die omlaag drupten als lome honing. Er zat een zin-nelijk ritme in de snaren van de bas die dit voorspel eindeloos rekten, dit ronkende vooruitzicht van lichamen die elkaar nog niet hadden gevon-den. Het deed bijna pijn toen ze dichter bij elkaar kwamen.

Fluisterende rietinstrumenten.

Een zucht.

Bij de laatste, zoete en lang aangehouden noten van de blazers lag Malakhais linkerarm warm en stevig tegen haar rug. Haar rechterhand ging schuil in de zijne. Ze had haar ogen nog niet opengedaan. De zoete geur van bloemen vermengde zich met wijn en rook. Zijn hand raakte even haar haar aan en Mallory's hoofd zakte achterover. Met gesloten ogen, stekeblind, staarde ze in de blauwe ogen van een ongeschonden jongensgezicht. De grote gespreide hand in haar middel drukte haar lichaam dicht tegen het zijne. Nog dichter. De saxofoon kreunde in het verslavende moment van seks op het moment suprême, het hoogtepunt van het bijeenzijn, warm en vochtig. Het was 1942 – dit was Parijs.

Mallory had zich vergist in tijd en afstand.

Ze stapte haastig achteruit, terwijl haar hand omhoogkwam alsof ze een pijl wilde afweren. Malakhai staarde haar aan met de blauwe ogen van een jongen – zo kil nu hun dans ten einde was.

Hij draaide zich om en liep weg.

Dat had ze niet verwacht.

Plotseling niet langer door de muziek en de warmte geleid stond Mallory alleen midden op de dansvloer en ze wist niet of ze naar links of naar rechts moest. Ze keek naar haar witsatijnen smoking – op zoek naar wat? Bloed?

17

Mallory stond naast het drakenscherm en knikte naar aanleiding van iets wat Charles Butler had gezegd, om de indruk te wekken dat ze naar hem luisterde.

Het waren zijn kleren die haar argwaan wekten.

Voor de derde keer binnen een week had Charles een spijkerbroek aan, hoewel hij van jongs af aan was gewend om colbertkostuums te dragen. Af en toe had ze hem in gedachten als kind in een mini-pak met stropdas naar een kleuterschool zien gaan waar dat soort kleding verplicht was.

En waarom werkte hij nog steeds aan het podium?

'Ik zal op iedere verdieping beveiligingscamera's laten aanbrengen.' Charles kwam met twee treden tegelijk de trap van het podium af. 'En ik zal Malakhai vragen of hij wil aanbellen, in plaats van de sloten open te maken. Wat denk je daarvan?'

Hij was erg vrolijk vanmorgen. Dat hij haar in de kelder had aangetroffen was een verrassing – voor hen allebei. Hij nam waarschijnlijk aan dat ze langs was gekomen om uit te leggen waarom het kantoor boven haar niet meer beviel.

'Het gaat niet alleen om het feit dat Malakhai de sloten openmaakt.' Mallory staarde langs hem heen, haar blik vast op het podium gericht, het onopgeloste raadsel.

Charles ging op de grond zitten en deed de gereedschapskist open. Mallory hurkte naast hem. 'Emile St. John voert een truc op met de strop van een galg. Gebruikte Max daar ook het podium voor?'

'Ja,' zei Charles, 'maar Emile doet de eerste versie. Max ontwierp die truc lang voordat het podium werd gebouwd. Ik hoop niet dat je de originele galg wilt zien. Het zou me de hele dag kosten om...'

'Vertel me maar gewoon hoe die eruitziet.'

'Het is de cliché galg die je in elke cowboyfilm kunt zien. Heel smal en zo'n drie à drieëneenhalve meter hoog. Bovendien ziet hij er een beetje wankel uit – met opzet. Dat verhoogt de spanning onder de toeschouwers.' Hij draaide zich om en wierp een blik op het podium. 'Weet je, dit lijkt eigenlijk wel een beetje op een galg. Misschien heeft Max daarom dertien treden gemaakt – dat is de traditie.'

Mallory liep naar de deur in het podium. De ruimte was verlicht en ze zag het glimmende koper van nieuwe tandwielen en kettingen voor het mechaniek. Dus Charles reviseerde alle apparatuur. 'Probeer je om uit te vissen hoe de truc in z'n werk gaat?'

Charles keek op van de gereedschapskist. 'De Verloren Illusie? Ja, maar Malakhai geeft me niet veel kans. Hij heeft me beloofd dat hij me de oplossing in zijn testament zal nalaten.'

Ze ging op de rand van een pakkist vol rode capes zitten. 'Zo lang kan ik niet wachten.' Een van de wapens lag op de grond, dezelfde kruisboog die per ongeluk was afgegaan en een scheur in haar spijkerbroek had gemaakt. Het lege voetstuk ervan was uit elkaar gehaald, zodat de tandwielen en de veren van het inwendige mechaniek zichtbaar waren. 'Dus dat voetstuk was echt kapot.'

'Een van de veren is gesprongen.' Charles zocht de verschillende vakjes van de in lagen opgebouwde gereedschapskist door en kwam uiteindelijk met een stuk ketting op de proppen. 'Malakhai is ermee naar een reparatiewerkplaats gegaan. Hij denkt dat hij er wel een nieuwe voor in de plaats kan krijgen.'

En dat zou de verklaring kunnen zijn voor de asbak op de grond naast de gereedschapskist, hoewel geen van de sigarettenpeukjes met lippenstift was besmeurd.

De lachspiegel stond rechtop tegen de zijkant van een houten krat. Ze zag het spiegelbeeld van Charles in het golvende glas, maar hoe ze haar hoofd ook hield, ze slaagde er niet in om zijn gezicht weer in de beeltenis van Max Candle te laten veranderen. Die truc zou ze nooit meer zien.

Hij keek haar in de spiegel aan. 'Dus het is maar iets tijdelijks, hè? Als dit voorbij is, zet je je computers weer boven neer?' Charles had zo'n bespottelijke glimlach en dat scheen hij ook te begrijpen, want hij leek zich altijd te excuseren voor plotseling opkomende blijdschap door een van zijn schouders op te halen. Zelfs nu deed hij zijn best om zijn glimlach weer weg te moffelen voor ze zou gaan denken dat hij echt niet goed wijs was.

Ze zocht naar een smoes om hem nog even aan het lijntje te houden. 'Je hebt momenteel toch geen cliënten. We praten er wel weer over als deze zaak opgelost is.' Misschien kwam ze wel terug als haar voormalige zakenpartner niet langer heulde met de vijand en Malakhai begroette met dat verraderlijke gezicht dat niets geheim kon houden. Ze zou dat gezicht wel missen, als ze dat nooit meer zou zien.

'Hoe goed ken je Franny Futura?'

'Voor Thanksgiving kende ik hem alleen van horen zeggen.' Charles stond op en liep met de ketting naar de deur in het podium. 'Als ik hem als kind heb ontmoet, dan ben ik dat vergeten.'

'Jij vergeet nooit iets.'

'Een eidetisch geheugen is nog niet volmaakt.' Hij liep de kleine ruimte binnen en zei over zijn schouder: 'Ik ben erin geslaagd om elke saaie preek die ik in mijn jeugd in de kerk heb gehoord te vergeten.'

Ze stond in de deuropening. 'Wat voor reputatie heeft de man?'

'Belegen trucs.' Charles verving een van de kettingen van een valluik. 'Franny was in Londen een gevierd artiest, maar dat was toen hij nog een stuk jonger was – eind jaren veertig, denk ik. Al zijn trucs stammen uit de eerste helft van deze eeuw. Zelfs voor er sprake was van hitech-illusies en lasershows liep hij al achter. Maar hij heeft het nooit opgegeven. Franny is de enige van het hele stel die nog steeds met goochelen zijn brood verdient.'

Ze keek toe hoe hij de ketting om een tandrad legde. 'Futura wordt nog steeds vermist. Hij logeert toch niet bij jou, hè? Of heeft hij je misschien gebeld?'

'Nee, helaas niet.'

'Op Thanksgiving Day bij jou thuis – toen zei Futura dat hij verantwoordelijk was voor die stunt met de kruisboog van Olivers neef. Maar hij lijkt me niet het type om zich in de baan van een echte pijl op te stellen. Was het misschien een neppijl? Van rubber of zo?'

'Nee, ik heb de pijl gezien nadat Franny hem uit de praalwagen had getrokken. Hij leek sprekend op die van Max. Gewoon een metalen schacht – knap dodelijk.' Hij dook weer op uit de kamer en liep om het podium heen naar de trap. 'Maar de pijl zat niet echt in de kruisboog. Franny heeft hem waarschijnlijk onder zijn cape verborgen en hem vervolgens in de praalwagen geramd. De kroon van de hoge hoed was van papier-maché op een ijzeren geraamte.'

'Maar dat zou er helemaal niet echt uitzien.'

'Natuurlijk wel.' Hij bukte zich over een krat met apparatuur en pakte er een kapotte kruisboog uit. Die verschilde van de anderen. De gebarsten boog was van hout gemaakt en hij had geen magazijn.

'Hier kun je maar één pijl mee afschieten.' Hij overhandigde haar het apparaat. 'Het is zo'n zelfde als waarmee Richard Tree die stunt bij de optocht uithaalde. Maar van een afstandje kan niemand zien of de kruisboog geladen was of niet. Toeschouwers zien alleen het wapen en het ontspannen van de pees.'

'Deze heeft helemaal geen pees.'

'Dat klopt. Maar als je wilt, kun je me hier toch mee doodschieten.'

'De boog is kapot, Charles.'

'Dat maakt niet uit.' Hij bukte zich over de doos met de vuurrode mantels en plukte er een uit. Hij hing de stof om zijn schouders en knielde op de grond, in dezelfde gehurkte houding waarin Futura de ochtend van Thanksgiving had gezeten. 'Klaar? Schiet me maar neer.'

Ze richtte de peesloze boog op hem en zei: 'Paf.'

Charles sloeg dubbel en toen hij zijn hoofd weer ophief, kon ze zien dat er een pijl in zijn borst stak. Zijn vingers bedekten de plek waar de wond had moeten zitten en de schacht trilde nog na, alsof die hem met grote kracht had geraakt. Het leek akelig echt.

'Niet slecht, Charles.' Dus zo simpel was het. Alweer een goedkope truc. 'Maar dit was niet wat Oliver voor het optreden in Central Park in gedachten had. Al die wapens werden door agenten geladen, drie pijlen in elk magazijn.' Dat snapte ze ook nog steeds niet helemaal. 'Maar tijdens de truc worden de bogen allemaal toch maar twee keer afgeschoten? Waarom zaten er dan dríé pijlen in elk magazijn?'

'Nou, Max gebruikte altijd drie pijlen.'

'Maar Oliver heeft de Verloren Illusie nooit gezien.'

'Nee, maar hij had misschien wel een eerdere truc met kruisbogen gezien. Daar werden maar twee bogen in gebruikt.'

'Je hebt me nooit verteld dat er nog een truc met kruisbogen was.'

'Dat heb ik van Emile gehoord. Het is al een oude truc, maar niemand heeft hem ooit op de manier van Max uitgevoerd.' Charles haalde de lange hefboom aan het eind van een kruisboogpistool over en spande de pees. Daarna bond hij een lint aan een pijl en stopte die in het magazijn.

Mallory speelde in gedachten de band met Olivers dood weer af. Op de video was dit de kruisboog die een pijl door Olivers hals had geschoten.

'Deze stunt was een vroeg prototype.' Charles liep naar het voetstuk aan de andere kant van de podiumtrap en spande nog een kruisboog. 'Max gebruikte drie pijlen maar ik heb er maar één in elk magazijn nodig.' Hij legde een andere van een lint voorziene pijl in het magazijn. Dit wapen was op het hart gericht. 'Aan deze truc gaat geen demonstratie met een pop vooraf.'

Mallory keek in het schuinstaande magazijn van de kruisboog die het dichtst bij haar stond. Dit keer kwam er geen vingervlugheid aan te pas, geen bedrog. Charles speelde met echte pijlen – aan de hand van de instructies van Emile St. John.

'Ik hoef het niet te zien,' zei ze. 'Vertel me maar gewoon hoe het werkt.'

'Daar is toch geen lol aan?' Hij gebaarde dat ze in een stoel voor het podium moest gaan zitten. 'Ik was toch al van plan om het uit te proberen. Alles staat klaar. Ga maar zitten. Je moet niet uit je stoel opstaan, anders verpest je de hele truc.' Hij glimlachte. 'Jij bent gewoon alleen maar een toeschouwer, goed? Er komen geen handboeien aan te pas, dus bij deze truc heb ik geen agent nodig.'

Hij drukte op de knop om het raderwerk van het eerste voetstuk in te schakelen. Het getik begon, de raderen draaiden langzaam en een pin met een rood vlaggetje ging omhoog naar de trekker van de kruisboog.

Charles trok de capuchon over zijn hoofd en liep naar de tweede kruisboog om ook dat raderwerk aan te zetten. Twee pinnen waren tikkend bezig aan de weg omhoog terwijl hij de trap opliep. Boven op het podium ging hij met zijn gezicht naar de schietschijf staan. Hij spreidde zijn armen en de rode stof bedekte de hele schietschijf en raakte de gordijnen.

De eerste kruisboog werd afgeschoten en de pijl doorboorde de cape. Zoals te verwachten hing die niet langer om Charles heen. De stof viel op de grond en een lang rood lint liep vanuit een gat in de verkreukelde stof naar het eind van de metalen schacht in de schietschijf. Het tweede voetstuk bleef tikken.

Mallory's hoofd draaide zich met een ruk naar rechts toen ze hoorde hoe er iets tegen een kartonnen doos aankwam. *Een afleidingsmanoeuvre?* Ze keek opnieuw naar het podium. De cape kwam langzaam omhoog en bolde op alsof er weer iemand inzat. Met behulp van armen die er niet waren, spreidde het harmonicastatief de stof op een dusdanig overtuigende manier dat het net leek alsof er een man onder zat.

Onder het luide getik van de raderen van het voetstuk hoorde ze het geluid opnieuw, maar dit keer bleven haar ogen vast op het podium gericht. Ze volgde het geluid tot het zich achter haar bevond. Haar hand ging naar haar revolver; haar ogen volgden de pin met het rode vlaggetje die de trekker van de tweede kruisboog zou overhalen.

De andere kruisboog werd ook afgevuurd en ze volgde de vlucht van het lint terwijl het dwars door de rug van de cape ging. Maar dit keer zat Charles er wel onder. Ze zag zijn hoofd achteroverslaan. Hij slaakte een kreet terwijl hij zich omdraaide om haar aan te kijken en viel op zijn knieën. Een stuk lint leidde vanuit een zich uitbreidende rode vlek op zijn borst naar de pijl die in de schietschijf stond te trillen. Zijn handen bedekten de wond niet en hielden het lint niet op zijn plaats. Hij zakte in elkaar en kwam achterover op het podium terecht, waarbij zijn hoofd boven de bovenste trede hing, met de wijdopen, starende blik van iemand die net dood is.

Ze stond op uit haar stoel en liep op haar gemak de trap op. Toen ze bij de bovenste tree aankwam, ging ze naast zijn roerloze lichaam zitten en lette goed op dat er geen bloedspatten op haar kleren terechtkwamen.

'Charles? Als je weer een keer doodgaat... dan moet je niet lachen als je omvalt. Dat doen echte lijken bijna nooit.' Ze stak een vingertopje in de rode vloeistof. 'En je hebt het bloed te dun gemaakt.'

Hij draaide zijn ogen in haar richting. 'Nou ja, het is oud bloed. Het hoorde bij mijn kostuum voor Halloween toen ik nog een klein jongetje was.' Hij ging met een teleurgesteld gezicht rechtop zitten. 'Maar afgezien daarvan...'

Ze trok haar revolver.

'Je bent geen gemakkelijk publiek, Mallory.'

'We zijn niet alleen. Hou je koest.' Ze keek in de duisternis van de grote holle ruimte om hen heen – wel honderd plekken waar iemand zich kon verstoppen. Daarna hoorde ze het geluid opnieuw.

'Blijf hier.' Ze liep de trap af. De kelder was vol schaduwen, maar die bewogen geen van alle. Ze hoorde niets meer tot er een rat van onder de stapels kisten te voorschijn schoot.

Nog zo'n goedkope truc.

Ze keek weer naar Charles, met het vaste voornemen om hem eraan te herinneren dat hij vallen moest zetten. Dat was het laatste project dat hij verijdeld had, onder het mom dat het breken van de rug van dat soort ongedierte inhumaan was. Ze wees met de loop van de revolver in de richting van het vluchtende knaagdier, alleen om hem erop te wijzen dat de rat een...

'Mallory, niet doen!'

'Ik weet het.' Ze stopte het wapen weer in de holster. 'Jij vindt ratten charmant.' *Net als ondeugdelijke elektrische bedrading, inbrekers en...*

'Helemaal niet,' zei hij. 'Maar als je een knaagdier in de rug schiet, hoe moet je dat dan weer aan hoofdinspecteur Coffey uitleggen?' Hij ging op de bovenste tree zitten, bij wijze van uitzondering met een uitgestreken smoelwerk, tot dusver zijn beste benadering van een pokerface. 'Maar hoe vond je de truc, afgezien van mijn glimlach en het waterige bloed?'

'Niet slecht. Ik kon het magazijn van de andere kruisboog niet zien. Maar daar zat zeker geen pijl in?'

'Dat klopt. Ik deed net of ik hem laadde. Maar jij ging ervan uit dat hij geladen was, toen je de pees zag ontspannen en had gezien dat de eerste kruisboog wel een echte pijl afvuurde.'

'Je had de tweede pijl onder je cape verstopt.'

'Klopt. De draad van het lint loopt vanaf de kruisboog hierdoor.' Hij trok de kapotte cape uit en maakte zijn overhemd los om haar een brede metalen buis te laten zien die om zijn lichaam heen naar zijn rug leidde. 'Ik wist niet waar die buis voor diende tot Emile me dat vertelde.'

Mallory knikte. 'En je hebt het gewicht weer gebruikt, hè? De draad van het lint zat daar aan vast toen je het gewicht van het podium schopte. Op die manier heb je het lint door die buis om je lichaam getrokken. Daarna pakte je het lint vast toen het door de buis heen was. Je hebt de draad losgemaakt, die om de verborgen pijl heen gedraaid en hem in de schietschijf geramd.'

'Het spijt me als ik je verveeld heb.'

Misschien keek hij nu niet zo uitgestreken meer. Nee, hij had lichtelijk de smoor in.

'Je hebt wel een risico genomen met dat eerste schot, Charles. Stel je voor dat er iets mis was gegaan? Dat er een veer in het andere voetstuk was gesprongen? Dan had je nu dood kunnen zijn.'

Dat werkte vrij goed. Nu scheen hij genoegen te scheppen in het feit dat ze toch nog érgens van onder de indruk was.

'Maar de agenten hebben de bogen voor Oliver geladen,' zei ze. 'En ze ook gespannen. Alle pezen ontspanden – er liep niets vast en er werd ook geen losse flodder afgeschoten.'

'Daar heb je gelijk in. Aan die truc komt geen losse flodder te pas.' Hij draaide zich om en keek naar de schietschijf. 'Maar bij deze truc worden de draden en de lussen van te voren aangebracht, rekening houdende met een slechte belichting op een diep toneel. Zoiets kun je niet bij klaarlichte dag uithalen.'

Weer een verspilde ochtend. 'Dus Oliver heeft gewoon leentjebuur gespeeld bij een andere truc?'

'Maar ik weet zeker dat hij een groot aantal dingen goed had begrepen. Max gebruikte altijd agenten als er handboeien aan te pas kwamen. Anders zou het publiek nooit geloven dat de boeien echt waren. Aangezien de politie er toch was, moesten ze de kruisbogen ook controleren. Het zou een rare indruk hebben gemaakt als ze dat niet hadden gedaan. En Max...'

'Wilde altijd dat alles echt leek. Juist.' Mallory liep de trap op en ging naast Charles op de bovenste tree zitten. 'Wat deed Emile St. John bij zijn optredens?'

'Daarbij draaide het voornamelijk om vogels. Hij kon echt fantastisch zakkenrollen. Hij pikte je portemonnee en liet dan een parkiet uit je broek vliegen. Natuurlijk deden ze allemaal zakkenrollerstrucjes. Vroeger waren dat soort vaardigheden de hoeksteen van de goochelarij.'

'Gebruikte St. John geen wapens op het podium?'

'Nooit. Ik heb je al verteld dat Nick de trucschoten voor zijn rekening nam. Ik kan me nog herinneren dat mijn neef zei dat Emile de aanblik van vuurwapens haatte.'

Maar St. John had heel wat jaren bij de Franse politie en bij Interpol gezeten; wapens waren een onderdeel van het vak. 'Charles, dat slaat nergens op, niet bij iemand met zijn achtergrond. Heeft hij je nooit verteld wat hij deed?'

'Tijdens de oorlog, bedoel je? Ben je daar dan van op de hoogte?' Op het gezicht van Charles stond meer dan verbazing te lezen; hij keek zelfs een beetje schuldig. 'Heeft hij je dat zelf verteld?'

Ze bevestigde die leugen met een zwijgend knikje. 'Ik heb heel wat oorlogsverhalen aan moeten horen.'

Hij wendde zijn gezicht af door omlaag te kijken naar de verkreukelde cape en de imitatiebloedspatten. 'Ik heb altijd de indruk gehad dat het iets geheims was. Maar ik was nog maar een kind toen ik dat verhaal hoorde. Dat is al zo lang geleden. Ik heb er maandenlang nachtmerries van gehad. Je moet niet te slecht over Emile denken – om wat hij gedaan heeft.'

Mallory bleef roerloos zitten, want ze wilde hem niet achterdochtig maken door al te duidelijk aan te dringen. Ze liet hem gewoon de ruimte en wachtte tot hij de leemte tussen hen met geheimen zou vullen.

'Ik heb er maar één keer iets over gehoord,' zei Charles. 'Emile dacht waarschijnlijk dat ik al sliep toen hij het verhaal aan Max vertelde.' Hij rolde de cape op tot een dikke prop. 'Na de bevrijding van Parijs, maakte Emile inderdaad deel uit van een vuurpeloton van de maquis. Maar wat je wel goed moet begrijpen, is dat er in die tijd heel wat processen plaatsvonden – een snelle berechting voor collaborateurs.'

'Was Emile St. John een béúl?'

Mallory stapte in 56th Street uit de taxi, vlak bij de minder imposante achteringang van Carnegie Hall. De gebogen ramen waren voorzien van een traliehek en de luifel met de gouden letters deed slechts vaag denken aan de pracht en praal aan de andere kant van het pand. Ze liep tussen twee geparkeerde bestelwagens door en om de vuilcontainer heen die midden op het trottoir stond.

De bruine deuren van de artiesteningang stonden open. Nick Prado liep voor een gezelschap uit naar een plek op het trottoir die net buiten de schaduw van de luifel viel en bleef daar staan om voor een paar foto's te poseren.

'Hé, Mallory!' Shorty Ross kwam als laatste de deur uit. Hij reed naar haar toe in zijn rolstoel.

Deze verslaggever deed uitsluitend politienieuws – hij was hier echt niet om een artikeltje te schrijven waarin reclame voor het goochelfestival werd gemaakt. Ross rook kennelijk bloed.

'Ik heb gehoord dat je weer aan het werk bent, Mallory.'

'Ja, Shorty, dat praatje doet vandaag de ronde.' Ze had hem als twaalfjarig meisje voor het eerst ontmoet op een regenachtige dag op de afdeling bijzondere misdrijven. Om inspecteur Markowitz een dienst te bewijzen had hij een uurtje op de kleine gepast en hij had de tijd verdreven door Kathy oorlogsverhalen uit Vietnam te vertellen. Daarna had hij zijn broekspijpen opgerold als reactie op de vrijmoedige nieuwsgierigheid van een kind naar zijn ontbrekende benen en de protheses die onder zijn knieën vast gegespt waren. De imitatiebenen waren wel interessant geweest, maar niet echt bevredigend, niet echt – voldoende. Hij had echter geweigerd om zijn stompen te ontbloten met de mededeling dat hij zich bij een eerste afspraakje nooit helemaal uitkleedde.

'We kunnen Franny Futura niet vinden,' zei Shorty. 'En iemand anders heeft hem bij zijn hotel laten uitschrijven.'

'Echt waar? Misschien weet meneer Prado wel waar hij uithangt.'

'Je probeert toch niets voor me te verbergen, hè meid?'

Mallory glimlachte. Ze kenden elkaar veel te goed. Nu stond ze te wachten tot Shorty met zijn gebruikelijke aanbod kwam om de hoer uit te hangen en haar zijn naakte stompen te laten zien in ruil voor inlichtingen.

De fotografen lieten Nick Prado in de steek om foto's te maken van de beroemde brigadier die niet echt een gigantisch jong hondje had neergeschoten – maar ach, wat donderde dat. Daarna kwamen de verslaggevers de feestvreugde ook nog eens verhogen en bij al dat gekrakeel werd de rolstoel van Shorty Ross opzij geduwd. Prado dook naast Mallory op en legde een arm om haar schouders. Ze liet alleen haar ogen spreken, die hem vertelden dat hij zijn arm weg moest nemen en wel als de gesmeerde bliksem, want anders zou ze hem mores leren.

De arm verdween.

'Je vindt het toch niet erg om voor een paar publiciteitsfoto's te poseren, hè?' Prado keek naar de camera's. 'Het is zo moeilijk om mensen ertoe te bewegen naar de oudere artiesten te komen kijken, naar de voorstellingen waar weinig geavanceerde techniek aan te pas komt. Maar seks verkoopt altijd.'

Ze keek recht in het flitslicht. Prado lachte. Mallory niet. Ze boog zich naar hem toe, zodat de verslaggevers niet konden horen wat ze zei. 'Waar is Franny Futura? Is hij al dood?'

Zijn glimlach verdween geen moment van zijn lippen die hij ook niet bewoog, toen hij zei: 'Heb je al onder het bed in zijn logeerkamer gekeken? Daar zou ik op gokken.'

Onder het schreeuwen van vragen drong de menigte tegen hen aan en richtte hun microfoons alsof het de lopen van vuurwapens waren. Ergens achteraan slaakte een vrouw een kreet van pijn en Mallory hoorde Shorty Ross zeggen: 'O, neem me niet kwalijk. Was dat jouw voet?' Andere verslaggevers die vooraan stonden hadden al eerder littekens opgelopen van de rolstoel en ze weken opzij om hem de kans te geven tot bij Mallory's benen te rijden. 'Weet jij iets af van de verdwijning van Franny Futura, brigges?'

'Geen commentaar.' Ze wierp een blik op Prado – en nu was het haar beurt om te glimlachen. Zij kon ook praten zonder haar lippen te bewegen. 'Is dit weer zo'n ordinaire publiciteitsstunt?'

'Je herkent mijn stijl. Ik voel me gevleid.'

'Misschien hebt u hem wel bang gemaakt, meneer Prado.' Ze praatte nu wat harder. 'Misschien is Franny zelf wel op het idee gekomen om zich te verbergen.'

Dat had Shorty gehoord. 'Houdt die vent zich verborgen?' Dat veroorzaakte een nieuwe stortvloed van geschreeuwde vragen.

Mallory boog zich naar Prado en zorgde ervoor dat haar stem niet boven de herrie uitkwam. 'Dat was een slimme zet. U wist dat ik hem binnen vijf minuten aan het praten zou krijgen.'

Prado's glimlach verdween heel even. 'Je wilt gewoon met alle geweld iemand voor dat neerschieten van die ballon oppakken, hè? Nou, Franny stond voor iedereen duidelijk zichtbaar op de praalwagen toen dat uit de kluiten gewassen hondje werd neergehaald.'

'Maar hij had een goed uitzicht op dat stenen heuveltje.'

De verslaggevers hielden hun mond. De kunst van het liplezen eiste de uiterste inspanning van hun ogen.

'U was er niet bij, meneer Prado. U hebt voor dat tijdstip geen alibi.' Nu sprak ze luid genoeg om door iedereen verstaan te worden en Shorty Ross stak bij wijze van dank zijn duim naar haar op.

'Richard Tree heeft die pijl niet op Futura afgevuurd,' zei Mallory – en dat was nog waar ook. 'Het zou best kunnen dat hij uit een andere boog afkomstig was. Vanuit haar ooghoeken zag ze hoe pennen en potloden die leugen woord voor woord vastlegden. Andere verslaggevers hielden haar hun bandrecorders voor toen ze zei: 'En u hebt ook geen alibi voor dat geweerschot.'

In een poging om Mallory's aandacht te trekken, duwde Shorty Ross even zijn rolstoel tegen haar benen. Daarna rolde hij snel achteruit, in de wetenschap dat ze zonder scrupules naar een oorlogsveteraan zonder benen zou uithalen. 'Brigadier? Hebben we het nu weer over een mogelijk complot?'

Prado ging breeduit voor de rolstoel van de reporter staan. 'Dames en heren – even geduld, alstublieft!' Hij trok Mallory achteruit naar de muur en zei: 'Dit gaat er allemaal in als koek, maar volgens mij maak je het een beetje te ingewikkeld.' Zijn handgebaar omvatte de hele groep verslaggevers. 'Ze hebben een korte opmerking nodig – kant-en-klaar materiaal voor een kop.'

'Futura weet wie Louisa heeft gedood, nietwaar?'

Een vrouw was dichterbij geslopen om hun gesprek te kunnen volgen en duwde Mallory nu haar microfoon onder de neus. 'Louisa? Dat zei u toch? Bedoelt u met gedood hetzelfde als vermóórd? Hebt u het over de dode vrouw uit het optreden van Malakhai?'

Prado maakte een buiging voor Mallory. 'Uitmuntend. Je hebt je werk gedaan.' Hij liep de straat in, gevolgd door de meute fotografen en verslaggevers.

Als ze ervan uitging dat Futura nog in leven was, zou daar gedurende de rest van de dag ook geen verandering in komen. De pers zou Prado nog urenlang op de hielen blijven zitten – dat was bijna net zo goed als wanneer hij door de politie in de gaten zou worden gehouden. Als ze maar over een iets groter gedeelte van het budget van de afdeling bijzondere misdrijven zou kunnen beschikken, hoefde ze niet op deze manier te improviseren.

'Dat was inderdaad vrij goed,' zei een bekende stem achter haar.

Malakhai leunde tegen de post van een openstaande deur. Bij daglicht kon ze een paar strepen lichtbruin zien, herinneringen aan de tijd dat zijn haar de kleur van leeuwenmanen had gehad. Zijn blauwe hemdsmouwen waren opgerold en de stoffige knieën van de kaki broek duidden op een ochtend hard werken.

'Jij springt beter met de pers om dan Nick.' Zijn donkerblauwe ogen glimlachten en trokken haar naar zich toe. En heel even voelde ze zich om onverklaarbare redenen lichter, alsof ze uit minder solide materiaal bestond. Ze was nog op zoek naar woorden toen hij zijn sigaret liet vallen en onder zijn hak verpulverde. 'Ik wil niet ondankbaar overkomen, maar mijn optreden is al uitverkocht. Ik had die reclame echt niet meer nodig.' Hij wreef over het kippenvel op zijn armen. 'Het is koud. Kom binnen.'

Ze liep achter hem aan het gebouw in en de trap op naar een opslagruimte waar tegen een van de muren stoelen opgestapeld stonden. Naast een belichtingspaneel met monitoren en schakelaars stond een grote dubbele deur open, met daarachter een uitgestrekte vloer van glanzende, lichte planken. Een hoge metalen steiger overheerste het toneel. Die had er nog niet gestaan op de dag dat ze de toneelmeester had ondervraagd. Kabels hingen naar beneden en liepen over de planken naar het belichtingspaneel.

'Ik dacht dat u al klaar was met het installeren van uw attributen.'

'Ik heb een paar dingen veranderd.'

Mallory liep achter hem aan de deur door naar het toneel met witte betimmerde wanden, pilaren en met goud afgezette kroonlijsten. Ze had de grote zaal nog nooit van deze kant van het voetlicht gezien. Een grote ruimte was tot ver achterin gevuld met lange rijen lege rode fluwelen stoelen. Ze keek op naar de balkons die even hoog waren als een gebouw van zeven verdiepingen. Voor elk van de vier lagen liepen balustrades met forse gebogen lijnen. En helemaal boven in de zaal bevond zich een halo van licht omgeven door een ring satellietsterren.

Op zaterdagavond zou deze zaal met drieduizend mensen gevuld zijn en vreemd genoeg miste ze die nu. De ruimte was verlicht voor het optreden en wachtte op haar publiek. In de stille leegte hing een tastbare spanning, alsof de dam ieder moment kon barsten, alsof de toeschouwers alleen werden tegengehouden door de deuren naar de foyer. Deze ruimte haakte naar mensen.

Malakhai stond halverwege de metalen ladder aan de achterkant van de steiger. 'Je vindt het toch niet erg dat ik doorwerk terwijl we praten? Het kost veel tijd om de belichting aan te brengen.'

Ze keek naar het bovenste balkon, vlak bij het plafond. 'Hoe kunnen ze u vanaf de goedkoopste plaatsen zien?'

'Er komt een enorm scherm aan de muur te hangen, waarop de meer ingewikkelde trucs te zien zullen zijn. Daarom is de belichting van het grootste belang. Eén fout en het hele optreden is naar de maan. Maar ik denk dat het merendeel van het publiek komt om *Louisa's Concerto* te horen. Ik heb de muziek nooit gebruikt ter begeleiding van het optreden. Het was altijd andersom.'

Ze liep achter hem aan de ladder op naar de bovenkant van de steiger. 'Hebt u het nieuws over Futura gehoord?'

Hij stond voor een mengpaneel met schakelaars en lampjes dat op een inklapbaar metalen voetstuk stond. 'Heb je hem gevonden?'

'Nog niet,' zei ze. 'Hij houdt zich verborgen of hij is dood.'

Daar moest Malakhai even om glimlachen. 'Het zal wel weer een van die publiciteitsstunts van Nick zijn.' Hij zette een paar schakelaars om en de lampen boven hun hoofd wierpen felle cirkels in primaire kleuren op de achterwand. 'Ik ben ervan overtuigd dat hij wel weer komt opdagen.'

'Hij weet wie Oliver heeft vermoord en dat geldt ook voor u.'

'Dus je verdenkt me er niet meer van dat ik iets met Olivers dood te maken heb?'

'Nou ja, ik hou graag een slag om de arm.' Ze keek toe hoe hij opnieuw een schakelaar omzette. De zaallichten gingen uit. Hij klikte een andere schakelaar aan en ze zag twee spots die elkaar over het toneel achternazaten. 'Een voorgeprogrammeerde truc?' Ze keek omhoog naar de batterij lampen die hoog boven het toneel hingen. 'Ik wist niet dat u zo technisch was.'

'Dat ben ik ook niet. Maar gelukkig kan ik het me veroorloven om mensen in dienst te nemen die dat wel zijn.'

'Vertrouwt u de hoofdinspeciënt niet?'

'Het is geen kwestie van vertrouwen.'

'Het gaat erom dat u alles zelf in de hand wilt hebben,' zei Mallory. 'Net als Max Candle en zijn volledig zelfstandige podium.'

'Ik wilde eigenlijk net zeggen dat ik dit mengpaneel alleen maar voor repetities gebruik. Maar ik denk wel dat ik veel van Max weg heb. Er bestond een heel sterke band tussen ons.'

Een schaduw gleed over een achterwand en verdween door een zijdeur. Ze keek Malakhai aan. 'Hoe maakt u die schaduw?'

'Dat verraad ik nooit. Beschouw dat maar als een geschenk van mij aan jou, Mallory. Er komt een keer dat je 's morgens om drie uur wakker ligt en dan ineens het idee krijgt dat die schaduw misschien toch Louisa was.'

'U gelooft net zo min in haar als ik.'

'O, maar dat doe ik wel degelijk. Het oproepen van absoluut vertrouwen is de kern van het goochelen – dat is altijd al zo geweest.' Hij trok een zwarte sjaal uit zijn zak en hield haar die voor. Daarna tilde hij hem langzaam op waardoor vijf zwevende kaarten zichtbaar werden. 'En ziedaar... een wonder. Een royal flush. O, dat was ik vergeten.' De kaarten vielen op de grond en hij schopte ze opzij. 'Die truc had je al gezien en je vond er niets aan.'

Mallory staarde naar de batterij lampen boven haar hoofd. Het was best mogelijk dat hij iets projecteerde met behulp van spotlights en silhouetten, maar dat kon ze nergens uit opmaken. Er waren nog meer lampen aan weerszijden van het derde balkon, maar die waren niet aan. Ze keek omlaag naar het mengpaneel. Misschien was het antwoord daarin te vinden. Als een verstokte ongelovige Thomas speurde ze naar de schaduw van Louisa op een mengpaneel vol lampjes en schakelaars.

Malakhai sloeg zijn armen over elkaar en bleef haar even aankijken. 'Als Picasso ergens op bezoek kwam, waarschuwde hij de persoon in kwestie altijd dat hij van plan was om iets te stelen.'

'Hebt u Picasso gekend?'

'Nee, en je hebt net een leuk verhaal om zeep geholpen. Ik zal je iets anders moeten vertellen. Wat dacht je van de bevrijding van Parijs?'

'Ik wil liever iets horen over de avond dat Louisa stierf. U bent niet echt lang blijven rondhangen, dus wat is er met het lichaam gebeurd?'

'Emile heeft voor haar gezorgd. Hij wilde me graag de stad uit hebben en wel zo snel mogelijk. Ik was half krankzinnig en een gevaar voor iedereen. Louisa werd in het familiegraf van de St. Johns begraven.'

Mallory keek op van het mengpaneel. 'Dus St. John had de beschikking over het lichaam – met al die bewijzen van moord. Heeft hij u na de oorlog verteld hoe ze in werkelijkheid is gestorven? Of heeft hij het in de doofpot gestopt? Was hij de man die u wilde doodschieten – op de dag van de optocht?'

'Mag ik even?' Hij gebaarde dat ze aan de kant moest en hervatte zijn werkzaamheden aan het mengpaneel. 'Je loopt op het verhaal vooruit. Toen we in Londen waren aangekomen, verloren Max en ik elkaar uit het oog. We zagen elkaar pas bij de bevrijding van Parijs terug.'

'De bataljons kwamen op dezelfde dag bij Parijs aan. Dat weet ik al.'

'Waarom maak jij het verhaal dan niet af, Mallory?' Hij zette een schakelaar om en een zilveren bol rees omhoog van het toneel en dreef in de richting van haar hoofd. Ze week achteruit naar de rand van de steiger toen hij omhoogschoot en door de warmte van een spot uit elkaar knapte – het was alleen maar een ballon.

De zaallichten doofden weer, met uitzondering van de kleine lampjes langs de randen van de balkons, lange rijen sterretjes.

'Toen de Geallieerden Parijs bevrijdden, heb ik mijn eenheid verlaten om op zoek te gaan naar Max. Ik heb de hele dag door de straten geheld. Om me heen was de oorlog nog in volle gang. De commandant van Parijs had zich overgegeven, maar de troepen van de bezetter vuurden nog steeds op ons. En er werd op een bespottelijke manier gefeest in de straten. Mensen schreeuwden het uit van blijdschap om meteen daarna door kogels en granaten te sterven. Meisjes kusten elke man in uniform. En op de Place de l'Opéra had zich een kleine menigte verzameld om het duel tussen twee tanks gade te slaan. Ik wou dat je dat had kunnen zien – een gevecht tussen dinosaurussen.'

Het toneel werd rood. Nog een paar schakelaars voegden salvo's van geel licht toe.

'In de stad waren overal springladingen aangebracht. Tot die onschadelijk waren gemaakt, zaten we met ons allen midden in een gigantische bom. Mensen liepen met hun kleine kinderen het balkon op en stonden met vlaggetjes te zwaaien. Daarna moesten ze als een haas dekking zoeken als de kogels hen weer om de oren vlogen. Zo ging het de hele dag door – van het ene uiterste in het andere.

Ik zocht het gezicht van Max in elke vrachtwagen met soldaten, in elke voorbij marcherende colonne. Uiteindelijk ging ik naar *Faustine's* om daar op hem te wachten. Ik wist dat hij zou komen als hij nog in leven was. Het theater was dichtgetimmerd. Ik heb bij de deur staan wachten tot het donker was.'

De kleur van de wanden veranderde in indigo en kleine zilveren sterretjes vielen als confetti uit de batterij donkere lampen in de pseudo-hemel.

'De volgende dag ben ik teruggegaan naar *Faustine's* en de dag daarna ook. Ik kan me nog herinneren dat ik huilde, toen ik besefte dat mijn beste vriend dood moest zijn.'

'Hij was u vergeten.'

Malakhai keek haar aan met een blik van: *Wiens verhaal is dit eigenlijk?* 'Ik vertrok voor een... Duitsers zouden het een *Wanderjahr* noemen. Een jaar van omzwervingen.' Hij was weer bezig met zijn mengpaneel. Nu baadden de wanden in een purperen gloed. 'Toen ik weer terugkwam bij *Faustine's*, was het theater leeg. Een rijke Amerikaan had de hele inboedel opgekocht.'

'Max Candle.'

'Ja. Toen we elkaar in New York ontmoetten, vertelde hij me dat hij bij het theater had gewacht, terwijl ik op straat naar hem op zoek was. Emile kwam ook opdagen voor die reünie. Hij trof Max die op de met een hangslot afgesloten deur stond te rammen terwijl hij aan een stuk door mijn naam schreeuwde. Emile maakte gebruik van zijn contacten bij de politie om een lijst met namen van gesneuvelden van mijn eenheid te krijgen en mijn naam stond bovenaan. Ik ben heel wat keren als dood opgegeven.'

Mallory draaide zich om bij het geluid van hollende voetstappen op het toneel onder haar. Het toneel was leeg, maar de voeten bleven rondjes over het podium hollen, steeds sneller. *Een geluidsopname?* Kon je via het mengpaneel niet alleen het licht, maar ook het geluid besturen? De luidsprekers moesten zich onder in de steiger bevinden.

De voetstappen hielden op.

'Max had Louisa's muziek gered,' zei Malakhai. 'Hij had de tegenwoordigheid van geest om het manuscript te verbergen voor we uit Parijs vluchtten. Daarom had hij de hele inboedel van het theater opgekocht. Er stonden zoveel oude koffers dat hij er zeker van wilde zijn dat ze de juiste zouden verschepen. We hebben zijn familiecontacten gebruikt om het concerto gepubliceerd te krijgen. Op die manier zou ik een eigen goochelprogramma krijgen en een nieuw leven beginnen.'

'Toen u naar Korea ging. Was dat om opnieuw als massamoordenaar aan de slag te gaan? Of was het gewoon een interessante vorm van zelfmoord?'

'Tijdens die oorlog heb ik niemand gedood. Een paar weken nadat ik dienst nam, werd ik gevangengenomen.'

Mallory knikte. Dat klopte met zijn oorlogsgegevens. Ze had hem nog steeds niet op een leugen betrapt. 'Dus toen u terugkwam uit Korea, ging u samen met uw dode vrouw optreden? Wilde u dan niet langer sterven?'

Aan de rand van het toneel dwarrelden grijze sjaals die in de schaduwen van het theater nauwelijks te onderscheiden waren, behalve op de plaatsen waar de zijde het licht weerkaatste. Er ging een spot aan en de sjaals werden blauw, terwijl ze de illusie van een rondzwierende jurk wekten.

'En nu?' Mallory keek hem aan, vastbesloten om zich niet te laten afleiden. 'Hoe denkt u nu over sterven?'

De spot ging uit en de sjaals vielen als een hoopje verfomfaaide zijde op de grond toen hij haar aankeek. 'Denk je dat ik een van hen probeer te verleiden om mij te vermoorden? Als een omstandig soort zelfmoord?'

'Waarom niet? Ik weet wat u te wachten staat. U raakt uw hersens stukje bij beetje kwijt. Maar het past niet bij uw karakter om een pistool in uw mond te stoppen. U hebt zich in twee oorlogen gestort, op zoek naar een interessantere manier óm er een eind aan te maken.'

'Je zou een hopeloze goochelaar zijn. Je kiest steeds voor de ingewikkeldste redenatie. De oplossing zal altijd iets simpels zijn.'

'Wraak is vrij simpel,' zei Mallory. 'U hebt altijd geweten wie van hen Louisa heeft vermoord. Het was de man die onder het bloed zat. U was vijftig jaar te laat, maar dat is de simpele oplossing die u had gekozen toen u op die praalwagen vuurde. Of mikte u op iemand die daar in de buurt stond? Op Nick Prado?'

'Denk je nog steeds dat ik dat lijk in Olivers podium heb verstopt? Het rode haar dat je in het restaurant in je tas hebt opgeborgen...'

'Dat was afkomstig van een pruik... van prima kwaliteit, maar geen mensenhaar.' Ze keek om zich heen naar alle attributen die op het toneel stonden. 'Charles zegt dat u bij uw optreden geen pruik gebruikt. Wat doet u er dan mee... behalve kelners een rad voor ogen draaien? Laat u rode haren achter in de hotelkamer zodat het kamermeisje die zal vinden?'

Hij scheen de blik in haar ogen te begrijpen. Wat ze in feite vroeg, was: *Hoe gek bent u eigenlijk?*

'Nou ja, in ieder geval ga ik vrijuit met betrekking tot Olivers neef. Dat ziet er veelbelovend uit.'

'Nee,' zei Mallory. 'U hebt dat lichaam daar best neer kunnen leggen omdat u iemand de stuipen op het lijf wilde jagen. Futura is een gemakkelijke prooi voor zoiets.'

278

'Mijn beste truc berust inderdaad op hysterie. Maar jij wilt gewoon niet toegeven dat Oliver de voorstelling verprutst heeft, dat overal een logische verklaring voor is.'

'U bent tot aan zijn dood met Max Candle bevriend gebleven. Is dat dan logisch? Die klootzak was van plan om er met uw vrouw vandoor te gaan. En u sleept die dode vrouw nog steeds overal met u mee. Na alles wat ze heeft gedaan...'

De sjaals rezen omhoog van de grond en stormden in een wervelwind van zijde op haar af.

'Louisa hoefde helemaal niet te bekennen dat ze een verhouding had.' De sjaals stopten op hun weg naar voren en bleven slap in de lucht hangen. 'In een normale wereld zou ze dat geheim hebben gehouden. Je begrijpt het echt niet, hè? Louisa kon niet toestaan dat ik die nacht mijn leven zou riskeren – niet na wat zij hadden...'

'Het moet voor u dodelijk zijn geweest. Max was uw beste vriend.'

'Ik had alles aan Max te danken. Hij heeft mijn leven gered. En hij heeft Louisa's muziek gered.' Malakhai keek langs haar heen naar de zaallichten die overal in het theater weer aangingen. 'De toneelbelichting is altijd een hele klus.'

'Is het moeilijk om al die draden te verbergen?'

'Er komt meer bij kijken. Ik moet zorgen dat het publiek in Louisa gaat geloven. Ik bespaar ze de details van haar dood, met uitzondering van het bloed op haar jurk. Het concerto doet het eigenlijke werk.' Hij keek neer op zijn elektronische paneel. 'Hiermee kan ik de muziek ook afspelen. Maar ik gebruik het alleen bij de opbouw van het podium. Morgen repeteer ik met een echt orkest.'

Hij drukte op een toets boven aan het paneel en het concerto kwam uit luidsprekers aan weerszijden van het toneel stromen. 'Ik heb je al verteld dat mijn vrouw onderdeel is van het concerto. Hoor je dat ritme in de lage noten? Het is heel subtiel. Je hebt een hobo, een zachte veeg over een trom en een cello nodig om een geloofwaardige menselijke hartslag te produceren.' Zijn handen speelden met de schakelaars en schakelden alle instrumenten uit tot er alleen nog het ritme van een kloppend hart overbleef, een machtige spier die zich samentrok en het bloed voortstuwde.

'Daar is ze... Louisa.' Vervolgens draaide hij aan een knop om het geluid te versterken. 'Er zit een vreemd moment van stilte in het concert en dan wordt het publiek onrustig. Dat wil die leemte met iets opgevuld zien. Het duurt zo lang dat er een soort exquise verwachtingsvolle pijn ontstaat, terwijl je niets anders hoort dan die hartslag.' Hij draaide het volume terug. 'Zo zacht dat het bijna onderbewust is.'

Hij zwaaide met een arm en een smalle stroom lichtblauwe veren ont-sproot vanuit zijn hand en vloog in de richting van het publiek waar ze zich verspreidden tot een wolk die zacht op de fluwelen stoelen landde. 'En daarna stuur ik haar de zaal in. Vertel eens, Mallory. Voel je de lucht-verplaatsing als Louisa voorbijkomt? Ruik je de gardenia's?'

Mallory knikte, luisterend naar het kloppend hart van een vrouw. Het zuchtje wind was nauwelijks waarneembaar; ze kon het voelen omdat de donzige haartjes in haar nek rechtop gingen staan. De bloemengeur was licht en zoet.

Malakhai boog zich naar haar gezicht. 'Maar ik gebruik bij het optre-den nooit parfum.'

De geur veranderde meteen van karakter en werd de kruidige lucht van zijn aftershavelotion – alweer een goedkope truc.

Zijn ogen lachten haar toe. 'En dat zwakke luchtvlaagje toen ze voor-bijkwam? Dat zit allemaal tussen je oren, Mallory. Daar komt geen draad aan te pas. Het gevoel is het sterkst in een vol theater. Het lijkt op in banen geleide massahysterie. Ik zei al, daar ben ik goed in.'

Een zwart silhouet verrees op de wand. Het verdween toen hij de hart-slag stopzette.

'Hebt u dat ook met Futura gedaan? Hebt u hem met schaduwen angst aangejaagd? Hebt u hem hysterisch gemaakt?'

'Weet je wel zeker dat er echt schaduwen waren, Mallory? Kun je je zintuigen nog wel vertrouwen? Wat is waarheid?'

Mensen uit hun evenwicht brengen was haar werk, niet het zijne. 'Toen Louisa u de waarheid vertelde, ging u er bijna aan kapot.'

'Ja, daar heb je volkomen gelijk in. Ik kan die beelden nooit uit mijn hoofd zetten – mijn vrouw in bed met een andere man.'

'En vervolgens hebt u haar neergeschoten. Een interessante manier om het probleem van ontrouw op te lossen.'

Hij hapte niet, maar liep naar het midden van het kleine verhoogde podium waar hij zich omdraaide om over het lege theater uit te kijken. De lampen boven zijn hoofd wisten de fijne lijntjes in zijn huid uit. Ze maakten zijn ogen feller blauw en gaven zijn dikke haardos een gouden gloed.

'Zelfs na haar dood was ik nooit zeker van Louisa – niet zo lang Max nog in leven was.' Hij sprak tegen de lege rijen fluwelen stoelen, die het donkerst rood waren in het in schaduwen gehulde verste gedeelte van de zaal.

'Iedere keer als ik in New York optrad, was hij bij elke voorstelling aanwezig. Max kwam altijd laat binnen, nadat de zaallichten gedoofd waren. Dan ging hij ergens achteraan zitten, zo ver mogelijk van mij en het toneel af.' Malakhai stapte naar de rand van de stelling en bleef daar met een toevallige elegantie staan, met heldere ogen en de blik op oneindig. 'Hij kwam niet om mij te zien. Max wilde alleen maar in de buurt van Louisa zijn – stiekem, onopgemerkt. En telkens als ik mijn dode vrouw het publiek in stuurde, vroeg ik me weer af of ze hem daar in het duister ontmoette.'

De gerant bleef op een discrete afstand rondhangen om op een subtiele manier aan te geven dat het sluitingstijd was.

De enige gast, Emile St. John, zat ergens ver weg in een hoekje van het hotelrestaurant, hoewel hij met al zijn geld eigenlijk een beter tafeltje had moeten krijgen. Mallory kwam tot de slotsom dat hij er geen behoefte aan had om alle aandacht op zich te vestigen en er de voorkeur aan gaf om zich als een banneling in de periferie van de restaurantdrukte en van het leven op te houden.

Zelf deelde ze dat gevoel.

Het witte tafellaken was gedekt met mooi zilveren bestek en kristal. Een kelner ruimde de restanten van een maaltijd voor één persoon af.

Alleen eten was ook zo'n gezamenlijke karaktertrek.

Toen Mallory naar hem toe liep, glimlachte St. John en hief zijn wijnglas bij wijze van groet. Hij zei iets tegen de kelner, die zijn blad liet staan en zich naar de keuken repte.

St. John stond van de tafel op om een stoel voor haar klaar te houden. 'Wat een leuke verrassing. Wat kan ik voor je doen, Mallory?'

'O, alleen maar een paar vragen beantwoorden.' Ze ging aan het tafeltje zitten en er werd een schoon glas voor haar neergezet. De kelner pakte zijn blad op en toen hij buiten gehoorsafstand was, zei ze: 'Het lijkt wel alsof iedereen op Louisa verliefd was. Max Candle, Malakhai... en zelfs Oliver.'

'Ja, Oliver was helemaal aan haar verknocht.' Hij schonk een glas rode wijn voor Mallory in. 'Toen er geen muziekpapier meer te krijgen was, heeft hij urenlang met behulp van een liniaal lijntjes zitten trekken op pakpapier en de achterkant van aanplakbiljetten om notenbalken voor haar te tekenen. Ze bleef het concerto voortdurend herschrijven. Weet je, als ze in een andere tijd was geboren, zou ze het volgens mij nooit klaargespeeld hebben. Ik wil niets afdoen aan haar genie, maar dat concerto was zo'n ambitieus werkstuk. En ze was zo vastbesloten om haar enige opus af te maken. Ik vraag me wel eens af of Louisa wist dat ze zo jong zou sterven.'

Mallory had de neiging om hem in de rede te vallen onderdrukt, maar zo was het mooi geweest. 'En Futura? Had hij ook iets met Malakhais vrouw?'

St. John schudde zijn hoofd. 'Franny had toch geen enkele kans bij haar. Ik weet zeker dat hij dat besefte vanaf de dag dat ze elkaar leerden kennen. Louisa was een vrouw voor echte kerels, als je begrijpt wat ik daarmee bedoel.'

'Zij vond Franny een doetje.'

'Kort en bondig. Dat kan ik waarderen.'

'En hoe zat het met u?'

'Ik werd volkomen door mijn werk in beslag genomen. Ach, maar dat was ik even vergeten. Jij hebt niet zo'n hoge dunk van het Franse verzet. Hoe zei je dat ook alweer? Met bommen smijten en hard weglopen voor ze de grond raken. Iedereen in de stad wantrouwde iedereen en het wemelde van de...'

'Spionnen. Ik heb vroeger opgelet op school. Ik weet wat er met de mensen gebeurde die opgepakt werden. Maar hoe zat het nu met u en Nick? Hoe dachten jullie over Louisa?' Daarna hield ze haar mond weer en besloot om niet langer zijn zinnen af te maken. Ze had heel wat opgestoken van rabbijn Kaplan. Net als meneer Halpern, de vriend van de rabbijn, was Emile St. John openhartiger als hij zelf zijn verhaal mocht vertellen.

'We waren allemaal heel goede vrienden,' zei hij. 'We hadden samen honger geleden en samen eten gestolen. Louisa en Nick gingen vaak samen op de fiets naar het platteland om de akkers af te stropen.'

'Maar jullie waren niet verliefd op haar? Geen van beiden?'

Hij glimlachte en maakte een handgebaar, alsof hij niet precies wist hoe hij haar dit moest uitleggen. 'Mijn moeder zou hebben gezegd dat Nick en ik muzikaal waren.'

'Bent u beiden homoseksueel?' Dat klopte niet met de financiële informatie over Prado waarin onder meer stond vermeld dat hij aan vier ex-vrouwen alimentatie betaalde.

'Nou ja, eigenlijk kan ik alleen voor mezelf spreken. Ik ben homoseksueel. Nick was gewoon een slet. En dat zou je van hem zelf ook te horen krijgen. Daar is hij namelijk behoorlijk trots op. In die tijd ging hij met Jan en alleman mee naar huis. Meisjes, jongens... dat maakte hem niets uit. Tijdens de bezetting heeft hij geen enkele relatie gehad die langer dan één nacht duurde. Nick kon niet eens trouw blijven aan één geslacht. O, je had hem moeten zien toen hij nog jong was... een beeldschone knul.'

'En zo voelt hij zich nog steeds.'

'Jij zult hem wel een dwaas vinden, een tweederangs flirt die niet wil inzien hoe bespottelijk hij overkomt op een meisje van jouw leeftijd.'

Ze knikte.

'Maar in zijn jonge jaren was Nick een buitengewone verleider, de beste die ooit heeft bestaan. Hij had destijds een Spaans accent en zijn haar was pikzwart. Zelfs zijn ogen waren toen donkerder en die gebruikte hij om vrouwen in het openbaar uit te kleden. En ze vonden het práchtig. Dat gold in ieder geval voor Faustine, dat weet ik zeker. Van alle jongens was Nick haar lievelingetje. Hij heeft heel wat kunstjes in het bed van die oude vrouw geleerd. Hij kon iedereen verleiden, zelfs mannen die daar eigenlijk niet van gediend waren. Als je een minuut of zes met hem had gepraat, of als hij alleen maar een sigaret voor je had opgestoken, bleef je al achter met het gevoel dat je net seks met hem had bedreven.'

'Is hij ooit met een Duitse soldaat naar bed geweest?'

'Dat zou best kunnen. Hij vond dat soort risico's heel opwindend. Maar wat maakt het uit, ook al heeft hij dat gedaan? Nick maalde niet om politiek; het enige wat hij nastreefde, was decadentie. Hij bracht iedere nacht in een ander bed door. Soms alleen maar uit praktische overwegingen om zich de kosten van een ontbijt te besparen. En bij zijn kamer achter de drukkerij was geen bad – dat was ook een overweging.'

'Ik heb een staaltje van Nicks vervalsingen gezien – mooi werk. Stel dat de Duitsers erachter waren gekomen dat hij dat bijbaantje had – het verlenen van assistentie aan politieke vluchtelingen die de grens over wilden?'

'Denk je dat hij bang zou zijn geweest om de gevangenis in te draaien? Zijn bandeloze seksleven zou hem grotere problemen hebben opgeleverd. Zelfs de Duitsers die van twee walletjes aten, werden geëxecuteerd. Vergeet niet dat we elke avond met soldaten zaten te drinken. We kregen alle verhalen over de rijdende gaskamers te horen. Maar Nick kende geen angst – hij was gewoon een ondernemende, apolitieke tiener met een fenomenaal libido.'

'U hebt geen hoge dunk van zijn karakter.'

'Nick is zoals hij is – de grootste, veelzijdigste hoer die ooit heeft bestaan. Een eersteklas gigolo en een supernicht. Hij is in de wieg gelegd om leiding te geven aan een pr-firma. Hij is tot alles bereid, als het maar publiciteit oplevert.'

'U mag hem niet echt, hè?'

Hij was stomverbaasd en Mallory besefte plotseling dat ze het helemaal bij het verkeerde eind had.

'Ik ben dol op Nick. Hij heeft totaal geen scrupules, maar ik blijf zijn vriend zo lang hij leeft.' St. John draaide zich om en wenkte de kelner dat hij de rekening wilde hebben, waardoor de verraste uitdrukking op haar gezicht hem ontging. Maar ach, zo keek ze ook als ze uien sneed of haar revolver laadde.

Hij tekende de rekening af met zijn kamernummer en de kelner liet hen weer alleen. 'Ik ben bang dat Nicks karakter nooit zal verbeteren. Hij flirt nog steeds met alles wat beweegt. Man, vrouw, dat maakt niet uit. Als het maar ademhaalt, dat is het enige waar Nick om maalt.'

'Bent u wel eens met een Duitse soldaat naar bed geweest? U beweert dat u in het verzet hebt gezeten. Maar dat zeiden een heleboel mensen – nadat de Duitsers de stad hadden verlaten. Bent u misschien een collaborateur geweest?' Hij zou nooit raden wat haar volgende opmerking zou zijn.

'Nee, Mallory, op beide vragen. Ik ben ook nooit met Nick naar bed geweest, hoewel de verleiding heel groot was. Tijdens de bezetting leefde ik bijna als een monnik. Dat is nog steeds het geval.'

'Ik weet dat u deel hebt uitgemaakt van een vuurpeloton van de maquis.' Dit keer had ze hem wel verrast. Er dwarrelde rook uit zijn openhangende mond. Hij was vergeten om die uit te blazen.

'Dat past niet echt bij een monnikskleed.' Ze zette haar wijnglas aan de kant. Het gezellige onderonsje was voorbij, de gevoelige plekken lagen open en bloot en nu – ter zake. 'Op de universiteit heb ik colleges geschiedenis gelopen bij een professor die tijdens de bezetting in Frankrijk woonde. Hij zei dat het vlak na de bevrijding bijltjesdag is geweest. Dus vertel me maar eens – hoeveel mensen hebt u voor de maquis gedood?'

Ze had een oude wond geraakt.

'Heeft Charles je dat verteld? Ja, hij moet het wel zijn geweest. Wat raar dat hij zich een gesprek van zo lang geleden nog kon herinneren. Hij kan hooguit een jaar of zes, zeven zijn geweest. Ik had durven zweren dat hij sliep. Max en ik hadden hem meegenomen naar het optreden van een goochelaar en waren daarna nog met hem gaan eten. Charles lag opgerold op het kleedje voor de haard, volkomen uitgeput. Max verwende het kind verschrikkelijk als zijn ouders de stad uit waren. Hij hoefde geen groente te eten en niet op tijd naar bed. De jongen ging gewoon ergens liggen en viel in slaap. En dan bracht Max hem naar bed.'

We gaan niet afdwalen, St. John. Terug naar de oorlog. 'Dus u hebt Max over dat vuurpeloton verteld.'

'Ik moest met iemand praten. Ik maakte een moeilijke tijd door – een periode van aanpassing na de oorlog. Dat heeft heel wat jaren geduurd. Die avond worstelde ik er nog steeds mee. Ik wist dat Max het zou begrijpen. Hij had zelf tijdens de oorlog ook mensen gedood. Maar de mensen die ik…' Hij speelde even met zijn glas. 'Die waren hulpeloos als ik hen neerschoot, geblinddoekt en vastgebonden aan een paal. Het peloton hield zich niet aan de traditie dat één van de geweren met losse flodders geladen was. Alle kogels uit het geweer van elke man kwamen in mensenvlees terecht. Niemand kon zichzelf voor de gek houden, of z'n handen in onschuld wassen.'

'Er zijn duizenden mensen gearresteerd – van wie maar een paar honderd in leven bleven om terecht te staan.'

'Ja, zo ging het in de eerste paar maanden. Mijn complimenten aan die leraar van je. Het gepeupel heeft heel wat mensen vermoord voor echte en verbeelde misdaden. Maar deze eenheid van de maquis executeerde veroordeelde oorlogsmisdadigers – Franse burgers die zó graag een wit voetje wilden halen bij hun werkgevers dat ze nog een graadje erger waren dan de Duitsers. Ze pleegden hun misdaden met een overmaat aan ijver en wreedheid. Twee van hen hadden een levende vrouw de ogen uitgestoken en de oogkassen met kakkerlakken volgestopt. Opgepakt worden door de Duitsers was niet het ergste wat je in bezet Frankrijk kon overkomen.'

'Die processen waren een vorm van standrecht.'

'Een militaire term. Jij denkt zeker aan de Amerikaanse burgeroorlog, hè? Een omgekeerde trom op het slagveld, een proces dat ter plekke werd gevoerd en een snelle executie. Ja, je hebt opnieuw gelijk. Ik denk dat die eerste processen eerder een slachting genoemd mogen worden, bloedig lopendebandwerk. Na de bevrijding kreeg je de indruk dat iedere man en vrouw in Frankrijk bij het verzet had gezeten. Dat beweerden ze althans allemaal – zowel de beklaagden als hun aanklagers. Ik koesterde altijd argwaan tegen degenen die het liefst bloed wilden zien en de getuigen die het hardst schreeuwden. Ik heb geen idee hoeveel onschuldige mensen door die vuurpelotons zijn doodgeschoten.' Hij schoof zijn stoel achteruit. 'Sinds die tijd heb ik een celibatair leven geleid, om boete te doen.'

'Een monnik en een beul.' Ze hief haar vlakke handen op, alsof ze de twee woorden tegen elkaar afwoog.

'Dacht je dat ik plezier aan die executies beleefde?'

Ze knikte langzaam. Dat dacht ze inderdaad. 'U hebt zich vrijwillig voor die taak moeten melden.'

'Ik heb me inderdaad als vrijwilliger opgegeven.' Hij trok aan zijn sigaar, in de prettige wetenschap dat de kelner hem niet lastig zou vallen met voorschriften omtrent roken in het openbaar – een privilege dat hij aan geld en gulle fooien dankte. Hij blies de rook uit en keek toe hoe de grijze pluim omhoog kringelde. Zijn ogen hadden een zoekende blik. 'Ik werd omringd door mannen die veel te gretig waren om dat soort dingen te doen. Ik was van mening dat doden altijd met een gevoel van intense spijt diende te gebeuren. En dus pakte ik vol berouw mijn geweer op en schoot hulpeloze mensen met op de rug gebonden handen dood.'

Hij boog zijn hoofd om de droesem van zijn wijn te bestuderen, een plasje rood onder in zijn wijnglas. Toen hij zijn mond weer opendeed, was zijn stem te kalm. Hij sprak vlak en zonder een spoor van emotie.

'De beste manier is een pistool tegen het hoofd. Maar wij waren zulke jonge schutters. We hadden geen enkele ervaring met doelmatig doden. We gebruikten geweren en we stonden op een afstandje van... ons doelwit. Uit een abusievelijk mededogen wilde we niet op hun hoofd schieten, wat hen een snelle dood zou hebben bezorgd. De kogels die we in hun borst vuurden, doorboorden hun hart en longen. Als dat verkeerd gebeurt, sterft het slachtoffer aan inwendige bloedingen – en niet onmiddellijk zoals je eigenlijk zou verwachten. Daar heb ik in de loop der jaren een grondige studie van gemaakt.'

Hij keek op van zijn glas en ze wenste dat hij dat niet had gedaan. Later zou ze zich altijd herinneren dat zijn ogen op de een of andere manier gebroken leken, vol droefenis en totaal niet passend bij zijn droge opsomming van de feiten.

'Elk salvo veroorzaakt een gat dat honderd keer groter is dan de kogel. Door de warmte van de inslag verkoken het bloed en het vet van het weefsel, zie je.' Hij strengelde zijn handen zo stijf in elkaar dat de knokkels wit werden. 'Dus iedere kogel heeft het effect van een vuist die in het lichaam wordt geramd, de huid kapot rukt en botten verbrijzelt. Ik stond zo dichtbij dat ik de mensen kon zien beven als ze aan de palen vastgebonden werden. Na het eerste salvo vielen ze meteen om en gleden langs de paal omlaag, vastgehouden door de touwen om hun gebonden handen. Maar ze lééfden nog steeds. Ik bleef kogels in hun lichaam pompen tot ze ophielden met het aanroepen van God, helemaal gek van angst en pijn. Tot ze eindelijk ophielden met bewegen en de waanzin ophield.'

18

Als hij alleen al afging op de wildgroei van kakkerlakken in de wasbak en het beeld van een roze flamingo dat voor zijn raam op het dode gras rondhoste, was Franny Futura omringd door een vunzigheid waarvan de smakeloosheid onvoorstelbaar was. De tranen sprongen hem in de ogen bij de aanblik van het beschadigde meubilair en de herrie die de afvoer maakte als gasten aan weerszijden van zijn motelkamer van het toilet gebruikmaakten. Jaren geleden moesten de gescheurde en vuile wanden in een vrolijker tint zijn geschilderd; nu hadden ze de kleur van een bejaarde zalm die een natuurlijke dood was gestorven.

Franny liep naar het enige raam en keek naar buiten door een gat in een van de gordijnen. Hij telde de flamingo's. Eén roze gipsen vogel zou nog als kitsch kunnen worden beschouwd, een interessante manier om iets duidelijk te maken. Maar deze kudde van vier was een opzettelijke en angstaanjagende poging tot verfraaiing van de omgeving.

Dus dit was New Jersey.

Nick had tegen hem gezegd dat hij de kamer niet uit mocht, maar de telefoon naast zijn bed was dood. Hij staarde naar de telefooncel aan de overkant van de parkeerplaats, een op zijn kant gezette doodskist die in het zicht stond van het verkeer op een drukke snelweg – een miljoen paar ogen per minuut.

Het was gevaarlijk om de kamer uit te gaan, dat had Nick tenminste gezegd. Franny geloofde hem, want hij liet zich altijd door het minste of geringste bang maken. Hij had ergens gelezen dat angst iets erfelijks was, dat sommige mensen vanaf hun geboorte gewoon voorbestemd waren om minder dapper te zijn dan anderen – daar kon hij niets aan doen.

Maar hij was geen volslagen lafaard. De afgelopen paar jaar was elke vorm van beleefdheid verdwenen en was hij bespot, uitgefloten en uitgejoeld door het publiek. Hij had af en toe zelfs gevreesd dat ze het toneel zouden bestormen om hem eraf te trekken. Toch was hij altijd blijven staan om zijn optreden af te maken, met trillende handen en tranen die voor zweetdruppeltjes doorgingen. Inmiddels had hij duizenden kilometers afgelegd, al jarenlang... en waarvoor eigenlijk?

Als hij alleen maar Emile St. John zou kunnen bereiken, zou alles wel weer in orde komen. Dan zou Emile hem komen ophalen in een verlengde limousine en zouden ze samen terugrijden naar New York City onder het genot van een havanna en een goede whisky uit de bar van de wagen. En dan zou hij vanmiddag de repetities weer kunnen oppakken.

Hij legde een hand op de deurknop en week vervolgens achteruit alsof het metaal te heet was om aan te raken. Wat was het ergste wat hem zou kunnen overkomen? Wat was erger dan de angst vooraf? Nou, Nick zou heel boos zijn. En dan was er nog al dat verkeer op de snelweg – al die ogen die op hem gericht zouden zijn.

Franny stond voor de deur met zijn handen langs zijn zij. Ooit, lang geleden, had hij iets heel dappers gedaan. Hij zou toch vast wel in staat zijn om de parkeerplaats naar die telefooncel over te steken?

Hij hoorde een metalig gekraak en voetstappen die voor zijn deur stilhielden. Er werd op het hout geklopt, één, twee keer. Een sleutel werd in het slot gestoken. De knop draaide om. Franny deinsde achteruit, met trage passen, tot hij viel en naar de muur kroop.

Toen de deur openging, kwam een grote vrouw in uniform binnen met een arm vol schone lakens en handdoeken. Ze staarde met open mond naar Franny, waarschijnlijk verrast om hem daar ineengekrompen op de vloer te zien liggen met zijn handen voor zijn gezicht – zacht schreiend.

Het gebouw was omringd door alle verkeersherrie die gepaard ging met een druk theaterdistrict in het midden van de stad, maar zelfs de sirene van een brandweerauto was niet in staat om deze muren te doordringen. De mate van geluiddichtheid was een belangrijke overweging geweest bij zijn keuze van de plek waar hij wilde optreden. De truc met de galg zou volkomen verknald worden als de aandacht van het publiek werd afgeleid van het tikken van de raderen, het gekraak van hout en de kreten van de gehangene.

Emile St. John controleerde de apparatuur nog één keer. Elke repetitie was vlekkeloos verlopen. Oliver had het ditmaal wel bij het rechte eind gehad.

Hij wierp een blik op zijn polshorloge, terwijl hij de handboeien omdeed. Zijn assistent zou over een paar minuten terugkomen. Hij had de jongeman in dienst genomen omdat hij bijna overdreven punctueel was.

Alles draaide om de exacte timing.

Dertien treden boven hem was het podium van de galg maar heel klein, net groot genoeg om een man te kunnen hangen. Het smalle podium maakte een slonzige indruk, scheef en met ruwhouten planken waaronder een ijzeren raamwerk schuilging. Het zag er een beetje krakkemikkig uit, alsof een kind het met behulp van een handvol roestige spijkers in elkaar had gezet. Op het eerste gezicht leek het bouwsel al bij de geringste tochtvlaag van een stevig applaus in elkaar te zullen storten.

Hij liep de treden op, net als Max Candle zo vaak had gedaan. Zijn voet kwam wat steviger op de laatste tree neer, zodat die zou kraken en bij het scharnier af zou breken. Daarna strekte hij zijn been om op het kleine verhoogde podium te stappen. Emile verplaatste zijn gewicht en het hele bouwwerk wiebelde precies vijftien centimeter heen en weer over het subliem in elkaar gezette raamwerk. Terwijl hij onder de strop stond, keek hij toe hoe het touw begon te zakken, aangedreven door een raderwerk dat ervoor zorgde dat de dodelijke neerdalende schaduw op het gordijn achter hem viel. Toen de strop ter hoogte van zijn hoofd hing, ging het touw iets achteruit. Tot zover werkte het mechanisme prima. Oliver had uitstekend werk verricht door de strop precies aan Emiles lengte en gewicht aan te passen. De metalen arm van de hydraulische lift haakte zich vast in het metalen vest onder zijn pak.

Hij stopte de boeiensleutel in het slot. Het touw werd omhooggetrokken en ging strak staan terwijl de strop onder zijn kin zich sloot, steeds vaster en strakker.

Op dat moment hoorde hij het geluid van brekend hout onder zijn voeten. Zijn handen zaten nog steeds vast in de handboeien. Toen het bouwwerk onder hem wegzakte, zweefde hij niet. Hij volgde niet het goed gerepeteerde vaste patroon door de strop af te doen en via de onzichtbare trap af te dalen naar het lagergelegen toneel.

Hij viel als een steen naar beneden, een dood gewicht, en zijn bewegingloze lichaam keerde zich om en bleef aan het eind van het touw ronddraaien.

Toen Franny erin was geslaagd om het juiste bedrag aan kleingeld in de gleuf te frommelen en eindelijk verbinding met het theater kreeg, hoorde hij de stem van een jonge Fransman aan de andere kant van de lijn. Het had Emile zelf kunnen zijn, vijftig jaar geleden.

'O ja, meneer Futura. Ik ben zijn assistent. Ik zal hem meteen roepen.'

Franny luisterde naar het geluid van voetstappen die zich van de telefoon verwijderden. Onmiddellijk daarna hoorde hij de jongeman schreeuwen.

Nick had het kennelijk bij het rechte eind gehad. Emile kon hem niet meer helpen. Franny hing de telefoon op. De late middagzon viel schuin op zijn vertrokken gezicht dat nat was van de tranen.

Voor de deur van de arrestantencel veroorzaakten nieuwe gevallen een drukte van jewelste bij de NYPD. Mallory zat aan een vierkante tafel, besmeurd met kringen van limonadeblikjes en beschadigd door de intialen die erin gekerfd waren door verveelde misdadigers en politiemensen. Zij was de sluitpost van het budget van de afdeling bijzondere misdrijven. Omdat Slope het autopsierapport van Richard Tree vrijgegeven had, kon ze alle hoop op extra mankracht vergeten en Heller was niet langer voor eventuele proeven of tv-programma's beschikbaar. Haar boosheid werd nog eens aangewakkerd door de grijnzende man die tussen twee politieagenten stond.

'Meneer Prado, als ik kan bewijzen dat u die pijl in dat lichaam hebt gestoken, zult u vervolgd worden wegens het verminken van een lijk – niet bepaald een goede reclame voor het festival. Om nog maar te zwijgen van dat pr-bureau van u. Al die vermogende cliënten zouden wel eens kunnen besluiten om u de rug toe te keren.'

'Doe niet zo bespottelijk,' zei Prado. 'Elke vorm van publiciteit is goed. Vind je het goed als ik dat gerucht zelf in omloop breng?' Hij knikte naar het raam van de tweede verdieping dat uitzicht bood op de straat in SoHo. Beneden verdrongen de verslaggevers zich op het trottoir en veroorzaakten heel wat troep met hun lege koffiebekertjes en de kartonnen doosjes waar hun broodjes in hadden gezeten. Anderen stonden achter de wagen die fastfood verkocht en vormden een hinderlaag. 'Ik ben best bereid om jou de eer van het idee te gunnen als je daar prijs op stelt.'

Achter haar klonk het gekreun van de junk op de vloer van de met gaas bespannen kooi.

'Hé, kappen daarmee.' Agent Hong liet zijn wapenstok hard op het houten onderstel neerkomen, maar slaagde er niet in om de aandacht van de gevangene te trekken. 'Volgens mij staat die vent weer op het punt om te gaan kotsen.'

Mallory keek over haar schouder en onderschepte de blik van de jongen die achter het gaas in elkaar gedoken op de grond zat.

'Maak me niet nijdig,' zei ze.

De junk zakte weer tegen de wand en liet zijn hoofd op zijn borst zakken.

Ze wendde zich weer tot Prado. 'Ik wil precies weten wat u op Thanksgiving Day hebt uitgespookt. Olivers neef droeg nog steeds een smoking toen ik zijn lichaam onder dat podium vond. Ik ga er dus vanuit dat hij een paar uur na de optocht is overleden.'

'Franny is samen met Richard naar het politiebureau gegaan.' Prado gooide zijn jas op de tafel. Ongevraagd trok hij een stoel bij en ging zitten. 'Hij heeft de rechercheurs verteld dat hij die stunt met de kruisboog had georganiseerd en daarna lieten ze de jongen gaan. Ik was er niet eens bij.'

'Dat weet ik wel,' zei Mallory. 'Futura is meteen nadat hij bij het bureau wegging naar het huis van Charles gegaan. Maar u arriveerde pas een uur later. En we kunnen er ook niet achter komen waar u tijdens de optocht uithing. Ik heb alle camerabeelden bekeken. U staat op geen enkele film.'

'Ik ben naar de broodjeswinkel op Columbus Avenue gegaan om koffie te halen. Het was een koude dag en het zou nog een halfuur duren voor de optocht in beweging kwam. Dat staat allemaal in mijn verklaring.'

'Maar u kwam nooit opdagen met die koffie. En ik heb navraag gedaan bij die winkel. Ze kunnen zich geen goochelaars herinneren, en ook geen hoge zijden en geen smoking.'

'Ze zouden zich nog geen marsmannetje kunnen herinneren. Het was stampvol in die zaak en er stond een lange rij op koffie te wachten. Na een poosje besloot ik om er maar vanaf te zien. Ik ben met lege handen teruggegaan.'

'En wat is er toen gebeurd? Waar was u toen die ballon werd neergeschoten? Stond u met een geweer op de rotsen?'

'Alweer zo'n mooi gerucht. Wacht maar tot het bericht wereldkundig wordt dat ik bereid ben om ten behoeve van mijn cliënten jonge hondjes neer te schieten en lijken te verminken. Dat soort reclame is voor geen geld te koop.'

'Help me nu maar om u van alle blaam te zuiveren. Vertel me nou alleen...'

'Je luistert niet naar me, Mallory. Ik wil helemaal niet van alle blaam gezuiverd worden. Mag ik dan nu aan de verslaggevers gaan vertellen waarvan ik beschuldigd word? Misschien kunnen we samen acte de présence op het trottoir geven. Ik met handboeien om – als je gevangene.'

'Ik heb u nergens van beschuldigd – nog niet.'

'Wat moet ik doen om in deze stad gearresteerd te worden?' Hij keek naar de agenten en wendde zich toen weer tot Mallory. 'En waarom heb je onbekende agenten gestuurd om mij te arresteren? Ik heb ervan gedroomd dat jíj me de handboeien om zou doen.'

Mallory keek de agenten aan. 'Hebben jullie hem in de boeien geslagen?'

'Nee, helemaal niet,' zei Pete Hong. 'We hebben hem verteld dat hij niet onder arrest stond. Dat het in feite alleen maar een uitnodiging was om mee te gaan naar het bureau. Hij bood ons de man honderd ballen als we hem in aanwezigheid van een verslaggever zouden boeien. Ik zei dat dat in feite een poging tot omkoping was. En daarna zei meneer Prado dat het een gage was. Ik weet nog steeds niet wat ik in mijn rapport moet zetten.'

'Dat mag jij doen, Mallory.' Hongs partner stond naar de klok te kijken en te wachten tot de grote wijzer aan zou geven dat zijn diensttijd erop zat. 'Brigadier Bell zei dat jij de opdracht had gegeven.'

Mallory knikte. 'Het klinkt mij als een poging tot omkoping in de oren.'

Prado stak zijn handen uit. 'Sla je me dan nú in de boeien?'

'Nee,' zei Mallory. 'Dat doen we nooit als we denken dat de dader dat leuk zou vinden.'

Ze stond op en liep naar de met gaas bespannen kooi. De enige die erin zat was een jongen in spijkerbroek met braaksel op de borst van zijn t-shirt. Hij was weer wakker en zat te rillen terwijl hij ineengedoken op de grond dingen in een vreemde taal voor zich uit mompelde. Mallory kon de taal niet eens thuisbrengen, maar toch wist ze dat de jongen buiten zinnen was en niet meer wist wat hij zei. Zijn huid was nat van het zweet en het lange donkere haar hing in slierten. Hij was totaal verzwakt, had last van maagkrampen en misselijkheid en bevond zich in een andere wereld, waar hij zich nauwelijks van haar bewust was.

'Eens kijken – poging tot omkoping of niet.' Mallory wendde zich weer tot de twee agenten. 'Volgens mij kunnen we meneer Prado net zo goed in de kooi zetten tot we horen wat de officier van justitie ervan vindt. Dat kan wel even duren.'

Prado stond op van zijn stoel en liep naar de kooi om de kleine, tengere jongen op de grond beter te kunnen zien. 'Dus jij denkt dat jouw kleine vriend en ik wel eens verliefd op elkaar kunnen worden terwijl ik zit te wachten?'

'Hij heeft geen belangstelling voor uw lichaam. Hij wil een shot.' Mallory keek neer op de uitgetelde gevangene bij wie het wit van de ogen te zien was. Een dertienjarig meisje zou hem bij een gevecht moeiteloos een pak rammel kunnen geven. 'Maar hij zou zich wel eens op u kunnen storten als u hem irriteert.' Ze keek naar Prado en schudde haar hoofd. 'Nee, oude man, u zou het nog geen twee seconden uithouden tegen een zieke junk.'

Prado keek zo verbijsterd dat Mallory half en half verwachtte dat hij in zijn kruis zou voelen om er zeker van te zijn dat ze zijn ballen niet had afgerukt.

Daar wilde ze het nu over hebben.

Ze duwde met haar voet een stoel onder de tafel weg en gebaarde ernaar. 'Ga zitten, meneer Prado.'

'Ik blijf liever staan.' Zijn stem klonk vastbesloten.

Mallory richtte zich tot de agenten. 'Zorg dat meneer Prado gaat zitten.'

Ze kwamen net op hem af toen hij besloot om toch maar aan de tafel te gaan zitten. Zijn bewegingen waren stram.

Mallory knikte tegen de mannen. 'Jullie kunnen wel gaan. O, wacht even.' Ze keek om naar de jongen in de kooi. 'Weten jullie zeker dat hij geen Engels spreekt?'

'Ja, heel zeker,' zei Hong en zijn partner voegde eraantoe: 'Maar de beklaagde kan zijn ogen nog wel gebruiken, Mallory.'

Er was weinig voor nodig om te begrijpen dat ze niet in het bijzijn van een getuige handtastelijk mocht worden tegenover haar verdachte – een bevestiging dat Prado's mannelijkheid op zijn retour was. Ze zag hoe de man zijn vuisten balde.

Wat moest ze doen om ervoor te zorgen dat hij zijn hoofd verloor?

'Als ik niet onder arrest sta, hoef ik niet met je te praten.'

'U draait de zaak om, meneer Prado. Als we u arresteren, hebt u het recht om te zwijgen. Maar nu? U geeft gewoon antwoord, anders pak ik u op wegens belemmering van een moordonderzoek.'

'Je kunt niet bewijzen dat Oliver...'

'O ja, hoor, dat kan ik wel. Het was bepaald geen perfecte moord. Maar ik kan uit zoveel moorden kiezen. Die op Louisa... daar zijn ook bewijzen voor te vinden. En hoe zit het met Franny Futura? Moet ik hem ook op de dodenlijst zetten? Wat hebt u met hem gedaan, meneer Prado?'

Hij hield een sigaar omhoog. 'Mag ik? O, wacht even, het is tegen de wet om in openbare gebouwen te roken.' Prado stond op en pakte zijn jas. 'Ik ga wel even buiten staan.'

Hij liep al naar de deur toen Mallory het schuifraam omhoog deed. 'U mag wel op de brandtrap gaan staan.'

Ze pakte hem bij de arm en draaide hem om. Hij was uit balans en ging langzaam op het raam af, zonder dat Mallory daar veel voor hoefde te doen. Prado struikelde en kwam met zijn hoofd buiten het raam terecht. Zijn handen verkrampten toen hij zich in doodsangst aan de vensterbank vastgreep. Zijn mond hing open en meteen daarop begon hij te beven. Een van zijn handen ging naar zijn borst en hij snakte naar adem.

Zijn hart? Nee, dit was iets wat stukken interessanter was. Binnen drie seconden was de man van verbazing in een regelrechte paniekaanval terechtgekomen. Toen hij met trillende knieën wegstapte bij het raam nam zijn angst iets af, maar Mallory voorkwam dat hij zich nog verder terug kon trekken.

'Wees maar niet bang,' zei ze, zo oprecht dat het gewoon ongeloofwaardig was. Ze wees omlaag naar de straat. Zijn ogen volgden het gebaar even geboeid als angstig.

'Kijk, meneer Prado. U kunt dwars door het rooster kijken. Denkt u dat de kans groot is dat ik u eraf gooi met al die verslaggevers daar beneden?'

Als hij zo doorging, beet hij zijn onderlip nog tot bloedens toe kapot.

Misschien was er iets op het trottoir wat hem angst aanjoeg. Mallory leunde uit het raam en keek door het rooster omlaag toen de rolstoel van Shorty Rogers de deur van het politiebureau uit kwam stuiven. Alle verslaggevers maakten zich als een haas uit de voeten door taxi's aan te houden of in busjes en privé-auto's te springen. Anderen stoven naar de ingang van de ondergrondse.

Een agent deed de deur van de arrestantenruimte open. 'Hé, Mallory. Die vent die we van je moesten oppakken – St. John? Hij heeft zichzelf opgehangen.'

Charles Butler kwam met een bos bloemen de gang af lopen en belandde midden in een verhitte discussie tussen Mallory en een uit de kluiten gewassen verpleegster.

Op een paar passen achter het stel stond een politieagent met Malakhai. Achter hen ging een deur open waardoor Nick Prado naar buiten kwam, die naar het verzamelde gezelschap keek, zich vervolgens omdraaide en haastig door de gang liep in de richting van een bordje met het woord UITGANG.

Er mankeerde niets aan Nicks instinct. Charles vroeg zich af of het misschien verstandiger was om Emile St. John een andere keer een beleefdheidsbezoekje te brengen.

De vrouw in het witte uniform gaf Mallory een grote mond. 'Wat kan het mij voor de donder schelen wat u wilt? Meneer St. John is géén slachtoffer van een misdaad. Hebt u me verstaan? Het was een óngeluk.'

Dat woord viel bij Mallory de laatste tijd niet echt in goede aarde. 'Dat zint me helemaal niet.' Ze trok haar penning te voorschijn. 'Er zijn maar weinig mensen die zichzelf per ongeluk ophangen.'

De verpleegster keek niet eens naar het gouden schild. 'Meneer St. John zegt dat er iets misging bij een goocheltruc. Dat is zijn verhaal en zijn assistent beaamt dat. En als hij meneer Prado wil zien, of meneer Malakhai, of iemand anders, dan vind ik dat best. Maar u niet. Dat heeft hij nadrukkelijk gezegd.'

Charles keek toe hoe Mallory overschakelde op een andere tactiek die er nog net niet op neerkwam dat ze de verpleegster neerschoot. Ze haalde een opschrijfboekje uit haar zak, waarbij ze er alleen maar voor zorgde dat de vrouw de revolver in de holster zág. Haar ogen en de klank van haar stem gingen een stapje verder om de verpleegster duidelijk te maken dat ze er eigenlijk naar snakte om bloed te zien. 'Ik moet een verklaring hebben van...'

'Om de dooie dood niet!' De verpleegster wees naar de agent die bij de deur van de ziekenhuiskamer stond. 'En die bewaker heeft hier niets te zoeken. Hij moet weg.'

Malakhai leunde tegen de muur van de gang en amuseerde zich kostelijk met de woordenwisseling. Hij knikte bij wijze van groet tegen Charles en wendde zich toen weer tot de verslagen Mallory. 'Dus jij denkt dat Emile nog een ongeluk zal overkomen als ik hem bezoek? Misschien heeft Nick hem al om zeep gebracht. Moeten we dat niet even controleren?'

Charles merkte dat er een explosieve sfeer tussen Malakhai en Mallory hing. Als het leeftijdsverschil tussen hen beiden niet zo bijzonder groot was geweest, zou hij het misschien seksuele spanning hebben genoemd. In de subtiele dans die zich ontspon, wees alles daarop. Mallory deed een stap naar voren alsof ze van plan was om hem aan te raken en Malakhai boog zich naar haar toe – en wat verwachtte hij eigenlijk? Een liefkozing?

Vergeet het maar.

Charles dacht even dat ze de man een klap zou geven. Dat speelde in ieder geval door haar hoofd, zelfs toen ze achteruitweek. Malakhai trok haar aan en stootte haar af, hij maakte haar woedend maar boeide haar tegelijkertijd, allemaal symptomen van psychosen die nauwe verwantschap met liefde en haat vertoonden.

De verpleegster hield de deur open en richtte zich tot Malakhai. 'Gaat u maar naar binnen, dan reken ik wel met die bewaker af.' Vervolgens wierp ze een boze blik op de agent die naast de deur stond. Toen die achter de illusionist was dichtgevallen, trok Mallory Charles mee de gang in met achterlating van de verpleegster die haar taak als bewaker er niet gemakkelijker op maakte door zich pal voor een politieagent op te stellen.

'Laten we eens aannemen dat iemand hoogtevrees heeft,' zei Mallory. 'Hoe groot is dan de kans dat hij in een penthouse woont?'

'En uiteraard is het puur toeval dat Nick Prado in een penthouse woont.'

'Charles, ik vraag je niet om een vriend te verraden. Ik probeer net als jij om verdachten te elimineren. Hoogtevrees zou kunnen verklaren waarom hij niet op die praalwagen stond toen dat geweer afging. Heeft hij hoogtevrees of niet?'

'Ik heb geen flauw idee.'

'Charles, ga nou eens in gedachten terug. Futura zei dat Prado niet op de praalwagen zou klimmen – zoals hij inderdaad weigerde. Prado droeg die ochtend een smoking. Er werd van hem verwacht dat hij aan de voorstelling mee zou werken, of niet soms? Maar heeft hij ook op die praalwagen met de hoge hoed gestaan?'

'Nou nee, maar ik ging ervan uit dat hij bezig was om de politiemensen die Olivers neef hadden gearresteerd uit te leggen hoe het precies met die kruisboogstunt zat.'

'Nee, dat heeft Futura gedaan. Dat heeft tien minuten in beslag genomen. Dus Prado is helemaal niet op de praalwagen geweest?'

'Nou nee, maar dat houdt nog niet in...'

'Zou hij in een penthouse kunnen wonen als hij hoogtevrees had?'

'Ja, hij zou zelfs een vliegtuig kunnen besturen. Zo lang hij zich in een afgesloten ruimte bevindt, is er geen enkel probleem. Het is namelijk de enige fobie waarbij sprake is van angst voor persoonlijk letsel. Hij is alleen bang als hij aan de rand van een afgrond zou staan, of desnoods op een ladder. Maar als er sprake is van een beschermend obstakel – zoals een ruit bijvoorbeeld – dan zou het angstgevoel uitblijven.'

'De kroon van de hoge hoed was wat? Misschien drie meter hoog? Hij zou er niet over piekeren om daar bovenop te gaan staan, nietwaar?'

'Dat klopt. Als hij inderdaad hoogtevrees heeft, zou hij geen voet op een ladder zetten. Maar dat valt op geen enkele manier te controleren.'

Ze keek hem zo argwanend aan. Zou ze denken dat hij loog? Waarschijnlijk wel. Maar hij wist dat het niets persoonlijks was. Het was bijna een compliment dat ze geloofde dat hij kón liegen.

'Mallory, je kunt iemand je leven lang kennen zonder er ooit achter te komen dat er een fobie in het geding is. Mensen met een fobie vermijden elke situatie die voor problemen zou kunnen zorgen. Dus hoe groot is de kans dat je ooit getuige zou zijn van een paniekaanval?' En een narcist als Nick zou nooit erkennen dat hij een zwak punt had.

Verderop in de gang ging de deur van de kamer van Emile St. John dicht. Malakhai kwam op zijn gemak en met een opgewekte glimlach naar hen toe lopen – waaruit ze konden opmaken dat de toestand van Emile allesbehalve ernstig was.

'Het spijt me,' zei Malakhai. 'Hij mag geen bezoek meer hebben. Het was een vrij akelig ongeluk.'

'Ja, vast.' Mallory had ongetwijfeld ook conclusies getrokken uit zijn lichaamstaal en zij was tot de slotsom gekomen dat hij loog.

Malakhai glimlachte tegen haar. Op zijn gezicht stond te lezen: *Ik heb een verrassing voor je en je zult het helemaal niet leuk vinden.* 'Er is iets misgegaan bij de truc, maar dat kan gemakkelijk rechtgezet worden. Emile heeft Nick gevraagd om in te vallen en de voorstelling over te nemen.' Hij boog zich dicht naar Mallory toe en fluisterde: 'Het ziet ernaar uit dat Oliver de plannen voor een andere truc ook verprutst heeft.'

Charles raakte een moment in verwarring toen hij niet wist of dat stel elkaar zou vermoorden of omhelzen.

Mallory liep de studeerkamer binnen en ging aan haar bureau zitten om de afscheidsbrief te schrijven. Drie generaties van politiemensen in de familie Markowitz hadden dat voor haar ook al gedaan.

Maar aan wie moest ze hem adresseren?

Aan Charles? Nee, hij was een tweedehands vriend, die was doorgeschoven door haar overleden pleegvader. En als het erop aan kwam, zou hij misschien niet eens aan haar kant staan. Ze had zich tot het uiterste ingespannen om te voorkomen dat hij voor dat examen zou zakken.

Riker? Of een van de oude pokermaatjes van Markowitz? Nee. Net als het zakhorloge waren het stuk voor stuk erfenissen van de oude man, de enige om wie ze echt gaven.

Mallory keek neer op het witte papier en schetste het in gedachten vol met beelden van de Academie van het Heilig Hart. Helen Markowitz had haar pleegkind bij de nonnen op school gedaan toen ze erachter was gekomen dat de jonge Kathy haar leven als katholiek was begonnen. Dat experiment was slecht afgelopen. Het kleine meisje bleek een natuurlijke aanleg voor sport te hebben en een echte wedstrijdmentaliteit, maar toch wilden haar klasgenoten niet samen met haar in één ploeg zitten. Ze zag hen weer voor zich op de speelplaats waar ze zich met ogen vol argwaan op afstand hadden gehouden, omdat ze instinctief aanvoelden dat er iets mis was met Kathy Mallory.

Destijds was al dat gedoe over kiezen aan wiens kant je stond zo belangrijk voor haar geweest. En nu? Nou, nu het echtpaar Markowitz dood was, had ze geleerd om zich niet druk te maken over het feit dat ze alleen stond.

Vergeet het maar.

Hoe het ook zij, ze was alleen.

Mallory staarde naar het lege vel. Wat had dit dan voor zin?

Het oude zakhorloge lag op een hoek van het bureau. Aan de binnenkant van het deksel, onder de gegraveerde namen van de oude man en zijn voorvaderen, allemaal overtuigd van de waarde van traditie, vormde haar eigen naam de laatste regel.

Als een schoolmeisje dat plichtsgetrouw haar huiswerk maakte, boog Mallory haar hoofd over het papier en schreef: 'Aan iedereen die zich hierbij betrokken voelt.' Ze verscheurde het blaadje en begon opnieuw, iets minder formeel en wat realistischer in haar verwachtingen: 'Aan iedereen voor wie het belangrijk is...'

Verder kwam ze niet. Het begon donker te worden, maar ze deed de bureaulamp niet aan.

Louisa's brief was gedateerd geweest op de dag dat ze stierf en het schrijven ervan had duidelijk alle tijd in beslag genomen die haar nog restte. Het was een prachtig afscheid van een vrouw die op papier haar ziel had blootgelegd. Maar niemand zou een dergelijke brief van Mallory de Machine verwachten.

Opnieuw zat ze te worstelen met de aanhef. Als ze wilde dat dit ook maar enige betekenis had, moest haar afscheid aan één persoon zijn gericht. Haar pleegmoeder zou het een liefdevol gebaar hebben genoemd om het verdriet van degenen die achterbleven te verlichten.

Mallory's pen bleef in de lucht zweven. Ze hield haar hoofd schuin.

Als er geen sprake was van liefde en ze niet verwachtte dat er tranen aan te pas zouden komen, wat had dit dan voor zin?

Franny Futura werd met een schok wakker, terwijl zijn handen tegen het glas trommelden dat hem aan alle kanten omsloot – de doodskist. En het voetlicht bewoog zich met een ongelooflijke snelheid over het podium.

Nee, hij bevond zich niet op een toneel. Hij was er niet in geslaagd om naar New York City terug te keren. Terwijl hij met samengeknepen ogen door de smerige ruit tuurde, kon hij nog net het bekende beeld van vier huppelende roze flamingo's zien.

Hij was dus nog steeds in de telefooncel langs de snelweg en inmiddels was hij klaarwakker en weer doodsbang. Toen hij opstond, knikten zijn knieën en hij voelde scherpe pijnscheuten in al zijn gewrichten en spieren. Hij zakte tegen een van de doorzichtige wanden en drukte zijn voorhoofd tegen het glas.

Was hij wel eens eerder zo hongerig en moe geweest... zo koud? Wat moest hij doen? De motelkamer lag precies aan de overkant van het parkeerterrein. Franny's ogen bleven strak op de deur gevestigd, terwijl zijn gezicht vertrok van een nieuwe pijnscheut in een van zijn achillespezen. De deur leek wel honderd kilometer weg voor iemand wiens benen niet meer in staat waren om hem over dat donkere stuk grond te dragen.

Een stel koplampen kwam de parkeerplaats op. De auto kwam recht op hem af, terwijl hij met grote snelheid op de telefooncel toe reed en hem verblindde met het felle licht dat nog eens versterkt werd door de weerspiegeling in vier glazen wanden. Duizend kilo staal en chroom stopte vlak voor de cel, met piepende remmen en banden die het grind lieten opspatten.

Wie van hen speelde nu met hem... martelde hem? Dit was te wreed voor woorden. Was het Nick Prado of Mallory?

19

Op die donkere ochtend kartelde de bliksem door de lucht boven de bomen van Central Park. De stenen trappen van de fontein waren nat van de mist en Mallory's haar was bedekt met een netje van fijne waterdruppeltjes. Aan de overkant van de brede oprijlaan die het hotel van de binnenplaats scheidde, liet een felle wind de vlaggen van de vele naties wapperen die de voorgevel van het beroemde gebouw sierden.

Ze had de natuur niet beter kunnen orkestreren.

Iets anders wat haar bijzonder goed uitkwam, was het feit dat een menigte activisten voor de rechten van het dier de trottoirs bevolkte. Een legertje boze mensen hield enorme foto's van gewonde dieren omhoog. Anderen zwaaiden met borden waarop korte metten werd gemaakt met een van de hotelgasten, een filmster die in het openbaar bont droeg.

Een hotelbediende laadde koffers in de kofferbak van een lange zwarte limousine. Toen de chauffeur naar de achterkant van de auto liep om een fooi te geven, sprintte Mallory weg uit haar schuilplaats bij de fontein en worstelde zich door de menigte op het trottoir. Ze trok het linkervoorportier open en gleed achter het stuur. Aan de andere kant van de glazen scheidingswand zat Emile St. John als enige passagier op de achterbank. Mallory draaide zich om en glimlachte hem toe. Er ging geen warmte uit van haar gezichtsuitdrukking – die voorspelde eerder dat er iets vervelends stond te gebeuren. En St. John was volkomen overdonderd.

Ze drukte een knop op het dashboard in. Alle deuren van de auto werden vergrendeld. Een andere knop zorgde ervoor dat de glazen wand die hen scheidde omlaag zakte. 'Goedemorgen.' Ze slaagde erin om dat als een dreigement te laten klinken, terwijl ze het contactsleuteltje omdraaide en de motor startte.

'Is dit een ontvoering?' St. John was alweer over de schok heen en leek inmiddels alleen maar geamuseerd. 'Wat zal Nick me benijden. Waar gaan we heen?'

'Nergens heen.' Ze zette de lange wagen dwars over de beide rijbanen van de oprit. De grill en de achterbumper raakten bijna de auto's die aan weerszijden geparkeerd stonden waardoor het verkeer volkomen werd gestremd. De motor draaide stationair toen ze zich omdraaide en hem aankeek, nu zonder glimlach. 'U bent jarenlang een eersteklas rechercheur geweest, meneer St. John. Het is niets voor u om weg te lopen.'

'Ik vrees dat ik met het klimmen der jaren een lafaard ben geworden. Ik ben te oud om de trucs van Max Candle op te voeren.' Hij zwaaide even met zijn hand alsof hij wilde zeggen: *Zo simpel is het.*

De chauffeur tikte beleefd op Mallory's raampje. Ze deed net alsof ze hem niet zag. 'U hebt Nick Prado gevraagd om de stunt van de gehangene over te nemen. Hij is ongeveer net zo oud als u, hè?'

'Maar Nick is zich daar niet van bewust. Ik heb het nooit over mijn hart kunnen krijgen om hem te vertellen dat hij oud werd.' St. John draaide zich naar het zijraampje en zag naast de limousine een rode personenauto tot stilstand komen. De auto stond met de voorruit naar de zijraampjes van de wagen gekeerd; de bestuurder zat naar hen te zwaaien en maakte een gebaar van wegwezen, alsof de paar ton metaal die dwars voor hem stond daardoor in het niets zou verdwijnen. St. John stak twee vingers omhoog naar de chauffeur om hem duidelijk te maken dat het niet lang zou duren, hooguit een paar minuten.

Daarin vergiste hij zich.

De portier van het hotel stond op het zijraampje achter te kloppen in een poging de aandacht van St. John te trekken. De luxueuze limousine was goed geïsoleerd om het stadslawaai buiten te sluiten en de stem van de man was nauwelijks luider dan het gezoem van een insect, maar Mallory kon wel raden wat hij zei. Door het tegenoverliggende zijraampje kon ze het stuk van de oprijlaan zien dat met een bocht terugliep naar de drukke verkeersader van Central Park South. Een taxi was naast de rode personenauto gestopt, met de koplampen hooguit dertig centimeter van de zijkant van de limousine verwijderd. Terwijl uit die twee voertuigen passagiers en bagage werden geladen, gingen er nog twee taxi's en een personenauto achter staan, waardoor ze op de oprijlaan vast kwamen te zitten.

De binnenplaats werd verlicht door een bliksemschicht.

Ze schonk geen aandacht aan het steeds hardnekkiger geklop op de raampjes. Haar stem klonk nonchalant. 'De dokter zei dat uw óngeluk alleen maar een nare schaafwond tot gevolg had.' In feite had de dokter geweigerd om ook maar iets te zeggen. Een inbraak in de computer van het ziekenhuis had meer opgeleverd. 'Maar hoe zit het met Franny Futura? Is hij al dood?'

De klap kwam direct na de bliksem, harder dan een kanonschot.

St. John keek naar het raampje waar dikke regenspetters op verschenen. Een andere man stond op de ruit te kloppen en naar een gele taxi te gebaren die tussen de limousine en de andere auto's ingeklemd stond.

Mallory trok zich niets aan van de kloppende man. 'Waar is Futura?'

St. John schudde alleen maar met zijn hoofd, afgeleid door de mannen die bij de raampjes stonden. De chauffeur had de aftocht geblazen, maar de portier niet en de taxichauffeur was overgegaan op het seksueel expliciete gebaar van één opgestoken vinger, een traditioneel Newyorks verkeersteken dat St. John opdracht gaf om zijn wagen in een donker hol te steken. Buiten het dikke geluiddempende glas begon de chauffeur in pantomime een woordenwisseling met de taxichauffeur. Er reden nog meer auto's de oprit op.

'Waar is Futura?' Er klonk geen aandrang in haar stem. Wat haar betrof, mocht het de hele dag duren. Andere bestuurders vormden een oploopje rond de chauffeur van de limousine en de taxichauffeur. Ronde ogen, Aziatische ogen en alle mogelijke huidskleuren waren door de beregende raampjes te zien.

'Mallory, als ik wist waar Franny was, zou ik je dat heus wel vertellen.'

'Ja, dat zal wel.'

De taxichauffeur had de chauffeur met een opgeheven vuist verdreven en richtte zijn aandacht nu weer op het raam, door er met zijn vuist op te gaan rammen. Hoewel het bij de wet verboden was om zonder dringende aanleiding gebruik te maken van de claxon negeerde Mallory de wetsovertreder die zijn claxon onafgebroken liet blèren. De rij auto's reikte nu tot in de straat. De auto's die vaststonden, konden zich niet achteruit tussen het verkeer wringen. En er was evenmin een uitweg over het trottoir, dat vol stond met activisten. Een van de demonstranten zwaaide met een enorme foto van een afgeknaagde poot van een dier die in de metalen klemmen van een val was achtergebleven. De mist was veranderd in een lichte regenbui, maar geen van de dierenvrienden vertoonde de neiging om te vertrekken. Ze waren toeschouwers geworden die stonden toe te kijken hoe de boze automobilisten de limousine belaagden.

'U bent helemaal niet bang, meneer St. John. Dat is niet de reden waarom u halsoverkop teruggaat naar Parijs. U wilt er gewoon niet bij zijn als er weer een man sterft.'

Er kwamen andere chauffeurs voorbij die met koffers liepen te zeulen uit auto's achteraan in de rij; ze wierpen boze blikken op de limousine. Andere mannen hadden zich bij de taxichauffeur gevoegd die nu met twee vuisten op de motorkap stond te beuken, gefrustreerd en in een poging tot wraak op die rijke stinkerd die het waagde om hem te negeren. Zijn ogen sprongen bijna uit zijn hoofd van woede. Er waren nog meer automobilisten die hun handen warmden door de ramen en de kofferbak te lijf te gaan. Hun monden openden en sloten zich in geschreeuw dat door de dikke glazen barrière heen drong. De woorden waren gedempt en gedeeltelijk in vreemde talen, maar de bedoeling was duidelijk. Het was niet moeilijk om het woord 'klootzak' en diverse synoniemen van de lippen te lezen.

Het verkeer op twee rijstroken van Central Park South stond muurvast.

Het kostte St. John steeds meer moeite om beleefd te blijven naarmate de ramen het van steeds meer handen te verduren kregen en boze gezichten zich tegen het glas drukten. 'Mallory, dit is allemaal oude koek en het had eigenlijk al lang voordat jij geboren werd opgelost moeten zijn. In de oorlog heb ik me geschikt in het doden met mijn godsdienst als...'

'U hebt zich nooit ergens in geschikt. U loopt er nog steeds mee rond.' Ze had midden in de roos geschoten. Het stond in zijn ogen te lezen, die pijnlijke treffer op een tere plek.

Een van de auto's aan het eind van de oprit had geprobeerd achteruit de straat op te rijden en een rijtuigje geraakt, waardoor het paard zich van zijn tuig had kunnen bevrijden, en nu draafde het oude dier over het trottoir, waar de voetgangers alle kanten op stoven. Het gejuich van de dierenbeschermers drong door het glas. Het omgeslagen rijtuig zonder paard hinderde het verkeer nog meer en inmiddels begon de rij stilstaande voertuigen al voor het kruispunt.

Een man in een grijs pak drukte zijn identiteitsbewijs tegen Mallory's raampje. Zonder om te kijken wist ze dat het een van de veiligheidsbeambten van het hotel was. Op dat moment werd het grijze pak ruw opzij geduwd door mannen die niet zo goed gekleed waren. De auto werd aan alle kanten belaagd door vuisten die op de ramen of op de carrosserie bonsden. De dierenliefhebbers op het trottoir leken aan de kant van de taxichauffeurs te staan en versterkten met hun gejoel de indruk dat er een eersteklas rel aan de gang was.

'Ik weet wel waarom u weggaat.' Ze glimlachte minzaam. Ja, het begon op een echte fijne Newyorkse ochtend te lijken, vol ruzie en geweld op straat. 'U wilt er niet bij zijn als die moord plaatsvindt. Alsof dat alles rechtvaardigt, het feit dat u ergens anders bent op het moment dat een man de dood vindt.'

Het geluid van meerdere claxons drong door het glas van de raampjes.

'Ik weet dat u wilt dat ik het een halt toeroep. Daarom hebt u me in dat podium opgesloten, hè? Dat was een boodschap die alleen voor mij bestemd was. De logica van een rechercheur. Toeval is altijd verdacht.'

Een man met een tulband stond op de motorkap te dansen en sprong vervolgens op het dak van de auto. De menigte stond enthousiast te applaudisseren.

'En het verstoppen van dat lijk in het podium? Dat was uw werk, meneer St. John. U wilde dat ik de zaak in handen kreeg – officieel. Met dat lijk heb ik hem van u op een presenteerblaadje aangeboden gekregen. Maar nu wilt u me niet helpen om een moord te voorkomen. U kunt het niet opbrengen om een kant te kiezen, hè? Prima, maar zorg er dan voor dat ik u niet achterna hoef te gaan. Blijf hier en kijk toe hoe een man sterft. Laten we het boetedoening voor het beulswerk noemen.'

'In de oorlog...'

'Begin daar nou niet weer over. Jullie zijn stuk voor stuk gewoon meelijwekkend. Oude mannen die oorlogje spelen. Futura is dood, hè?'

Hij deinsde achteruit en ze wist dat het waar was, of dat het binnenkort zo ver zou zijn. De dierenliefhebbers begonnen te juichen. St. John keek omhoog naar het dak van de auto waar voeten op de carrosserie stampten.

'Het is een hard gelag. Zal Malakhai sterven?' Haar stem klonk monotoon. 'Of zal hij Prado eerst te pakken krijgen? U weet dat ik de man die overblijft inreken en misschien zal moeten doden? Bent u daarop uit?'

De auto bewoog en wiegde heen en weer. Boze handen duwden er van weerskanten tegen. De meute was het niet versperde stuk van de oprit opgelopen om alles beter te kunnen zien. De toeschouwers stonden te wachten tot hun hoop uit zou komen en de lange zwarte limousine met de grond gelijk gemaakt zou worden. De man met de tulband sprong opnieuw op de motorkap en begon aan een wilde dans, waarbij hij met zijn cowboylaarzen deuken in de carrosserie maakte. En daarna schopte hij tegen de voorruit, maar het dikke glas begaf het niet.

Alleen Mallory was volkomen rustig terwijl ze St. Johns gezicht bestudeerde. Zat hij terug te denken aan de tijd waarin de maquis voor rechter had gespeeld, aan de meutes, de moordlustige massa's? *Welkom op mijn slagveld, New York – Fun City.*

Ze hoorde de sirenes naderen, nu nog een ijl gejank dat door het glas heen drong, maar het volume nam toe. De bliksem flitste en de klap volgde een ogenblik later; het onweer kwam dichterbij.

'De dag dat Louisa stierf hebt u haar verteld dat er door de Duitsers aanplakbiljetten met haar portret werden gedrukt. Dus ze wisten niet waar ze was – tot iemand haar verried. Was dat niet de reden waarom Malakhai een Duits uniform droeg toen hij haar neerschoot? Hij wist dat zij...'

'Ja, ja!' De auto was bij de laatste duw bijna omgerold. St. John klemde zich vast aan de armleuningen om zijn evenwicht te bewaren. Zijn gezicht vertoonde geen duidelijke sporen van angst, maar het zweet dat op zijn bovenlip parelde, kon hij niet verbergen, evenmin als zijn witte knokkels. Er brak een knokpartij uit tussen de automobilisten en de mensen in hoteluniformen, waardoor St. John op de aanblik van echt bloed werd getrakteerd terwijl de mannen om de auto als bommen ontploften.

Mallory's stem fluisterde bijna. 'De verrader... was dat Franny Futura?'

Hij zat haar alleen maar aan te staren, alsof ze krankzinnig was omdat ze te midden van deze menselijke storm zo kalm bleef. Hij kon ieder moment in de auto doordringen – of ze zouden eruit gesleurd worden. Een bebloed gezicht werd tegen het raam naast het hoofd van St. John geslagen en hij schoot op van schrik. In zijn ogen stond geen angst te lezen, maar pijn. Dit was de keerzijde van de maquis, de meute gezien vanuit de ogen van hun doelwit – nieuw begrip, verse ellende.

'Was Futura de verrader?'

De limousine werd met hernieuwd geweld heen en weer geschud. De sirenes waren inmiddels een stuk luider. Het voertuig kwam weer op vier wielen terecht toen twee politieauto's langs het trottoir stopten.

'Nee, het was Franny niet.' St. Johns hoofd zakte achterover tegen de kussens, de ogen strak op het met bloed besmeurde glas. 'Het was Olivers taak om inlichtingen over Louisa door te geven.'

'Zijn táák? Hebben jullie Louisa met z'n állen vermoord?'

'Ik vond die andere enscenering een stuk beter,' zei Nick Prado. 'Veel sfeervoller. Die opgesloten drugsverslaafde was een onbetaalbaar rekwisiet.' Hij stond voor de spiegel achter in de officiële verhoorkamer en borstelde niet-bestaande stofjes van zijn stropdas als excuus om dichter bij zijn eigen spiegelbeeld te zijn. 'En hoe is het met dat troeteldiertje van je afgelopen, Mallory?'

'Met die junk?' Ze sloot de deur en deed hem op slot. 'We hebben hem overgeheveld naar een grotere kooi en iemand heeft hem een mes in zijn rug gezet. De andere bajesklanten zullen je er alles over vertellen wanneer je daar aankomt.'

Hij glimlachte naar de spiegel en tikte op het glas. 'Dit is een raam, hè? Met glas dat maar van één kant doorzichtig is? Zitten er momenteel mensen naar ons te kijken?'

'Nee, meneer Prado. Iedere keer als u dat vervelende idee krijgt dat iemand u in de gaten houdt... dan ben ik dat meestal.' Mallory ging aan de tafel zitten. Boven op haar dikke kartonnen dossiermap lag een theaterkaartje. Een koerier had het bij haar bureau in de recherchekamer van de afdeling bijzondere misdrijven afgeleverd, verpakt in een pas gedrukte reclamefolder met het programma van het festival.

Dus Charles Butler zou de Verloren Illusie in Carnegie Hall voor het voetlicht brengen. Dit eerbetoon aan wijlen Max Candle stond na het optreden van Malakhai geprogrammeerd.

En wie was op dat idee gekomen?

Prado pakte een stoel aan de andere kant van de tafel en ging zitten. Hij stak zijn hand uit en tikte op de reclamefolder. 'Ik zie dat je het nieuws al hebt gehoord. Een dappere knul, onze Charles. Er zijn tegenwoordig niet al te veel mensen die de trucs van zijn neef overleven.' Prado's stem klonk een tikje snoeverig. Zijn woorden liepen in paradepas over zijn stembuigingen.

'Sta je op het punt om me te arresteren?' Zijn gezicht was half grijnzend, half wellustig. Hij stak zijn armen uit om geboeid te worden. 'Jammer dat je geen uniform draagt. In mijn fantasie…'

'Ik zit wel degelijk aan een arrestatiebevel te denken. Ik zou m'n geluk maar niet al te zeer op de proef stellen.' Ze legde het kaartje en de reclamefolder opzij. 'Hoe bent u van plan om te vermijden dat u die truc van Emile moet opvoeren – met die galg? Dertien treden omhoog naar een klein, wankel podium, is het niet? Gezien uw hoogtevrees…'

'Mijn wat? Ik weet niet waar je het over hebt. Ik heb vanmorgen al een keer gerepeteerd. Vraag het maar aan Emiles assistent.'

Nee, het was onmogelijk dat ze zich in dat opzicht vergiste.

Mallory boog zich voorover om zijn ogen beter te kunnen zien toen ze haar hand snel voor zijn gezicht heen en weer bewoog. Hij knipperde niet eens en de irissen reageerden traag toen het felle licht van het raam geblokkeerd werd. Ze gooide hem een potlood toe dat hij liet vallen toen hij het probeerde op te vangen.

'En hoeveel kalmerende middelen hebt u moeten slikken om alleen maar die trap naar de galg op te lopen?'

De pure haat in zijn blik duurde maar een moment.

Mallory keek omlaag naar de stapel dossiers. 'Goed, meneer Prado, laten we het eens over de moord op Oliver Tree hebben.' Ze keek hem niet aan terwijl ze de velletjes in het eerste dossier doorkeek. 'U bent de enige die wist op welke manier hij die truc wilde uitvoeren.'

'Ik zie dat je nog steeds geobsedeerd bent door de Verloren Illusie.'

'Niet meer. Oliver heeft elke truc waarvoor hij een oplossing had bedacht weggegeven – als presentje aan zijn oude vrienden.' Ze haalde een opschrijfboekje tevoorschijn en bladerde terug. 'Thanksgiving bij Charles thuis.' Ze keek op naar Prado. 'Toen hebt u gezegd dat u uw rekwisieten en aanwijzingen al maanden geleden had gekregen. Maar u bent de enige die niet van plan was om tijdens het goochelfestival op te treden.'

'Ik verzorg alle publiciteit. Daar gaat een hoop tijd in zitten.'

'Nee, u was degene die de oplossing voor de Verloren Illusie kreeg. Oorspronkelijk was Oliver helemaal niet van plan om die truc in het openbaar op te voeren. Volgens mij kende hij zijn eigen tekortkomingen maar al te goed. Hij had ontzettend veel respect voor de rest van uw gezelschap – de echte illusionisten. De ogen aan de staanders zaten veel te hoog voor een man van zijn postuur. Hij heeft het podium voor een langere man gemaakt, iemand die even lang was als Max Candle, iemand van uw lengte.'

Ze haalde tevoorschijn wat ze had gezocht. De stof was tussen de velletjes papier geplet. 'Oliver nodigde u uit om een programma samen met Franny Futura te verzorgen. Maar u wees het aanbod af. U haalde hem over om de truc zelf op te voeren – bij wijze van publiciteitsstunt als opening van het festival.'

'Hoe ben je tot die conclusie gekomen?' Aan zijn gezicht was niet te zien of ze goed had gegokt.

'Het podium werd niet in Olivers testament vermeld. Dat heeft me aldoor dwars gezeten. Toen besefte ik dat hij het allang weggegeven had – aan u. En dat is belangrijk, om voorbedachten rade aan te kunnen tonen. U had de boeiensleutel bij u toen u naar het park kwam. U hebt hem opgepoetst om hem als nieuw te laten lijken.' Ze gooide het groenfluwelen zakje op tafel. Het zat samen met de paperassen die het tot bewijsmateriaal maakten in een plastic hoes. 'U hebt de zakjes verwisseld. Deze is van u. Ik heb hem op het lichaam van Oliver aangetroffen.'

In feite was dit het exemplaar uit de gereedschapskist van Charles.

Prado keek met lichte nieuwsgierigheid neer op het fluwelen zakje. 'Alle leerlingen van Faustine hadden zo'n zakje.'

Mallory boog zich over haar opschrijfboekje. 'Dus u geeft toe dat u ook zo'n groen zakje had.' Dat was niet als vraag bedoeld en ze gaf hem niet de kans om haar tegen te spreken. 'U vindt het toch niet erg om een bloedmonster af te staan, hè? Dat heb ik nodig om het DNA vast te stellen. Ik moet ook het pak hebben dat u die dag in Central Park aan had. Ik wil dat het vergeleken wordt met de vezels die op het zakje zijn aangetroffen.' Ze had geen schijn van kans om zelfs nog maar een dubbeltje voor een forensisch onderzoek van hoofdinspecteur Coffey los te peuteren.

Mallory keek naar hem op met een vertoon van gespeelde verbazing waar nog geen achtergebleven kind van tien jaar in zou zijn getrapt. 'Nee? U wilt niet meewerken? Nou, als ik u de moord ten laste heb gelegd, zal zelfs de beste strafpleiter van de stad niet kunnen voorkomen dat ik wat bloed van u laat afnemen.'

Ze richtte haar aandacht weer op de velletjes in haar dossier. 'Maar goed, de dood van Louisa was een stuk ingewikkelder. Ik heb u onderschat, meneer Prado.'

'Dank je wel. Mag ik het compliment retourneren? Je begint al als een goochelaar te denken.'

'Nee, het zou tijdverspilling zijn om als een goochelaar te denken. Het was een stuk moeilijker om me in te leven in de gedachten van een snertknulletje van rond de twintig – maar ik had er wel veel meer aan. De samenzwering om Louisa te vermoorden was u ten voeten uit, Prado. Te stompzinnig voor woorden. Veel te ingewikkeld – veel te veel vertoon. Het lijkt wel alsof u een lichtreclame op haar lijk zette. Ik weet niet hoe u het klaarspeelde om als jeugdige delinquent in Parijs te overleven. Dáár neem ik dus wel mijn petje voor af.'

'Ik heb liever wat subtielere complimentjes, Mallory.'

'Ik heb u op zoveel stommiteiten betrapt dat de jury niet meer bij zal komen van het lachen.'

'Dat is al te veel eer. Ik bloos ervan.'

'Als Louisa die nacht niet was gestorven, had de Franse politie zich een ongeluk gelachen. En daarna zouden ze jullie allemaal opgepakt hebben. Futura zou vast het eerst door de knieën zijn gegaan. Het heeft er altijd dik in gezeten dat hij voor problemen zou zorgen. Is hij al dood?'

'En welk bewijs...?'

'Louisa was op de hoogte van uw activiteiten als vervalser.' Ze hield het oude paspoort omhoog. 'Een onweerlegbaar bewijs voor het motief. Futura en St. John zaten in het verzet. Het lijkt mij dat ze over jullie allemaal iets zou kunnen vertellen, zelfs over Oliver. Hij verleende onderdak aan een ontsnapte gevangene. Niemand van u kon zich permitteren om haar weer door de Duitsers op te laten pakken. Zo kon u de anderen overhalen om mee te werken aan het in scène zetten van de moord op Louisa Malakhai.'

Hij sloeg met een neerbuigende glimlach zijn armen over elkaar.

Ze hield een fax van het Britse ministerie van defensie omhoog en legde die vervolgens voor hem op tafel neer. 'Nadat ze dood was, werd u soldaat – om te moorden met vergunning. Kreeg u door Louisa de smaak te pakken? Wat een kick. Vond u de oorlog niet fantastisch?' Ze tikte op het vel. 'Je moet heel wat mensen vermoorden om zoveel medailles te krijgen. U en Malakhai samen moeten zo'n beetje een hele stad om zeep geholpen hebben.'

'Je bent te laat geboren, Mallory. Er zijn maar weinig vrouwen die begrijpen...'

'Ik durf te wedden dat Futura nog steeds in leven is. U kunt zich niet nog een dodelijk ongeval permitteren. Vandaar dat u hem gewoon een tijdje uit de roulatie hebt gehaald. U wist dat ik hem op de knieën zou krijgen. En St. John? Dat ongelukje met die strop kwam wel heel goed uit.'

'Denk je dat ik heb geprobeerd om hem te vermoorden?'

'Nee, dat was St. Johns idee – en het was niet de eerste keer dat hij een ongeluk simuleerde. Ik weet dat hij een aandeel had in de moord op Louisa. Oliver heeft haar aan de Duitsers verraden. Dat was zijn taak op de avond dat ze stierf. Alles hing af van de timing. Als hij ze te vroeg naar het theater had laten komen, zouden ze Louisa gearresteerd hebben zodra ze haar in het oog kregen. Hun aankomst moest zodanig gepland worden, dat ze getuige zouden zijn van het ongeluk dat ze op het podium had. U had de rol van verrader aan Futura moeten geven. Als ik had moeten kiezen, zou ik hem hebben genomen.'

Prado schudde langzaam zijn hoofd en glimlachte. 'Franny zou in zijn broek gepiest hebben als hij met een Duitse soldaat had moeten praten.'

Ze boog zich vooorover. 'Daarom zou ik voor hem hebben gekozen. Hij zou als verrader heel geloofwaardig zijn overgekomen.' En vervolgens zei ze, op een toon alsof ze de onhandigheid van een kind vergoelijkte: 'Maar ja, ik ben dan ook een prof en u bent maar een amateur.'

'Je bent een interessante jonge vrouw.' Hij wapperde instemmend met zijn hand. 'Nou goed, de rolverdeling had beter gekund. Maar Oliver...'

'Beter gekund? Ik krijg voortdurend van iedereen te horen dat de timing van Oliver nergens op leek. Dat u hem die taak hebt gegeven, was een miskleun eersteklas van uw kant. Maar u had mazzel. Die avond klopte zijn timing wel. En daarna had u een dokter nodig die kon verklaren dat Louisa dood was. Dat was Futura.'

'Franny had al bij zijn geboorte zorgrimpeltjes in zijn gezicht. Daardoor leek hij een stuk ouder. Er hoefde geen schmink aan te pas te komen.'

'En er moest ook een Franse politieman ter plekke zijn, zodat die het ongeluk zou kunnen rapporteren. Daarbij kwam het werk dat Emile overdag deed mooi uit. En de laatste die eraan meewerkte, was u. U was degene die haar naar die achterkamer droeg. En daarna hebt u haar vermoord.'

'Heel slim bedacht, maar...'

'Ik hoop dat u daarmee niet uzelf bedoelt, Prado. Het was een ongelooflijk stom plan. Het zat boordevol gaten. Er waren veel te veel mensen bij betrokken. Echt iets waarmee een hersenloze tiener aan zou komen dragen.'

Zijn glimlach werd iets weifelender, maar ze moest nog wel even doordrammen voor hij het hoofd in de schoot zou leggen. St. John had haar de gebeurtenissen van de avond dat Louisa stierf alleen in grove lijnen geschetst en hardnekkig geweigerd om het moord te noemen.

'En niemand heeft Louisa verteld wat jullie van plan waren. Dat was uw idee. U wilde dat het echt zou overkomen, echt bloed, echte verbazing. De hele tent zat vol soldaten met gevechtservaring. U kon zich geen slecht toneelspel veroorloven.'

Hij deed geen poging om haar tegen te spreken en scheen er genoegen in te scheppen dat ze dit doordachte detail van zijn plan op waarde kon schatten.

'Dat was ook een miskleun, Prado.' Goed, dat vond hij wel een beetje vervelend. Een duwtje hier, een zetje daar. 'Het was een handelwijze waarop u patent op schijnt te hebben. U gebruikte dezelfde aanpak op de dag van de optocht. Charles wist niets af van die stunt met de kruisboog. En dat was uw idee. Hij was maar een amateurgoochelaar en u streefde naar oprechte verbazing.'

Prado wierp een blik op de spiegel.

Zocht hij troost bij zijn eigen spiegelbeeld? Nee, ze vermoedde dat hij het idee niet van zich af kon zetten dat er iemand aan de andere kant van de ruit stond. Zijn glimlach was bestemd voor de persoon die daar naar zijn idee stond, wie dat ook mocht zijn.

Mallory klopte op de tafel om te zorgen dat hij weer bij de les was. 'Enfin, de Duitsers kwamen dus opdagen om Louisa te arresteren. En die zagen Malakhai op het podium staan. Gekleed in het uniform van een ss-officier en met een kruisboog die hij op een weerloze vrouw gericht hield.'

Mallory sloeg een dossier open en pakte er vijf velletjes met Poolse tekst uit. Dat was een bijdrage van een straatagent, een zekere Wojcick, die geen Pools kon lezen maar vermoedde dat dit het testament van zijn grootvader was. Een andere bijdrage voor het goede doel was de oude foto die met een paperclip aan het eerste vel vastzat. Hoewel het voorwerp van Duitse herkomst was, vertoonde hij toch enige gelijkenis met het portret dat meneer Halpern van Louisa Malakhai had gemaakt en om die reden had ze dit kiekje uit het familiealbum van brigadier Riker gehaald.

Mallory hield de vellen omhoog zodat Prado ze kon zien. Zelfs als het toeval wilde dat hij Pools kende, wist ze dat hij er toch geen woord van zou kunnen lezen. Ze had de dubbelfocusbril gevonden toen ze tijdens de wake voor Oliver zijn zakken had gerold. Hij zou die bril nooit in het bijzijn van een vrouw opzetten en erkennen dat zijn ogen er met het klimmen van de jaren niet beter op waren geworden.

Ze tikte op de foto. 'Louisa's vader stierf in gevangenschap. Hij heeft geen enkele naam prijsgegeven. Daarom wilden de Duitsers per se zijn dochter in handen krijgen.'

Geen reactie van Prado. Hij wist evenmin iets als zij. Het was dus waar dat Malakhai nooit met iemand over Louisa's voorgeschiedenis had gesproken.

'Er stond een prijs op Louisa's hoofd en overal waren opsporingsbiljetten met haar foto aangeplakt. Er werden geen uitreisvisa verstrekt, zodat ze met uw vervalsingen aan de grens opgepakt zou worden. Alle papieren werden telefonisch en met behulp van telegrammen gecontroleerd. Een andere oplossing was er niet. Ze moest dood verklaard worden. Daarna hoefde ze alleen maar onder te duiken tot de Spaanse grens weer openging. Was dat niet de manier waarop u Malakhai en de anderen zo ver kreeg dat ze aan het plan meewerkten?'

'Er mankeert niets aan je redenatie. Niet gek voor een uurtje werk, hè? Meer tijd had ik niet voor de voorstelling.'

'Niet gék?' Ze barstte bijna hardop in lachen uit. En dan zeiden ze nog wel dat ze geen gevoel voor humor had. 'Een chimpansee had nog een beter plan kunnen verzinnen. Hoe hebt u de anderen er in vredesnaam van kunnen overtuigen dat het wel zou lukken? Misschien hebt u hen de overlijdensakte met de handtekening van een dokter wel laten zien.'

Mallory trok weer een vel te voorschijn, een document in het Frans. Maar dat verstopte ze ook weer haastig door het terug te leggen in het dossier, want het was het doopbewijs van een Haïtiaanse politieagente en dat stond er ook in koeienletters boven. 'Slecht werk, Prado. Iedereen kan zien dat het handschrift anders is dan dat van de echte dokter.'

'Allemaal kritikasters. Ik zou je eraan willen herinneren dat dat document meer dan vijftig jaar lang door niemand ooit in twijfel is getrokken.'

Mallory ging verder: 'Emile heeft de klus behoorlijk goed geklaard. Maar hij zag er ook Duitser uit dan de Duitsers. Zij waren maar al te blij dat hij dat varkentje wilde wassen – nadat hij hen had duidelijk gemaakt dat hij niet van plan was om de op de vlucht geslagen ss-officier op te sporen. Het was duidelijk een dodelijk ongeval, een goocheltruc die mislukt was. Dat stemde de Duitsers wel tevreden, hè? Zo keurig en zo efficiënt. En zonder enig risico – want jullie konden hen een authentiek lijk laten zien. Dankzij u.'

'Dat zul je nooit kunnen bewijzen, Mallory.'

'Als ze haar gevangen hadden genomen, zou ze hen alles hebben verteld wat ze wist. Dat deden de meeste mensen.'

Ze legde haar dossiers netjes op een stapel. 'Ik heb al die tastbare bewijzen. Jury's zijn dol op dingen die ze vast kunnen houden. Als u de belastingbetalers de kosten van een proces bespaart, kunt u voorkomen dat u de doodstraf krijgt – alweer. U krijgt dit aanbod maar één keer. U moet nu toehappen of…'

'Ik zie wel hoe het in de rechtszaal afloopt. Zullen we eens ergens anders over wedden? Volgens mij krijg je geen grand jury zo ver dat ze me in staat van beschuldiging stellen.'

'U bent de droom van elke officier van justitie. Frans of Amerikaans, die klootzakken zijn allemaal doortrapte politici. Met een zaak als deze kan carrière worden gemaakt. Het is een moord met voor elk wat wils: oorlog, liefde, verraad – echt voer voor de pers. Maar ik kan u niet aan de Fransen uitleveren. Die zouden u wel eens kunnen houden zodat u niet met uw leven voor de moord op Oliver in New York kunt boeten. Ik geef u nog een laatste kans, meneer Prado.' Ze zwaaide bij wijze van afsluiting opnieuw met een dossier. 'Nog meer bewijsmateriaal. Maar ik hoef dit pas aan uw advocaat te laten zien als ik zo ver ben dat u voorgeleid wordt.'

De map bevatte de nieuwe richtlijnen van de burgemeester voor het beboeten van burgers die aluminiumfolie niet afspoelden voor ze het samen met hun flessen en blikjes voor hergebruik inleverden. Ze legde hem netjes boven op haar stapel nutteloze paperassen. 'Malakhai heeft u op de dag van de optocht gemist met zijn schot. Maar ik ben er vrij zeker van dat hij nog steeds wil proberen om u te doden. Ik kan u daarvoor bescherming bieden.'

'Bedankt, maar je hoeft me niet te beschermen.'

'Maar u gaat wel die truc van de gehangene uitvoeren – zwaar onder de verdovende middelen. Dat lijkt me met recht een kans om vermoord te worden.'

Ze hield een stukje papier waarop aan de bovenkant de naam en het adres van een dokter gedrukt stonden. 'Herkent u dit?' Het was het recept voor kalmerende middelen dat ze de avond van Olivers wake uit zijn zak had gehaald. 'Er is al één ongeluk gebeurd met de truc van de gehangene. En voor die voorstelling zult u zoveel slikken dat u op uw benen staat te tollen. Anders zult u echt niet in staat zijn om onder die galg te gaan staan en toe te kijken hoe de zaak in elkaar stort. Dat gebeurt er toch? De galg zakt in elkaar en u zult dertien treden boven de grond blijven hangen met een touw om uw nek. Het is al een keer misgegaan. Weet u zeker dat dat niet opzettelijk was? Weet u wel heel zeker dat u mijn bescherming niet nodig hebt?'

Hij kwam weer een beetje tot rust en zette zijn masker weer op. Ze kon nu ook zien dat hem iets te binnen was geschoten. Hij glimlachte opnieuw, beheerst en vol zelfvertrouwen.

'Malakhai is inderdaad een moordenaar. In dat opzicht heb je gelijk.' Prado pakte het reclamefoldertje van Carnegie Hall op en zat er als een soort vlaggetje mee te zwaaien. 'En ik zal je nog eens iets vertellen om over na te denken. Charles is niet zo knap als zijn neef. Maar ik verzeker je dat Malakhai iedere keer als hij hem aankijkt het gezicht van Max Candle ziet.'

'Nou en? Max en Malakhai waren vrienden.'

'Is dat zo?' Prado keek naar de spiegel en friemelde aan zijn das-knoop. 'Malakhai heeft die oude vríénd van hem anders jaren gemarteld door middel van dat gedoe met Louisa. Hij nam zijn dode vrouw mee naar het huis van Max en liet haar aan de eettafel van de man plaatsne-men. Max was heel erg verliefd op Louisa. Haar dood was een grote schok voor hem. En toen was ze ineens weer terug, uit het graf opge-staan, en ze zat naast hem aan tafel. Boeiend, hè? En dan is Charles er ook nog. Max hield van zijn neefje alsof het zijn eigen zoon was. Wist u dat? Het is jammer dat u er nooit achter bent gekomen hoe de Verloren Illusie precies in elkaar stak, gewoon voor alle zekerheid. Als Charles die truc in Carnegie Hall brengt, kan hij de hulp van Malakhai maar beter afslaan.'

'Malakhai zou hem nooit kwaad doen.'

'Durf je daar het leven van Charles onder te verwedden?' Prado keek weer naar de spiegel voordat hij opnieuw ging zitten. 'Een paar uur voordat Louisa stierf, kwam ik het appartement van Oliver binnenval-len. Het was vroeg in de middag. Louisa en Malakhai hadden boven een kamer. We konden horen hoe ze tekeergingen, het leek wel een stel bees-ten. Het bed stond op z'n poten te dansen en het bonkte langs het hele plafond. Die arme Oliver werd zo rood als een biet en deed net alsof er niets aan de hand was. Zo provinciaal. Hij was van top tot teen een Amerikaan. Maar het was niet haar man met wie Louisa in bed lag. Want Malakhai kwam de kamer van Oliver binnenlopen toen het bed boven nog steeds stond te dansen. O, die blik op zijn gezicht toen hij naar het plafond staarde. Hij was er kapot van. Nee, hij blééf erin.' Pra-do leunde over de tafel en glimlachte. 'Ben je er wel zeker van dat Mala-khai niet de bedoeling had om zijn vrouw diezélfde avond nog te ver-moorden?'

'U liegt. Max en Louisa hebben hem verteld dat ze een verhouding hadden. Zo is hij erachter gekomen.'

'Heeft Malakhai dat gezegd? Nou, misschien hebben ze het ook wel opgebiecht. Maar ik bezweer je, Mallory, dat hij vóór dat hossende bed niets van die verhouding af wist. Laat Charles niet...'

'Hij zal Charles geen kwaad doen.'

'Nee? Heb je je dan niet afgevraagd waarom Malakhai je niet wilde helpen om erachter te komen hoe de Verloren Illusie in elkaar zit? Hoe lang denk je dat hij al van plan is om samen met de neef van Max het podium op te gaan?' Hij praatte tegen haar maar zijn woorden waren bestemd voor de toeschouwers die hij achter de spiegel vermoedde. 'Nou ja, misschien overleeft Charles het wel. Je weet maar nooit.' Hij pakte zijn hoed op. 'Wil je me nu excuseren? Ik moet de truc van Emile repeteren. Misschien moet ik mezelf wel tien keer ophangen. Oefening baart kunst.'

'Een gevaarlijke truc, meneer Prado. En ook nog onder de verdovende middelen? Misschien heeft St. John Malakhai wel een kans bezorgd om u te vermoorden door zich terug te trekken.'

'Nou en? Ik weet dat jij er morgenavond toch zult zijn – om me in de gaten te houden. Na het optreden van Malakhai kun jij mijn voorstelling helemaal perfect maken. Maar dan moet je wel opschieten, Mallory. Alles hangt van de timing af.'

Hij zwaaide met zijn hand, nog steeds ten behoeve van de toeschouwers die volgens hem achter de spiegel zaten. Meteen daarna deed hij de deur van het slot.

'Meneer Prado!' Ze stond op van haar stoel en leunde voorover met haar handen plat op de tafel, waardoor haar blazer openviel en hij haar revolver kon zien. 'Als Franny Futura dood blijkt te zijn, vermoord ik u. En niet met behulp van een kogel – het zal geen snelle dood zijn. U zult nooit precies weten op welke dag ik met u kom afrekenen. Dat kan over een maand zijn of over een jaar. In dat opzicht kan ik veel geduld opbrengen.'

Nu moest hij er toch wel van overtuigd zijn dat er niemand achter de spiegel zat.

Jack Coffey zat alleen in de donkere kamer achter de spiegel. Mallory's verhoor zat erop en hij wist dat hij eigenlijk weg moest gaan. Maar hij bleef toch en zag door de van een kant doorzichtige ruit hoe ze ging zitten en haar handen voor haar gezicht sloeg.

Hij was allang niet meer de meerdere die een oogje houdt op het verloop van een zaak. Dit grensde aan voyeurisme. Coffey ging even verzitten in zijn stoel op de eerste rij, die sprekend op een rij theaterstoelen leek. Hoewel hij wist dat hij alleen was, keek hij toch om naar de rij die op een verhoging achter hem stond.

Maar waarom zou hij zich schuldig voelen? Mallory was degene die net een verdachte met de dood had bedreigd. Misschien was het alleen haar bedoeling geweest om Prado zenuwachtig te maken. Toch vroeg

Coffey zich af of hij haar niet woord voor woord zou moeten geloven. Hij hoopte in ieder geval dat Prado haar had geloofd. Dan zou Futura misschien nog iets langer in leven blijven.

Hij wist instinctief dat hij Mallory de zaak eigenlijk uit handen moest nemen. Maar wie anders had zoveel voor elkaar kunnen krijgen met zo verdomd weinig hulp? Rikers inschatting was correct geweest. Inspecteur Markowitz was een van de beste rechercheurs geweest, maar zijn dochter was nog beter.

Ze was ook gevaarlijk.

Coffey vroeg zich af wat Mallory dacht terwijl ze daar zo doodstil zat. Hij wenste dat hij haar gezicht kon zien.

Alsof ze gehoor gaf aan zijn gedachte liet ze haar handen zakken en draaide langzaam haar hoofd in de richting van de spiegel. De manier waarop ze keek, leek helemaal niet op de vage, dwalende blik van Nick Prado, die alleen maar had vermoed dat er iemand zat toe te kijken. Mallory keek hem recht aan. Coffey vond weinig troost in de wetenschap dat ze niet door de spiegel heen kon kijken. Dit was gewoon haar achterdocht, een fijn afgestemd instrument voor plezier en angst. Ze wist dat hij de middelste stoel zou nemen en op welke hoogte zijn ogen zich zouden bevinden.

Wat zou Lou Markowitz doen als hij uit de dood zou kunnen opstaan en zijn dochter nu zou zien? Zou hij lachen of huilen?

Alsof ze zijn gedachten kon lezen, glimlachte Mallory – precies zoals de oude man, een typische Markowitz-grijns.

Jack Coffey sloot zijn ogen en bleef in het donker zitten nadat Mallory uit de verhoorkamer weg was gegaan. Hij luisterde naar haar voetstappen in de gang. Ze bleef bij de deur staan en voelde aan de knop. Nu kon hij horen dat ze het slot opendraaide. Hij zette zich schrap voor een stevige ruzie. Hij zou betrapt worden als een voyeur die had zitten kijken naar een vrouw die alleen in de verhoorkamer had gezeten.

De deur ging maar een paar centimeter open. Mallory keek niet eens naar binnen.

Waarom zou ze? Ze wist allang dat hij daar zat.

Haar voetstappen stierven weg in de gang. Lachte ze? Of was dat Markowitz?

Op de vloer lag een krant met grote koppen over Emile St. John die zich had opgehangen. Franny Futura liet zich weer tegen de kussens zakken. Hij was zijn bed nog niet uit geweest vanaf het moment dat het kamermeisje hem de ochtendkrant had gebracht. De vrouw had een goedkope ring als betaling geaccepteerd, want hij had geen geld om haar om te kopen.

Hij had zich sinds zijn aankomst hier nog niet verkleed. De koffers stonden ongeopend in de kast – een keurig stapeltje symbolen voor zijn hele bestaan: altijd gepakt, altijd klaar om ervandoor te gaan.

Franny keek toe hoe de schaduwen van de ene kant van de kamer naar de andere kropen, waarbij ze langzaam over de muren gleden en sommige over het plafond. Nu het weer donker was, zorgden de koplampen van de auto's op de parkeerplaats voor wat afwisselender vormen en schokkende flitsen die over de muren schoten en hem overvielen. Elk paar lichten kondigde een nieuwe bezoeker van het motel aan.

Het kon ieder moment gebeuren.

Hij had zich zijn hele leven voorbereid op de klop op de deur. In zijn dromen gebeurde het altijd 's nachts. Hoe vaak hij zich dat moment ook had voorgesteld, hij kon nooit verder kijken dan het moment waarop de deur langzaam openging. Aan de andere kant stond iets hem op te wachten.

Opnieuw viel het felle licht van een paar koplampen op een van de muren, draaide met een scherpe bocht naar de andere en doofde toen waardoor hij in het donker achterbleef. Zijn angst was een log ding, sluw en wreed. Het drukte met een tastbaar gewicht op zijn borst en hurkte met gespannen schoften neer, klaar voor de sprong. Franny luisterde naar een autoportier dat open en weer dicht werd gedaan. Hij volgde het geluid van de voetstappen over de parkeerplaats. Ze passeerden hem en hij kon weer ademhalen.

Sloten en tralies waren niet nodig geweest om hem gevangen te houden. Hij kon deze motelkamer toch niet uit. Hij zou niet op tijd komen voor zijn voorstelling op Broadway en hij moest zich verzoenen met dat gemis.

Hij ging rechtop zitten en staarde naar zijn beeld in de spiegel boven de ladenkast, op zoek naar de jongere Franny Futura uit *Faustine's Magic Theater* die zich verborgen hield onder de felle lampen van het podium, de enige plaats waar hij zich werkelijk veilig voelde. Zelfs tegenwoordig kwam hij alleen zijn gehuurde kamers uit voor een van zijn sporadische optredens. Maar dat kon hij niet uitleggen aan zijn agent, die hem al jaren geleden het dringende advies had gegeven om met pensioen te gaan.

Er stond iemand voor de deur. Hij wist het zeker.

Franny zakte achterover tegen de kussens, met grote ogen van angst. Hij had meer dan een halve eeuw gewacht, terwijl er een miljoen minuten voorbij tikten op weg naar het moment dat nu komen ging.

Nick Prado klopte niet. Hij gebruikte de sleutel om binnen te komen.

20

De jongeman boog zich over een krant met de bedoeling even zijn ogen te sluiten voor een dutje terwijl hij de indruk wekte aandachtig te zitten lezen. Deze dienst had een dodelijke uitwerking door het gebrek aan slaap. Maar de hotelmanager keek alleen maar naar het uiterlijk, dus was de receptionist gedoemd tot nachtwerk tot zijn huidproblemen voorbij waren.

Hij rook het eerst haar parfum. Gardenia, de bloem die bij middelbare-schoolfeestjes altijd voor corsages werd gebruikt en een trieste herinnering vormde aan het groepje jongens die geen meisje konden krijgen.

Toen hij zich omdraaide naar de balie stond hij oog in oog met een lange blondine met volle, rode lippen in een smoking. Een lange leren jas hing over een arm en haar hele lichaam sprankelde van zwarte lovertjes. Hij vond de hoge zijden geweldig. Die wekte de indruk dat ze uit een klassieke zwartwitfilm was ontsnapt. Dat ze om middernacht een zonnebril droeg, leek de onbeschaamdheid ten top.

'Ik ben Louisa Malakhai, kamer 408. Ik moet de sleutelkaart hebben.'

'Mevrouw, ik dacht dat u dood was.'

De blondine hield haar hoofd scheef, kennelijk ontging haar de grap. 'Pardon?'

'Het spijt me, mevrouw Malakhai.' Een van zijn handen fladderde omhoog om zijn ingevallen gezicht te bedekken, waarop ongetwijfeld gloednieuwe puisten ontsproten, terwijl ze naar hem stond te kijken. 'Het zal wel een drukfout zijn geweest.' Hij liet zijn exemplaar van de *Times* op de grond vallen.

'Mijn man heeft ons ingeschreven.'

'Natuurlijk.' Hij draaide zich om naar het toetsenbord van de computer en tikte het kamernummer in. Louisa Malakhai stond inderdaad als gast geregistreerd. Hij zocht in de doos met kaarten en trok er een te voorschijn. Ja, de man had voor een tweede gast getekend, zijn vrouw. Maar volgens de krant was ze al meer dan een halve eeuw geleden gestorven.

Wel een verdomd mooi lijk.

Hij keek op naar haar gezicht en staarde haar duidelijk iets te lang aan. Haar rode vingernagels tikten op het mahonie.

Nou ja, het was wel een ongebruikelijke inbreker die kwam opdagen in een pak vol lovertjes en met een hoge hoed op. Maar goed... dood was dood. Een simpel telefoontje naar de kamer van de meneer in kwestie...

'Mijn man slaapt. Ik heb liever dat u hem niet wakker maakt.' Ze legde een zachte hand over de zijne om te voorkomen dat hij de telefoon oppakte. De receptionist verstarde als een soldaat die in de houding stond; zijn hart ging in zijn binnenste als een dolle hond tekeer.

'Mijn tas is niet zo zwaar. Die kan ik zelf wel dragen.' Ze stak haar hand uit, met de palm naar boven en vingers licht gekruld zodat hij de gevaarlijke uitsteeksels van de lange rode nagels kon zien. 'Geef me de sleutelkaart maar.'

'Dan moet u zich wel legitimeren.'

Haar mond trok scheef, een bijzonder subtiele aanwijzing dat ze diep verontwaardigd was. Deze reactie kon zowel op een inbreker als op een legale gast duiden, want iets als hotelbeveiliging bestond niet in New York City. Het was een hopeloze misdadiger die er in deze stad niet in slaagde om de sleutel van zijn slachtoffer aan de eerste de beste receptionist te ontfutselen, vooral in de drukke uren overdag als de receptionisten het druk hadden en zich gemakkelijk lieten beduvelen. Maar in de stille uurtjes van de nachtdienst was het nog nooit gebeurd. Hij beet op zijn onderlip en hield zichzelf voor dat hij een overdreven klootzak was.

Kennelijk was ze op zo'n soort klootzak voorbereid geweest. Ze hield een opengeslagen Tsjechisch paspoort omhoog. De foto was vrij recent en stemde overeen met wat hij van haar gezicht kon zien. Maar zag dat papier er niet een beetje vergeeld uit, een stuk ouder dan die foto? Haar vingers bedekten de datum van uitgifte en de verloopdatum. Was dat opzettelijk?

'De sleutelkaart.' Haar stem klonk geïrriteerd.

Het was uit met het mooi weer spelen. Ze had hem een opdracht gegeven en zijn leven vol openspringende puisten en zaterdagavonden zonder afspraakje had hem niet geleerd hoe hij een lange blondine het hoofd moest bieden.

Hij schonk haar zijn innemendste glimlach, terwijl hij haar de elektronische kaart overhandigde.

'U spreekt vloeiend Engels, mevrouw Malakhai.'

Het smalle straaltje van haar zaklantaarn speelde over zijn gezicht terwijl Malakhai lag te slapen, alsof alle gevolgen van de zwaartekracht uitgeschakeld waren. Het licht gleed verder, van de ene slaapkamermuur naar de andere. Alles was precies zoals het kamermeisje het die ochtend had beschreven. De sceptische houding van de nachtreceptionist had haar verrast. De rest van het hotelpersoneel verkeerde in de mening dat er een vrouw in deze suite logeerde.

Mallory liep de badkamer binnen, maar in de haarborstel trof ze niet de verwachte rode haren aan. En in tegenstelling tot eerdere ervaringen van het kamermeisje lag er vanavond geen met lippenstift besmeurde tissue in de prullenmand. Louisa begon langzaam maar zeker te vervagen.

Ze draaide zich om in het plotselinge felle licht van een andere lamp.

Malakhai stond achter haar in het schijnsel van de lamp naast het bed, gehuld in een lange zwarte kamerjas. Hij had haar de rug toegekeerd met volslagen minachting voor elke vorm van bedreiging die ze voor hem zou kunnen betekenen. Haar koffer lag op het bed en daar zat haar revolver in. Ze had hem erin moeten stoppen omdat het nauwsluitende jasje van de smoking niet dicht kon over de bobbel van haar schouderholster.

Het slot klikte en hij hield een buisje met sleutelbaarden uit *Faustine's* omhoog. 'Dit zijn de originele, als je je dat nog mocht afvragen. Ik ga nooit ergens heen zonder ze bij me te hebben.' Malakhais hand gleed over de inhoud van de kleine koffer. 'Niet bepaald een typisch voorbeeld van wat een jongedame meeneemt als ze een nachtje uit logeren gaat.'

Hij trok de stoffen zak van de wijnfles die ze uit de kelder had gegapt. 'Ach, die meisjes uit New York toch. Heel chic.' En meteen daarna pakte hij twee in linnen gewikkelde wijnglazen uit. Toen hij zijn hand weer in de koffer stak, negeerde hij haar revolver maar pakte in plaats daarvan de kurkentrekker met het paarlemoeren handvat.

Het verrassingseffect was Mallory ontnomen, net als de kans om echt schade te berokkenen. Zij was niet degene die de touwtjes in handen had – nog niet.

Terwijl ze van achteren op hem toeliep, klonk haar stem beschuldigend. 'U hebt ervoor gezorgd dat Charles de Verloren Illusie in Carnegie Hall gaat opvoeren.'

'Charles heeft een uitnodiging gehad om een eerbetoon aan Max Candle te brengen.' Hij was niet in het minst uit het veld geslagen en glimlachte terwijl hij de kurkentrekker in de hals van de fles draaide. 'Ik heb hem een paar opwarmtrucjes van Max geleerd – niet het klapstuk van de avond waarbij hij de dood vindt. Charles is met de Verloren Illusie aan komen dragen. Hij doet het voor jou, Mallory.'

Malakhai snoof nadrukkelijk. 'Je parfum is een beetje overdreven. Louisa was discreter.' Hij bestudeerde de nauwsluitende smoking en de hoge hoed. 'Maar afgezien daarvan... geen slechte imitatie.'

Ze ging op de rand van het bed zitten. Dit ging helemaal niet goed. 'Hebt u aan Charles verteld hoe de truc in elkaar steekt?'

'Nee, hij heeft zelf een oplossing gevonden.' Malakhai trok de kurk uit de fles en schonk rode wijn in de kristallen glazen.

'Maar het is niet de oplossing van Max Candle?'

'Kom maar naar de voorstelling.' Hij overhandigde haar een glas. 'Dan kun je zelf een mening vormen.'

'U zult hem toch geen kwaad doen?'

'Natuurlijk niet.' Nu was hij van zijn stuk gebracht en ongelovig. 'Ik heb Charles zien opgroeien. Hoe zou ik...'

'Hij lijkt erg veel op Max Candle, is het niet?'

'Was hij maar zo knap als Max, dan hoefde hij zijn nek niet te riskeren om indruk op jou te maken.' Malakhai ging aan de andere kant op het bed zitten en hief zijn glas op. 'Maar het helpt hem toch niet, hè? Hij is je type niet. Ik denk dat ik bang zou zijn voor de man die dat wel was.'

Hij nam een slokje wijn en zag de sombere trek niet die over haar gezicht gleed.

Mallory staarde naar het kussen aan de kant van het bed die niet beslapen was. 'U bent het chocolaatje vergeten.'

Hij draaide zich om en zag het goudpapier dat op een maagdelijk kussen lag. Maakte hem dat verdrietig? Ja.

'Het wordt tijd om ermee te stoppen,' zei Mallory. 'Ze is weg, hè?'

Hij schudde zijn hoofd terwijl hij naar het kussen bleef staren.

Mallory probeerde het voordeeltje uit te buiten. 'O, u weet nog wel wie ze was. En veel van de verhalen zijn u ook nog bijgebleven. Maar het wordt steeds moeilijker om haar te blijven zien, hè? Wat zult u morgen weer kwijt zijn? Als u Nick Prado vermoordt, laat ik u opbergen. Na een tijdje zult u zich niet eens meer herinneren waarom ik u dat heb aangedaan.'

Hij stelde haar teleur met een lome glimlach. 'Zou dat je plezier vergallen, Mallory?'

'Ja. Ik zou liever Prado voor de moord op Oliver in de kraag willen vatten. Wat heeft hij volgens u met Franny Futura gedaan?'

'Geen flauw idee.' Hij leunde achterover tegen het hoofdeinde van het bed.

Mallory liet de wijn in haar glas ronddraaien en zette het glas toen op het nachtkastje. 'U weet best dat hij Futura zal moeten doden.' Ze keek Malakhai aan, in de hoop dat haar minachting indruk op hem zou maken. 'Prado heeft iemand nodig die hij de moord in de schoenen kan schuiven als het lichaam gevonden wordt. U bent de volmaakte zondebok – u wordt meteen officieel krankzinnig verklaard. U wóónt al in een inrichting.'

Malakhai dronk het laatste slokje van zijn wijn op en trok een schouder op alsof hij wilde zeggen: *Ja, en?* Hij keek naar het raam vol verlichte stad en stralende stromen nachtelijk verkeer. 'Ik heb echt geen idee waar Franny is. Ik zou je nooit voorliegen.'

'Maar u wilt me ook niet helpen.'

Mallory was van plan geweest om hem te straffen door opnieuw uit te halen naar zijn spel met Louisa, maar nu zag ze ineens dat het hotelchocolaatje was verdwenen en dat het kussen van zijn vrouw de diepe afdruk vertoonde van een menselijk hoofd. Uit haar ooghoeken kon ze nog net een schaduw over de muur zien kruipen, maar ze wilde Malakhai niet het genoegen doen om ernaar te staren.

Alle afleidingen beu zat ze zich af te vragen of ze hem nog op een andere manier een dreun kon verkopen door hem opnieuw op een zwakke plek te raken.

De schaduw was dichterbij gekomen en groter geworden. Nu rees ze omhoog alsof ze op het punt stond haar een klap te geven. Voor Mallory zich kon beheersen, vloog haar hand omhoog en ging in de richting van de geopende koffer en haar revolver. 'Was Max Candle ook zo'n liefhebber van oorlog als Prado?' Langs de koffer heen pakte ze haar glas op in plaats van haar revolver.

Malakhai interpreteerde dat als een verzoek om haar glas bij te vullen en leunde over het bed heen om nog wat bourgogne in te schenken. 'Nee, Max heeft nooit van de oorlog gehouden.' Hij schonk haar glas vol. 'Hij werd doodziek van het doden.'

'U hebt me verteld dat de oorlog subliem was.'

'Sublieme dingen kunnen fantastisch of verschrikkelijk zijn, maar het gaat altijd om iets wat je in vervoering brengt. De oorlog bood Max de kans om erachter te komen uit welk hout hij was gesneden. Hij heeft zich dapper van zijn taak gekweten en hij heeft zijn medailles achter slot en grendel opgeborgen.'

Ze nam een slokje wijn en proefde het dit keer ook. 'En hoe zat het met Oliver?'

'Hij werd voor zijn basisopleiding naar de Verenigde Staten teruggestuurd en het leger heeft hem daar gehouden. Ze hebben een foerier van hem gemaakt. Die arme Oliver. Hij wilde vechten, maar dat zat er voor hem niet in.' Malakhai liet de wijnfles in zijn gebogen arm rusten. 'We kwamen allemaal in een andere oorlog terecht. Nick was er helemaal gek van, maar voor Emile was het gewoon een kwestie van eer en plicht. En Franny had al moeite genoeg om alleen maar te overleven.'

'En u?'

'Ik dacht dat ik mijn vrouw had vermoord. Daar draaide mijn hele leven om. Niets kon dat in de schaduw stellen. De oorlog speelde zich gewoon rondom mij af.'

'Maar na de oorlog, toen u Emile weer tegenkwam, heeft hij u verteld wat er echt met Louisa was gebeurd.'

Inmiddels zaten er lippenstiftvlekken op het waterglas dat op het nachtkastje stond. Wanneer had hij dat gedaan? In de asbak lag een rokende sigaret met een afdruk van rode lippen.

'Je pakt dit verhoor wel heel chic aan, Mallory.' Hij nam een slokje wijn en zuchtte. 'Dus dit is politiegeweld. Ik snap niet waarom mensen zich daarover beklagen. Maar jij weet niet...'

'Ik weet alles. Louisa had geen idee wat de rest van u van plan was. Haar bedoeling was om naar de grens te vluchten zodra de voorstelling voorbij was.'

'Hoe had...?'

'Louisa dacht dat de truc op dezelfde manier opgevoerd zou worden als iedere andere avond. Toen u haar tot bloedens toe verwondde, was haar schrik niet gespeeld.'

'Nee, ze had nooit verwacht dat ik haar pijn zou doen... nooit van haar leven.'

'Het was Prado's idee, hè? Ze dacht dat Max Candle de truc met een draad en een lint zou doen, niet met een echte pijl. Max moest het eigenlijk doen, maar hij kon het plan van Prado niet uitvoeren.'

'Max kon het niet opbrengen om haar pijn te doen. Hij hield van Louisa.'

Maar niet zoveel als u.

'Niemand kon Frankrijk uit,' zei Mallory. 'En Louisa kon niet blijven. De Duitsers moesten denken dat ze dood was. Er zaten frontsoldaten in de zaal en die wisten dat wat ze zagen echt was – het bloed en de schrik. Er was niets wat Louisa zoveel angst zou aanjagen als dat uniform. En dat was uw idee. U kende al haar zwakke punten.'

'Je bent echt goed in het kwellen van mensen, hè Mallory? Ik vraag me af waar je dat hebt geleerd.'

'Het moest een echte wond zijn... met écht bloed. Haar leven hing ervan af. Eigenlijk had Max Candle daar op dat podium moeten staan. Maar hij kon het niet. Daarom hebt u die avond zijn rol overgenomen en daarom droeg u dat uniform. U was degene die genoeg van haar hield om haar bang te maken en haar te verwonden – zodat ze in leven zou blijven.'

Malakhai staarde haar met onverholen verbazing aan. Misschien had hij nooit verwacht dat ze menselijk genoeg was om daar achter te komen.

'En toen ze stervende was?' Mallory boog zich naar hem over. 'U moet weten wat er door haar hoofd ging. Uw vrouw heeft het gevecht te snel opgegeven. Dat is echt zo, dat weet u best. U hebt meer ervaring met de dood dan ik. U weet hoe moeilijk het is om een mens te doden. En weet u waarom ze niet langer vocht? Terwijl die smeerlap bezig was om haar te vermoorden, dacht ze dat ze er toch niet onderuit kon. Louisa dacht dat u wílde dat ze stierf.'

Over menselijkheid gesproken. Ze had ervoor gezorgd dat hij zijn wijnglas had laten vallen.

Hij bette de rode vlek op het laken. 'Je bent de meest meedogenloze vrouw die ik ooit heb ontmoet.'

Ze leunde achterover, toch een beetje teleurgesteld en maakte een handgebaar alsof ze wilde zeggen: *Is dat alles?*

'Maar wat je ook bent,' zei hij, 'volgens mij ben ik nog honderd keer erger. Ik heb monsterlijke dingen gedaan toen ik pas achttien was.'

'Ik ben nog een graadje erger,' zei ze. 'Van mij werd op mijn élfde vastgesteld dat ik een sociopaat was.' Klonk ze nu alsof ze met hem wilde wedijveren? Het enige waar het nu om ging, was wie de touwtjes in handen had.

'Je liegt, Mallory. Meedogenloos is het enige compliment dat je van me krijgt.'

In een zaak zonder doorslaggevend bewijsmateriaal was het van het grootste belang dat zij beter dan hij een medemens aan stukken kon scheuren. 'Het is wel waar. Ik ben als geen ander in staat om die klootzak in zijn nekvel te grijpen. U kunt er echt op vertrouwen dat ik dat karweitje goed opknap.'

Hij schudde zijn hoofd om aan te geven dat hij haar niet geloofde.

'Helen – mijn pleegmoeder – heeft het rapport van de psychiater in duizend stukken gescheurd. Zo erg was het.' De heftigheid waarmee dat scheuren en versnipperen gepaard ging, had haar kinderlijke nieuwsgierigheid gewekt. Lang nadat kleine meisjes in bed behoorden te liggen, had ze alle snippers uit de vuilnisbak gehaald. Achter haar op slot gedraaide slaapkamerdeur had de kleine Kathy haar gehate eendjespyjama aangehad, knalgele jonge vogeltjes op een helderblauwe ondergrond. Ze had net gedaan alsof ze hem prachtig vond, omdat het cadeautje uit de liefhebbende handen van Helen afkomstig was.

Het kind had geduldig de hele nacht doorgewerkt en alle stukjes papier weer aan elkaar geplakt tot alle velletjes weer keurig waren hersteld, met rechte hoeken en volkomen strakke randen. Daarna had ze de diagnose van een elfjarig meisje gelezen. De pagina met de samenvatting was in zulke simpele bewoordingen gesteld dat de betekenis ervan niemand kon ontgaan – zelfs een kind niet.

Ze kon zich nog herinneren hoe de pagina's op de grond waren gevallen en dat ze daarna in de spiegel had gekeken, met ogen waarin de pijn stond te lezen van een aanslag door woorden op papier, terwijl het besef langzaam maar zeker tot haar doordrong dat een monster een blauwe pyjama met gele eendjes aan kon hebben.

'Ik kan me die test nog goed herinneren.' De dokter had gezegd dat er geen goede of foute antwoorden waren, alleen keuzes. Later bleek dat hij gelogen had. 'Ik geloof dat ik maar één vraag goed had.' Een antwoord was omcirkeld met rode inkt – waarschijnlijk als een soort troostprijs voor haar pleegmoeder. Dokter Brenner had geweten dat Helen voor elk gewond dier door de knieën ging.

'Hij vroeg me om te kiezen tussen een zak vol geld en een schurftige oude kat. Wat zou ik mee naar buiten nemen uit een brandend gebouw? Ik koos de kat – omdat die lééfde.' En omdat dat antwoord Helen een genoegen zou hebben gedaan.

'Dan heb je die ook fout beantwoord,' zei Malakhai. 'De rest van ons zou het geld meegenomen hebben.' Hij draaide zich om naar het raam. 'Het regent weer.'

Ze boog zich naar hem toe. 'Geef me Prado. Ik hoef alleen maar een verklaring te hebben. Dan zal ik het hem betaald zetten dat hij Oliver en Louisa heeft gedood. Dat is mijn werk en daar ben ik goed in.'

Beter dan jij – twee keer zo monsterlijk. Zoals Emile St. John al had gezegd, was ze geboren voor dit werk.

Malakhai keek haar aan van de andere kant van het bed. 'Ik probeer me je voor te stellen als een baby-sociopaat.' Hij draaide haar de rug toe om nog een glas wijn in te schenken. 'Het lukt me niet.'

'Ik kan Prado ten val brengen. Wilt u dat hij lijdt? Daar kan ik ook voor zorgen.'

Lachte hij haar uit? Ze kon zijn gezicht niet zien.

Mallory kroop over het bed om zonder dat hij haar kon zien een nieuw idee aan te dragen dat hem de absolute overtuiging moest geven dat hij met een regelrecht monster te maken had. 'Vond u het niet gek dat Max nooit een afscheidsbrief heeft gekregen? Want dat zou hij u toch vast verteld hebben? Hij heeft ook met u over zijn dagboeken gesproken. Heeft u zich dat nooit afgevraagd?'

'Nee, helemaal niet. Aangezien Max er samen met Louisa vandoor zou gaan, hoefde ze geen afscheid van hem te nemen.'

'Zo'n soort afscheid was het niet en dat weet u best. Ze gaf niet veel voor haar kansen om levend de grens over te komen.' Mallory hield hem haar glas voor. 'Denkt u echt dat ze van plan was om Max ook de dood in te jagen?'

Nu luisterde hij wel.

Ze knielde naast hem op het matras, heel dichtbij, en hij schonk nog wat wijn in haar glas. 'Uw vrouw heeft de tijd genomen om die brief te schrijven ná haar bekentenis in het park.' En daarna, heel zacht, de angel. 'Er was maar tijd voor één brief. Een prachtige brief. Volgens mij heeft Louisa er alle tijd aan besteed die ze nog had. Daarna verborg ze hem in de neus van een schoen. Ze wilde niet dat u hem zou vinden, niet voordat ze over de grens was... of dood.'

Zijn glimlach was triest en een beetje zuur. 'Waar wil je naartoe?'

'Louisa was geraffineerder dan u dacht.'

'Dat kun jij onmogelijk weten...'

'Max was verliefd op haar. Het was niet moeilijk om hem tussen de lakens te krijgen. Ze heeft het allemaal heel koel in elkaar gezet op dat dansende bed – zo noemde Prado het. U wist al vóór die bekentenis in het park dat ze u bedroog.'

'Hou hiermee op, Mallory.'

'U kwam bij Oliver binnenlopen terwijl uw vrouw boven was en met een andere man in uw bed lag te stoeien. En daar maakte ze zoveel lawaai bij dat de hele verdomde vloer ervan trilde. Louisa probeerde het niet verborgen te houden – ze liet het de hele wereld weten. Ik durf er een lief ding onder te verwedden dat ze het expres op een tijdstip heeft gepland dat u haar wel móést betrappen, terwijl ze met Max bezig was. U zegt altijd tegen me dat alles om timing draait.'

'Zo is het genoeg.' Hij pakte haar arm vast. 'Ik wil Louisa's naam niet meer uit jouw mond horen.'

'Maar u bent niet naar boven gegaan, hè? Nee, u liep gewoon weg. En u zou het haar nooit voor de voeten hebben gegooid. Daarom moest Louisa die bekentenis in het park wel doen. Ze nam Max zelfs mee als bewijs.'

Hij pakte haar arm steviger vast. Hij deed haar pijn, maar ze mocht barsten als ze hem dat zou laten merken. In plaats daarvan glimlachte ze. 'Emile had tegen haar gezegd dat ze gevaar liep in Parijs. Louisa wilde voor geen goud terug naar het concentratiekamp en de verhoren. Toen ze het plan opvatte om naar de Spaanse grens te vluchten, hebt u tegen haar gezegd dat dat zelfmoord was.'

'De grens was dicht en de grenspolitie had een foto van haar.' Hij duwde haar met zoveel kracht van zich af dat ze naar de andere kant van het brede bed rolde. 'Het wás ook zelfmoord.'

'Maar dat wist Louisa allang.' Mallory kroop terug over het matras om hem opnieuw op de huid te zitten. 'Emile moet haar hetzelfde hebben verteld. Maar toch was ze bereid om het erop te wagen.'

Zijn hand ging omhoog om haar een klap in haar gezicht te geven. Ze deed net alsof ze het niet zag. 'Maar eerst moest Louisa ervoor zorgen dat u niet achter haar aan zou komen en samen met haar de dood zou vinden. Ze moest ervoor zorgen dat u haar ging háten. Daarom ging ze met uw beste vriend naar bed. Louisa was van plan om een vluchtpoging te wagen die gelijkstond aan zelfmoord, maar ze wilde dat u in leven zou blijven. Dat was háár plan.'

Malakhais hand viel weg van haar gezicht. Hij schudde langzaam met zijn hoofd, terwijl zijn mond een zwijgend *Nee* vormde.

'U hebt haar met een pijl neergeschoten om haar in leven te houden. In zekere zin heeft ze met u hetzelfde gedaan.'

Hij kromp langzaam in elkaar, alsof Louisa hem inderdaad had neergeschoten. Hij sloeg zijn handen voor zijn gezicht. De regen gutste als een ondoorzichtig gordijn over het raam en verborg alles wat zich achter het glas bevond: het licht van de sterren en de stadslichten, hemel en aarde... alles was weg.

21

Een orkest van dertig personen applaudisseerde mee voor de man in de witte smoking met de hoge hoed op. Malakhai stond boven hen op het kleinere podium op het toneel en wierp zijn schaduw op de gesloten rode gordijnen die aan de dwarsbalk hingen. Hoog op een van de achterwanden van Carnegie Hall was zijn meer dan levensgrote beeld op een videoscherm te zien.

Het publiek stond op onder het roepen van: 'Wij willen meer, wij willen meer!' Voeten stampten, handen klapten.

Op verzoek van Malakhai stonden de mannen en de vrouwen van het orkest ook op om hun deel van de toejuichingen in ontvangst te nemen. De illusionist was al vijf keer met een diepe buiging van achter de gordijnen van het podium voor een toegift teruggekomen. En nu schreeuwde het publiek als één man uit drieduizend kelen: 'Louisa, Louisa, Louisa...'

Mallory keek toe vanuit het duister door een smalle kier tussen de deuren naar het toneel. De illusionist draaide zich naar haar om, één hand uitgestrekt en wenkend.

Naar haar? Nee, natuurlijk niet.

'... Louisa, Louisa...'

Ze ging achter de ene deur staan toen de andere langzaam openging en er een schaduw op het verlichte oppervlak verscheen. De randen van het donkere silhouet waren vaag en de vorm was onduidelijk maar ze bewoog wel en leek zelfs adem te halen, waardoor Mallory meteen behoedzaam was... op haar hoede voor háár.

'... Louisa, Louisa, Louisa...'

Mallory's ogen speurden rond, eerst naar de batterij lampen en kabels boven haar hoofd, vervolgens naar het licht op het balkon, op zoek naar de attributen en de draden die dit mogelijk maakten.

Het stokje van de dirigent ging omhoog, de toeschouwers werden stil en deden hun best iedere noot op te vangen, toen het orkest weer begon te spelen.

Het silhouet rende het toneel op, in de ronde lichtbundel van een felle spot die er niet in slaagde om haar donkere vorm uit te wissen. De strijkers speelden lichte, snelle nootjes terwijl Louisa langs de achterwand rende. Daarna werd haar schaduw langer op de trap van het podium toen ze de treden opliep begeleid door dertien zachte vegen op de trom en de ritmische noten van de hobo en de cello die haar hart lieten kloppen. Toen ze boven op het verhoogde podium was aangekomen, stond Louisa's schaduw naast Malakhai toen ze samen met hem voor de laatste keer boog. Hun schaduwen hielden elkaars hand vast.

Het publiek stond op in een golfbeweging die op de eerste rij begon en voortkabbelde naar de stoelen achter in het theater en vervolgens via de balkons naar het plafond, vergezeld van het donderende geluid van geestdriftig klappende handen... allemaal voor de dode vrouw.

De muziek wijzigde van karakter en veranderde in de klassieke cadans van *Louisa's Concerto*. Er waren slechts een paar musici die hun instrument bespeelden – alleen strijkers en soulful klinkende blaasinstrumenten waren te horen. Riker had zich dus vergist, je kon wel degelijk op deze muziek dansen.

Louisa deed het.

Malakhai keerde zich naar haar om en hun schaduwen versmolten op het rode gordijn. De toejuichingen overstemden de muziek, toen het paar langzaam rondwentelde.

De tastbare man verdween achter de gordijnen. Zijn schaduw bleef bij Louisa. En nu verscherpte haar silhouet zich tot een duidelijker beeld; het profiel was jong en elfachtig. De wanden van het podium verkleurden tot een diep donkerblauw en tinkelende bekkens mengden zich in de muziek – het geluid van vallende sterren.

Mallory schatte dat ze zich in het begin van de jaren veertig bevonden, in een jaar waarin de wijn prima was en het leven mooi. De jongens waren allemaal samen en Louisa leefde nog. De schaduw van de illusionist had zijn hoge hoed verruild voor een pet en hij was weer een jongeman die met zijn jeugdige vrouw danste. Een voor een zwegen de muziekinstrumenten. De geliefden draaiden langzaam en gracieus rond en kropen iets dichter bij elkaar onder de bluesy tonen van een enkele trompet. De laatste noot stierf weg.

Het publiek ging uit zijn dak en vulde de enorme ruimte met een oorverdovend gebrul van toejuichingen vergezeld door de hoge tonen van gefluit. Toen de spot uitging en de schaduwen in het duister waren verdwenen, bleef het geschreeuw aanhouden.

Mallory hield het middelste paneel aan de zijkant van het podium in de gaten, maar er kwam niemand uit de deur naar de kamer eronder tevoorschijn. Was Malakhai daarbinnen of stond hij achter het gordijn?

Er werd een korte pauze aangekondigd. De toeschouwers stonden op van hun stoelen en liepen naar de achterkant van de zaal. Mallory liep door de toneeldeuren en worstelde zich door een tegemoetkomende stroom van toneelknechten met stoelen en muziekstandaards die achter het toneel gebracht moesten worden. De Verloren Illusie van Max Candle zou alleen maar begeleid worden door het getik van de mechanieken in de voetstukken van de kruisbogen.

Mallory liep langs de achterwand van het podium om een beter zicht te krijgen op de achterkant van de platformgordijnen. Daar stond de illusionist niet. Ze liep naar het middelste paneel en legde haar hand op de drukknop om het te openen. Toen de deur openging, zag ze dat de ruimte verlicht was, maar daar was Malakhai ook niet. Ze liep de zaal weer uit, dwars over het toneel achter de laatste muzikant aan naar de andere dubbele deur.

De ruimte achter het toneel werd verlicht door twee beeldschermen en een afgeschermde lamp boven het verlaten mengpaneel waarmee het licht werd geregeld. Die man die dat bediende, had zijn post verlaten en haalde op weg naar de uitgang in 56th Street een sigaret tevoorschijn.

Waar waren de agenten die ze bij deze deuren had geposteerd?

Vlakbij hoorde ze het gemurmel van stemmen. Toen ze om een hoge stapel op elkaar gezette meubelstukken liep, trof ze Malakhai. Hij had zich verkleed in een donker pak met stropdas en stond nu met agent Harris te praten.

Nou, in ieder geval had een van de agenten geen potje gemaakt van zijn opdracht om de toneeluitgang te bewaken. 'Harris, waar is je partner?'

Malakhai gaf in zijn plaats antwoord. 'Agent Briant staat daarginds.' Hij wees naar de openstaande toneeldeuren en toen Mallory zich omdraaide, zag ze Charles en de tweede agent druk bezig met het installeren van de voetstukken in de uitsparingen op de onderste trede van het podium. Malakhai legde een hand op de schouder van de man naast hem. 'En voor de pauze voorbij is, zal agent Harris zich bij zijn partner moeten voegen.'

'Hij neemt van u geen bevelen aan,' zei Mallory.

'En van jou ook niet.' Harris deed niet eens moeite om zijn ergernis te verbergen. 'We zijn uitgenodigd om mee te werken aan de goocheltruc, Mallory. Niemand heeft gezegd dat we ook op wacht moesten staan.' Hij liep de toneeldeuren door, op weg naar het podium.

Mallory keek op haar horloge. Zou Riker al in het centrum zijn? Als het verkeer niet meezat, zou het zo'n twintig minuten kosten om van *Faustine's* in het noorden naar het zuidelijker gelegen theaterdistrict rond Carnegie Hall te komen, schatte ze.

Malakhai stond naast de deuren en keek toe hoe de agenten de ovale schietschijf het podium op droegen. 'Je kunt het Harris niet kwalijk nemen dat hij een beetje prikkelbaar is. Hij is nu immers een artiest? Hoeveel agenten krijgen de kans om in Carnegie Hall op te treden?' Hij glimlachte tegen haar. 'Zou jij ook een paar minuten aan de showbusiness willen ruiken, Mallory? Charles kan vanavond wel een assistente gebruiken.'

'U zei dat Max Candle altijd alleen werkte.'

'Maar Charles is slechts een talentvolle amateur.' Hij keek naar de klok die achter haar hing. 'Heb je al iets gehoord? Is Franny bij *Faustine's* op komen dagen?'

'Nee, Riker zei dat een andere goochelaar zijn plaats in het programma heeft overgenomen. De toneelmeester heeft sinds zijn verdwijning niets meer van hem gehoord.'

'Wat jammer. Hij heeft zo lang op deze kans gewacht. Franny zal er wel helemaal kapot van zijn.'

'Nee, hij zal wel dood zijn.' Ze keek strak naar zijn gezicht, op zoek naar een teken dat hij zich niet op zijn gemak voelde, maar daar was niets van te zien. 'Wilt u dat Prado dat zo maar sraffeloos heeft kunnen doen? Heeft hij nog niet genoeg mensen vermoord? Help me. Geef me iets wat ik tegen die smeerlap kan gebruiken.'

'Goed dan.' Hij wuifde met één hand naar het podium. 'Ik zal je vertellen hoe ik wist dat Oliver de Verloren Illusie verknald had.'

De gordijnen op het toneel waren opengetrokken en de ovale schietschijf hing tussen de staanders. De twee agenten liepen net de trap op met de demonstratiepop op het moment dat het publiek opnieuw de zaal binnenstroomde. Toen iedereen weer had plaatsgenomen en het stil was geworden, ging Charles aan de rand van het podium staan om te vertellen dat de stunt met de kruisbogen was bedacht door zijn beroemde neef, Max Candle.

Malakhai sprak vlak bij haar oor om zich verstaanbaar te kunnen maken tijdens het verhaal dat Charles over de geschiedenis van de Verloren Illusie afstak. 'Oliver kon drie van de pijlen gemakkelijk vermeden hebben. Max was altijd met veel vertoon aan het worstelen met de handboeien en kronkelde ondertussen zijn lichaam zo dat de eerste drie pijlen hem misten. Maar dat heeft Oliver niet eens geprobeerd. Toen de boeiensleutel vast kwam te zitten, wist hij dat hij gedood zou worden door de laatste pijl recht in zijn hart.'

'Vertel me eens iets wat ik nog níét weet.' Ze keek door de deuren naar het podium. De agenten hadden inmiddels de pop met hun eigen boeien voor de schietschijf vastgemaakt en liepen de trap weer af.

Hij stond naar het podium te staren. 'Kijk maar naar de agenten die de pijlen in de magazijnen stoppen. Er is niets wat de schoten blokkeert.

Ze zullen allemaal afgevuurd worden.'

Charles knikte beurtelings naar elk voetstuk en de agenten spanden de wapens en drukten op de knoppen om de raderen in werking te zetten. Het tikken werd steeds luider bij elk voetstuk dat in beweging kwam met ronddraaiende tandwielen en de van rode vlaggetjes voorziene pinnen die omhoog rezen naar de trekkers van de kruisboogpistolen. Het publiek was doodstil, helemaal in de ban van het geluid.

Malakhai wees op de demonstratiepop die met gespreide armen en benen voor de schietschijf hing. 'Laten we het probleem wat persoonlijker maken. Stel je voor dat het Charles is die daar hangt. Ga ervan uit dat er met de stunt geknoeid is en dat hij gedood zal worden. Je wilt hem redden, maar je kunt niets doen aan de eerste pijl. Dan zou je zijn timing in de war brengen en de pijl zou in zijn hals terechtkomen – net als bij Oliver het geval was.'

De eerste pijl vloog weg. De keel van de pop werd opengereten waardoor het zaagsel eruit liep en op de planken van het podium terechtkwam.

'Als je de truc niet kunt stoppen voordat de eerste pijl wordt afgeschoten, raad ik je aan om tussen de tweede en de derde pijl in actie te komen. Je hebt tussen de schoten door maar een paar seconden om naar hem toe te hollen.'

Het tikken verminderde met één mechaniek, toen de tweede pijl het rechterbeen van de pop raakte. 'Je zult zijn leven kunnen redden als je de kruisboog op de hoek aan deze kant van het podium omhoog kunt trekken. Dat is het dodelijke wapen. Je moet het van het voetstuk aftrekken. Die pin voor de trekker kan er niet zomaar uit getrokken worden – niet zonder een moersleutel. Charles heeft ze er muurvast in geslagen.'

Er ging weer een kruisboog af en de pijl boorde zich in het linkerbeen van de pop.

'Hoe krijg ik hierdoor Nick Prado te pakken?'

'Dat lukt je niet. Maar zo kun je er misschien wel voor zorgen dat Charles in leven blijft.' Hij draaide zich om en wandelde naar het bordje dat naar de uitgang verwees om de trap naar de straat beneden af te lopen. 'Ik heb je al verteld dat hij misschien hulp nodig heeft en ik kan niet blijven om de hele truc te zien.'

De laatste pijl scheurde de borst van de pop open.

'U gaat helemaal nergens naartoe, meneer Malakhai.'

De agenten klommen de trap weer op om het gehavende jute lijk op te halen.

Malakhai wierp een blik op de klok aan de muur. 'De truc van Nick zal er nu bijna op zitten. Het zou best eens de moeite waard kunnen zijn om het slot te zien. Ik moet er echt als een haas vandoor.'

Ze greep zijn arm vast. 'U mag niets tegen Prado ondernemen. Laat dat maar aan mij over.'

Hij draaide zich naar haar om en voor ze iets kon doen, had hij zijn beide handen aan weerszijden van haar gezicht gelegd en trok haar voorzichtig naar zich toe. Er was geen tijd genoeg om zich terug te trekken. Zijn armen gleden om haar heen en zijn lippen streken over haar haar. Hij kuste haar wang en drukte haar stijf tegen zich aan. Hoewel ze niet gewend was aan lichaamscontact en warmte, deed ze niets om er een eind aan te maken. Vervolgens legde hij zijn beide handen op haar schouders en hield haar van zich af. 'Dit was alleen maar voor het geval ik niet meer weet wie je bent als we elkaar weer ontmoeten.'

'Ik volg u op de voet. Ik zal het u wel helpen herinneren.'

'Nee, Mallory. Jij moet hier blijven en zorgen dat Charles het er levend van afbrengt. Ik bezweer je dat er niets in die magazijnen zit om welke pijl dan ook tegen te houden.'

Charles stond aan de voet van de trap.

'Verwacht u van mij dat ik...'

'Geloof me nu maar, Mallory. Alle pijlen zullen afgevuurd worden en hij slaagt er nooit in om zich uit die boeien te bevrijden. Jij hebt me zelf op het idee gebracht... gisteravond, toen je me vroeg of ik Charles kwaad wilde doen. Als het niet aan jou had gelegen, zou ik nooit op het idee zijn gekomen. Je moet niet vergeten dat Charles dit doet om indruk op jou te maken, dus je zult het hem niet gemakkelijk uit zijn hoofd kunnen praten. Misschien moet je hem wel neerschieten.'

Ze keek weer naar het toneel. De agenten bogen voor het publiek. Hoe groot zou de kans zijn dat ze te hulp schoten als zij ze riep? 'U zou hem nooit kwaad doen.'

'Nee, ik hou van Charles. Volgens mij ben je zelf ook nogal aan hem gehecht. Op jouw eigen, vreemde manier.'

'Ik trap er niet in, Malakhai. Ik geloof niet dat u hem dood zou laten gaan.'

'Ik heb nog nooit tegen je gelogen, Mallory.' Hij draaide haar de rug toe.

'Blijf staan! U weet dat ik u neer zal schieten.'

'Denk er goed aan, als je niet kunt voorkomen dat hij het podium opgaat, moet je de kruisboog van het voetstuk trekken.' Hij liep onder het UIT-bordje door.

Ze trok haar revolver en richtte laag om een van zijn benen onder hem vandaan te schieten.

Verrek, wat was dat?

De revolver was veel te licht. Ze haalde de trekker over en er werd een klik hoorbaar. De toneelrevolver was zelfs niet met een losse flodder geladen.

De kus. Hij had haar tijdens die kus haar revolver ontfutseld en er een speelgoedpistooltje voor in de plaats gestopt. En nu was hij weg. De deuren vielen achter hem dicht.

Charles liep naar de eerste kruisboog toe met de agent die de raderen in werking zou stellen. Ze stond precies halverwege de deuren naar het toneel en de deuren naar de straat en vervloekte Jack Coffey die haar niet genoeg mankracht had willen geven.

'Wacht!' Ze holde het toneel op en pakte Charles bij een arm. 'Je kunt het podium niet opgaan.'

Hij keek even achterom naar de drieduizend verwachtingsvolle gezichten achter hen. 'Nou, eigenlijk stá ik er al op.' Er klonk wat gegiechel vanuit het publiek, hoewel zijn stem gedempt was geweest. Nu schudde hij haar hand van zich af met de woorden: 'Dus neem me niet kwalijk, Mallory, maar...'

'Malakhai heeft met je truc geknoeid. Als je ermee doorgaat, wordt het je dood!'

Opnieuw gelach vanuit het publiek. En pas op dat moment zag ze de microfoon die Charles op zijn revers droeg.

Hij keek op haar neer en zei met een wat luidere stem: 'Mallory, dit is een stunt voor één persoon.'

De toeschouwers schoten weer in de lach. Bij een spelletje poker had hij niets aan zijn malle gezicht, maar het was geknipt voor een klucht.

Ze legde haar hand over zijn microfoon. 'Je mag er niet mee doorgaan. Je boeiensleutel is kapot.'

Charles grinnikte. 'Dat heeft Malakhai je zeker verteld, hè?' Terwijl hij zich omdraaide naar het publiek klonk zijn stem luid en duidelijk, want in de perfecte akoestiek van de grote zaal was er eigenlijk geen versterking nodig. 'Ze wil niet dat ik de truc opvoer. Ze denkt dat het wel eens gevaarlijk zou kunnen zijn.'

En nu lachte iedereen haar uit. Ze voelde hoe haar gezicht begon te gloeien. 'Als je die trap oploopt, maak ik de kruisbogen onklaar. Ik heb geen tijd voor stommiteiten, Charles.' Ze liep naar het dodelijkste wapen op de hoek van het podium.

'Ben je nou mal?' Hij pakte haar pols vast om te voorkomen dat ze de kruisboog van zijn voetstuk aftrok. 'Misschien moeten we hier maar eens een andere keer over praten.' Charles pakte haar op en legde haar over zijn schouder alsof ze niet meer woog dan een zak gillende, trappelende veren. Hij droeg haar naar de zijkant van het podium. Op dat moment ging de deur in de houten wand open.

'Nee!' schreeuwde ze terwijl ze hem met haar vuisten bewerkte en vergat dat dit op de rug van een man als Charles ongeveer hetzelfde effect had als een stel neerstrijkende vliegen.

Het publiek lag in een deuk. 'Nee!' Mallory werd op de vloer binnen in het podium gedeponeerd. Ze landde op de lege achterzak van haar spijkerbroek, waar haar mobiele telefoon meestal in geprop zat – maar nu niet meer.

Die verdomde Malakhai. De deur sloeg dicht. Het metalen lampenkapje wierp een heldere lichtvlek op de grond en het plafond was in schaduwen gehuld. Mallory was weer opgesprongen en stond met haar vuisten op de deur te trommelen. 'Laat me eruit!' Het publiek werd stil en ze kon het luide tikken van het eerste mechaniek dwars door de wanden heen horen. Een paar seconden later werd het tweede in werking gesteld. Het getik werd luider bij ieder voetstuk dat werd aangezet. Ze hoorde zijn voetstappen halverwege de trap en gilde: 'Hou ermee op! Ga meteen terug, anders ga je dood!'

Hij stampte met zijn voet midden op de trap en ze hoorde zijn versterkte stem zeggen: 'Hou je koest! Anders kan ik me niet concentreren.'

Het publiek moest weer lachen. Ze was een eersteklas grap. 'Charles, je moet niet met die truc doorgaan!'

Hij stond nu op het kleine podium boven aan de trap en stampte weer op de vloer. 'Genoeg!' riep hij.

Opnieuw gelach.

Mallory keek omhoog naar de schaduwen op het plafond. Charles had gezegd dat er behalve de deur waar geen knop op zat geen andere uitgang was, maar bij Charles in de kelder kon je op twee manieren uit de ruimte voor de attributen wegkomen. Malakhai had gezegd dat de kopie die Oliver had gemaakt te goed in elkaar zat. Misschien zat er in dit origineel wel ergens een zwakke plek.

Het getik klonk heel hard. In het plafond drie meter boven haar hoofd viel het valluik open en het harmonicastatief rees omhoog door het vierkante gat in het podium. Ze ving een glimp op van zijn broekspijpen toen Charles wegstapte uit de cape die door het metalen frame omhooggehouden werd. Voor ze de ladder tegen de wand op kon klimmen, was het luik alweer dichtgeklapt. Vanaf de wand kon ze daar toch niet bij, maar het andere valluik, achter het gordijn, zat precies boven de ladder. Ze trok aan de veer die voorkwam dat het luik open zou vallen. Er zou een krachtiger man dan Charles aan te pas moeten komen om het met handkracht open te maken en de bedieningshendels zaten op het podium boven haar.

Inmiddels zou het lichaam van Charles met gespreide armen en benen voor de schietschijf hangen, met kettingboeien om zijn enkels en officiële handboeien van de NYPD om zijn polsen. Het harmonicastatief zakte weer omlaag door het valluik waar ze niet bij kon. Het getik klonk luider. Nee... haar hersens namen een loopje met haar; door haar paniek leek het geluid gewoon harder.

Ze hoorde het publiek collectief naar adem snakken. De eerste pijl was afgeschoten en Charles riep: 'Wacht even! Er is iets mis!' De beroemde tekst van Max Candle.

Of was Charles net tot de ontdekking gekomen dat zijn boeiensleutel niet werkte? Op de eerste rijen zaten allemaal goochelaars plus Charles' pokervrienden. Die kenden die standaardtekst allemaal en geen van hen zou hem te hulp schieten. En de twee politieagenten zouden voorkomen dat een of andere barmhartige Samaritaan het podium oprende.

De toeschouwers hijgden opnieuw van schrik. Had hij die tweede pijl gericht op zijn been kunnen ontwijken? Hij stond nog steeds te schreeuwen dat iemand hem moest helpen. Ze had nog twintig seconden om bij de kruisboog te komen.

Hoe was Malakhai naar buiten gekomen? Zijn uitgang moest zich op de begane grond bevinden, maar toch had hij de zijdeur niet gebruikt. Ze klom van de ladder af, ging voor de achterwand staan en begon op de latjes rond het middenpaneel te drukken. Charles gilde. Er was weer een pijl afgevuurd en ze maakte een beweging van schrik, alsof ze er zelf door was geraakt.

Rustig blijven. Niet in paniek raken, niet... Op dat moment vonden haar vingers het drukslot, een uitholling in de houten lat. De deur ging open en het felle licht van de lampen boven het toneel viel naar binnen. Ze rende in volle vaart naar buiten en keek omhoog terwijl ze om het podium heen vloog. De ogen van Charles waren van angst wijd opengesperd, maar zijn gezicht maakte van een tragedie iets komisch. Hij zat nog steeds vast met zijn enkels en zijn beide handen waren aan de ijzeren ringen op de staanders geboeid. Er tikte nu nog maar één voetstuk. Zijn rechterhand balde zich tot een vuist en schoot naar voren, waardoor de ring losschoot van de staander waar zij een zwakke plek had veroorzaakt. Aan zijn hand hing een afgebroken stuk hout.

Mallory's blik bleef strak gericht op de kruisboog die hem zou doden. Ze stoof ernaartoe, ze was er bijna. Charles kon ieder moment sterven. Haar handen pakten de kruisboog vast... te laat. De pees ontspande voor ze de boog van het voetstuk kon rukken.

Charles schreeuwde van pijn.

Ze draaide zich om en zag de pijl in zijn borst steken toen hij wegdraaide van de schietschijf en ophield met worstelen. Dit keer hield hij de pijl niet op zijn plek. Hij zakte in elkaar en hing met gesloten ogen aan één handboei.

Alles om Mallory veranderde in een soort droom waarin ze het gevoel had dat ze onder water liep. Geluid drong nauwelijks tot haar door en haar bewegingen waren traag. Ze merkte niet eens dat ze nog steeds de kolf van de kruisboog vasthield. De agenten stormden de trap op. Dokter Slope had zijn vrouw en kind op de eerste rij in de steek gelaten en hees zich op de rand van het toneel. Nu holde hij ook langs haar heen de trap op. De rest van de wereld bewoog veel sneller. Haar benen waren zo zwaar. Elke stap kostte de grootste moeite. Haar handen waren verstijfd, vastgekrampt om de kolf van het kruisboog.

Het was weer een herhaling van Olivers laatste optreden – maar dan met andere acteurs. De politieagenten legden Charles op de vloer van het podium neer, heel voorzichtig, alsof hij nog steeds pijn kon voelen. Edward Slope knielde naast het lichaam en drukte een van zijn handen tegen de hals van Charles, wanhopig op zoek naar een hartslag die er niet meer was.

Mallory bereikte de bovenste trede en keek neer op het lijk. Hier was geen sprake van magie. Dit was de uiterst reële dood van Charles Butler.

Dokter Slope stond op en draaide zich om naar het publiek. Met luide stem verkondigde hij: 'Nou, dat is nu showbusiness.'

Wat?

Het publiek applaudisseerde en juichte toen Charles opstond om een buiging te maken. Hij trok de pijl uit zijn borst. Het overhemd was gescheurd op de plaats waar hij een knoop had losgerukt en ze zag in een flits het maliënkoldervest en de buis waarin de pijl had gezeten.

Haar hand ontspande zich onbewust en liet de kruisboog op de grond vallen.

Edward Slope boog zich voorover om haar iets in het oor te fluisteren. 'Ik heb de hele dag op dat zinnetje geoefend.'

Mallory sloeg de dokter zo hard in zijn gezicht dat er een rode afdruk van haar hand op zijn huid achterbleef.

Iedereen lachte, behalve Edward Slope. Hij schudde zijn hoofd en zijn ogen zeiden: *Het spijt me, het spijt me echt.* 'Mallory, ik dacht dat je het wist. Ik dacht dat jij ook een onderdeel van de truc was.'

Het afgebroken stuk van de kapotte staander bungelde aan de handboei die nog om de pols van Charles zat. Nu pas zag ze dat er een pin in het hout stak. Ze keek omhoog naar de staander, op zoek naar het gat waarin de pin paste. Dus Malakhai had gelijk: Oliver had zijn kopie te goed in elkaar gezet en dit aspect over het hoofd gezien.

Een verdomde staander met een los inzetstuk.

Op die manier was er net genoeg ruimte om het laatste schot te ontwijken. Dus Charles had de pijl uit de schietschijf getrokken en in de buis op zijn borst gedrukt.

'Is dát alles?' Ze was diep verontwaardigd. Het publiek lag dubbel. Haar stem werd nog steeds versterkt door de microfoon van Charles en haar boze gezicht werd vergroot weergegeven op het videoscherm aan de wand. 'Is dát alles?'

Charles keek haar aan met zijn idiote glimlach. En het gelach dat volgde, overstemde zijn antwoord voor iedereen behalve voor Mallory. 'Goed, maar jíj bent er toch mooi niet achter gekomen.' Hij hield zijn hand omhoog en liet het stuk hout vlak voor haar neus bungelen. 'Malakhai heeft je bij de neus genomen. Het was helemaal niet de bedoeling dat die handboeien opengemaakt werden. Dat was de fout die Oliver heeft gemaakt.'

Ze hoorde de stem van Robin Duffy die haar iets toeriep vanaf de eerste rij waar hij samen met de rabbijn en mevrouw Kaplan stond. 'Kathy, je was fantastisch.'

Mallory draaide zich om naar de agenten die aan de zijkant van het smalle podium stonden. 'Geef me een revolver!' schreeuwde ze.

Het publiek bulderde, net als de mannen in uniform. Ze probeerde het wapen uit de holster van Harris te trekken. Hij lachte en hield het hoog boven zijn hoofd. Ze ging naar agent Briant toe. Alsof het om een spelletje ging waarbij je elkaar dingen moest afpakken, hield hij zijn dienstwapen ook buiten haar bereik.

Ze had zich nog nooit van haar leven zo vernederd gevoeld, maar toch kon ze de verleiding weerstaan om de testikels van agent Briant dwars door de zaal te schoppen; in aanwezigheid van drieduizend getuigen leek dat niet zo'n goed idee, bijna even erg als het doodschieten van een zieke rat.

Mallory bukte zich om de kruisboog van de grond op te pakken. Daardoor lag het publiek weer slap van het lachen. En hun gehuil van plezier nam toe bij iedere pijl die ze uit de schietschijf trok.

Nou ja, Malakhai had in ieder geval niet tegen haar gelogen. De kruisbogen hadden alle pijlen afgevuurd en Charles had zich niet uit de handboeien kunnen bevrijden.

Mallory gaf de chauffeur het adres in het theaterdistrict waar Nick Prado zijn truc zou opvoeren. De taxichauffeur knikte en reed langzaam weg zonder op de weg te letten. Hij zat gebiologeerd in de achteruitkijkspiegel te staren, met ogen die zo ver opengesperd waren dat er veel te veel van het wit te zien was terwijl hij toekeek hoe ze het magazijn van de kruisboog met pijlen laadde.

336

Misschien betreurde de taxichauffeur het feit dat er zich in zijn taxi geen ruit van kogelvrij glas bevond tussen hem en zijn passagier, een uiterst domme vorm van kostenbesparing in New York. Vreemd genoeg concludeerde Mallory uit dit gebrek aan bescherming dat hij een voorzichtig man was, die alleen veilige passagiers oppikte: nonnen, padvindsters en theatergangers met veel geld. Hij kon toch niet weten dat hij bij een ritje vanaf Carnegie Hall met een kruisboog te maken zou krijgen?

Haar volgende theorie was dat de chauffeur misschien wel een pistool bij zich droeg. Mensen die in het bezit waren van een vuurwapen liepen rond in een onterechte roes van zekerheid en dachten altijd dat het wapen wel bij de hand zou zijn als ze moeilijkheden kregen. Heel wat dode taxichauffeurs hadden een pistool bij zich gehad.

De laatste pijl viel in het magazijn van de kruisboog. Mallory boog zich voorover. 'Geef me je mobiele telefoon!'

De chauffeur plukte de telefoon van het dashboard en gooide hem over zijn schouder zonder haar aan te kijken. Mallory toetste het nummer van Riker in en hoorde de telefoon twee keer overgaan.

Geef antwoord, Riker.

Waarom had Malakhai zo lang gewacht? Hij had vaker de kans gehad om Nick Prado te vermoorden.

Ze keek op haar horloge. Het was bijna tijd voor het slot van de stunt met de gehangene. Prado zou op zijn benen staan te tollen van de kalmerende middelen die hem door zijn optreden op een hoog, smal podium moesten helpen. Hij zou een gemakkelijk, traag bewegend doelwit vormen.

'Hallo, met Riker,' zei de stem in de mobiele telefoon.

'Riker, staat Nick Prado nog op het toneel? Kun je hem zien?'

'Nee, hij was al weg voor ik hier aankwam. Ik geloof niet...'

'Weg?'

'Ja, ze hebben de volgorde van de nummers veranderd. Hij heeft opgetreden toen ik nog bij *Faustine's* zat.'

Die verdomde hoofdinspecteur Coffey. Met een man extra had ze alle drie de theaters tegelijk in de gaten kunnen laten houden.

'Riker, probeer of je Prado ergens achter het toneel kunt vinden. Malakhai komt jouw kant op en hij heeft een revolver.'

'Jezus.'

'Ik ben nu onder...' De mobiele telefoon gaf de geest. *Fantastisch, gewoon fantastisch. Wat een heerlijke avond.* Ze gooide het apparaat op de zitting van de voorstoel. 'Je hebt een nieuwe batterij nodig.'

Het werd allemaal veel te ingewikkeld, dat was niets voor Malakhai. Het leek meer op Prado's neiging om zo veel mogelijk spektakel te maken, een aanpak vol haken en ogen. Het leek bijna alsof de koning van de pr alles in elkaar had gezet.

Natuurlijk heeft hij dat gedaan.

'Draai maar weer om! We gaan het centrum uit.'

'U hebt het voor het zeggen, prinses.'

De taxi stopte langs het trottoir en ze wachtte terwijl het verkeer voorbij kroop. Ten slotte maakte hij de verboden u-bocht en ze reden in noordwaartse richting naar *Faustine's.*

Ze boog zich voorover naar zijn achterhoofd. 'Heb je een pistool?'

De taxichauffeur draaide zijn hoofd om en keek haar aan. Hij was eerder verbaasd dan bang en uit de macht der gewoonte kwam zijn Newyorkse aard boven. 'Dame, u kunt al een beer neerschieten met uw eigen verdomde…'

Mallory hield hem haar gouden penning onder de neus. 'Als ik je wapens wil zien, dan laat je me die zien. Zo werkt dat.'

'Een rechercheur. Maar waarom hebt u dan niet… ach, shít.' Hij ontspande zijn handen die het stuur zo stevig in hun greep hielden dat de knokkels wit zagen. 'Maffe smerissen.'

Hij reikte naar het handschoenenkastje en trok het open. De lichten van de stad kropen langs de langzaam rijdende auto voorbij. Verdwaalde regendruppeltjes tikten tegen de ramen toen de man zijn arsenaal tevoorschijn haalde. 'Ik heb een loden pijp, een scheermes en een mes.' Hij liet haar een spuitbus zien. 'Dit is mosterdspray, maar dat spul is al zo oud als de pest.' Hij pakte een andere bus. 'En dit is peperspray. Maar een pistool heb ik niet. Tevreden?'

In een stad waar iedereen in het bezit was van twee dodelijke wapens was nooit een pistool te vinden als je er een nodig had.

'Schiet maar op. En je mag door elk rood stoplicht rijden. Hier is je fooi.' Ze gooide twee briefjes van twintig dollar over de stoelleuning. 'Zo is het goed. Ik hoef geen bonnetje te hebben.'

Nu schoot de auto vooruit. In Manhattan werkte geld altijd een stuk beter dan een politiepenning.

Een jongeman stond voor de artiestenuitgang van *Faustine's Magic Theater.* Hij droeg een ouderwets ouvreurskostuum met het bijpassende groene dopje. Zijn sigaret viel op het trottoir en zijn mond zakte open van verbazing, maar hij piekerde er geen moment over om te proberen de hollende vrouw met het kruisboogpistool tegen te houden.

Binnen in het theater was een man nog bezig om de laatste hand aan een net ingezette vensterruit te leggen, toen ze de deur door stoof en de deurknop tegen de muur smeet met een klap waarvan het pleisterwerk afbrokkelde. Ook die man legde haar geen haarbreed in de weg toen ze naar de coulissen naast het toneel rende.

Mallory bleef bij een vuilnisvat staan en keek de donkere gangen in die werden gevormd door tegen elkaar gezette triplex schermen. Het wemelde van de dozen en kisten, overal kon iemand zich verborgen houden. Ze liep langs de rand van het gesloten gordijn. Nu had ze een duidelijk zicht op een man in avondkleding die met een microfoon in de hand voor het publiek stond. Hij kondigde de volgende artiest aan: Franny Futura.

Mallory was niet in het minst verbaasd.

Het publiek klapte met meer dan beleefde belangstelling voor het met overdreven bombarie aangekondigde nummer waarvoor ze allemaal waren gekomen. In deze stad hielden ze wel van een gokje. Wie liet zich door de dagbladen niet regelmatig meeslepen? Als echte Newyorkers hadden de toeschouwers waarschijnlijk weddenschappen afgesloten op het leven van de man: zou hij wel of niet komen opdagen, zou hij dood zijn of nog leven? Ze zag het geld in het donker bijna van hand tot hand gaan.

Nick Prado stond tussen de coulissen toen ze van achteren op hem toe liep, half sluipend over de houten vloer.

Een man in een overall zat vlakbij op zijn hurken, verstijfd achter zijn gereedschapskist. De door de wol geverfde arbeider stond voor Mallory op en week achteruit zonder plotselinge bewegingen te maken. In zijn haast om te voorkomen dat hij iets zou zien waarvoor hij bij een proces als getuige zou kunnen worden opgeroepen, liet hij zijn gereedschapskoffer staan.

Mallory tikte Prado op zijn schouder en deed een stapje achteruit om buiten bereik te blijven. Hij draaide zich om en toonde slechts lichte verbazing.

'Mallory, hoe staan de zaken vanavond?'

Het had net zo goed een doodgewoon gesprek kunnen zijn, als de kruisboog er niet was geweest die ze op zijn ogen gericht hield.

Hij zat weer onder de medicijnen. Zijn reactievermogen was veel te traag. Hoeveel pillen had hij moeten nemen om die truc van de gehangene in dit theater op te kunnen voeren?

Prado knikte naar het wapen. 'Wat leuk. Dat past nog veel beter bij je dan een revolver.'

Ze wierp een blik op de mensen die zich achter het gordijn verzamelden. Twee toneelknechten zetten een lange zwarte tafel in elkaar. Een andere man plaatste een grote, rechtopstaande plank met mechaniekraderen achter op het toneel.

'Dus Franny leeft nog steeds,' zei Prado. 'Zit je nu in zak en as, Mallory? Ik hoop dat je geen geld op die theorie van je had gezet.'

Ze keek langs de afhangende rand van het gordijn omhoog naar de uit houten planken en metalen leuningen bestaande loopbrug. Haar ogen gleden naar de verticale stalen roe die boven het toneel uitstak. Aan het eind van de stang zat een halvemaanvormig mes, een licht beschadigd apparaat dat er niet alleen vreemd uitzag, maar ook bekend. 'Dat is geen kopie. Dat ding komt uit de kelder van Charles.'

'Ja,' zei Prado. 'Het is van Charles geleend. Franny wilde niet riskeren dat Oliver nog een truc verknald had.'

'U zult zich pas veilig voelen als hij dood is, hè?'

'Denk je dat ik geknoeid heb met de stunt van Franny? Dat kan gewoon niet. Hij doet het niet op de manier van Max.'

'Omdat hij niet weet hoe dat moet. Oliver heeft hem niet de plannen voor de slinger gestuurd. Hij gaf Futura de Verloren Illusie – het podium en de kruisbogen.'

'Mijn complimenten, Mallory. Ja, dat was werkelijk heel attent van Oliver. Franny's programma was zo afgezaagd. De Verloren Illusie zou hem in één klap tot de belangrijkste artiest van de avond hebben gepromoveerd. Natuurlijk had Franny het lef niet om hem op te voeren. Hij sloeg het aanbod af. Die arme Oliver had zo weinig kijk op mensen. Hij dacht dat iedereen even moedig was als hij.'

Mallory knikte. 'Oliver was echt een dapper mannetje, hè? Dus het was niet moeilijk om hem over te halen die truc zelf te doen. Ik weet dat u de voorstelling in Central Park hebt geregeld – precies zoals u hebt geregeld dat die oude man vermoord zou worden. U hebt zelfs de uitnodigingen geschreven. De tekst was helemaal niet in Olivers stijl – dat heeft iedereen gezegd.'

'Franny heeft Oliver vermoord.' Zijn woorden hadden een kleinerend ondertoontje. 'Ik ging ervan uit dat je dat wel begreep.'

'En Louisa?'

'Dat heeft Franny ook gedaan. Emile zal dat bevestigen. Ik heb haar alleen naar achteren gedragen, op mijn overhemd zaten maar een paar spatjes bloed. Franny zat van top tot teen onder haar bloed.'

Het was wel eigenaardig dat hij zo openhartig was over de schuld van Futura, hoewel ze wist dat hij de waarheid sprak. 'Dat u Futura zo bang hebt gemaakt dat u hem zo ver kreeg dat hij Louisa vermoordde... dat is de énige slimme zet die u ooit hebt bedacht.'

Dat vond Prado helemaal niet leuk. Hij wilde niets anders dan lóf.

Ze liet haar hand iets zakken tot het wapen op zijn hart was gericht. 'U wist dat Malakhai vanavond zou komen. Het is zijn tweede kans...

zijn laatste kans. Hij moet deze executie doorzetten nu hij nog weet waaróm hij dat doet. U hebt Futura ergens tijdelijk opgeborgen, zodat u aan de touwtjes kon blijven trekken en de timing en de manier waarop het zou gebeuren zelf in de hand kon houden.'

'Misschien geef je me nu wel een beetje te veel eer.' Maar uit zijn glimlach bleek duidelijk dat ze hem niet genoeg eer bewees... lang niet genoeg.

De gordijnen gingen open en in het licht van de spot stond Franny Futura opgewekt te grijnzen. Achter hem bevonden zich zes in capes gehulde figuren, de gezichten overschaduwd door de capuchons. Mallory keek gespannen naar de lichaamsdelen die zichtbaar werden toen de mannen zich bewogen. Door de capuchons was hun lengte moeilijk in te schatten, maar ze waren stuk voor stuk ongeveer even groot als de illusionist in zijn smoking. Er was er niet een lang genoeg om Malakhai te kunnen zijn.

'Het is zo'n angstig mannetje,' zei ze. 'Je kunt je nauwelijks voorstellen dat hij Louisa heeft vermoord. Maar u hebt tegen hem gezegd dat de Duitsers nooit in een in scène gezette dood zouden trappen. En daar had u gelijk in. Dus hebt u hem helemaal overstuur gemaakt, gek van angst, hysterisch. Hebt u hem verteld dat Louisa op de hoogte was van zijn contacten met de verzetsbeweging?'

Prado amuseerde zich duidelijk. 'Ik zal je eens wat vertellen, ik wist destijds niet eens dat Franny bij het verzet zat.'

'Maar u wist wel dat St. John erbij betrokken was. Ik weet dat u degene was die tegenover Futura over hem uit de school hebt geklapt. U hebt uw beste vriend verraden om de zaak op de spits te drijven. Toen angst niet genoeg bleek, hebt u de moord op een vrouw tot een daad van vaderlandsliefde verheven.'

Zijn ogen knipperden en zijn mond viel open van verbazing – sprakeloos, verstomd. Dat lag niet alleen aan het feit dat hij door medicijnen afgestompt was. Ze had goed gegokt.

Mallory draaide zich om en zocht tussen het publiek naar Malakhais gezicht. Jongemannen in werkkleren en oude mannen in smoking dromden tussen de coulissen aan de overkant van het toneel bij elkaar. Ze gebaarde dat Prado voor haar uit moest lopen tot ze achter het doek stonden dat het podium aan de achterkant afsloot.

'Meneer Prado, ik weet dat u alles in elkaar hebt gezet. U wilt dat Futura sterft terwijl al die mensen zitten toe te kijken. Dat maakt het nog extra spannend, hè? Hebt u met zijn truc geknoeid? Of heeft Malakhai dat gedaan?'

'Ik ben niet hier om...'

'We gaan naar boven.' Ze zwaaide met de kruisboog naar de ladder van de smalle loopbrug. 'Geen getuigen. De meeste mensen kijken nooit naar boven.'

Prado staarde naar de ladder. Zijn reactievermogen mocht dan afgenomen zijn door het gebruik van kalmerende middelen, de angst die het gevolg was van zijn acrofobie stak de kop weer op. Zijn hoofd ging met een ruk achteruit, alsof ze hem seconden geleden had neergeschoten en de pijl hem nu pas bereikte. 'Mallory, als je echt denkt dat er met Franny's attributen is geknoeid, waarom laat je de voorstelling dan niet gewoon stilleggen om alles na te kijken?'

'Dat gaat niet zo gemakkelijk als je denkt. Schiet op!' Daarmee had Prado haar dus verteld dat ze geen bewijzen zou vinden dat er geknoeid was. Als ze de voorstelling inderdaad liet staken, zou ze zich gewoon voor de tweede keer op één avond belachelijk maken.

En het dreigement zou ook niet uit de richting van het publiek komen. Ze wist dat Malákhai daar heus niet tussen zou zitten om weer een poging te doen om hem vanaf een afstand neer te schieten, niet met een revolver. Hij had haar wapen gestolen voor een poging van dichtbij, op de man af en dodelijk.

Prado legde aarzelend een hand op een van de sporten van de ladder. Ze gaf hem een por met de kruisboog. Hij klom langzaam omhoog naar de loopbrug die zich over de volle breedte van het toneel uitstrekte. Met dichtgeknepen ogen greep hij de ladder zo stijf vast dat het hem moeite kostte om zijn vingers los te maken om een volgende sport te pakken.

Mallory liep achter hem aan, met één hand op de armleuning, en hield de kruisboog op zijn rug gericht. Hij stapte van de ladder af op een klein metalen platform. Mallory stond vlak achter hem. 'Loop maar door.'

Hij sperde zijn ogen ongelovig open en schudde afwerend met zijn hoofd.

Raakten de medicijnen uitgewerkt?

Ze drukte de kruisboog van achteren tegen zijn taille. Heel voorzichtig zette hij een voet op de houten planken en de loopbrug bewoog onder hem. Hij greep de leuningen vast. Mallory gaf hem opnieuw een por en hij liep verder. De houten planken zwaaiden bij iedere stap heen en weer. Hij bleef stokstijf staan om de beweging op te laten houden en Mallory verplaatste haar gewicht om de brug weer te laten zwaaien.

'Al goed!' Hij liep behoedzaam verder.

Toen ze boven het midden van het toneel waren, zei Mallory: 'Blijf staan.' Ze keek omlaag naar de planken. Een glazen doodskist was op de lange zwarte tafel neergezet. Futura stond achter een microfoon toen de zes assistenten als een stel tapdansende slippendragers met een jute pop aan kwamen dragen. Vanuit luidsprekers tussen de coulissen denderde opgenomen muziek. Het was een tweederangs variévénummer waarvan ze de titel niet kende.

'Ingeblikte muziek en dansers,' mompelde Prado. 'Franny heeft een stel dánsers ingehuurd.'

Hij greep de rails vast en boog zijn hoofd om naar beneden te kijken. Ze had niet verwacht dat hij dat zou doen. Waar hij het bangst voor was, boeide hem tegelijkertijd. 'Die pop is het enige overblijfsel van een prachtige truc. Franny wilde een pompoen gebruiken voor de demonstratie. Dat hou je toch niet voor mogelijk?'

'Dus u hebt hem wel degelijk met de stunt geholpen.' Ze had de valse noot in zijn stem gehoord, een ingehouden ademtocht terwijl hij een mislukte gooi deed naar gespeeld lef. Ze bestudeerde zijn gezicht maar daar stond geen doodsangst op te lezen. Hoeveel pillen had hij genomen om die truc van de gehangene voor het voetlicht te kunnen brengen?

'U had tegen Emile moeten zeggen dat u hoogtevrees hebt. Dan had hij u vast niet gevraagd om zijn nummer over te nemen.'

'Ik heb geen...'

Ze verplaatste haar gewicht weer om de loopbrug heen en weer te laten zwaaien. Prado's handen klemden de railing stijf vast. Zijn ogen waren wat groter geworden en keken omlaag met de blik van iemand die een trein op zich af ziet komen. In gedachten stortte hij al naar beneden.

Op het toneel onder hen lag de stoffen pop in de doodskist en Franny Futura trok de twee helften van de glazen kist uit elkaar om het jute middenrif bloot te leggen. De slinger begon te bewegen en zakte, terwijl hij heen en weer ging. Ze kon de goed geoliede raderen van het mechaniek tegen de achterwand nauwelijks horen terwijl ze een hele reeks tandwielen, hefbomen en veren in werking stelden om de beweging van de slinger en het zakken van het halvemaanvormige mes te regelen.

Prado's gezicht was verstijfd; hij hield zijn kiezen op elkaar geklemd terwijl hij praatte. 'Geen spoor van Malakhai.'

'Maar hij is er wel.' Haar ogen waren strak gericht op een stel werklieden en toneelknechten die op een kluitje stonden. Malakhai zou het niet wagen om een schot vanuit de coulissen te lossen.

Prado's grijns was grimmig, maar tegelijkertijd was zijn gelaat een beetje bleek. De zinsbegoocheling van hoogmoedswaanzin streed tegen de angst om te vallen. Zijn kalmerende middelen speelden haar parten. Dit was niet de fobie op zijn sterkst, niet de doodsangst waar ze op uit was. Mallory liet de brug weer wiebelen, maar dit keer slechts een beetje. Toen hij zijn aandacht weer op haar had gericht, hield de beweging op. Ze behandelde hem als een rat bij een laboratoriumtest. Als hij deed wat hem gezegd werd, zou ze hem niet bang maken – niet erg tenminste.

Onder haar nam de snelheid van de slinger toe naarmate de boog die het vlijmscherpe mes beschreef groter werd. 'Ik dacht dat Emile degene was die Malakhai had verteld hoe zijn vrouw werkelijk was gestorven. Maar daar vergiste ik me in, hè? Jij was hem voor.' Ze liet de brug schudden en Prado reageerde dit keer al iets sneller.

Hij knikte overdreven heftig, met andere woorden: *Ja, je kunt het krijgen zoals je het hebben wilt.*

'Na de oorlog wilde je Malakhai zo ver zien te krijgen dat hij Futura zou vermoorden. Daarmee zou ook het laatste bewijs met betrekking tot de moord op Louisa uit de weg zijn geruimd.'

De slinger was inmiddels tot op de hoogte van de doodskist gezakt. Vier van dansers zwierden in een kringetje rond de illusionist en zwaaiden met hun rode mantels. De twee anderen bedekten de gescheiden helften van de glazen doodskist met doeken, waardoor alleen het middel van de lappenpop zichtbaar bleef.

Mallory boog voorover tot ze vlak bij Prado was, in de wetenschap dat hij toch nooit zijn houvast aan de railing los zou laten om een uitval naar haar wapen te doen. 'Futura was een geboren angsthaas, hè? Toen hij die uitnodiging van Oliver onder ogen kreeg, bleef hij er bijna in. Ik heb de gegevens van de telefoonmaatschappij,' loog ze. 'Ik weet dat hij er met u over heeft gesproken.'

Had ze dit keer de plank misgeslagen? Door de invloed van de medicijnen en zijn angst om te vallen viel er uit zijn gezicht niets op te maken. Mallory wachtte tot hij een paar keer diep adem had gehaald. 'Ik weet dat u de moord op Oliver hebt beraamd.' Wat dat betreft kon ze zich niet vergissen. 'En ik weet dat u dat alleen maar hebt gedaan om een motief voor deze moord te scheppen. Dat is uw stijl, veel te complex en veel te veel onzin... u denkt nog steeds als een stomme tiener.'

Prado leek oprecht verontwaardigd. 'Ik heb nooit iemand...'

Ze verplaatste haar gewicht opnieuw. De brug wiebelde harder heen en weer. Zijn gezicht was rood aangelopen en hij ademde snel en oppervlakkig. Toen ze hem voldoende voor die leugen had gestraft, hield ze haar lichaam weer stil. 'Dus er zijn twee moorden nodig om wat u met Louisa hebt gedaan in de doofpot te stoppen? U kon zich niet veroorloven om haar die avond weg te laten gaan, niet met de door u vervalste documenten. U moest een manier bedenken om haar in Parijs te doden.'

'Fránny heeft Louisa vermoord!'

Ze bracht de brug weer aan het wiebelen en hij viel op zijn knieën, zijn handen nog steeds om de railing, de ogen dichtgeknepen.

'Iedereen was in gevaar,' zei hij. 'Emile was...'

Ze liet de brug heftig heen en weer zwaaien. Zijn ogen gingen open en draaiden omhoog tot alleen het wit zichtbaar was.

'Nee, meneer Prado. St. John heeft de reputatie dat hij een rechercheur met prima instincten is. Hij heeft altijd geweten dat Louisa een risico vormde, een vrouw die werd gezocht. Hij heeft nooit geheimen prijsgegeven. Maar ú wel. Eerst probeerde u om Futura bang te maken. En hij wou ervandoor gaan, nietwaar? Daarom hebt u hem toen verteld dat Louisa St. John zou verraden als de Duitsers haar levend in handen kregen.'

Prado kreunde en ze zette de brug weer in beweging. Toen hij op het punt stond om zijn eten uit te kotsen, hield ze op.

'Daarna hebt u Futura naar die achterkamer gestuurd om een huilende, hulpeloze en gewonde vrouw te vermoorden. U zei tegen hem dat het zo gebeurd zou zijn, binnen de kortste keren – hij hoefde alleen maar dat kussen op haar gezicht te drukken.' Futura wist immers helemaal niets van moord af? Ze wisten toch geen van allen iets van moord af? Het waren nog maar jongens. 'Toen Louisa terug begon te vechten, moet hij stapelgek van angst zijn geworden. Twee bange mensen van wie de een de ander vermoordde.' Allebei in pure doodsangst. En vlak voor de deur… Duitse soldaten.

De slinger zwaaide tussen de twee glazen kisten door. Het zaagsel vloog beide kanten op. Mallory schudde weer met de brug, maar hield meteen op om met grote ogen naar de zich uitbreidende natte plek in Prado's kruis te kijken. Hij stonk naar urine.

'Sta op!'

Prado kwam langzaam overeind, met gebogen hoofd om de vernedering die op zijn gezicht stond te verbergen.

'Futura heeft haar niet vermoord om zijn eigen hachje te redden,' zei Mallory. 'Hij zou er altijd vandoor zijn gegaan als hij zich bedreigd voelde. Ik ken dat type.' Een les uit het handboek van stadsgeweld – angsthazen slaan op de vlucht. 'Dus toen bangmakerij niet hielp… toen hebt u St. John verraden. U hebt tot het laatste nippertje gewacht. De Duitsers waren al in het theater – er was geen tijd meer om er lang over na te denken. Misschien hebt u hem eraan herinnerd dat Malakhais vrouw de naam had dat ze snel zou doorslaan. Pas daarná is dat doodsbange mannetje naar die achterkamer gegaan en heeft hij Louisa vermoord. Waarschijnlijk huilde hij toen hij het deed. De arme klootzak. Hij dacht dat hij een goede daad verrichtte – een heldendaad.'

Toen Prado eindelijk zijn gezicht naar haar ophief, maakte hij een redelijk kalme indruk. 'Maar Franny heeft Louisa wél vermoord. Heb je je nooit afgevraagd waarom Malakhai zo lang heeft gewacht om wraak te nemen?' Hij wierp de vraag in het midden alsof het een fiche was dat hij naar believen als inzet kon gebruiken.

'Vergeet het maar, Prado. Dat weet ik allang.'

De slinger kwam weer omhoog en de boog werd krapper toen hij achter de afhangende rand van het gordijn verdween.

'Nadat u Malakhai had verteld wat er in werkelijkheid met zijn vrouw was gebeurd, moet u er echt gek van zijn geworden dat hij Futura niet vermoordde – dat Malakhai hem de moord op Louisa vergaf.' Ze keek strak naar zijn ogen, op zoek naar een aanwijzing dat ze zich had vergist, maar hij was oprecht verbijsterd. 'Vervolgens werd Oliver vermoord en dat veranderde alles. Malakhai voelde zich verantwoordelijk – daar hebt u wel voor gezorgd. Daarom probeerde Malakhai Futura tijdens de optocht dood te schieten.'

De methode die Malakhai voor de executie had aangewend had een duidelijke vingerwijzing bevat, een gevoel dat vergelijkbaar was met vergiffenis – mededogen bijna. Franny Futura zou het geweer nooit gezien hebben. Hij zou geen tijd hebben gehad om bang te zijn.

'Mallory, als ik een pet op had, zou ik hem voor je afzetten. Je bent misschien wel de beste detective ter wereld.'

Dat moest hij wel zeggen. Een mindere talentvolle rechercheur kon nooit verantwoordelijk zijn voor het ten val brengen van de grote Nick Prado – althans niet naar zijn eigen idee. Zijn ego begon de kop weer op te steken en verdrong zijn angstgevoelens.

'U hebt Malakhai behoorlijk moeten bewerken, hè?' Ze liet de brug wiebelen om hem te porren. 'U hebt tegen hem gezegd dat Oliver nu nog in leven zou zijn als hij die zaak na de oorlog meteen afgewikkeld had.'

'Ja en ik ben er niets mee opgeschoten – maar jíj kreeg het wel voor elkaar.' Dit keer viel hij niet op zijn knieën. Hij hield zijn blik vast op haar gezicht gericht. Ze was zijn kwelgeest, maar ook zijn visuele houvast.

'Zonder jou had ik het niet klaargespeeld, Mallory. Jij bent degene die hem vertelde hoe Louisa was gestorven, hoeveel kwaad Franny haar heeft aangedaan – al die pijn en angst. Ja, ik heb Malakhai verteld dat ze vermoord was. Daarna is hij voor meer bijzonderheden naar Emile toe gegaan. Emile heeft hem verteld dat het een snelle dood was, dat ze niet had geleden. Als Franny Oliver niet had vermoord...'

'Dat heeft hij helemaal niet gedaan. U hebt die dag in het park de sleutels verwisseld.' Ze bleef hem strak aankijken, wachtend op een teken dat ze verkeerd had gegokt. De medicijnen hadden niet alleen invloed op zijn reactievermogen gehad, hij was ook niet meer in staat om zijn verbazing te verbergen. Ze had gelijk – hij was het geweest. 'Futura voelde zich helemaal niet bedreigd door die uitnodiging van Oliver, nietwaar?

De oorlog was voor iedereen achter de rug... behalve voor u. Angst was nu geen drijfveer meer. Zat u er weer naast, meneer Prado?'

Op zijn gezicht begon zich een vage glimlach af te tekenen.

'Klopt dat niet helemaal?' Nee, ze had zich in een bepaald opzicht vergist. 'Ik durf te wedden dat u die uitnodiging alleen hebt gebruikt om Malakhai tot moord aan te zetten. U hebt het er met Futura zelfs niet over gehad.'

Ja, dat was het. Zijn zelfingenomenheid verdween als sneeuw voor de zon en zijn handen gleden achteruit over de railing, waardoor er vochtige zweetsporen op het metaal achterbleven.

'Hebt u hem verteld dat Futura bang was voor Oliver? Ik wed dat u hem dat al voor het optreden in het park hebt ingefluisterd. Het was beter om Malakhai zelf zijn conclusies te laten trekken.' Ze schudde de brug opnieuw, waardoor de planken heftig van links naar rechts zwiepten en zelfs bijna loodrecht op het toneel onder hen stonden. 'Waarom heeft Malakhai dat schot op Futura zo verprutst? Als hij gewoon had gemist, had hij nog een paar keer kunnen schieten. Maar hij schoot maar één keer.'

Prado greep zich opnieuw aan de railing vast maar zijn handen waren weer nat van het zweet. Hij verloor zijn houvast en zijn evenwicht en kwam hard op zijn knieën terecht, terwijl Mallory zich als een katachtig wezen prima in balans wist te houden.

Hij sloot zijn ogen en schreeuwde: 'Genoeg!'

Zie hield op met wiebelen en wachtte tot hij zichzelf weer in de hand had. Onder haar wervelden de dansers rond.

Prado veegde zijn handen af aan zijn pak. Zijn ademhaling ging snel en hij klauwde met één hand naar zijn stropdas. 'Ik stond naar Malakhai te kijken toen hij dat geweer liet zakken. Hij kon het moorden gewoon niet meer opbrengen. Waarom weet ik niet. Hij was wéér van plan om het erbij te laten zitten.'

Hij herstelde zich en kwam weer een beetje op adem. Zijn gezicht was niet meer zo rood aangelopen en zijn glimlach schoof langzaam maar zeker weer te voorschijn. 'En toen begon jij hem te bewerken, Mallory, en je wist van geen ophouden. Ten slotte kwam hij toch weer bij me – die prachtige knul die ik vroeger heb gekend. Gisteravond was hij woedend en hij zat te janken – hij was in staat om de hele wereld te vermoorden. Dat was voor de helft jouw werk.'

De slinger hing stil en ze kon duidelijk zien dat de pop in het midden in tweeën was gereten. De assistenten tilden hem uit de doodskist. Mallory speurde weer rond door de ruimte achter het toneel. 'Hij is daar ergens beneden met een revolver. Dat was jouw bedoeling niet, hè? Volgens jouw plan moest Futura tijdens de stunt sterven, nietwaar? Doormidden gehakt door een vlijmscherp mes?'

Ja, van die revolver keek hij op.

Ze richtte de kruisboog op het toneel beneden. Van hier af kon ze geen lange man van een kleine onderscheiden. Het was een vergissing geweest om naar boven te gaan.

Prado stond ook naar beneden te kijken, misschien alleen om te bewijzen dat hij dat wel durfde. 'En als je Malakhai in het oog krijgt? Je kunt hem niet zomaar neerschieten zonder...'

'Maar dat wil jij toch? Je wilt alleen niet dat ik de volgorde van de moorden door elkaar haal. Als ik Malakhai eerst uitschakel, zal Franny praten. O god, zijn mond zal niet stilstaan.'

De slinger was weer in beweging en zakte langzaam naar beneden.

'Ik zou het niet aandurven om hem alleen maar te verwonden,' zei ze. 'En dat is een kwestie van respect.'

Prado kromp ineen. Hij begreep dat hij alleen nog in leven was om dat hij in een mindere categorie viel.

Mallory legde de kruisboog neer. Hij schrok pas in tweede instantie toen ze zijn arm vastpakte en die met een ruk achter zijn rug boog. Ze duwde hem naar de stalen railing en ramde zijn buik met zoveel kracht tegen het metaal dat de lucht uit zijn longen klapte. De loopbrug kantelde en ze dreigden allebei naar beneden te vallen. De kruisboog hing over de rand van het plankier en ze schopte hem terug naar het midden van de brug.

'U hebt geen conditie meer. Dat maffe idee van u dat u mij in een rechtstreeks gevecht nog wel aan zou kunnen? Vergeet het maar. Malakhai zou dat nog wel lukken. Daarom zal ik hem ook moeten neerschieten, zodra ik hem zie.' Ze wrong zijn arm nog verder naar achteren. 'Ben ik duidelijk genoeg geweest? Als u me helpt om hem tegen te houden, hebt u nog steeds een kleine kans om eronderuit te komen of ervandoor te gaan.'

Mallory liet hem los en pakte de kruisboog op. Prado snakte naar adem en keek weer omlaag – alsof hij het gevaar wilde uitdagen. Misschien werkten de medicijnen toch nog. Onder hem hielpen de assistenten de illusionist in de doodskist te klimmen.

'Wat gaat er nu gebeuren, meneer Prado?'

Hij keek op naar de kruisboog die ze op het toneel gericht hield. Zijn stem klonk bijna kalm. 'Ik weet zeker dat je geen danser wilt vermoorden. Dat kan iedereen.'

De assistenten schoven de twee delen van de glazen doodskist uit elkaar, zodat de brede tailleband die Futura onder zijn smoking droeg zichtbaar werd. Vervolgens trokken ze de handen en de voeten van de goochelaar door de gaten in het glas en sloten de boeien om zijn polsen en enkels.

'De boeien klappen open,' zei Prado. 'Dit keer hoef je geen problemen met een sleutel te verwachten. Franny durfde niet eens dat risico aan.'

De assistenten bedekten de twee helften van de doodskist met rode doeken.

'Over een minuut of twee zal hij uit de kist zijn,' zei Prado. 'Als hij nog wat jonger en leniger was, zou hij de boeien om zijn enkels losbreken en zich in de voorste kist opkrullen. Dat is ook zo'n afgezaagde truc.'

Een van de assistenten benam het publiek het zicht op de ruimte tussen de van elkaar gescheiden glazen delen. De man haalde een dikke bundel zwarte stof onder zijn cape vandaan en legde die in de doodskist.

'Dat is boerenbedrog om het publiek te laten denken dat hij nog steeds in de kist ligt als het mes naar beneden komt. Het is van dezelfde stof als Franny's smoking.'

Een prop rode stof werd in het voorste stuk van de doodskist geduwd.

'En dat is nog zo'n cape voor Franny. Die slaat hij om voordat hij aan de achterkant uit de doodskist rolt. De achterwanden scharnieren. Vervolgens mengt hij zich onder de dansers.'

Een man in een lange rode cape kwam bij het voorste deel van de doodskist overeind uit een gehurkte houding.

'Dat is Franny,' zei Prado. 'Tel de assistenten maar. Er zijn er nu zeven op het toneel. Bij het begin van de voorstelling waren het er zes.'

De slinger begon weer te bewegen, heen en weer boven de ruimte tussen de kisten.

'Er zit een microfoon in het voorste deel van de doodskist,' zei Prado. 'Over een minuut wordt er door een machine een wolk mist over het toneel uitgebraakt. Op die manier zie je het snoer niet als een van de assistenten het aansluit. Het is heel goedkope geluidsapparatuur, bijna even oud als Franny zelf. Als je zijn stem op het toneel hoort, zit hij in een achterkamertje in een microfoon te krijsen.'

De slinger begon in de buurt te komen.

'Als Max deze truc opvoerde, lagen er geen doeken over de doodskist. Je kon hem erin zien liggen terwijl hij schreeuwend tegen het glas beukte. Je zag hoe het mes zijn tailleband openhaalde. Geen imitatiebloed, geen gore toestanden. Maar de mensen durfden te zweren dat ze het bloed van Max in plassen op het toneel terecht zagen komen. Franny's versie is van top tot teen tweederangs. Even saai als een begrafenis met een gesloten kist.'

Prado was plotseling veel te spraakzaam, veel te behulpzaam – hij probeerde tijd te rekken. Mallory stak haar vrije hand uit, greep hem bij zijn kraag en drukte zijn hoofd voorover langs de planken. 'Als hij sterft, zul jij ervoor boeten.'

Hij verdraaide zijn hoofd om naar haar te glimlachen. Het zweet droop over zijn gezicht, zijn ogen puilden uit… maar de glimlach bleef. 'Ik dacht dat jij meer begrip zou tonen, Mallory. Jij bent toch beroepshalve met gerechtigheid bezig.'

'Nee, dat wordt door andere mensen gedaan. Ik handhaaf alleen maar de wet. Als dat niet zo was, zou ik je nu meteen van deze loopbrug afsmijten. Recht is doodsimpel. Wat ik doe, is een stuk moeilijker.'

Ondanks al zijn angst begon zijn gezicht weer de normale glimlach te tonen. Lag het aan de medicijnen? Of richtte hij haar als een pistool op het doel? Ja, hij probeerde alleen maar om alles op zijn tijd te laten gebeuren. Het was belangrijk dat Futura als eerste stierf.

De zevende man liep van het toneel af. De zes assistenten bleven doordansen terwijl de slinger omlaag zakte. Een deur achter het toneel viel dicht. Was Futura al in de achterkamer? Zat Malakhai daar op hem te wachten? Ze had iets gemist. Daarom glimlachte hij.

Mallory draaide zich om, rende naar het eind van de loopbrug en begon de ladder af te klimmen. Stel je voor dat het ontfutselen van haar revolver alleen maar een afleidingsmanoeuvre was geweest? Wilde Malakhai Futura op dezelfde manier ombrengen als Louisa was gestorven… in een kopie van dezelfde kamer?

De microfoonversie van Futura's stem schreeuwde vanuit de doodskist. 'Wacht even, er is iets mis!' Tegelijkertijd hoorde ze diezelfde stem achter uit het theater komen, gedempt door een paar muren. Vier sporten van de grond sprong ze van de ladder af en richtte op de in een cape gehulde figuur die op weg was naar de achterkamer. 'Malakhai! Stop! Anders schiet ik u neer!'

Hij liep achter een ronde gipsen pilaar om. De illusie van een transformatie was perfect. Zijn rode cape was verdwenen toen hij aan de andere kant van de pilaar weer tevoorschijn kwam in een donker pak met stropdas. Haar gestolen revolver bungelde in zijn rechterhand.

De stem op het toneel schreeuwde om hulp. Laaghangende wolken kunstmatig vervaardigde mist rolden over de planken en bedekten alle snoeren. Ze kon Futura horen in de achterkamer waar hij zich volmaakt veilig voelde terwijl hij angstkreten in zijn microfoon slaakte.

'Het gaat niet door, meneer Malakhai. Ik heb drie pijlen in het magazijn zitten. Ik wil mijn revolver terug. Nú! Ik schiet u écht neer, hoor.'

'Ja, dat weet ik wel. Je zou in de oorlog echt fenomenaal zijn geweest.

O, wacht... de verkeerde periode. Sorry. Riker heeft me laatst verteld dat jij met cowboyfilms bent grootgebracht.'

Hij stak haar zijn vlakke hand toe waar de revolver op lag.

Ze gebaarde met de kruisboog naar de vloer. 'Leg hem maar neer.'

Hij legde het voor zijn voeten op de grond. 'En hoe vond je de stunt van Charles?'

'Schop hem naar me toe.' Het stereogeschreeuw bleef doorgaan. De slinger zakte kennelijk nog steeds. Ze wendde haar blik geen moment af om naar het toneel te kijken; dat zou gelijkstaan aan een afleidingsmanoeuvre. 'Schop hem naar me toe. Nú!'

Met een tikje van zijn voet liet hij de revolver over de houten vloer schrapen. Hij kwam vlak voor haar tot stilstand. Ze hield de kruisboog op hem gericht en bukte zich om haar wapen op te pakken. In een onderdeel van een seconde had ze de zichtbare kamers gecontroleerd, ze waren allemaal van een patroon voorzien.

'Het is altijd verstandig om de hele cilinder te controleren.' Hij leunde achterover tegen de pilaar en sloeg zijn armen over elkaar. 'Misschien heb ik er de eerste patroon wel uitgehaald. Was de Verloren Illusie een teleurstelling voor je? Dat heb je me nog niet verteld.'

'De oplossing van Charles klopte ook niet, hè?'

'Nee, maar Max zou trots op hem zijn geweest. Ik heb de repetitie van Charles gezien. Hij heeft een behoorlijk risico genomen... en allemaal voor jou. Iedere keer als ik aan jullie tweeën denk, zie ik een stel geesten voor me.'

'U wist best dat ik hem nooit zo ver zou kunnen krijgen dat hij het opgaf.'

'Nee, tenzij je hem een pistool tegen zijn hoofd zette.'

'Er had heel goed iets mis kunnen gaan.'

'Dat is waar. En dat wist Charles ook. De manier van Max was in feite minder gevaarlijk, maar nog verbazingwekkender. Hoe wist je dat Charles de truc niet goed deed?'

'Het was gewoon... niet genoeg. Alleen maar een ontsnappingsstunt, geen magie. Er had magie aan te pas moeten komen.'

'Dus mijn lessen zijn niet verspild. Nou ja, Charles heeft er het beste van gemaakt en een komische aanpak gekozen. Maar Max speelde het onmogelijke klaar en liet iedereen erin geloven. Ik zou het je wel kunnen laten zien, maar dan heb ik de kruisboog nodig.'

'Ja, dat zal wel.'

'Wat sceptisch, Mallory.' Hij stak zijn hand uit, in de overtuiging dat ze hem het wapen echt zou geven. 'Waarom zou je aarzelen? Jij hebt je revolver. Een kogel is toch vast en zeker sneller dan een pijl? Dat moet je toch uit die cowboyfilms van je hebben opgestoken. Als je nog steeds wilt weten hoe de Verloren Illusie in zijn werk ging, zal ik je dat laten zien. En dan zou je nooit...'

Ze schudde haar hoofd. Hij kon het schudden.

'Maar Mallory, je bent juist zo dol op een beetje risico. Wat is het ergste wat er zou kunnen gebeuren? Een duel? Een afrekening? Geef me die kruisboog nou maar. Als je wilt weten hoe die truc in elkaar zit, zul je er iets voor over moeten hebben... een risico.'

'Geen denken aan.'

'Ik zou je nooit kwaad doen, Mallory. Ik heb nog nooit tegen je gelogen.'

Het was een verleidelijk idee. Haar reflexen waren toch beter en sneller. Ze geloofde niet dat hij op haar dood uit was, maar blindelings vertrouwen was niet een van haar karaktertrekken. Terwijl ze haar revolver op zijn hart gericht hield, draaide ze de kruisboog ondersteboven zodat de drie pijlen op de grond vielen. Daarna stak ze hem het wapen toe.

Malakhai pakte het aan. 'Maar ik heb de pijlen wel nodig.' Hij knielde op de grond en stak zijn hand ernaar uit terwijl hij met opgetrokken wenkbrauwen omhoogkeek alsof hij wilde zeggen: *Mag ik?*

'Natuurlijk,' zei ze. 'Maar als u probeert om de kruisboog te spannen, schiet ik u dood.'

'Begrepen.' Hij legde de kruisboog neer en stopte de pijlen erin door ze langzaam een voor een in de opening van het houten magazijn te laten vallen. 'Max had er altijd drie pijlen in zitten. Je vroeg je al af waarom.'

Hij stond op en ze hief de loop van haar revolver omhoog zodat die op zijn gezicht was gericht. Hoewel ze had geleerd om altijd op het bredere doelwit van een borst te schieten, kon ze nu beter zijn hoofd onder vuur houden om hem eraan te herinneren dat ze bereid was om hem te doden.

Achter haar stopte de muziek, maar de dansers bleven tapdansen op het geschreeuw van Franny Futura. Ze hoorde het gesuis. Dat moest de slinger zijn die door de lucht zwiepte. Haar vinger raakte even de trekker van de revolver aan, alleen maar om het koude metaal te voelen, niet om druk uit te oefenen. Nog niet.

Hij pakte de kruisboog bij de schacht vast en stak haar het wapen toe. 'Hier. De truc is voor elkaar. Je hoeft de boog alleen maar te spannen en me een pijl in het hart te schieten.'

'Natuurlijk,' zei ze, hoewel ze overduidelijk bedoelde: *Om de dooie dood niet.* Ze had twee handen nodig om de boog te spannen en ze stopte haar revolver echt niet in de holster. Ze pakte de kruisboog met haar linkerhand aan. Haar rechterhand hield de revolver op zijn gezicht gericht.

352

'Je kunt het best,' zei hij alsof hij een kind aanmoedigde om de eerste pasjes te zetten. 'Je komt de oplossing alleen maar te weten, als je me neerschiet.'

De fluittoon van een rondzingende microfoon begeleidde het geschreeuw van Futura. Malakhai wierp een blik op de afgesloten kamer. 'Dat is het probleem met technische foefjes. Dat verpest het hele effect.' Hij keek haar weer aan. 'Ben je klaar voor een stukje échte magie?' Hij spreidde zijn armen om haar zijn borst als doelwit aan te bieden. 'Ik wacht op mijn pijl, Mallory.' Zijn glimlach was heel mild. 'Kun je het niet? Nou, in dat geval moet ik nog een karweitje afmaken. Daar heb ik jouw revolver echt nooit voor nodig gehad.'

Hij draaide zich om en zij strekte meteen de arm met de revolver. 'Als u ook maar één stap verzet, schiet ik u neer. Zo is het toevallig wel.' Maar ze had niet de bedoeling om hem te doden, ze weigerde gewoon om een mechanisch attribuut van Nick Prado te worden.

Malakhai tilde zijn hand op en liet haar een donkere metalen vijl zien. Hij gooide hem in de richting van de gereedschapskist die door de werkman was achtergelaten. 'Ik heb toch tegen je gezegd dat ik dat pistool helemaal niet nodig had. Je had beter op moeten letten toen ik je dat trucje met die notendoppen liet zien. Het spijt me dat ik je revolver beschadigd heb en ik zal uiteraard de kosten betalen.'

Mallory wist al wat ze zou zien voor ze naar de achteruit getrokken haan keek. Hij had de slagpin weggevijld.

Ze tilde de kruisboog op terwijl ze de revolver in haar holster stopte.

'Dat is beter,' zei hij. 'Maar ik geloof niet dat je me écht kunt neerschieten. Nu, ik moet ervandoor. Iemand doden is zo gebeurd, als je ten minste weet hoe het moet. En dat weet ik.'

'Malakhai!' Ze spande de boog door de hefboom over te halen die de pees straktrok. 'Je weet best dat ik je neer zal schieten.'

'Echt waar, Mallory? In de rug? Hoe moet je dat verklaren? Ik ben ongewapend.' Hij was al bijna bij de deur van de achterkamer. 'Misschien ben je er iets te vast van overtuigd dat je een monster bent. Persoonlijk geloof ik niet dat je er de aanleg voor hebt.'

'Blijf staan!'

'Franny's stunt is bijna voorbij. Ik moet me haasten.'

Mallory had niet de bedoeling hem te verwonden; ze richtte op de plek waar de schacht zich in zijn rug zou boren en zijn hart zou treffen. Ze drukte op de trekker van de kruisboog. De pees ontspande met een zangerige knal en op hetzelfde ogenblik draaide hij zich om. Zijn hand schoot uit en ving de pijl uit de lucht.

Niet te geloven.

Ze wist met welke snelheid de pijl vloog. Het was gewoon onmogelijk, maar toch had hij een pijl in zijn hand.

'Kennelijk heb ik je onderschat.' Op zijn gemak kwam hij weer naar haar toe slenteren. 'Sorry. Je bent toch niet boos?'

'U had die pijl in uw mouw verstopt.' Ze keek omlaag naar het magazijn. Was het schot geketst? Ze spande de boog opnieuw en hief hem omhoog tot hij op zijn borst gericht was.

Hij bleef gewoon doorlopen. 'Hij zal het ook nu niet doen.' De afstand tussen hen in werd kleiner. Futura schreeuwde nog steeds om hulp vanuit zijn kamertje.

Ze vuurde het wapen op zijn borst af. De pees ontspande, maar de pijl vloog er niet uit. 'Hebt u het magazijn geblokkeerd? Dat is toch niet de manier waarop…'

'Dat is wél de manier waarop Max het deed. Je hebt toch een lichte schok gevoeld, of niet soms? O, ik begrijp je verwarring al. Hoe konden de pijlen wel afgevuurd worden bij de demonstratie met de pop en blijven steken als een mens het doelwit was? Nou, dat zal je helemaal niet leuk vinden.'

Hij hield de pijl omhoog en draaide aan de metalen punt. Die kon langs de schacht hoger en lager geschroefd worden. 'Zo verleng je de pijl. Alleen de eerste valt keurig op zijn plaats in de boog – die is voor het proefschot op de pop. Bij het laden van de tweede pijl, de lange, wordt de punt in het hout van het magazijn gedrukt als je op het andere uiteinde drukt. En de derde pijl? Die diende om te voorkomen dat het publiek zag dat de tweede pijl helemaal niet was afgevuurd.'

'Maar de agenten laadden de magazijnen voor de beide…'

'Niet als Max de truc opvoerde. Dan gaven de politieagenten hem alleen maar de pijlen aan, allemaal dezelfde, stuk voor stuk van gelijke lengte. Híj laadde zelf. Oliver en Charles hebben zich in dat opzicht vergist. Dus als Max de tweede kruisboog laadde, draaide hij de punt om.'

'Dus dat was alles? Max knoeide met een kruisboog?'

'O nee,' zei Malakhai. 'Hij knoeide met twéé kruisbogen. Die oplossing van Charles was heel aardig, maar als Max de truc voor het voetlicht bracht, was het effect briljant, zinderend gewoon. Hij ontweek de eerste twee schoten en de spanning werd ondraaglijk terwijl hij met de handboeien stond te worstelen. Dan trok hij de staander kapot en het publiek gilde het uit – de mensen maakten een heisa van jewelste. De kruisboog werd afgevuurd – en meteen daarna had hij een pijl in zijn hand, die hij onder donderend applaus uit de lucht had geplukt. En het laatste schot? Het leek net alsof hij daarvoor een tikje te laat was, dat hij er net niet in was geslaagd om de laatste pijl te pakken voor die zijn hart doorboorde. Max stierf daar voor de schietschijf. Toen hij uit de dood opstond om de pijl uit zijn hart te trekken, viel een man op de eerste rij flauw.'

'Dus hij had twee pijlen in zijn jas verstopt.'

'Dat klopt. Het effect was adembenemend.'

'Maar de geblokkeerde pijl had best los kunnen schieten door de schok van het afvuren van de eerste pijl.'

'Dat is inderdaad gebeurd bij een repetitie met de pop. Die mogelijkheid zat er altijd in. Toen ik die avond zag dat Max de pijl recht in zijn hart kreeg, wist ik het zelfs niet zeker. Alleen iemand die zo lang is als Charles kon de fatale pijl ontwijken. Zelfs met een van zijn handen vrij had Max niet genoeg bewegingsruimte. Maar goed, Charles heeft toch zijn leven in de waagschaal gelegd. Dat soort moed kom je niet elke dag tegen. Daarom werden de trucs van Max ook nooit gejat.'

Malakhai glimlachte terwijl hij toekeek hoe ze met behulp van een andere pijl het geblokkeerde exemplaar terug in de schacht duwde, nog steeds vastbesloten om hem neer te schieten.

Achter haar begon de muziek weer te spelen.

'Maar het mooiste heb ik voor het laatst bewaard.' Hij trok aan de manchetten van zijn overhemd en liet haar zien dat zijn mouwen leeg waren. Daarna hield hij haar twee gebalde vuisten voor om haar iets te tonen.

Zijn vingers vouwden zich langzaam open en Mallory hoorde in de verte een echte kreet van pijn die van twee kanten tegelijk kwam, vanaf het toneel en uit de achterkamer. Ze luisterde naar de reactie van het publiek, het enorme geroezemoes van honderden fluisterende stemmen die allemaal tegelijk in het donker om geruststelling vroegen. Het geschreeuw werd luider naarmate zijn handen zich verder openden, alsof Malakhai als een soort buikspreker de pijn van de andere man bestuurde.

Ze draaide zich om naar het toneel waar de slinger in een wijde boog tussen de glazen kisten door zwiepte. De rand van het vlijmscherpe halvemaanvormige mes was roodbevlekt. 'Max Candle gebruikte geen bloed bij die truc.'

'Nee, Mallory. Franny ook niet.'

'Er zit geen microfoon in die kist.'

'O jawel, hoor… net als Franny.' Hij pakte haar bij een hand, toen ze naar het toneel wilde rennen. Terwijl hij haar met een zwaai terugtrok, viel de kruisboog met een klap op de grond. 'Wat je in de achterkamer hoort, is de geluidsapparatuur. Nu zul je niet bedrogen en teleurgesteld worden… ditmaal niet. Het is allemaal echt.'

Ze probeerde zich los te rukken. Haar been kwam omhoog en ze moest wat meer ruimte hebben om hem in zijn kruis te trappen. Hij gaf een venijnige draai aan haar pols en een ogenblik later had hij zijn armen stijf om haar heen geslagen.

'De slinger stopt echt niet voor jou, Mallory.' Hij sprak zo zacht, zo redelijk... en dat voor een moordenaar. Het was de stem van de rede die haar de rillingen over het lijf joeg, alsof hij werkelijk dacht dat hij bij zijn volle verstand had gehandeld.

'Het is geen apparaat dat je af kunt zetten,' zei hij. 'Het hele rader-werk moet gewoon aflopen. Dat ding trekt zich er niets van aan dat jij een rechercheur bent.'

Ze probeerde zich uit Malakhais greep te bevrijden en worstelde in zijn armen tot ze met haar gezicht naar het toneel stond. Hij hield haar nog steviger vast – als een minnaar, als een cipier, met handen die de hare gevangen hielden en armen die haar strakker bonden dan touwen.

Futura's pijn uitte zich in één onafgebroken kreet. Malakhais stem zei in haar oor: 'Je wilde toch weten wat ik in de oorlog had gedaan? Kijk dan maar.'

'Nee! Maak er een eind aan!' Ze riep tegen de dansers: 'Schuif die doodskist aan de kant!' Het geschreeuw van Mallory vermengde zich met het gekrijs van Futura. De assistenten stonden met hun gezicht naar het publiek terwijl ze langs de rand van het podium dansten zonder aan-dacht te schenken aan het hulpgeroep en de muziek speelde gewoon door. Haar hart bonsde in een sympathisch ritme met de doodsangst van Futura, zijn huilen en zijn bloeden.

En Malakhai fluisterde ondertussen: 'Een prachtig staaltje van gerech-tigheid, Mallory. Voor Louisa en voor Oliver.'

De slinger spetterde bloed over het hele toneel en een paar druppeltjes kwamen op de kostuums van de dansers terecht. Ze stonden met hun rug naar de doodskist toe terwijl ze gelijktijdig hun benen omhoog wier-pen.

Malakhai verstevigde zijn omhelzing. 'Zie je die mensen achterin?' Twee schimmige vormen stonden op in het gedempte licht in de zaal. 'Die mannen schieten Franny te hulp. Ze zijn te laat, natuurlijk, maar ze komen er in ieder geval aan. Het zijn er maar twee. Kijk eens naar de rest.'

Een eenzame kreet van een vrouw rees uit boven het geluid van de pijnkreten uit de doodskist.

'Denk eens aan Oliver Tree, Mallory... al die pijlen. Hij was toch ook jouw Oliver? Je hebt hem altijd bij zijn voornaam genoemd.'

Bloedspatten kwamen op de rand van het podium terecht. De slinger maakte nu een wijdere boog en rode druppels kwamen op de jurken van twee vrouwen op de eerste rij terecht. Er was maar één vrouw die even hard schreeuwde als Franny Futura en met evenveel pijn. De rest van de toeschouwers zat verstomd van verbazing, behalve de twee mannen die inmiddels het middenpad hadden bereikt. Nu renden ze op het toneel af.

'Maar twee hulpverleners,' zei Malakhai.

Er zaten bloedspatten op de jurk van een vrouw op de tweede rij. De slinger zwaaide weer over het publiek, rood en nat. En nu liep er een straaltje bloed over het gezicht van een man op de eerste rij, net als bij de man naast hem. De twee hulpverleners klommen het podium op.

'Kijk eens naar die mensen op de eerste rijen, Mallory. Ze weten dat het fout is gegaan… geen twijfel mogelijk. Ze weten dat Franny stervende is, maar ze kunnen hun ogen niet van hem afhouden. Dat is nog eens theater – een kleine blik op de Tweede Wereldoorlog, zoals het er wérkelijk aan toe ging. Een laatste minuut vol verschrikking.'

De twee redders konden niet bij de doodskist komen. Ze werden ingesloten door de wapperende capes van de gesloten formatie tapdansende assistenten. Onder de tafel stond een plas bloed.

Het geschreeuw van één wanhopige vrouw viel samen met het gekrijs uit de glazen doodskist, echo's uit de achterkamer en een schrille elektronische fluittoon van de geluidsapparatuur.

En toen hield het schreeuwen op – zowel dat van Mallory als dat van Franny.

De slinger bleef in stilte door zwiepen om zich door het vlees te hakken en de botten te breken, onwetend en zich niets aantrekkend van het feit dat de man dood was. Er kwam steeds minder bloed, nog maar een paar dunne straaltjes, nu er niets meer bij kwam om te verspillen.

Doden bloedden niet.

Malakhai liet haar los. 'Nu heb je dus de oorlog meegemaakt, Mallory. Was het niet fantastisch?'

De muziek stopte, het dansen hield op – alles was stil terwijl de met capes getooide dansers en de twee in pakken gehulde mannen langzaam naar de doodskist toe liepen.

Mallory zakte op de grond. Hoewel ze kapot en uitgeput was, bleef ze zich aan haar woede vastklampen. Ze sloeg met een gebalde vuist op de planken tot de tranen van pijn haar in de ogen sprongen.

Malakhai knielde naast haar neer en Mallory wendde haar gezicht af om dat te verbergen.

'Je bent een bedrieger.' Hij streelde teder over haar haar. 'Je voelt meer medelijden dan die mensen daarginds met het bloed op hun gezichten – die lui die alleen maar toekeken.'

Ze haalde uit met één vuist.

Hij was sneller, ving haar gebalde hand op en liet die in de zijne verdwijnen. 'Natuurlijk heb je echt geprobeerd om me te doden. Dat kan niemand je meer afpakken. En ik denk inderdaad dat je meedogenloos bent – als dat een troost is.' Hij stond langzaam op en liet de slappe vingers van haar hand los waaruit uit alle kracht weggevloeid was. 'Maar we kunnen niet allemaal monsters zijn, Mallory. Zoals ik al eerder zei... je hebt er gewoon geen aanleg voor.'

Met gebogen hoofd trok ze haar benen stijf tegen haar lichaam en luisterde hoe zijn voetstappen bij haar wegliepen in de richting van de deur die vervolgens dichtviel. Boven het geroezemoes van het publiek hoorde ze jankende sirenes op Broadway die met de seconde dichterbij kwamen, inmiddels alweer luider, bijna ter plekke. Mallory sloot haar ogen en sloeg haar armen om haar knieën, heen en weer wiegend, geschokt en gewond door haar minuut oorlogservaring.

22

Zelfs op deze afstand van het toneel was de lucht vochtig en klam – al dat bloed. Bovendien hing er de stank van ontlasting en het avondmaal van de dode man dat nog onverteerd was voor hij in tweeën werd gehakt.

Bij zijn aankomst had brigadier Riker Mallory gebogen over de glazen doodskist aangetroffen. Ze had toegelaten dat hij het bloed van haar handen had gewassen, maar hem weggeduwd toen hij een smeerboel maakte van haar wollen blazer door de rode vlekken met behulp van natte papieren handdoekjes groter en viezer te maken.

Nu zat ze aan een bureau in de buurt van de deur naar het toneel. Een lamp wierp haar starre schaduw op de muur met postvakjes daar vlakbij. Ze leek zich niet bewust van de stank en het af en aan lopen van straatagenten, rechercheurs, de mensen van het bureau van de patholoog-anatoom en de vertegenwoordiger van het openbaar ministerie. Haar ogen waren blind voor alles in haar directe omgeving.

Riker wist dat ze Franny Futura weer voor haar geestesoog zag sterven en dat ze de beelden steeds weer opnieuw in zich opriep, op zoek naar mogelijke fouten die ze had gemaakt.

Dat moest ophouden.

Hij pakte een kartonnen bekertje van een toneelknecht aan en gaf de man vijf dollar voor de moeite. Mallory keek een tikje argwanend naar het bekertje en Riker beschouwde dat als een teken dat ze weer een beetje de oude werd.

Hij gaf haar het bekertje in de hand. 'Het is water.'

Ze nam een slokje. 'Niet waar.'

'O, je proeft de drank. Maar er zit ook water in. Drink maar gauw op, meid. Je kunt wel wat vitamines gebruiken.' Riker had het idee dat ze ook aan een bloedtransfusie toe was. Hij wierp een blik op het toneel waar twee mannen het lichaam uit de doodskist tilden. Toen hij zich weer tot zijn partner wendde, was het papieren bekertje leeg en ze verfrommelde het in haar tot vuist gebalde hand. Nog een goed teken.

'Ze hebben me belazerd, Riker.'

Dat was waar en waarschijnlijk zouden ze er niet voor gestraft worden, maar dat zou hij haar nooit voor de voeten werpen. Hij haalde zijn opschrijfboekje tevoorschijn. 'De eerste agent die kwam opdagen heeft met de assistenten van die oude vent gesproken. Ze dachten allemaal dat de stem in de doodskist uit een microfoon kwam.'

Ze knikte. 'Een tweewegsysteem. De geluidsapparatuur staat in de achterkamer. Het werkte op dezelfde manier als een intercom waarvan de knop vast bleef zitten.'

'Die goochelaars zweren allemaal dat ze Futura uit de doodskist zagen komen voor de slinger begon te zakken. Hoe kan...'

'Het zijn helemaal geen goochelaars,' zei Mallory. 'Alleen maar een stelletje dansers. Wat ze wél zagen, was een man in een rode cape. Dat was Malakhai. Hij dook weg onder de doeken die over de doodskist lagen en kwam er op het juiste moment weer onderuit. De jongens waren zo druk bezig zich de benen uit hun lijf te dansen dat ze geen van allen in de gaten hadden dat Malakhai veel langer was.' Ze tilde haar gezicht op en staarde naar de loopbrug boven hun hoofd. 'Dat zou mij wel opgevallen zijn als ik niet op die brug had gestaan.'

'Maak je daar nou maar niet druk over.' Hij hield haar een kopie voor van de buis uit *Faustine's* waar één sleutelbaard in was geschroefd. 'Komt je dit bekend voor? We hebben het vlak bij het lichaam gevonden. Kennelijk heeft Futura dit laten vallen voor hij zijn boeien los kon maken.'

Ze wierp er een achteloze blik op. 'Dat is waarschijnlijk de sleutel van Malakhai. Franny was niet van plan om echte handboeien te gebruiken. Malakhai heeft de boeien die opengeklapt kunnen worden verwisseld voor echte. Zo heeft hij de oude man vermoord.'

'En daarna heeft Malakhai dus expres een sleutel achtergelaten? Knap gehaaid. We zullen nooit kunnen bewijzen dat het moord was.'

'Ik heb niet gezien dat Malakhai het toneel opging en ook niet dat hij zich onder de tafel verstopte. Prado moest als afleidingsmanoeuvre fungeren. Als ik hem niet te pakken krijg voor de moord op Oliver, grijp ik hem wel voor medeplichtigheid aan deze zaak.'

'Dat lijkt me niet, meid. Malakhai heeft in feite de moord gepleegd. Er is niets wat op medeplichtigheid van Prado wijst.' Riker trok een houten stoel naast de hare en ging er wijdbeens op zitten, met zijn over elkaar geslagen armen op de rugleuning. 'We kunnen niet eens bewijzen dat hij een motief had.'

'Ik had Malakhai moeten neerschieten zodra ik hem in het oog kreeg,' zei Mallory. 'En dat wíst ik. Alweer een fout.'

Riker keek om en zag Jack Coffey die met een natte regenjas over zijn schouder naar hen toe kwam lopen. Had de hoofdinspecteur die laatste opmerking gehoord?

Coffey bleef voor het bureau staan. Zijn gezicht voorspelde niets goeds toen hij op Mallory neerkeek. 'Ik heb net met Prado gesproken. Hij beweert dat jij medeschuldig bent aan het ongeluk waarbij Futura de dood vond. Hij zegt dat jij hem letterlijk hebt weerhouden om hulp te bieden aan...'

'Prado heeft die moord in elkaar gezet,' zei Mallory. 'Hij hoefde geen hand uit te steken bij die truc. Alles ging prima. Franny Futura is echt hartstikke dood.'

Riker legde een hand op haar schouder om te voorkomen dat ze van haar stoel opsprong. 'Rustig aan, meid. Niemand gelooft dat het een ongeluk was. Maar Prado heeft de zaak net om zeep geholpen. De pers zal zeggen dat het jouw schuld was. En vervolgens nagelen ze het hele politiekorps aan het kruis.'

Coffey ging op de rand van het bureau zitten. 'Prado zegt dat hij die uitspraak niet in zijn officiële verklaring zal opnemen. Toen hij dat tegen me zei, leek het alsof hij het op een akkoordje wilde gooien. Ik sta volledig achter je, Mallory, maar we kunnen ze geen van beiden arresteren. Ze gaan allebei vrijuit.'

Mallory's stem was veel te kalm. 'Hebt u goed gekeken naar wat ze gedaan hebben? Bent u daar niet doodziek van geworden?'

Riker staarde naar haar handen die ze stijf over elkaar had gevouwen om het lichte beven te verbergen. Dat wilde niet zeggen dat haar zenuwen op het punt stonden om het te begeven, maar het was een waarschuwingsteken dat ze ieder moment haar geduld, haar beoordelingsvermogen en haar baan kon verliezen. Ze hield haar woede nog in, maar hoe lang zou dat duren?

Hoofdinspecteur Coffey knikte in de richting van een man die bij de ladder naar de loopbrug stond. Hij liep tegen de dertig, droeg een donkere regenjas en had een ziekelijk bleek gezicht. 'Dat is Crane. Hij is substituut-officier van justitie en een regelrechte stommeling. Maar hij heeft het hier voor het zeggen en hij zegt dat we het kunnen schudden. Het openbaar ministerie wil de zaak niet eens in overweging nemen.'

Crane voegde zich bij het groepje van drie, maar bleef duidelijk een eind bij Coffey uit de buurt. De man keek op Mallory neer alsof hij hoog boven haar verheven was. Riker begreep dat het zijn bedoeling was om de rechercheur op die manier haar plaats te wijzen.

Maar ze had haar ogen zelf ook niet in haar zak en keek keurend naar de goedkope regenjas van de jurist die in de juiste verhouding stond tot het aanvangssalaris van een substituut-officier. Zelfs Riker kon zien dat de mouwen kilometers te lang waren. Mallory's kleermaker had die jas nog met geen tang willen aanraken.

De stem van de man was een irritant, nasaal gejengel. 'Ik heb begrepen dat álle trucs van Max Candle gevaarlijk waren. En die mensen die u beschuldigt? Onderscheiden oorlogshelden, allebei. De man die zij als referentie opgeven, is Emile St. John, een voormalige bureauchef van Interpol.' De substituut-officier van justitie zette zijn beide handen op het bureau en boog zich echt veel te dicht naar Mallory toe. 'U hebt er een potje van gemaakt, brigadier. Als iemand de stad een proces aandoet voor uw aandeel in deze dood, zal ik u voor de leeuwen...'

De substituut-officier had zijn betoog kennelijk ingestudeerd en raakte nu de draad kwijt. Hoewel Mallory zich nauwelijks had bewogen, moest zelfs een vent met zo'n bord voor zijn kop als Crane snappen dat ze hem echt hard zou aanpakken en dat pijn op de loer lag.

De jurist week achteruit en ging vlak bij Coffey staan terwijl hij met veel vertoon zijn das rechttrok. Daarna krulde Cranes lip aan een kant op en Riker vroeg zich af of hij dat minachtende gebaartje voor een spiegel had geoefend.

'Het was onmiskenbaar een ongeluk,' zei Crane. 'De man heeft zijn boeiensleutel laten vallen. Zelfs een idióót had dat nog begrepen. Dus waarom moet ik dit soort simpele feiten dan aan een rechercheur uitleggen? Als u me de volgende keer weer op een plaats van een misdrijf laat opdraven, zorg dan dat uw feiten kloppen. Gebruik uw verstand. Houd uw ogen ópen. Hebt u me begrépen, brigadier?'

Morgenochtend zou Mallory de risee van het OM zijn. Dit keer zou ze de vernedering moeten slikken – of misschien ook niet. Ze kwam omhoog uit haar stoel, maar Riker had de achterkant van haar lange jas stevig vast.

De uitdrukking op het gezicht van Jack Coffey was bijna gemeen, het leek wel een soort Mallory-glimlach. 'Riker, wat doe je nou? Als zij die lafbek een dreun wil verkopen, moet zij dat weten.'

Riker liet zijn hand zakken en keek met een strakke blik omhoog naar het verlichte bordje boven de deur, alsof het woord UIT maar moeilijk te ontcijferen was.

Nu was het Mallory's beurt om te glimlachen.

'Bij nader inzien moet je nog maar even wachten.' Coffey priemde twee vingers in de borst van de substituut-officier en duwde hem een stap achteruit. 'Je bent een echte klungel, Crane. Ik heb het bewijsmateriaal gezien... de hele mikmak.' Hij prikte opnieuw nadrukkelijk in de borst van de man. 'Ik zeg dat ze wel degelijk een zaak heeft. En jij bent te stom of te bang om die door te drukken.'

De jurist wist gewoon niet hoe hij moest kijken. Hij balanceerde op het randje van een shock, en terecht. In de hiërarchie van politie en openbaar ministerie zou hem dit niet mogen overkomen.

'Dit is kennelijk de eerste dag dat je in functie bent,' zei Coffey. 'Dus ik zal je fouten niet in mijn rapport opnemen. Als ik dat wel zou doen, zou je baas me ongetwijfeld vragen waarom ik je geen schop onder je stomme kont heb gegeven.'

Welke fouten?

Riker wist dat de officier van justitie Jack Coffey nooit zou steunen. Voor die overtreding zou de hoofdinspecteur zich meteen de volgende ochtend tegenover de hoofdofficier moeten verantwoorden. Het was een kwestie van beleid en dus heel gewoon dat de politie de gebeten hond was, wanneer de jonge prinsen van het OM een strobreed in de weg was gelegd of als ze alleen maar op de kast waren gejaagd. Een ervaren jurist moest dat weten. Dus waarschijnlijk was het inderdaad Cranes eerste dag.

Ondertussen herkende Riker deze tango van brutaal afgewentelde schuld en op het verkeerde been zetten met een handvol leugens. Hoofdinspecteur Coffey had al behoorlijk wat opgestoken van Mallory.

Ze stonden allemaal voor het blok.

Coffey wierp een blik op zijn horloge. 'Ik zal je eens wat vertellen, Crane. Ik geef je tien seconden om je uit de voeten te maken.'

De hoofdinspecteur liep naar de jurist toe en Crane ging ervandoor, zonder een laatste poging om met veel poeha de indruk te wekken dat hij nog steeds de touwtjes in handen had. Hij was duidelijk van zijn stuk gebracht en vroeg zich waarschijnlijk af wat hij over het hoofd had gezien, welke fout hij had gemaakt – het typische kenmerk van een onervaren substituut-officier. Hoofdinspecteur Coffey had de jurist goed ingeschat: hij wás een lafbek en nu sloop de kerel weg en trok rustig de toneeldeur achter zich dicht. Volgens Rikers normen was dat een goed teken. Als Crane van plan was om hen dit betaald te zetten, als hij wraakgevoelens koesterde, zou de deur met een klap dicht zijn gegooid.

Een duidelijke overwinning.

Coffey stond met zijn gezicht naar het toneel terwijl hij tegen Mallory sprak. 'Je kunt met deze zaak geen kant uit. Het was geen perfecte moord, maar het komt er verdomd dicht bij in de buurt.' Hij keek naar de mannen van de gerechtelijke medische dienst die de lichaamsdelen weer aan elkaar legden in een lange zwarte zak met een rits. 'Je hebt geen schijn van kans dat Prado toegeeft dat er sprake was van een samenzwering. En er is geen enkel tastbaar bewijs van moord. Natuurlijk is het duidelijk dat Malakhai zo gek is als een looien deur. Stel je nou eens voor dat je hem zo ver zou krijgen dat hij bekent? De getuigenis van een krankzinnige is geen knip voor de neus waard, hij kan zelf geen schuld bekennen en anderen niet beschuldigen.'

Mallory's handen ontspanden zich en kwamen tot rust op de armleuningen van de houten stoel. Haar stem klonk lusteloos. 'Als we deze zaak maar voor een jury kunnen krijgen, dan kan ik precies uitleggen hoe alles in elkaar steekt.'

Coffey schudde zijn hoofd. Voor het eerst scheen hij er geen vreugde in te scheppen om haar in een meningsverschil de baas te blijven. 'Het komt helemaal neer op jouw getuigenis, Mallory. Nick Prado zal je geloofwaardigheid met de grond gelijk maken als hij jou deze dood in de schoenen schuift.' Hij trok zijn regenjas aan terwijl de brancard langs het bureau reed, voortgeduwd door de mannen van de gerechtelijke medische dienst. 'Het spijt me dat je die ouwe vent niet hebt kunnen redden. Ik ben blij dat je het wel hebt geprobeerd.' De hoofdinspecteur keek de voortrollende lijkenzak na tot hij door de toneeldeur was verdwenen. 'Mallory? Als ik je alle mankracht had gegeven waar je om had gevraagd...'

'Dat zou geen enkel verschil hebben gemaakt.' Ze legde haar hoofd op de rugleuning van de stoel. 'Het zou geen donder hebben uitgemaakt.'

Coffey draaide zich om en liep de toneeldeur uit.

Riker schoof zijn stoel iets dichter naar Mallory toe. 'Je hebt er echt een potje van gemaakt, meid. Als je had gezegd dat het Coffeys schuld was, had je dat later nog eens tegen hem kunnen gebruiken. Er gaat niets boven schuldgevoelens.' Hij legde zijn hand op haar voorhoofd. 'Alles goed met je?'

Ze duwde hem weg.

'Geen koorts,' zei Riker. 'Nou ja, die ouwe van je heeft altijd gezegd dat je uiteindelijk een prima meid zou worden. Dat zal de verklaring wel zijn, denk ik.'

Dus op deze manier bedankte ze de hoofdinspecteur voor het feit dat die lafbek op zijn nummer was gezet. En Jack Coffey had dat bijzonder stijlvol gedaan, een schitterend gebaar zonder ook maar met zijn ogen te knipperen of een zweetdruppeltje te verliezen – alleen om Mallory's gezicht te redden. Het was verdomme bijna romantisch.

Natuurlijk zou Coffey zich vannacht ook de rest van zijn haren uit zijn hoofd trekken van de zorgen, maar desondanks zou Riker hem morgen nog steeds een prachtvent vinden.

Mallory trok haar revolver uit de holster en legde hem op het bureau. 'Hebben we verder nog iets? Ik durf te wedden dat niemand zich kan herinneren dat hij Malakhai in het theater heeft gezien, hè?'

'Niemand weet dat hij hier is geweest.' Riker verloor haar revolver geen moment uit het oog. Als een politiefunctionaris in het kader van zijn beroepsuitoefening bij de gewelddadige dood van iemand betrokken was, was het normaal dat hij of zij professionele hulp kreeg om zelfmoord te voorkomen, maar bij een dodelijk ongeval hoefde Mallory daar niet op te rekenen. 'Hoe zit het met het motief voor de eerste moord? Denk je dat Oliver Tree werkelijk wist hoe Louisa was gestorven?'

'Nee, hij was gewoon een lieve oude man.' Ze pakte de revolver op en draaide hem om in haar handen. 'Maar hij was wel dapper, hè? Al die pijlen.'

'Ja, dat was hij.' Riker begreep hoeveel Oliver Tree voor haar had betekend. Maar ze was het nieuwe lijk, Franny Futura, nu ook al gaan tutoyeren en daar maakte hij zich zorgen over. Er klonk iets bezitterigs in de manier waarop ze zijn naam uitsprak.

Ze had het nog niet opgegeven.

'Je hebt je best gedaan. Het is niet jouw schuld dat...' Op dat moment zag hij hoe ze de haan van haar revolver terugtrok. 'Mallory, je weet dat Coffey gelijk heeft. Je kunt verder niets doen.'

Zeker niet legaal.

Zijn ogen waren nog steeds op de revolver in haar handen gericht. Zelfs zonder zijn bril was de schade aan de slagpin duidelijk te zien. Hoewel hij zich daar nog heel lang het hoofd over zou breken, zou hij nooit vragen hoe dat gebeurd was. Hij legde een hand op haar schouder en kneep er even in. 'Je bent maar een mens, meid.'

Mallory glimlachte. 'Maar daar ben je niet eens honderd procent zeker van, hè Riker?' Ze liet de kapotte revolver in haar holster glijden. 'Breng je me naar huis?'

'Zeker weten. Wil je andere kleren aantrekken?'

'Zoiets.'

De lange kamer was voorzien van een donkere lambrisering. Dure rode leren banken en stoelen stonden in groepjes opgesteld om gesprekken te stimuleren en de wand aan de overkant van het vertrek was bedekt met flessen, terwijl boven de mahoniehouten bar een lange spiegel was aangebracht. Bij gebrek aan klanten doodde een serveerster de tijd door op zachte toon een gesprek met de barkeeper te voeren. Ze waren zo ver weg dat het niet mogelijk was te verstaan wat er gezegd werd.

Mallory stond vlak bij de overwelfde doorgang van de foyer, met het gezicht naar de brede entree van het restaurant aan de andere kant van een nauwe gang. Ze volgde de kelner terwijl hij zich voortbewoog tussen de vele tafeltjes met linnen en kristal, wijn en voedsel. Tussen de aanwezigen bij dit privé-feest had de man Malakhai nog niet gevonden.

Het was een blik op een andere tijd. Bontjassen hingen over de stoelen van vrouwen die geen angst toonden voor een aanslag van politiek-correcte anti-bontfanaten. Onwettige rook kringelde omhoog uit lange sigarettenpijpjes en schitterende juwelen weerkaatsten vonkjes licht van armbanden en ringen. Champagnekurken plopten en de muziek uit een ander tijdperk zwol aan en kwam over de scheidslijn drijven die door de gang werd gevormd. Twee mensen dansten rustig tussen de tafeltjes en andere wetsovertreders stonden op om zich net als zij over te geven aan dit vergunningsloze, belastingvrije genoegen.

En achter haar ranselde de decemberregen tegen de ruiten.

Malakhai kwam het restaurant uit en liep naar de foyer. Hij was blij haar te zien. Misschien begreep hij haar bezoek verkeerd en beschouwde hij het als een elegant gebaar om zich gewonnen te geven.

Ze kreeg een gevoel alsof ze ging zweven toen hij naar haar toe kwam lopen. Er versnelde iets in haar borst op de plek waar haar vitaalste orgaan zich moest bevinden, maar niemand minder dan dokter Slope had gezegd dat ze helemaal geen hart had. Haar keel begon een beetje pijn te doen. Ze wist precies wat dat was; een bijverschijnsel van verdriet, maar daar snapte ze helemaal niets van – niet hier, niet nu. En dus schreef ze het maar toe aan de gespannen zenuwen van een naderend eindspel. Ze was hier om Malakhai uit zijn tent te lokken en af te maken.

'Mallory, ik hoop dat je me toestaat dat ik de kosten voor het ruïneren van je revolver betaal.'

'Daar zou ik me maar geen zorgen over maken.' Ze trok de ceintuur van haar lange jas los. 'Ik heb meer dan genoeg vuurwapens.' Ze maakte haar blazer open om de .38 in haar holster te laten zien. 'Deze schiet ook prima.'

Hij stond heel dicht bij haar. Haar pols sloeg op hol. En die kriebels van opwinding vlak onder haar huid? Zenuwen, anders niet. Zo'n lange avond. Bijna voorbij.

'Kom je voor het feest?' Malakhai keek even om naar het restaurant. 'Of was je van plan iemand te arresteren wegens illegaal dansen?'

Mallory wierp een blik op de andere ruimte. 'Ik dacht dat het misschien wel afgelast was – vanwege het óngeluk.'

'De meeste van deze mensen waren vanavond in Carnegie Hall,' zei Malakhai. 'Er is hier nog niemand uit *Faustine's Magic Theater*. Het is best mogelijk dat ik vergeten ben dat voorval te vermelden.'

'Maar u herinnert zich nog wel dat u een man hebt vermoord. U weet dat ik u daarvoor zal oppakken.'

'Ach, die arrestatie – dat is het enige wat telt, hè? Nick zegt dat er geen sprake van zal zijn. Maar ik heb meer vertrouwen in jou. Natuurlijk zal ik tegen de tijd dat jij genoeg bewijzen hebt verzameld waarschijnlijk niet meer weten waaróm je me arresteert. Ik hoop dat je plezier daardoor niet vergald zal worden. Ik vind het zo naar om je teleur te stellen.' Vreemd genoeg scheen hij dat oprecht te menen. Zijn stem vertoonde geen spoor sarcasme. Hij kwam iets dichter bij haar staan.

Mallory week niet achteruit, maar door even met haar hoofd te schudden liet ze hem wel merken dat ze daar niet van gediend was. 'Ik denk dat ik wel een arrestatiebevel kan krijgen voordat uw hersenen in tomatensoep veranderen.'

Hij glimlachte alsof dat ontzettend grappig was. 'De attaques komen steeds sneller achter elkaar. Jaren verdwijnen. Hele decennia zijn vrijwel in rook opgegaan.

'Dus ik had gelijk, hè? Louisa is weg?'

'Ze is al heel lang weg.'

'Maar ze was er nog wel toen u een schot op Futura loste. Louisa wilde toch niet hebben dat u dat deed?'

Een tikje verward schudde hij zijn hoofd.

Dus dit was ook weer zo'n mysterie waarvan ze de oplossing nooit zou kennen – net als de manier waarop hij met de schaduw van een dode vrouw had gespeeld. Vreemd genoeg had Mallory meer vertrouwen in Malakhais vrouw dan hij zelf. Als Louisa niet voor de tweede keer was gestorven, was Franny misschien nog in leven geweest.

Hij stak een hand uit om even haar haar aan te raken. 'Nu, op dit moment... gaat het alleen maar om jou en mij.' Hij boog zijn hoofd en bracht zijn gezicht dichter bij het hare. 'Ik hoop dat ik doodga voor ik jou vergeten ben, Kathy Mallory.'

Ze luisterde naar de regen die tegen de ruit achter haar striemde. De seconden liepen in elkaar over. Zijn arm gleed om haar schouder en hij voerde haar mee naar het restaurant.

'Ga maar mee naar het feest.' Zijn stem klonk weer sterker. 'Laten we de wet maar overtreden, nu ik nog steeds weet hoe ik moet dansen.'

Mallory week achteruit, schudde hem af en nog steeds zag hij haar niet als een opponent – een mooi moment om hem de doodsteek toe te brengen. Wat moest ze doen om hem ervan te overtuigen dat hij de verkeerde man had vermoord? Nick Prado stond aan de overkant van de smalle gang en ze wist dat dezelfde gedachte door zijn hoofd schoot terwijl hij vol belangstelling hun gesprek gadesloeg.

Met de juiste woorden en de juiste timing kon ze Malakhai op Prado afsturen en indirecte een volmaakte moord plegen.

Prado was een seriemoordenaar – drie doden. Hij kon dit zo goed. Ze had hem onderschat – alweer een fout. Maar nu kon zij hetzelfde doen, nog beter en nog sneller – zonder dat ze daar ooit voor gestraft zou worden. Prado zou sterven en Malakhai zou helemaal kapotgaan aan de wetenschap dat hij de verkeerde man had vermoord. Een tikje gerechtigheid voor iedereen.

Haar lange jas hing open. De holster werd zichtbaar toen ze achteloos de stof van haar blazer opzijschoof. Malakhai had vanavond al wat ervaring met het stelen van haar revolver opgedaan. Ze hoefde hem alleen maar in de richting van het doelwit te sturen dat recht tegenover hen aan de andere kant van de gang stond.

Dat zou echt geen enkele moeite kosten.

Maar direct daarna verborg ze de revolver weer door langzaam en met een gevoel van intense spijt haar jas dicht te doen en het leer met een stevige ruk aan haar ceintuur samen te trekken. Haar werk had niets te maken met gerechtigheid. Zij handhaafde alleen de wet.

Prado liet zich weer door het feestgedruis opnemen. Ze zag haar kans langzaam verdwijnen.

Ze draaide zich om en keek Malakhai aan, klaar om hem beetje bij beetje kapot te maken. Dat zou langzaam moeten gebeuren, op de juiste manier – door de ene leugen op de andere te stapelen.

Hij moest het aantrekken van haar ceintuur opgevat hebben als een teken van afscheid. Zijn ogen stonden vol teleurstelling terwijl hij haar op drie passen afstand stond aan te staren. Ze was zich bewust van elk klein detail dat de avond meebracht, het geglitter van een zee van lovertjes in het vertrek achter hem, de dansende kaarsvlammetjes. Ze hoorde het gerinkel van glazen. Een fles viel met een klap op de grond en veroorzaakte bruisende belletjes van vrolijk gelach die op de muziek kwamen aandrijven.

Hij hield zijn hoofd wat schuin in een poging haar te begrijpen. Alsof hij dat kon. 'Ik zal je nooit weerzien, hè?'

'U zult me weerzien als ik u morgenochtend kom arresteren. De vereiste documenten liggen om negen uur op mijn bureau,' jokte ze.

'Er is geen enkele reden...'

'Omdat Prado dat heeft gezegd? Hij denkt als een amateur en zo zet hij zijn plannen ook in elkaar.'

'Je hebt geen bewijs.'

'Dat heb ik wel... ik sta heel sterk met betrekking tot de moord op Louisa.' *Heel zwak, in feite.* 'Dat is uw motief voor de moord die u vanavond heeft begaan.'

'Maar je kunt niet bewijzen dat haar dood geen ongeluk was.'

'Wel waar. Ik heb de getuigenverklaring die u tijdens het pokeren hebt afgelegd en een post mortem verklaring van een patholoog-anatoom, dokter Slope. Verklaringen van getuige-deskundigen gelden als wettig bewijsmateriaal.' Dat was niet zo, maar het klonk wel heel goed. 'Ik heb een tastbaar bewijs – uw boeiensleutel uit *Faustine's*. Ik wed dat het Nicks idee was om die bij het lichaam achter te laten – een stomme zet. Ik heb het lab opgedragen om naar DNA te zoeken. Dat komt uit de huidolie van uw vingers.' Heller zou zich een rolberoerte lachen als ze daarmee aankwam.

Ze keerde hem de rug toe. 'U kunt zich beroepen op het feit dat u krankzinnig bent. U kunt Louisa laten opdraven en haar in de rechtszaal een paar goedkope kunstjes laten doen. Maar daarna krijg ik de kans om te vertellen hoe Franny is gestorven.'

Malakhai stak zijn hand uit en draaide voorzichtig haar gezicht weer naar hem toe. 'Je hebt hem bij zijn voornaam genoemd. De misdaden die Franny heeft begaan, tellen voor jou niet meer, hè?' Zijn stem klonk ongelovig. 'Alles is veranderd.'

Ze duwde zijn hand weg.

Malakhais hand viel langzaam omlaag. 'Franny was die verdomde kat in dat brandende gebouw, nietwaar?'

Waar heeft hij het over?

Hij kon de vraag van haar gezicht aflezen.

'Dat rapport van die psychiater,' zei hij. 'Die ene vraag van de test die je goed had – dat kleine stukje van je waar je echt trots op bent. Je wilde die verdomde kat van je uit de brand redden – alleen maar omdat Franny een levend, ademend...' Zijn woorden stierven weg. Hij staarde haar aan alsof ze hem op de een of andere manier had verraden met dat ene antwoord dat ze goed had gehad.

'Het spijt me, Mallory.'

'Met spijt schieten we niets op. Het heeft helemaal niets met mij te maken. Er is vanavond een man gestorven.' *De verkeerde man.* 'En daar zult u voor moeten boeten.' *Al dat bloed.*

'Je weet dat het zeker een jaar zal duren voordat het tot een proces komt. Volgens de dokters ben ik dan allang dood.'

'Dat weet ik.' *Maar er was zoveel pijn. Die kreten.* Franny bleef maar om hulp roepen.

'Wat heeft het dan voor zin, Mallory?'

'Ik zal nog steeds achter Nick Prado en Emile St. John aan kunnen gaan.'

Zijn hand greep zich vast aan de rugleuning van een leren stoel, alsof hij steun nodig had.

Ze ging iets dichterbij staan voor de laatste pijl die ze op haar boog had. Het was bijna gedaan. 'Ik ben van plan om u alle drie aan te klagen en hen als medeplichtigen op te voeren. De zaak zal veel sterker staan als het om u drieën gaat. U kunt zich niet allemáál op krankzinnigheid beroepen. Maar Prado heeft nooit zo ver vooruitgekeken – de stomme amateur.'

'Emile had er helemaal niets mee te maken.'

'Dat weet ik wel. Denkt u dat mij dat iets kan schelen? Als hij met me had samengewerkt...' *Als hij al zijn vrienden had verraden...* 'Hij heeft informatie achtergehouden.' Hij had begrepen waarom Franny Louisa had vermoord. Mallory had hem het motief gegeven toen ze hem vertelde over Prado's verraad. St. John had ervoor gekozen om de overlevenden niet kapot te maken door de waarheid voor hen te verzwijgen. Mallory had minder scrupules over het kapotmaken van een mens – en toch wilde ze Malakhai niet vertellen dat hij de verkeerde man had vermoord.

Malakhai was al zo diep gekwetst – dat gold voor hen beiden. Mallory kon het beeld van dat hakkende mes aan die slinger niet van zich afzetten.

'St. John was een eersteklas rechercheur,' zei Mallory. 'Hij was altijd de sterkste... en de zwakste schakel: veel te beschaafd voor moord in koelen bloede.' Ze kon Franny nog steeds horen schreeuwen. 'Het aandeel van St. John was zo passief dat hij de dans best zou kunnen ontspringen als hij bereid is om tegen u te getuigen. Maar we weten allebei dat hij dat nooit zal doen. Ik krijg jullie alle dríé te pakken.' Ze dwong zichzelf tot een glimlach en benadrukte elk woord van haar bluf: 'Ik kan niet verliezen.'

'Je vergist je, Mallory. Emile is onschuldig.'

'Hij was ervan op de hoogte. Meer heb ik niet nodig voor medeplichtigheid.' Bloed dat over de gezichten van toeschouwers stroomde. 'En dit is de klap op de vuurpijl.' *Meneer Malakhai, kunt u de slinger door de lucht horen suizen?* 'Ik hoef het niet eens te bewijzen. St. John zal een volledige bekentenis schrijven en de Staat de kosten van een proces besparen. En aangezien hij de schuld toch op zich zal nemen, zal hij dat ook voor u en Nick doen. Hij zal voor u de gevangenis ingaan, misschien zelfs voor u sterven.' Boetedoening voor de beul van de maquis.

'Hij is onschuldig.'

Franny gilde opnieuw. *Al die pijn.*

'Wat kan het mij nou schelen wie eronderdoor gaat,' zei Mallory. 'Zolang er maar iemand voor opdraait.' Ze zag het bloed dat van de slinger afvloog en op de gezichten van de toeschouwers terechtkwam. 'Ik hoef geen tijd meer aan u te verspillen. Ik gooi het wel met St. John op een akkoordje.' Ze draaide hem de rug toe en liep naar de deur. Franny liep met haar mee, krijsend om hulp, bloedend uit zijn wonden.

'Mallory?'

Malakhai kwam achter haar aan en legde zijn handen op haar schouders om te voorkomen dat ze bij hem wegliep. Ze voelde hoe hij zijn gezicht in haar haar drukte.

Het bloed, al dat bloed. Dat was haar mantra.

Hij fluisterde: 'Wat zou je ervan zeggen als ík de Staat de kosten van een proces bespaar? Als ik beken, heb je Nick en Emile toch niet nodig? Ze hoeven zelfs niets van dit gesprek af te weten.'

Mallory zag de schaduw over de muur glijden, maar er was niemand die hem wierp. Ze sloot haar ogen, zo moe dat ze zelfs dingen zag die er niet waren. Franny huilde.

'Wat maakt mij dat uit?' *Al dat bloed.* 'Zolang er maar iemand voor opdraait.' Eén veroordeling was beter dan geen. 'Maar er zijn bepaalde voorwaarden.'

Mallory dacht al aan de strafpleiter die de hele zaak op losse schroeven kon zetten voor het tot een proces zou komen. Rook ze gardenia's? Was ze ooit eerder zo moe geweest? Ze hoorde Riker weer zeggen dat ze maar een mens was. Zijn woorden werden overstemd door Franny, die maar bleef huilen en schreeuwen.

Hier moest een eind aan komen en wel heel snel.

De strafpleiter… precies. Met het schriftelijk bewijs van krankzinnigheid in de hand kon zelfs een eerstejaarsstudent rechten een getekende bekentenis nietig verklaren.

'Voorwaarden.' Ze deed haar ogen weer open. Er was geen schaduw op de muur en het geschreeuw in haar hoofd was opgehouden. 'U zult afzien van uw recht op een advocaat als u uw verklaring op schrift zet. Er zullen geen argumenten zijn voor verzachtende omstandigheden – geen medische rapporten, geen psychiatrische onderzoeken.'

Ze kon zijn warmte achter zich voelen, zo dichtbij. Zijn adem streek door haar haar.

'U zult voor de rechtbank een bekentenis afleggen. Nadat het vonnis is gewezen, zult u gearresteerd worden.' Uit haar ooghoeken zag ze iets donkers bewegen, een schaduw die zich over de volle lengte van de muur oprichtte, klaar om toe te slaan.

Nee, er is echt niets te zien.

'Dan draait u rechtstreeks de gevangenis in. Geen uitstel, geen juridische spelletjes om u meer tijd te geven.' Er was geen vrouw die die schaduw af kon werpen. Louisa was meer dan een halve eeuw geleden gestorven.

'Akkoord,' zei Malakhai. 'Morgenochtend zal ik het allemaal opschrijven. En vanavond bezegelen we onze afspraak met een drankje – een laatste glas wijn.'

Zijn handen gleden van haar schouders toen ze zich omdraaide en hem aankeek met de woorden: 'Ik wil niet met u drinken.'

Malakhai stapte achteruit. 'Nee, natuurlijk wil je dat niet.' Hij was eindelijk volkomen kapot. Het stond op zijn gezicht te lezen, meer verdriet dan ze ooit had aanschouwd. Hij boog zijn hoofd in een schim van een buiging, een gebaar van welterusten, keerde zich vervolgens van haar af en liep door de foyer om zich eenzaam een weg tussen de feestgangers door te banen. Ze keek hem na tot hij in de menigte was verdwenen.

'Je wilt met mij ook niet drinken, nietwaar?' De voordeur viel dicht, terwijl Emile St. John op haar toe liep. Hij had geen paraplu bij zich en de regen drupte van de rand van zijn hoed toen hij daar bij wijze van groet tegen tikte en zei: 'Het is een kwestie van partij kiezen.'

Ze knikte.

'Je bent een goede rechercheur, Mallory.' Hij draaide haar de rug toe en liep naar het restaurant waar Charles Butler uit zijn stoel oprees om de man bij wijze van hartelijke begroeting een klopje op zijn schouder te geven. Een jonge brunette zeilde op Nick Prado af met een wijnglas in haar hand. Hij sloeg een arm om haar heen en rende samen met haar door het vertrek, op de maat van de muziek – uitgelaten, lévend. Er werd wijn gemorst, de rook kringelde omhoog. Mallory kon aan de andere kant van de scheidslijn de hoge tonen van gelach horen.

Het leven ging altijd verder in een andere kamer.

Epiloog

Charles Butler was niet voor de begrafenis uitgenodigd. Het zou lang duren voordat hij haar dat vergeven had, maar hij kon nooit iets voor zich houden. Mallory had al langgeleden haar voorbereidselen voor zijn dood getroffen, vastbesloten dat de massamedia geen kans zouden krijgen om een vertoning van Malakhais teraardebestelling te maken.

Ze was in het gezelschap van een paar begrafenisondernemers naar de gevangenis gegaan en had in de donkere uren van de vroege ochtend zijn lichaam opgehaald. De doodskist was al in de lucht voor de eerste verslaggevers zich aan de poort van de gevangenis meldden.

Mallory had geen behoefte aan zwermen duiven, trucs, of een legertje goochelaars in wit satijn. Ze had Malakhai in grote haast naar de andere kant van de oceaan gebracht en in deze vreemde aarde te ruste gelegd. Nu stond ze voor de gedenksteen die al maanden voor zijn dood bij een Franse steenhouwer was besteld. Zodra het graf met aarde was gevuld, zou dit stuk marmer man en vrouw bedekken, herenigd in een gezamenlijk graf.

Ze had dat nooit zonder de invloed van Emile St. John voor elkaar kunnen krijgen. Op deze historische begraafplaats werden allang geen nieuwe doden meer begraven. St. John had de ambtenaren voor zijn rekening genomen en zich door een brij van paperassen geworsteld om het graf van Louisa uit te breiden zodat Malakhai naast haar kon worden gelegd. Hij wees alle lof voor zijn werk van de hand met de bescheiden verklaring dat geliefden voor Fransen altijd belangrijker zouden zijn dan bureaucratie.

Hij keek omhoog naar de blauwe Parijse hemel en boog vervolgens langzaam zijn hoofd om een tekst uit het Oude Testament voor te lezen. Dezelfde dienst had hij Franny bewezen. En na vandaag hoefden St. John en Mallory elkaar niet langer op deze wijze te ontmoeten.

Het openslaan van zijn bijbel ging gepaard met het geruis van vleugels toen twee witte duiven uit de pagina's omhoog leken te vliegen. St. John keek op van het boek met een uitdrukking van diepe verontschuldiging op zijn gezicht, want dit was niet wat ze hadden afgesproken.

'Macht der gewoonte,' zei hij. 'Ze ontglipten me gewoon.' Hij richtte zijn ogen op de woorden van Salomon en las hardop voor uit het Hooglied.

Mallory volgde de vlucht van de duiven zonder naar de woorden te luisteren; die hadden voor haar geen enkele betekenis. Ze was ook doof geweest voor de argumenten van de gevangenispastor die had betoogd dat Malakhai onwetend moest worden gehouden – hij noemde het in staat van genade – zodat de gevangene met een reine ziel naar God kon gaan.

Mallory had geen ziel, althans dat had ze horen verluiden en ze had het ook zwart op wit zien staan op de versnipperde pagina's van een psychiatrisch rapport over een kind. En ze geloofde evenmin in God, hoewel ze persoonlijke ervaring had opgedaan met een levende hel, compleet met de bijbehorende vlammen en pijn.

Na een ernstige beroerte was Malakhai wakker geworden en had om zich heen gekeken in zijn gevangeniscel, verbijsterd en even onschuldig als de jongen uit 1942, zonder te begrijpen voor welke misdaad hij moest boeten. Hoewel gerechtigheid het werk van anderen was en Mallory niet meer was dan het onvolmaakte verlengstuk van de wet, was ze toch gekomen om hem dat uit te leggen – iedere bezoekdag tot zijn dood. Ze had meneer Halperns portret van Louisa voor hem meegebracht en hem zijn eigen liefdesverhaal teruggegeven met elke bijzonderheid die hij haar had verteld. Mallory had de angstige jongen meegevoerd door alle jaren van zijn leven om hem weer tot een man te maken – en ervoor te zorgen dat hij zijn verstand niet verloor.

Ze had hem het brandende huis uit gedragen.

Lang nadat St. John de begraafplaats had verlaten, stonden de grafdelvers op een afstandje leunend op hun spades te wachten tot de jonge Amerikaanse de doden eindelijk vaarwel kon zeggen.

Er dook een verslaggever op bij de ijzeren hekken – de eerste vlieg op een vers lijk. En toen verscheen er nog een, en nog een, zoemend en zoemend, terwijl de camera's klikten.

In een tijdzone waar het al duister was, aan de andere kant van de wereld, stond Nick Prado voor het raam te kijken naar de lichtjes van de stad Chicago. Achter hem werd in een nieuwsuitzending het overlijden gemeld van de man die Franny Futura had afgeslacht.

Stommelingen.

Verslaggevers sloegen de plank eeuwig en altijd mis. Malakhai was een van de allergrootsten geweest en hij verdiende een beter persbericht. In een ander verketterd bericht hadden de nieuwsmedia Franny van een uitgebluste zwoeger gepromoveerd tot een legende onder de illusionisten.

374

Ach, Roem – wat ben je toch een grillig kreng.

Hij keek even naar de telefoon. Hij verlangde naar een gesprek met zijn oudste vriend, maar Emile St. John nam zijn telefoontjes niet meer aan. De afgelopen zes maanden sinds Franny's dood waren een aaneenschakeling van bittere pillen geweest.

Mallory's banket.

Zou ze vanavond weer opbellen? Nee, dat verwachtte hij niet.

Hoe vaak had hij haar niet op straat gezien? Aanvankelijk had hij het idee gehad dat het alleen verbeelding was – haar gezicht in de menigte, want Mallory hoorde niet thuis in het straatbeeld van Chicago. Maar iedere keer dat ze was verschenen, klopten de data met de eersteklas vliegtickets en de limousines die van zijn persoonlijke creditcards waren afgeboekt.

Grappig kind.

Hij had de rekeningen zonder morren betaald.

Maar natuurlijk is ze eigenlijk stapelgek.

Hij had het ook sportief opgenomen toen een grote som geld frauduleus van zakenrekeningen was afgeboekt om de kosten van Franny's begrafenis te dekken. Mallory had een chique smaak met betrekking tot dure begraafplaatsen en mausoleums met uitzicht op een meer. Franny zou helemaal weg zijn geweest van zijn prachtige marmeren huis aan het water.

Hoffelijk en zonder ophef had hij de zakenrekeningen aangevuld uit zijn privé-vermogen.

Met een andere creatieve boekhoudkundige handeling had ze een aantal rekeningen van cliënten leeggeplukt. Door middel van vakkundig handelen per computer had ze een behoorlijke hoeveelheid aandelen gekocht voor zijn eigen portefeuille. Er had een batterij juristen en accountants aan te pas moeten komen om het illegaal verkregen geld terug te boeken naar de rechtmatige eigenaars om een aanklacht wegens fraude te voorkomen. Maar zijn eigen welgemeende steekpenningen voor de getroffen personen hadden hem nieuwe aanklachten wegens belemmering van de rechtsgang en het omkopen van getuigen opgeleverd. Hij had de hele dag doorgebracht met het ontlopen van mensen die een arrestatiebevel voor hem hadden.

Hij had een grotere klap gekregen van een lager bedrag, een betaling aan een Franse steenhouwer voor een grafmonument dat al lang voor Malakhais dood was aangeschaft – alleen maar een kattebelletje uit de hel om hem te vertellen dat het bergafwaarts ging met een oude vriend die in de gevangenis op sterven lag terwijl Nick met volle teugen de verfijnde lucht van een duur penthouse hoog in de wolken inademde.

Voor het geval hij dat misschien zou vergeten, had Mallory hem iedere nacht wakker gebeld met een zwijgende herinnering. Hij wist dat zij het was, hoewel ze nooit iets zei en de nummermelder of de elektronische bewaking van de telefoonlijnen geen enkel nummer opleverden. En iedere keer als hij buiten de stad was, kwamen de telefoontjes rechtstreeks naar zijn suite zonder dat er ooit bewijzen te vinden waren dat ze via de centrale van het hotel waren binnengekomen.

Spookgesprekken.

Zou ze weten hoezeer zijn slaap daar onder te lijden had, dat hij er zelfs van ging dromen? Hij vermoedde dat ze hem alleen belde om zijn stem te horen, in antwoord op haar zwijgende vraag naar zijn gezondheid – Wat? Nog niet dood? Klik.

In feite smeet ze altijd de hoorn op de haak – nog steeds boos na al die tijd.

Nu nam hij pillen om te kunnen slapen en toch werd hij altijd moe wakker. Dus moesten er nog meer pillen aan te pas komen om de dag door te komen.

Vanmorgen had hij een envelop op zijn nachtkastje aangetroffen. Er zaten betalingsbewijzen in van zijn eigen begrafeniskosten. Mallory had een armeluisgraf voor hem uitgezocht, een toepasselijke geste voor een man die geen vrienden meer had. Hij had haar parfum herkend dat in de lucht was blijven hangen. Gelukkig had hij zijn ogen niet geopend en haar daar betrapt.

Hij was nog niet helemaal over de schok heen die haar laatste heimelijke bezoek aan zijn slaapkamer hem had bezorgd. Die nacht was hij wakker geworden en tot de ontdekking gekomen dat ze vlak naast zijn voorover liggende lichaam zat, met groene ogen die zo vurig glinsterden. Alle met slagtanden en klauwen gewapende roofdieren staarden op die manier naar hun levende, kronkelende prooi. Een ogenblik later ging het licht uit en was Mallory verdwenen. En die keer had ze haar vliegtickets niet van zijn creditcard af laten boeken.

Was ze er werkelijk geweest? Had hij zich vanmorgen verbeeld dat hij haar parfum rook?

Misschien had zijn huisbediende de envelop uit handen van een doodgewone koerier aangepakt en hem vervolgens op het nachtkastje achtergelaten terwijl zijn werkgever nog lag te slapen.

Nick zou het hem nooit vragen.

Hij keek op zijn horloge. Inmiddels moest Malakhai al diep in de Franse aarde liggen, slapend onder de Lichtstad. *Welterusten, oude vriend. Doe de groeten aan Louisa.*

De verslaggevers zouden pas tegen het krieken van de ochtend komen opdagen. Hij staarde naar zijn eigen spiegelbeeld dat in het door de nacht verduisterde glas zweefde en speurde over een van zijn weerspiegelde schouders de kamer achter zijn rug af.

Tijdens een van haar bezoeken aan Chicago was Mallory plotseling achter hem opgedoken in de spiegelruit van een etalage waar hij even was blijven staan om zichzelf te bewonderen. Die dag had ze geen woord tegen hem gezegd. Hij had verstomd van verbazing naar haar spiegelbeeld staan kijken en alleen haar handen in de gaten gehouden die zich tot klauwen krulden en langzaam omhoogkwamen, alsof ze van plan was zijn rug open te krabben – of hem dwars door de ruit te duwen. Hij had even in doodsangst zijn ogen gesloten – en daarna was ze verdwenen. Hij had niet omgekeken of hij haar in de drukke straat van Chicago zag verdwijnen. Zijn ogen waren gefixeerd geweest op de winkelruit waarin hij zichzelf bekeek met een nieuwe, heldere blik en in een wreed daglicht – en rimpels in zijn huid zag die hem nooit eerder waren opgevallen, adertjes in het wit van zijn ogen en gesprongen adertjes onder de huid die zo dun was als vloeipapier. De jongen uit *Faustine's* was er niet meer. En hij kon zijn knappe jonge ik ook niet meer vinden in de vele spiegels van dit paleis in de wolken.

Ondertussen bleef hij in elke menigte op zoek naar Mallory. *Zo'n knap smoeltje, maar zo kil en zo gek.*

Nu keerde hij weer terug naar zijn eerste liefde, zijn eigen spiegelbeeld in het vensterglas van zijn penthouse.

Als de schoonheid is vergaan – wat blijft er dan nog over?

Uren gleden voorbij terwijl hij toekeek hoe de lucht lichter werd. Daarna rinkelde de telefoon op het tafeltje naast hem – dat zou Mallory wel zijn. Kennelijk had ze zich geen tijd gegund om in Parijs rond te kijken. Hij pakte de hoorn op en luisterde naar de verwachte stilte aan de andere kant van de lijn.

Wil je nog steeds mijn polsslag controleren, lieve kind?

Hij hoorde alleen de achtergrondgeluiden van het verkeer in een drukke straat. Belde ze via een mobiele telefoon of vanuit een telefooncel? Uiteindelijk zei hij tegen de leegte: 'Nee, Mallory, ik ben nog niet dood.'

Hij hoorde hoe de hoorn aan de andere kant van de lijn met een klap op de haak werd gelegd en herkende de manier waarop zij altijd met telefoons smeet.

Nick holde naar de voordeur en controleerde alle vijf de sloten stuk voor stuk – alleen maar voor het geval ze terug was gekomen om hem nog een bezoek te brengen. Drie van de sloten waren nieuw en gegarandeerd inbraakvrij, maar hij verdacht haar ervan dat ze bij eerdere gelegenheden al langs twee ervan was gekomen. Hij speelde ook met het idee dat ze zijn telefoons afluisterde, hoewel geen van de beveiligingsexperts enig spoor van elektronische afluisterapparatuur had kunnen vinden. Maar ze waren er ook niet in geslaagd om haar telefoontjes te onderscheppen.

Nick slenterde terug naar de voorkamer, deed de terrasdeur open en stapte naar buiten. Het was een rustige nacht, een zeldzaamheid voor een stad die de Windy City werd genoemd. Hij liep naar de balustrade en keek over de rand. Zelfs beneveld door medicijnen en drank bleef hij die duizeligheid voelen, die gewaarwording dat hij viel ook al stond hij stil, de onweerstaanbare aantrekkingskracht van de grond daar ver beneden.

Het had hem een maand gekost voor hij zich zelfs maar in de buurt van de balustrade waagde. En nu hij precies de juiste mengeling van kalmerende middelen en bourbon had gevonden, kon hij vrijuit omlaag kijken naar het mierengewoel op straat, miniatuurmensjes die bij het krieken van de dag over de trottoirs sjokten, op weg naar huis na een nachtdienst, of opgedoken uit nachtkroegen. Op deze afstand zag hij geen onderscheid tussen hoeren en krantenjongens.

Hij draaide zich om en keek over zijn schouder.

Ze was er niet.

Mallory had gelijk gehad – haar taak was de moeilijkste geweest en hij had haar daarvoor alle eer gegeven. De memoires van de grote Nick Prado lagen op zijn salontafel. Op die pagina's werd Mallory bij drie perfecte moorden in een voetnoot vermeld. Hij had uitgebreid beschreven hoe geweldig hij was geweest – zodat de wereld goed zou begrijpen hoe moeilijk het werk van de jonge rechercheur was geweest – en waarom ze had gefaald.

Het manuscript was keurig verpakt in een envelop, geadresseerd aan een toonaangevende literaire agent. Zijn begeleidende brief vermeldde de reden voor zijn op handen zijnde publiciteitsstunt – als aanzet voor de grootste boekenverkoop van de eeuw. Hij had er een persmap bijgevoegd. De glanzende zwartwitfoto's waren allemaal gemaakt toen hij nog jong en mooi was. Hij was uren bezig geweest om de mooiste uit te zoeken en alle mindere afbeeldingen in zijn open haard te verbranden. Nu waren al zijn tekortkomingen opgeruimd. Op zijn favoriete portret was hij nog maar negentien jaar oud en dat lag boven op de envelop zodat de verslaggevers een portret zouden hebben om bij zijn in memoriam te plaatsen.

Hij keek weer naar de straat beneden. Het was bijna ochtend. Hij had dit uur uitverkoren uit eerbied voor de camera's. De hemel zou licht genoeg zijn om als achtergrond te dienen, maar niet te scherp.

Alles draaide om de timing.

Alle dagbladen en lokale tv-stations waren op tijd gewaarschuwd voor het ochtendnieuws. De eerste verslaggever en cameraman waren ver beneden op straat gearriveerd. Nick zette zijn bril op om beter te kunnen zien hoe een van de miertjes met zijn videoapparatuur uit een speelgoedbusje stapte. De koplampen van een ander busje stopten langs het trottoir. En er kwamen er nog meer aanrijden in privé-auto's om zich bij het gezelschap te voegen. Toen hij een cameraploeg van elke nieuwszender had geteld, plus een verzameling mieren die de radio en de schrijvende pers vertegenwoordigde, zette hij zijn bril af.

Hij liet zich nooit fotograferen met zijn dubbelfocusbril.

Ze waren dus allemaal op komen dagen en keurig op tijd. Nick had hen in al zijn jaren als koning van de reclamestunt nog nooit teleurgesteld. Hij had hen een stunt beloofd waarbij de grote Max Candle geëvenaard zou worden.

De balustrade om het terras was breed genoeg om een grotere, dikkere man op zijn gemak om het hele gebouw te laten lopen, maar vanaf de straat zou het er veel gevaarlijker uitzien. Aan de oostkust in New York zou Mallory hem op de tv zien, want deze stunt zou zeker overal in het land uitgezonden worden, misschien zelfs wel internationaal via de satelliet. Televisiemagnaten zouden van hem kwijlen. Zijn show zou de opbrengst van de advertentieverkopen zover opkrikken dat ze meer winst zouden maken dan ze in hun natste dromen hadden voorzien. Gedurende al die uren van zijn beproeving zouden tv- en radiojournalisten speculeren over de redenen voor zijn langdurige wandeling tussen de wolken en niet óf hij zou springen maar wannéér. Ze zouden waarschijnlijk zijn ophanden zijnde arrestatie en het vooruitzicht dat hij in de gevangenis zou sterven als voornaamste beweegredenen zien.

Bedankt, Mallory.

Terwijl die gedachte door zijn hoofd schoot, keek hij opnieuw over zijn schouder. Toen hij zich ervan overtuigd had dat hij nog steeds alleen was en dat geen van zijn sloten was opengemaakt, klom Nick op de balustrade, nog steeds in de stellige overtuiging dat dit zijn eigen idee was.

Hij had altijd volgehouden dat hij er een eind aan zou maken als de laatste zes minuten van plezier uit zijn leven opgebruikt waren en die eer moest hij Mallory gunnen. Maar ze had in ieder geval de dag en het uur niet uitgekozen. Ze was er meedogenloos genoeg voor, maar zo begaafd was ze ook weer niet. De timing had hij zelf bepaald.

Zijn zelfvertrouwen wankelde en hij keek voor de laatste keer achterom. Zijn nalatenschap lag nog steeds op de salontafel en Mallory was nergens te zien.

Idioot. Natuurlijk is ze niet hier.

Maar terwijl hij aan haar liep te denken, maakte hij in gedachten een misstap en vervolgens bleef zijn voet achter de balustrade haken.

Hij vloog door de lucht.

Te snel!

Te laat. Zijn armen zwaaiden wild terwijl hij worstelde om zijn lichaam in een duikhouding te dwingen, strevend naar gratie. Zijn hoofd wees naar de straat en zijn armen spreidden zich door de luchtstroom die langs zijn hoofd gierde en hem de adem benam. De lichten van individuele ramen versmolten tot heldere stroken elektrisch geel. En de straat kwam op hem toesnellen om hem op de lippen te kussen terwijl hij op de mieren afvloog die wachtten tot ze een close-up van hem konden maken.

Hij had nog maar een paar seconden over om zichzelf te feliciteren, want Max Candle had deze finale nooit kunnen overtreffen.

Nick glimlachte naar de camera's.

Dat was althans zijn bedoeling.

De televisiefilm legde een uitdrukking van intens afgrijzen vast, maar bij het ochtendjournaal mocht alleen een geluidsopname van zijn kreet uitgezonden worden.

Later die dag telde de politie van Chicago vijf sloten bij de ingang van het penthouse van de dode man, maar ondanks die voorzorgsmaatregelen had de deur wijd opengestaan. Bij het doorzoeken van het pand was geen zelfmoordbrief aangetroffen, zelfs helemaal geen persoonlijke papieren. Aan de hand van een verscheurde foto die op zijn salontafel had gelegen, werd verondersteld dat een verhouding met een jongere man op een tragische manier verkeerd was gelopen en de overledene werd afgeschreven als de zoveelste springer in een stad vol hoge gebouwen en verloren liefdes.

Er was slechts één opmerkelijk aspect aan de in andere opzichten wereldse dood van een public-relationsman: een eenzame vrouw had in de straat staan wachten toen de eerste cameraploeg arriveerde. Hoewel er geen enkele duidelijke foto van haar gezicht was te vinden, werd er verteld dat ze al minuten voor de springer op de balustrade verscheen omhoog had staan kijken. Maar het was niet haar voorkennis die haar nieuwswaarde verleende; het was de manier waarop ze zich had gedragen toen een menselijk wezen zijn dood tegemoet viel – toen alle andere ogen als gebiologeerd op dat schreeuwende, fladderende, vallende lichaam waren gevestigd.

Haar merkwaardige gedrag kwam pas aan het licht toen de film en de foto's bestudeerd werden. In de groothoekopnamen die met een wirwar van lenzen door de opgewonden menigte journalisten waren genomen, was te zien hoe de lange blondine het spektakel in de lucht de rug toekeerde. Ze liep weg van het circus – bij het hoogtepunt van de voorstelling.

Dankbetuiging

Diane Burke van Search and Rescue Research Ltd. Tempe, AZ. Peter Gill, Peerless Handcuff Company, Springfield, MA.
Law Enforcement Equipment Co., Kansas City, MO.
Met speciale dank aan een onbekende Poolse kunstenaar, die een politieke poster maakte met het opschrift OORLOG, WAT EEN VROUW BEN JE. Ik zag dat aanplakbiljet langgeleden en ik heb het nooit kunnen vergeten. Als ik er ooit in slaag om achter de naam van deze kunstenaar te komen, zal die in eventuele volgende edities worden vermeld.